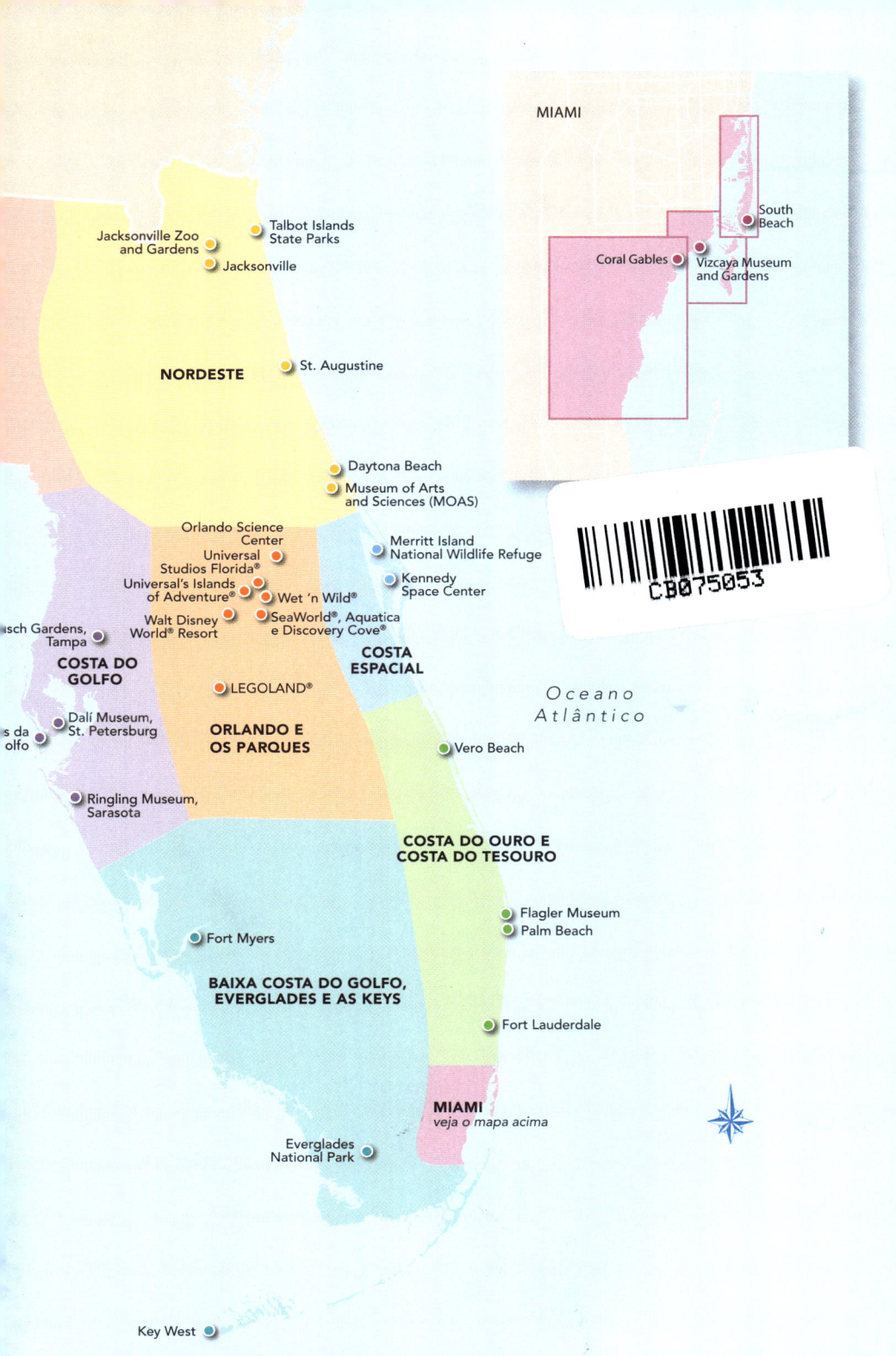

MIAMI

- Coral Gables
- Vizcaya Museum and Gardens
- South Beach

NORDESTE

- Jacksonville Zoo and Gardens
- Talbot Islands State Parks
- Jacksonville
- St. Augustine

COSTA ESPACIAL

- Daytona Beach
- Museum of Arts and Sciences (MOAS)
- Merritt Island National Wildlife Refuge
- Kennedy Space Center

ORLANDO E OS PARQUES

- Orlando Science Center
- Universal Studios Florida®
- Universal's Islands of Adventure®
- Wet 'n Wild®
- Walt Disney World® Resort
- SeaWorld®, Aquatica e Discovery Cove®
- LEGOLAND®

COSTA DO GOLFO

- Busch Gardens, Tampa
- Dalí Museum, St. Petersburg
- Ringling Museum, Sarasota

COSTA DO OURO E COSTA DO TESOURO

- Vero Beach
- Flagler Museum
- Palm Beach
- Fort Lauderdale

BAIXA COSTA DO GOLFO, EVERGLADES E AS KEYS

- Fort Myers
- Everglades National Park
- Key West

MIAMI
veja o mapa acima

Oceano Atlântico

GUIA VISUAL - FOLHA DE S.PAULO

FÉRIAS EM FAMÍLIA

GUIA FLÓRIDA

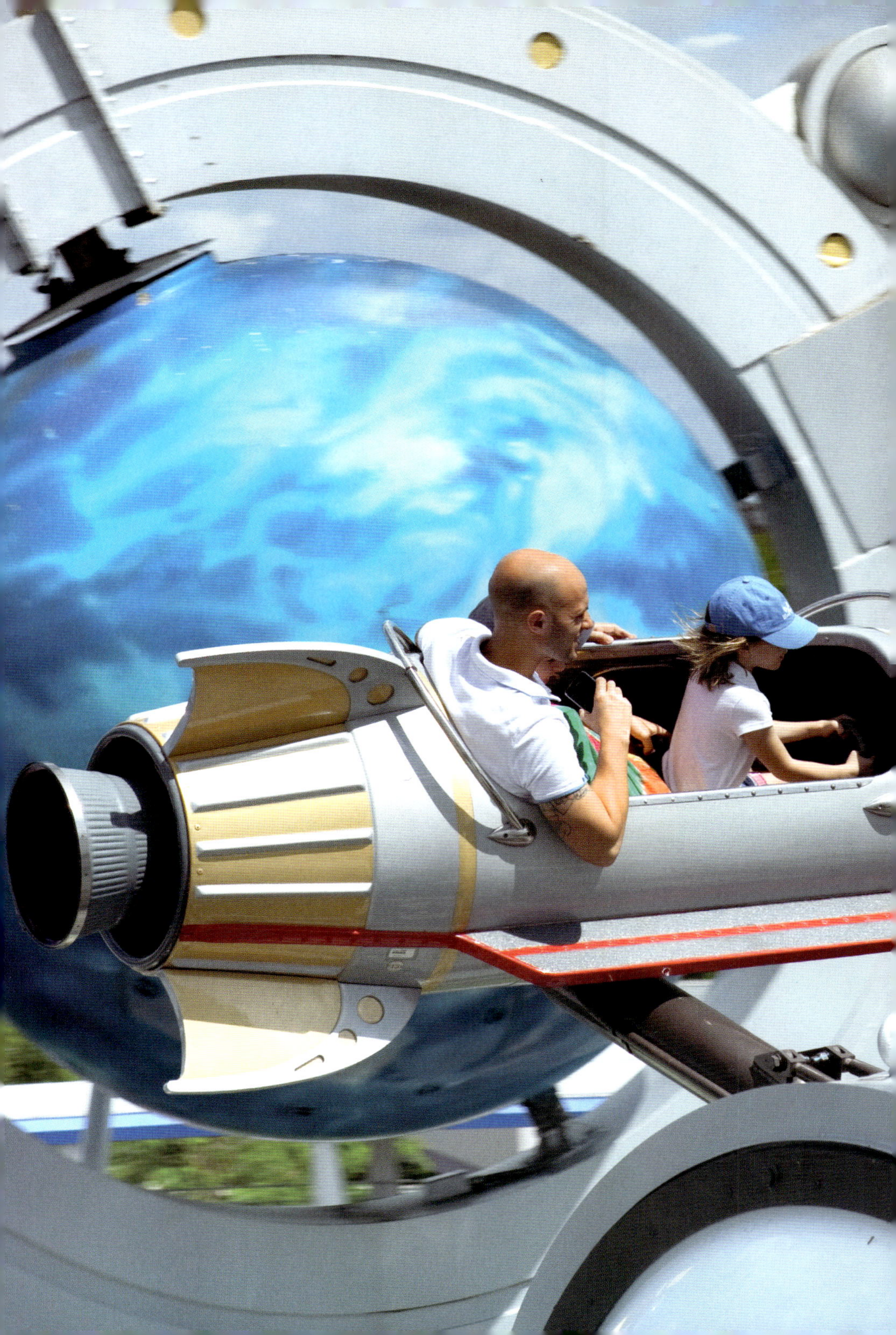

GUIA VISUAL - FOLHA DE S.PAULO

FÉRIAS EM FAMÍLIA

GUIA FLÓRIDA

PubliFolha

DK | Penguin Random House
www.dk.com

Título original: *Family Guide Florida*
Copyright © 2013 Dorling Kindersley Limited
Copyright © 2013 Publifolha – Divisão de Publicações da Empresa Folha da Manhã S.A.

Publicado originalmente na Grã-Bretanha em 2006 pela Dorling Kindersley Limited, 80 Strand, Londres WC2R 0RL, Inglaterra, uma empresa de Penguin Random House. Todos os direitos reservados. Nenhuma parte desta obra pode ser reproduzida, arquivada ou transmitida de nenhuma forma ou por nenhum meio sem a permissão expressa e por escrito da Empresa Folha da Manhã S.A., por sua divisão de publicações Publifolha.

Proibida a comercialização fora do território brasileiro.

COORDENAÇÃO DO PROJETO
PUBLIFOLHA
EDITOR ASSISTENTE: Lucas Verzola
COORDENADORA DE PRODUÇÃO GRÁFICA: Mariana Metidieri

PRODUÇÃO EDITORIAL
PÁGINA VIVA
EDIÇÃO: Carlos Tranjan
TRADUÇÃO: Carlos Mendes Rosa
PRODUÇÃO GRÁFICA: Bianca Galante, Priscilla Cabral
REVISÃO: Fátima Couto, Mariana Nascimento

DORLING KINDERSLEY
EDITOR EXECUTIVO: Madhu Madhavi Singh
GERENTE EDITORIAL: Sheeba Bhatnagar
GERENTE DE ARTE: Mathew Kurien
EDITORA DO PROJETO: Shreya Sarkar
EDITORES: Shobhna Iyer, Sushmita Ghosh
PROJETO GRÁFICO: Vinita Venugopal
DESIGNER: Meghna Baruah
GERENTE DE ICONOGRAFIA: Taiyaba Khatoon
PESQUISADOR ICONOGRÁFICO SÊNIOR: Sumita Khatwani
DIAGRAMADOR SÊNIOR: Azeem Siddiqui
GERENTE DE CARTOGRAFIA SÊNIOR: Uma Bhattacharya
GERENTE ASSISTENTE DE CARTOGRAFIA: Suresh Kumar
CARTOGRAFIA: Zafar-ul-Islam Khan
FOTOGRAFIA: Steven Greaves
ILUSTRAÇÕES: Julian Mosedale
OUTRAS ILUSTRAÇÕES: Arun Pottirayil, Richard Bonson, Richard Draper, Chris Orr & Assocs, Pat Thorne, John Woodcock
CONCEPÇÃO DO PROJETO: Keith Hagan com www.greenwich-design.co.uk

Dados Internacionais de Catalogação na Publicação (CIP)
(Câmara Brasileira do Livro, SP, Brasil)

Férias em família: Flórida / Dorling Kindersley; [tradução Carlos Mendes Rosa]. – São Paulo : Publifolha, 2014. – (Férias em família)

1ª reimp. da 1ª ed. de 2013
Título original: Family Guide Florida.
ISBN 978-85-7914-496-7

1. Flórida (Estados Unidos) - Descrição e viagens – Guias 2. Recreação em família – Estados Unidos – Flórida – Guias I. Kindersley, Dorling. II. Série.

13-10318   CDD-917.59

Índices para catálogo sistemático:
1. Flórida: Estados Unidos: Guias de viagem 917.59
2. Guias de viagem: Flórida: Estados Unidos 917.59

Este livro segue as regras do Acordo Ortográfico da Língua Portuguesa (1990), em vigor desde 1º de janeiro de 2009.

Impresso na South China, China.

PUBLIFOLHA
Divisão de Publicações do Grupo Folha
Al. Barão de Limeira, 401, 6º andar
CEP 01202-900, São Paulo, SP
Tel.: (11) 3224-2186/2187/2197
www.publifolha.com.br

Foi feito o possível para garantir que as informações deste livro fossem as mais atualizadas disponíveis até o momento da impressão. No entanto, alguns preços como telefones, preços, horários de funcionamento e informações de viagem estão sujeitos a mudanças. Os editores não podem se responsabilizar por qualquer consequência do uso deste guia, nem garantir a validade das informações contidas nos sites indicados.

Os leitores interessados em fazer sugestões ou comunicar eventuais correções podem escrever para a Publifolha, Al. Barão de Limeira, 401, 6º andar, CEP 01202-900, São Paulo, SP, ou enviar um e-mail para: atendimento@publifolha.com.br

Sumário

Como Usar Este Guia	6
O Melhor da Flórida	10
Flórida ao Longo do Ano	14
Esportes e Atividades ao Ar Livre	18
Paraísos Naturais	20
Como Chegar	22
Como Circular	24
Informações Úteis	26
Onde Ficar	30
Onde Comer	32
Compras	34
Diversão	36
A História da Flórida	38

MIAMI   44

O Melhor de Miami	46
Mapa da Região	48
Coral Gables, Coconut Grove e Arredores	50
Coral Gables	52
Centro, Little Havana, Vizcaya e Arredores	58
Vizcaya Museum and Gardens	60
Miami Beach e Arredores	66
South Beach	68
Onde Ficar em Miami	72

COSTAS DO OURO E DO TESOURO   74

O Melhor das Costas do Ouro e do Tesouro	76
Mapa da Região	78
Fort Lauderdale e Arredores	80
Palm Beach e Arredores	88
Flagler Museum	90
Vero Beach e Arredores	94
Onde Ficar nas Costas do Ouro e do Tesouro	98

ORLANDO E OS PARQUES   100

O Melhor de Orlando e dos Parques	102
Mapa da Região	104
Walt Disney World® Resort	106
Magic Kingdom®	108
Epcot®	110
Disney's Animal Kingdom®	112
Disney's Hollywood Studios®	114
Universal Studios Florida®	118
Universal's Islands of Adventure®	120

Na água com os golfinhos no Dolphin Research Center, Marathon

Crianças brincam na praia do Sand Key Park, Clearwater

SeaWorld®, Aquatica e Discovery Cove®	122
Wet'n Wild®	124
Orlando, Winter Park e Arredores	127
Orlando Science Center	128
Legoland®	132
Onde Ficar em Orlando e nos Parques	136

COSTA ESPACIAL 138

O Melhor da Costa Espacial	140
Mapa da Região	142
Kennedy Space Center	144
Merritt Island National Wildlife Refuge	148
Onde Ficar na Costa Espacial	152

NORDESTE 154

O Melhor do Nordeste	156
Mapa da Região	158
Jacksonville e Arredores	160
Jacksonville Zoo and Gardens	162
Talbot Islands State Parks e Arredores	164
St. Augustine e Arredores	168
Daytona Beach e Arredores	174
Museum of Arts and Sciences (MOAS)	176
Onde Ficar no Nordeste	182

PANHANDLE 184

O Melhor do Panhandle	186
Mapa da Região	188
South Walton e Arredores	190
Pensacola e Arredores	194
National Naval Aviation Museum	196
Tallahassee e Arredores	198
Onde Ficar no Panhandle	204

COSTA DO GOLFO 206

O Melhor da Costa do Golfo	208
Mapa da Região	210
Praias da Costa do Golfo	212
Tampa e Arredores	214
St. Petersburg e Arredores	220
Sarasota e Arredores	224
Onde Ficar na Costa do Golfo	228

BAIXA COSTA DO GOLFO, EVERGLADES E AS KEYS 230

O Melhor da Baixa Costa do Golfo, dos Everglades e das Keys	232
Mapa da Região	234
Fort Myers e Arredores	236
Everglades National Park e Arredores	242
Key West e Arredores	246
Onde Ficar na Baixa Costa do Golfo, nos Everglades e nas Keys	252
Mapas da Flórida	254
Guia de Ruas de Miami	276
Índice	278
Agradecimentos	286

Fachada art déco de hotel famoso na Ocean Drive, Miami

Como Usar Este Guia

Este guia foi concebido para ajudar as famílias a aproveitar ao máximo sua visita à Flórida, fornecendo indicações de especialistas para passear com as crianças e também informações detalhadas. A seção de abertura contém uma apresentação da Flórida e de suas principais atrações, além de informações essenciais às férias da família, entre elas sobre a chegada, os transportes, saúde, seguros, dinheiro, restaurantes, hospedagem, compras e comunicações. Traz também um guia de festejos para toda a família e um histórico da região.

A seção principal, dedicada aos lugares de interesse turístico, é dividida em áreas. Depois da apresentação do melhor de cada capítulo, vêm as atrações principais e outros destaques da mesma região, com sugestões de restaurantes, bares e locais de lazer. No final do livro estão os mapas detalhados da Flórida e de Miami.

APRESENTAÇÃO DA ÁREA
Cada capítulo é aberto com uma página dupla que apresenta a região, mostra um mapa da sua localização e faz uma seleção das principais atrações.

Mapa de localização da área na região.

Principais atrações relaciona os destaques da área.

O MELHOR DE...
Estas páginas indicam os melhores programas para fazer em cada área – de atrações históricas, artísticas e culturais a parques e locais de diversão.

Sugestões temáticas das melhores atrações e programas com as crianças.

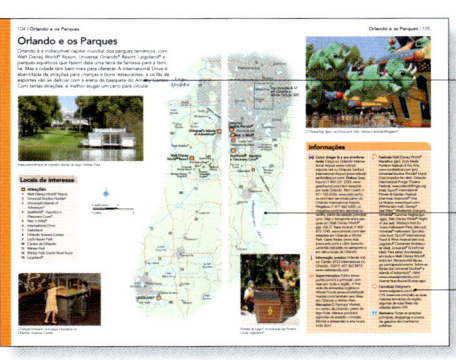

MAPA DA ÁREA

O **texto de abertura** fala das principais características e da geografia da área, e dá informação sobre os transportes.

O **mapa** mostra a área abrangida e todas as atrações do capítulo.

O quadro **Informações** dá dicas para visitar a área. A legenda dos símbolos está na orelha da contracapa.

ATRAÇÕES DA FLÓRIDA

Cada área tem algumas atrações principais (leia abaixo) – roteiros práticos e agradáveis para uma manhã, uma tarde ou um dia inteiro. Essas indicações dão a toda a família uma ideia clara do destino, com foco nas atrações principais e no que elas têm de interessante para as crianças. São feitas indicações de lugares para relaxar ou se abrigar, caso chova, para comer, beber e fazer compras com as crianças. Além disso, há sugestões de atrações próximas, se você quiser continuar passeando, e todas as informações práticas.

Nas **atrações principais** – os melhores locais para visitar em cada área – há textos informativos que estimulam adultos e crianças.

Em **Destaques**, as ilustrações mostram as características mais interessantes de cada atração, realçando os elementos que costumam agradar às crianças.

Para relaxar sugere locais para as crianças brincarem depois de uma atração cultural.

Comida e bebida lista indicações de lugares bons para a família, de opções de piqueniques e lanches a refeições completas e jantares refinados.

O quadro **Criançada!** aparece em todas as páginas da atração (leia abaixo).

O quadro **Informações** dá diversas informações práticas sobre transporte, horário de funcionamento, preços, atividades, faixa etária indicada e a duração ideal da visita.

Saiba mais traz sugestões de downloads, jogos, aplicativos ou filmes que estimulam as crianças a conhecer o lugar e as ajudam a aprender mais sobre ele.

Próxima parada... sugere outros locais para visitar, tanto perto da principal atração ou com tema parecido quanto para dar um ritmo bem diferente ao resto do dia.

Outras atrações perto do destaque principal, selecionadas para agradar a adultos e crianças, encontram-se nas páginas a seguir.

São recomendados **locais de interesse** com ênfase nos aspectos que mais provavelmente vão empolgar as crianças, contando também histórias curiosas e fatos incomuns e sugerindo onde relaxar ou se abrigar da chuva.

Criançada! tem a intenção de envolver os pequenos na atração, por meio de curiosidades, jogos e fatos divertidos. As respostas do quiz estão na parte de baixo do quadro.

O quadro **Informações** dá dicas abrangentes e informação sobre transporte para cada atração.

A seção **Onde Ficar** traz uma ampla gama de recomendações de lugares para ficar com a família, de hotéis e pensões que recebem crianças a resorts, apartamentos e flats.

Símbolos fáceis de entender mostram os principais elementos que interessam às famílias nos locais de hospedagem.

O quadro **Categorias de preço** trata das diárias para uma família de quatro pessoas.

O Colony Hotel e outros estabelecimentos art déco clássicos, iluminados com luzes de tons pitorescos, na Ocean Drive, Miami Beach

Introdução à
FLÓRIDA

O Melhor da Flórida

Conhecida como "Estado do Sol", a Flórida é um dos destinos mais procurados do mundo: atrai cerca de 75 milhões de turistas por ano, inclusive muitas famílias. Com mais de 970km de ótimas praias e de vários cursos d'água, a Flórida oferece dezenas de atividades, de iate e caiaque a pesca e mergulho. Os amantes da natureza podem descobrir a flora e a fauna exóticas em diversas reservas naturais ou explorar a linda paisagem nas inúmeras trilhas para ciclismo e caminhada. Além disso, há uma profusão de parques temáticos famosos em todo o mundo e museus excelentes para a criançada.

Fartura de praias

A primeira decisão é: que litoral? As famílias podem escolher entre as ondas excitantes do oceano Atlântico, na costa leste, e a areia fofa e o mar calmo do golfo do México, na costa oeste e no Panhandle, ao norte. **Miami Beach** (pp. 66-7), **St. Pete Beach** (p. 212) ou **Fort Lauderdale** (pp. 80-1), com quilômetros de acomodações junto à praia, são muito convenientes para famílias. Se quiser uma praia com tamanho suficiente para jogar bola ou construir um castelo de areia sem disputar espaço, vá à **Anna Maria Island** (p. 212), na Costa do Golfo, ou ao isolado **Virginia Key Beach Park** (p. 64), em Key Biscayne, Miami. **Bradenton Beach** (p. 212), na Costa do Golfo, dispõe de vários restaurantes e lojas e de um minigolfe a curta distância, mas quem prefere praias tranquilas, agrestes e margeadas de belas dunas ou pinheiros vai ficar contente com o **Gulf Islands National Seashore** (p. 194) ou com o **Canaveral National Seashore** (p. 148), na costa leste. **Sanibel Island** (p. 238) é um bom lugar para as crianças catarem berbigões, caracóis marinhos, amêijoas e outras conchas cobiçadas, mas uma caça ao tesouro ainda melhor pode ser feita na **Venice Beach** (p. 213) ou pegando um barco até o **Caladesi Island State Park** (p. 212), perto de Clearwater, ou a **Shell Island** (p. 193), ao largo do Panhandle.

À dir. Kilimanjaro Safari, no Disney's Animal Kingdom®
Abaixo Crianças brincam na Venice Beach, na Costa do Golfo

Acima Kumba, brinquedo de alta velocidade no Busch Gardens, Tampa **À dir.** A entrada inusitada da mostra The Body Within, no Museum of Science and History, Jacksonville

Máquinas que fazem gritar

"Montanhas-russas são com a gente" poderia ser o lema da Flórida central. Para muitas famílias, o maior atrativo da Flórida são os parques temáticos. Se você só tiver um dia para um parque, vá aos **Busch Gardens** (pp. 214-5), em Tampa, que têm uma meia dúzia desses brinquedos de primeira categoria, como o Kumba.

A maioria das crianças adoraria passar dias nesses parques de Orlando, onde é grande a concorrência para usar o melhor brinquedo. Os fãs de Harry Potter™ devem ir ao Wizarding World of Harry Potter™ e à sua montanha-russa Dragon Challenge™, nas **Universal's Islands of Adventure®** (pp. 120-1). A Hollywood Rip Ride Rockit®, nos **Universal Studios Florida®** (pp. 118-9), é considerada a montanha-russa de mais alta tecnologia do mundo.

O maior dos parques temáticos, o **Walt Disney World® Resort** (pp. 106-17) continua a empolgar com inúmeras atrações, como Rock 'n' Roller Coaster Starring Aerosmith, nos **Disney's Hollywood Studios®** (pp. 114-5), e um eterno favorito, Space Mountain®, no **Magic Kingdom®** (pp. 108-9), que faz seus rodopios no escuro. O **Disney's Animal Kingdom®** (pp. 112-3) propicia uma mistura empolgante de brinquedos, um safári e várias trilhas de exploração. Não se esqueça do **SeaWorld®** (pp. 122-3), em Orlando, onde a montanha-russa Kraken mergulha no subsolo três vezes, e Manta, a montanha-russa voadora, plana, gira e voa com os passageiros como uma arraia gigante. Na **Legoland®** (pp. 132-5), a Coasterasurus é uma montanha-russa de madeira que se entorta e mergulha através de uma selva de dinossauros animados, em tamanho natural, feitos de blocos de Lego®.

Saiba que as filas para os brinquedos principais podem ser longas. Veja nas entradas específicas as dicas para reduzir a espera.

Ótimos espaços fechados

A diversão familiar é à prova d'água na Flórida, até para crianças que não gostam de museus. No **Ringling Museum** (pp. 224-5), em Sarasota, vê-se o maior circo em miniatura do mundo. Crianças de todas as idades vão adorar o grande acervo da obra maluca de Salvador Dalí no **Dalí Museum** (pp. 220-1), em St. Petersburg. O **Morse Museum** (p. 130), no Winter Park de Orlando, tem um dos maiores acervos do mundo de obras de vidro de Louis Comfort Tiffany, entre elas uma capela de azulejos de vidro cintilantes. No **Cummer Museum of Art and Gardens** (p. 160), em Jacksonville, Art Connections apresenta a arte às crianças, convidando-as a "andar" por uma pintura, "ouvir" uma escultura ou "pintar" com um pincel virtual.

Miami, St. Petersburg e Tampa são algumas das cidades com belos museus feitos mais para crianças pequenas. Outros, como o **Museum of Arts and Sciences** (pp. 176-7), em Daytona Beach, e o **Museum of Science and History** (p. 160), em Jacksonville, têm alas cheias de atividades científicas interativas para crianças.

Borboletas, pássaros e flora

O clima tropical da Flórida gera plantas exóticas fabulosas, e os jardins excepcionais do estado deixam as crianças gastar energia enquanto os pais apreciam a paisagem. As crianças adoram o **Fairchild Tropical Garden** (p. 56), em Miami, o maior do gênero, com plantas raras e onze lagos, além de um colorido jardim de borboletas. Nos **Marie Selby Botanical Gardens** (p. 226), em Sarasota, abrigo de mais de 6 mil orquídeas, as crianças podem correr no gramado e alimentar as carpas no lago. O **Morikami Museum and Japanese Gardens** (p. 87), em Delray Beach, é um centro cultural japonês cujos jardins se inspiram nos mais famosos do Japão. Os visitantes podem passear pelas pontes em zigue-zague no lago Biwa e no pavilhão Saki. Os **Harry P. Leu Gardens** (p. 130), em Orlando, são famosos pelas camélias e pelas mais lindas rosas da Flórida. As camélias do **Alfred B. Maclay Gardens State Park** (p. 201), em Tallahassee, também são célebres e começam a desabrochar ainda em janeiro, enquanto o início da primavera é o auge das azaleias. Os exuberantes **Bok Tower Gardens** (p. 135), ao sul de Orlando, são lindos o ano inteiro.

Águas piscosas

Os mares da Flórida estão repletos de lindas criaturas coloridas. No **Florida Aquarium** (p. 216), em Tampa, a sensacional Coral Reef Gallery é uma gruta de coral enorme com mais de 2.300 peixes. Outras atrações são os cavalos-marinhos e a Penguin Promenade, onde os pinguins-africanos, de pés pretos, passam sacolejando pelo saguão em desfiles diários. Se as crianças ficarem inquietas, na **Explore a Shore** (p. 216), local de aventuras aquáticas ao ar livre, elas brincam em escorregadores e gêiseres, e os adultos relaxam à sombra. **The Aquarium at Mote Marine Laboratory** (p. 226), em Sarasota, é o lugar para ver tubarões, manatis e peixes tropicais e espiar os cientistas pesquisando a vida marinha no laboratório. As crianças podem nadar com golfinhos na **Marineland Dolphin Adventure** (p. 172), em St. Augustine, no **Miami Seaquarium®** (p. 64) ou no **Dolphin Research Center** (p. 249), em Marathon. Há vários locais para mergulhar com snorkel, mas o melhor lugar para ver peixes coloridos é o **John Pennekamp Coral Reef State Park** (p. 251), em Key Largo, primeira reserva subaquática do país. Fique embaixo da água sem se molhar no observatório flutuante do **Homosassa Springs Wildlife State Park** (p. 219), onde os visitantes veem manatis e centenas de peixes.

À dir. Mergulhos no John Pennekamp Coral Reef State Park
Abaixo Golfinho salta no Marathon's Dolphin Research Center

Acima Casas de estilo espanhol no terreno amplo e bonito da Mission San Luis, Tallahassee

Arquitetura arrebatadora

A arquitetura da Flórida pode ajudar as crianças a dar vida a fases diferentes da história do Estado. A **Mission San Luis** *(p. 200)*, em Tallahassee, tem uma reconstrução de uma casa comunitária de teto de palha usada pelos índios apalaches, ao lado de pequenas casas feitas pelos primeiros colonos espanhóis nos anos 1600. Do início dos anos 1700, a **Oldest House** *(p. 168)*, em St. Augustine, é a mais antiga casa colonial espanhola que restou no estado. O estilo típico da Flórida está representado nas casas dos *crackers*, os pioneiros da região. Embora só restem poucas, elas influenciaram o estilo de construção durante séculos.

A Era da Douração gerou mansões luxuosas como a Whitehall de Henry Flagler, de 1902, de estilo beaux-arts, hoje **Flagler Museum** *(pp. 90-1)*, em Palm Beach, e a **Vizcaya** *(pp. 60-1)*, de James Deering, de estilo renascentista italiano, além de grandes hotéis como **Don CeSar Beach Hotel** *(p. 228)*, em St. Pete Beach. Nesse período, os hotéis art déco ditavam o estilo da **South Beach** de Miami *(pp. 68-9)*, enquanto casas chiques do Revivalismo Espanhol eram construídas em outras partes do estado. Por exemplo, veja a casa de Addison Mizner, em **Palm Beach** *(pp. 88-9)*, e os projetos brilhantes de George Merrick, em **Coral Gables** *(pp. 52-3)*.

Pé na estrada

Partindo de uma base, as viagens de um dia podem ser mais agradáveis do que percorrer longas distâncias e incomodar as crianças – e as estradas menores em geral dão mais acesso a atrações que as rodovias. A Everglades Parkway (I-75), também chamada Alligator Alley, é a via expressa que cruza os **Everglades** *(pp. 242-3)*, mas o trajeto pela US 41, a oeste de **Miami** *(pp. 44-73)* até **Naples** *(p. 240)*, tem mais paradas interessantes, com vistas esplêndidas.

Em **Daytona Beach** *(pp. 174-5)*, pegue a oeste a Route 40 para Ocala, atravessando a **Ocala National Forest** *(p. 178)* e as campinas que inspiraram *The yearling* (1938), de Marjorie Kinnan Rawlings.

Para aproveitar a variedade de praias da Flórida, siga pela Highway 789 de **Sarasota** *(pp. 224-7)* em direção à animada **Bradenton Beach** e à isolada **Anna Maria Island**, passando pela chique **Longboat Key** *(p. 212)*. Na costa leste, a Route A1A segue as praias de recifes de **Miami Beach** *(pp. 66-71)* a **Fernandina Beach** *(p. 166)*, perto da fronteira da Geórgia. Assim, podem-se fazer passeios rápidos ou viagens de vários dias pelas **Costas do Ouro e do Tesouro** *(pp. 74-99)*, pela **Costa Espacial** *(pp. 138-53)* e pelo **Nordeste** *(pp. 154-83)*.

À esq. Os pitorescos prédios art déco da Ocean Drive, famosa avenida da South Beach

Introdução à Flórida

Flórida ao Longo do Ano

Com temperatura subtropical, o sul da Flórida é mais visitado na alta temporada do inverno, da metade de dezembro a meados de abril, e as praias do norte do estado atraem muita gente na primavera e no verão. Evite ir ao Panhandle ou a Daytona Beach em março, quando há férias escolares de primavera e hordas de jovens vão às praias. Cada estação tem diversões e festividades que dão mais empolgação às visitas a qualquer lugar da Flórida.

Primavera

Os festejos da primavera saúdam de conchas e morangos a veleiros e motocicletas, e os esportes ganham força com os treinos de primavera do beisebol e com os tradicionais Scottish Highland Games.

MARÇO

O **Big Bay Area Renaissance Festival**, em Tampa, traz cavaleiros de armadura lutando com espada. Outra parte da história ganha vida com a encenação do **Saque de St. Augustine** (1668).

Os fãs de beisebol correm para os treinos de primavera em todo o estado, enquanto os fãs de motos vão à anual **Bike Week**, em Daytona Beach. Por duas semanas, em St. Petersburg, o **Festival of States** tem o especial KidsFest e o Festival of Pets, em homenagem aos animais. Entre outras atrações favoritas de março estão os tesouros da **Sanibel Shell Fair**, o **Florida Strawberry Festival** (p. 211), em Plant City, perto de Tampa, e **Springtime Tallahassee**, festa de fim de semana com desfile de carros alegóricos.

ABRIL

As crianças adoram o **Zoo Miami's Great Egg Safari**, onde, além de caçar ovos, elas pintam o rosto, sobem em pedras, pulam em castelos infláveis e recebem o Coelhinho da Páscoa. A incrível **Easter Egg Hunt** submarina, em Key Largo, recebe mergulhadores de todas as idades.

As paradas militares fazem parte dos festejos anuais da **Conch Republic Independence Celebration** (p. 234), em Key West, e o **Scottish Festival**, de uma semana, na Costa do Golfo, conta com os Highland Games, em que os concorrentes, entre bandas de kilt colorido, dançarinos escoceses e atletas, tentam lançar a pesada pedra de Dunedin.

MAIO

A **SunFest** (p. 78), em West Palm Beach, diz ser "o maior festival de música e arte à beira-mar da Flórida", com mais de cem cabines de artistas, bancas de comida e três palcos de diversão nos passeios arborizados ao longo da Intracoastal Waterway. A Family Activities Tent oferece jogos e diversões para os pequenos. Canções folclóricas, artesanato e a chance de festejar com quiabo e churrasco atraem, há mais de 60 anos, as famílias ao **Florida Folk Festival**, no Stephen Foster Folk Culture State Park, a cerca de uma hora de carro de Jacksonville. É nessa cidade que você deve estar no fim de semana do Memorial Day, quando os músicos tocam no centro no **Jacksonville Jazz Festival**

Abaixo, à esq. Crianças participam do Billy Bowlegs Pirate Festival, em Fort Walton Beach, que homenageia um pirata lendário
Abaixo, à dir. Participantes fantasiados do Big Bay Area Renaissance Festival, em Tampa

(p. 158). As crianças adoram ver os imponentes veleiros chegando para a **Sail Jacksonville**, à beira-mar.

Verão

A multidão diminui no verão, mas a diversão continua nas festas, com boa comida. O 4 de Julho traz fogos de artifício, o rodeio promete o entusiasmo do Velho Oeste e as acrobacias aéreas dos Blue Angels enchem o céu de emoções.

JUNHO

O **Monticello Watermelon Festival**, perto de Tallahassee, oferece artesanato, competições e fatias de melancia suculenta por $1 cada. Outras iguarias doces estão à espera no **Pollywoggle Watermelon Music Fest** (p. 188), em Panama City, com música, parque de diversões e área infantil com escorregador, cavalo de balanço e brincadeiras na água. Não longe daí, em Fort Walton Beach, bandos de piratas se atacam no **Billy Bowlegs Pirate Festival**, que tem muitas atividades para bucaneiros jovens.

No Anastasia State Park, a **Beach Bash** desafia a imaginação dos construtores de castelo e oferece para a família gincanas e passeios na natureza. Para mudar o ritmo, o **Silver Spurs Rodeo**, em Kissimmee, a 7km ao sul de Gatorland, proporciona emoções típicas do Oeste, como cavalgar a pelo, montar cavalo bravo e correr em barril.

JULHO

Em 4 de julho, o Dia da Independência é comemorado em todo o estado, mas Miami faz os maiores festejos. Com início às 11h, há uma parada de bandas, dançarinos de perna de pau, carros alegóricos e gaitas de foles. Vá ao Bayfront Park para a **America's Birthday Bash**, um dia inteiro com diversão e comida, com uma Kids' Zone à tarde e fogos de artifício a partir das 21h. Miami Beach oferece shows de blues e jazz grátis e fogos à noite.

Mais de cem Ernest Hemingways gorduchos aparecem em Key West para o Torneio de Sósias de Papa Hemingway, destaque do **Hemingway Days Festival**. Não perca a simulada "corrida de touros", em que sósias de Hemingway empurram touros sobre rodas.

Todos os olhos se voltam para o céu quando os Blue Angels – o esquadrão de demonstração de voo da Marinha dos EUA – apresentam suas famosas acrobacias aéreas. O **Blue Angels Air Show** (p. 188) é feito em Pensacola. Chegue cedo para se sentar nas arquibancadas do National Naval Aviation Museum.

AGOSTO

Em Key West, o fim do verão marca a abertura da temporada da lagosta e o pretexto para a **Lobsterfest**, com shows gratuitos, feira de rua e muita lagosta para comer. A 45 minutos de carro ao norte de Panama City, em Wausau, um desfile bem americano, venda de artesanato e comida ótima fazem do **Wausau Possum Festival** (p. 188) uma tradição muito benquista.

Outono

Mais frutos do mar, justas medievais a cavalo, desfiles latinos suntuosos, Halloween e o American Sandsculpting Festival dão sabor e graça à visita no outono. No fim do verão e no início do outono, os parques temáticos ficam bem menos cheios.

SETEMBRO

A mais antiga cidade dos Estados Unidos, de 1565, comemora o **Aniversário da Fundação de St. Augustine** com uma encenação do desembarque espanhol, perto do local preciso em que ocorreu. Folguedos mais apurados ocorrem no **British Garrison Day**, no Castillo de San Marcos, quando artistas representam a ocupação de St. Augustine pelas tropas britânicas no final do século XVIII.

Abaixo, à esq. Mergulhador vestido de coelho faz caça submarina de ovos de Páscoa na Easter Egg Hunt, Key Largo
Abaixo, à dir. Sósias de Ernest Hemingway em touros de brinquedo no Hemingway Days Festival, Key West

Introdução à Flórida

OUTUBRO

O **Carnival Miami** é uma festa latina gigante em Little Havana, famosa pelas roupas incríveis e pelos grupos de calipso. Do outro lado do estado, em Tampa, as fantasias aparecem no **Guavaween**, comemoração latina do Dia das Bruxas no bairro cubano de Ybor City, que tem música ao vivo, campeonato de fantasias e um dia inteiro de atividades típicas do Halloween.

Fort Lauderdale International Boat Show é uma das maiores exibições de barcos do mundo, de canoas e botes a superiates. Ônibus, hidrotáxis e barcos levam os visitantes aos locais da exibição. **Hook the Future**, oficina de pescaria para crianças, ensina os pequenos a pegar dos grandes.

NOVEMBRO

O público fica atônito com as esculturas de areia do **American Sandsculpting Festival**, em Fort Myers Beach, que vão de estátuas de Vênus a borboletas gigantes. O **Florida Seafood Festival**, em Apalachicola, tem torneio de deglutição de ostras e outros frutos do mar, corrida de caranguejo e a chance de conhecer a charmosa cidade náutica.

A **Medieval Fair** (p. 211), em Sarasota, leva os visitantes à Inglaterra do século XI com cavaleiros de armadura que se atavam a cavalo. A **North Florida Fair**, em Tallahassee, tem atrações mais modernas, como torneios de gado, montaria, corrida de porcos e mágica, além de muita comida e música. **Pirates in Paradise**, em Key West, conta com carnaval, caminhadas, torneio infantil de fantasia de pirata e passeios de veleiro com os "piratas".

Inverno

Barcos iluminam as baías com luzes nas festas, as exposições de arte se multiplicam, piratas desfilam, e o circo e as feiras do estado animam essa agitada estação. Os parques temáticos ficam lotados nas semanas de Natal e Ano-Novo – chegue mais cedo para evitar a multidão.

DEZEMBRO

Os desfiles de barcos disputam para ver qual é o mais bonito. Os maiores e mais feéricos são a **Winterfest Boat Parade**, em Fort Lauderdale, em que mais de cem barcos disputam o prêmio de decoração, e a **Jacksonville Light Parade**, que termina com fogos.

Milhões de luzinhas criam uma cena mágica na **Nights of Lights** (p. 169) de St. Augustine, festejo de dois meses. A festa se completa com contadores de história com roupa de época, passeios de trem e trólebus e passeios artísticos pelas estreitas ruas de tijolos.

JANEIRO

O novo ano indica campeonatos de futebol americano na Flórida, em que o **Orange Bowl**, em Miami, o **Gator Bowl**, em Jacksonville, e o **Outback Bowl**, em Tampa, recebem os melhores times universitários e fãs de todo canto.

Na epifania, também chamada Dia de Reis ou 12ª Noite, ocorre o suntuoso **Desfile dos Reis Magos**, com personagens vestidos como eles, na Little Havana de Miami. Todas as pessoas gostam de passear no Las Olas Boulevard, em Fort Lauderdale, para ver esculturas em tamanho natural, pinturas pitorescas, bijuteria e fotos na **Las Olas Art Fair**.

Os piratas invadem Tampa no fim de janeiro e começo de fevereiro, jogando contas nos espectadores dos carros alegóricos iluminados no **Gasparilla Pirate Festival** (p. 211), seguido de uma feira de rua animada. Enquanto isso, os Alachua County Fairgrounds transformam-se em mercado medieval, dando outra chance de ver cavaleiros de armadura lutando, na **Hoggetowne Medieval Faire** (p. 158), nos fins de semana do fim de janeiro e do começo de fevereiro.

Abaixo, à esq. Impressionante escultura de areia no American Sandsculpting Festival, Fort Myers
Abaixo, à dir. Justa entre cavaleiros na Medieval Fair, Sarasota

Flórida ao Longo do Ano | 17

FEVEREIRO

Predileto das crianças, o **Circus Sarasota** (p. 37) funciona na maior parte de fevereiro, apresentando talentos de primeira para encantar multidões, enquanto os motores roncam na famosa **Daytona 500** (p. 158), corrida em Daytona Beach.

A **Florida State Fair**, de doze dias, em Tampa, é uma oportunidade para os fazendeiros mostrarem seus melhores animais – de ovelhas e vacas a cabras-anãs, pombos estranhos e coelhos. O parque de feiras tem brinquedos, comida, uma exibição pitoresca de cavalos e cães e muita diversão sertaneja gratuita.

O **Swamp Cabbage Festival**, em La Belle, a leste de Fort Myers, tem uma programação com diversões diferentes, entre elas uma corrida de tatus. A festa também conta com desfile, rodeio, barracas de comida, artesanato e a coroação da Miss da Festa do Cacon (verdura parecida com a rúcula).

O **Coconut Grove Arts Festival** (p. 51), em Miami, é uma das melhores e mais originais exposições de belas-artes, em que o público tem a oportunidade de conhecer e conversar com os artistas e apreciar boa comida e música. As crianças podem experimentar criar suas obras de arte.

Informações

Primavera
Big Bay Area Renaissance Festival www.renfaire.com
Bike Week www.officialbikeweek.com
Easter Egg Hunt www.amoray.com
Festival of States www.stpetersburg.com/festivals
Florida Folk Festival floridastateparks.org/folkfest
Saque de St. Augustine oldpowderhouse.com
Sanibel Shell Fair sanibelshellfairandshow.com
Scottish Festival dunedinhighlandgames.com
Springtime Tallahassee www.visittallahassee.com/events
Zoo Miami's Great Egg Safari miamimetrozoo.com

Verão
America's Birthday Bash www.bayfrontparkmiami.com
Beach Bash www.visitflorida.com
Billy Bowlegs Pirate Festival www.billybowlegspiratefestival.com
Hemingway Days Festival www.keywestvacationguide.com
Lobsterfest www.keywestlobsterfest.com
Monticello Watermelon Festival monticellojeffersonfl.com
Silver Spurs Rodeo silverspursrodeo.com

Outono
American Sandsculpting Festival fmbsandsculpting.com
British Garrison Day staugustineinfo.com

Carnival Miami miamicarnivalonline.com
Florida Seafood Festival floridaseafoodfestival.com
Fort Lauderdale International Boat Show www.showmanagement.com
Guavaween www.cc-events.org/gw
North Florida Fair northfloridafair.com
Pirates in Paradise piratesinparadise.com
Aniversário da Fundação de St. Augustine www.staugustineinfo.com

Inverno
Florida State Fair floridastatefair.com
Gator Bowl www.gatorbowl.com
Jacksonville Light Parade makeascenedowntown.com
Las Olas Art Fair artfestival.com
Orange Bowl www.orangebowl.org
Outback Bowl www.outbackbowl.com
Swamp Cabbage Festival swampcabbagefestival.org
Winterfest Boat Parade winterfestparade.com

Feriados Nacionais
Ano-Novo 1º jan
Aniversário de Martin Luther King, Jr. 3ª seg de jan
Dia do Presidente 3ª seg de fev
Memorial Day última seg de mai
Dia da Independência 4 jul
Dia do Trabalho 1ª seg de set
Dia de Eleição 1ª ter de nov
Dia dos Veteranos 11 nov
Ação de Graças 4ª qui de nov
Natal 25 dez

Abaixo, à esq. Participantes exibem seus animais na Florida State Fair, Tampa
Abaixo, à dir. Carros de corrida no Daytona 500, famoso evento da Nascar

Esportes e Atividades ao Ar Livre

O tempo ensolarado da Flórida permite aproveitar atividades ao ar livre e esportes o ano inteiro. Os excelentes parques e reservas naturais do estado atraem andarilhos e ciclistas, e as várias praias e rios oferecem a oportunidade de andar de barco, pescar, surfar, mergulhar e nadar. Há ainda quadras de tênis e os campos de golfe que dão fama à Flórida. Fãs de todas as idades podem vibrar com alguns dos melhores times dos Estados Unidos.

Bicicleta

Há trilhas para bicicletas em reservas naturais, parques, florestas e praias. As **Rails-to-Trails**, antigas ferrovias hoje pavimentadas para pedalar e caminhar, são ideais para passeios em família. A Jacksonville-Baldwin Trail (23km), perto de Jacksonville (pp. 160-1), serpenteia por trás de árvores. O Myakka River State Park (p. 229) oferece quilômetros de trilhas por belas paisagens. O guia de trilhas para bicicletas está disponível na internet.

Acima Ciclistas exploram o pitoresco caminho do Myakka River State Park

Caminhadas

Os muitos parques estaduais e nacionais da Flórida permitem excelentes caminhadas. A **Florida Trail**, que corta o estado por mais de 2.500km, tem passeios curtos. Na Ocala National Forest (p. 178), as trilhas cortam pinheirais, florestas e pradarias. A trilha de 16km da Clearwater Lake Recreation Area até as Alexander Springs tem uma das maiores fontes naturais da região. Os sites dos parques mostram mapas e sugestões de passeios a pé.

Passeios urbanos

O caminho do Bayfront Park (p.227) de Sarasota margeia a baía da cidade, e o Bayshore Boulevard, de 7km, em Tampa (pp. 216-9), é chamado "a calçada contínua mais longa do mundo". O Arlington Lions Club Park de Jacksonville (pp. 162-3) dispõe de caminho e calçadão ao longo do rio St. Johns, e o Riverwalk de Miami, de 1,5km, através do Bayfront Park, tem lojas, cafés e galerias de arte. A trilha do **Matheson Hammock County Park** (p. 52) traz o sabor da natureza à cidade.

Caiaque e bote

A maioria dos parques, locais naturais e refúgios de animais no litoral e em rios tem barcos; o John Pennekamp Coral Reef State Park (p. 251) e o Everglades National Park (pp. 242-3) são espetaculares. A **Suwannee River Wilderness Trail**, no Panhandle, oferece viagens de bote de vários dias, com camping junto ao rio a intervalos cômodos.

Pesca

Islamorada (p. 250), nas Keys, é a capital da pesca esportiva na Flórida, e Destin, no Panhandle, tem a maior frota de barcos. O **Destin Fishing Rodeo** dá grandes prêmios em dinheiro, e há categorias infantis e juvenis. O melhor lugar para pesca em água doce é o lago Okeechobee, no interior da Costa do Tesouro.

Informações

Guias para ciclismo *dep.state.fl.us/gwt/; railstotrails.org*
Datura Avenue Snorkel Trail *fillexpress.com/library/datura.shtml*
Destin Fishing Rodeo *destinfishingrodeo.org*
Florida Panthers *panthers.nhl.com*
Florida Trail *floridatrail.org*
Golfe *doralresort.com; stpete.org/golf/mangrove; lpgainternational.com*
Caminhadas *floridastateparks.org; floridahikes.com*
IMG Bollettieri Tennis Academy *imgacademies.com/nick-bollettieri-tennis-academy*
Jacksonville Jaguars *jaguars.com*
Miami Heat *nba.com/heat*
Minigolfe *golflink.com/miniature-golf/state.aspx?state=FL*
Parques Nacionais *www.nps.gov*
Paravela *cocoabeachparasail.com; daytonaparasailing.com*
Ron Jon Surf School *www.ronjonsurfschool.com*
Escolas de vela *Windwardsailing.com; offshoresailing.com*
Suwannee River Wilderness Trail *floridastateparks.org/wilderness*
Tampa Bay Rays *tampabayrays.mlb.com*

Acima Vista espetacular do campo de golfe TPC Blue Monster, no Doral Resort, Miami
Abaixo, à esq. Surfe no Sebastian Inlet State Park, Vero Beach

Mergulho

As Keys são quase circundadas pelo maior recife de coral vivo dos EUA, que existe em profusão no Biscayne National Park. A Keys Shipwreck Heritage Trail tem nove sítios para explorar. A **Datura Avenue Snorkel Trail**, perto de Fort Lauderdale (p. 80), é um "naufrágio" artificial, e se pode mergulhar com snorkel no raso na Crescent Beach de Siesta Key ou no molhe do St. Andrews State Park (pp. 192-3), no Panhandle.

Esportes aquáticos

As águas calmas da Costa do Golfo e a Intracoastal Waterway são ideais para velejar. A região de Fort Lauderdale oferece 480km de cursos d'água no continente, e o Sebastian Inlet State Park (p. 94), ótimas oportunidades para surfar. Há cursos curtos de vela na **Windward Sailing**, em Fernandina Beach (p. 166), e na **Offshore Sailing School®**, em Fort Myers (pp. 236-41). Cocoa Beach (p. 150) é o polo imbatível de surfe e paravela, e a **Ron Jon Surf School** ministra aulas.

Golfe e tênis

As aulas de golfe do **Doral Resort**, em Miami, e do **Mangrove Bay Golf Course**, em St. Petersburg, são conhecidas. Há minicampos de golfe em quase toda cidade da Flórida, e não é preciso ter experiência. Os fãs do tênis acham quadras públicas na maioria das cidades, muitas com aulas, e programas de tênis nos resorts. Em Bradenton (p. 211), a **IMG Bollettieri Tennis Academy**, onde os profissionais treinam, dispõe de programas para adolescentes.

Esportes coletivos

No outono, Miami Dolphins, Tampa Bay Buccaneers e **Jacksonville Jaguars** eletrizam com futebol americano. O fim do outono e o inverno são melhores para ver os times de basquete **Miami Heat** e Orlando Magic, e o torneio de hóquei no gelo esquenta para os **Florida Panthers**, de Miami, e o Tampa Bay Lightning. Em março vêm a Grapefruit League e a chance de ver quinze times de beisebol preparando-se para a temporada. O **Tampa Bay Rays** e o Miami Marlins jogam de abril a outubro.

Acima à esq. Mergulho perto de corais em Key Largo *À esq.* Jogo de hóquei no gelo entre Florida Panthers e Tampa Bay Lightning

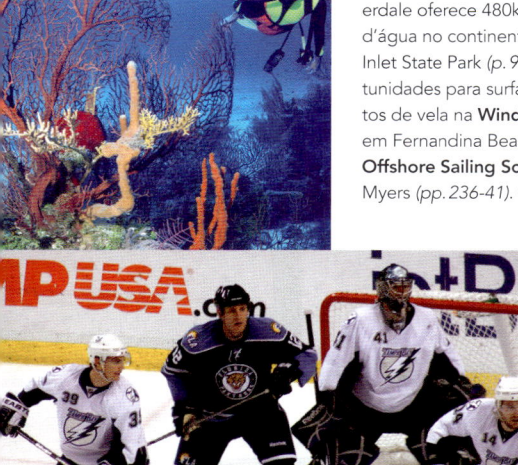

Paraísos Naturais

A Flórida é um lugar divino para avistar animais, de aligátores, golfinhos e manatis a pelicanos, socós e garças-azuis-grandes, e existem muitas reservas onde é quase certo vê-los. Além disso, os centros ambientais oferecem passeios guiados para ver tartarugas marinhas na costa atlântica em junho e julho. Fique em silêncio para não afugentar as aves e os animais e obedeça às placas de não alimentá-los.

Everglades National Park

Única reserva subtropical da América do Norte, os Everglades (pp. 242-3) são repletos de animais, de sapos a enormes aligatores. Com 4.047km² e acessível pelas costas leste e oeste, o parque abriga pássaros como o colhereiro-americano e a garça-azul-grande, e é o único lugar do mundo em que crocodilos e aligatores convivem. O National Park Service promove passeios saindo do centro de visitantes.

Myakka River State Park

Esse parque (p. 227) compõe-se de 148km² de charcos, pradarias e florestas virgens. Ande pela passarela junto ao topo das árvores ou aviste aligatores, tartarugas e pássaros nas trilhas e nos passeios de aerobarco, que desliza pela água, ou de canoa ou caiaque no rio Myakka.

Lion Country Safari

O safári de 6km de carro por essa extensa reserva (p. 92), em West Palm Beach, deixa ver mais de 900 animais de todo o mundo soltos. São separados em sete regiões natais, dos pampas da América do Sul às florestas da Índia e ao Serengeti africano. Veja leões, antas, jabutis, lhamas, zebras, girafas, chimpanzés e hipopótamos, só para citar alguns. Sem dúvida o safári vai fazer sucesso com as crianças, e o ingresso inclui um parque de diversões e um "sprayground" de água.

J. N. "Ding" Darling National Wildlife Refuge

Com o nome de um ambientalista crucial para a preservação da área, essa reserva da ilha Sanibel (p. 239) exibe uma enorme população de aves. Ela também abriga manatis ameaçados, tartarugas e crocodilos. Conheça o refúgio de carro, por um caminho de 8km, num passeio guiado, ou então a pé, de bicicleta ou de canoa.

Abaixo, à esq. Aligátor no Everglades National Park Abaixo, no centro Impala no Lion Country Safari Abaixo, à dir. Mirante de aves no Myakka River State Park

Informações

Crystal River National Wildlife Refuge www.fws.gov/crystalriver
Everglades National Park www.nps.gov/ever
Homosassa Springs Wildlife State Park www.floridastateparks.org
J.N. "Ding" Darling National Wildlife Refuge www.fws.gov/dingdarling
Lion Country Safari www.lioncountrysafari.com
Merritt Island National Wildlife Refuge www.fws.gov/merrittisland
Myakka River State Park www.myakkariver.org
Wakulla Springs State Park www.floridastateparks.org

Acima Passeio de barco no Wakulla Springs State Park *Centro, à esq.* Flamingos no Homosassa Springs Park *Abaixo, à esq.* Garoto e manati no Crystal River Wildlife Refuge

Wakulla Springs State Park

Tartarugas, aligatores, cervos e inúmeros pássaros são apenas alguns dos animais que vivem à vontade nesse ambiente (p. 202) próximo de Tallahassee. Há excursões fluviais diárias. Os passeios nos barcos de fundo transparente, por sobre as fontes, no fim do inverno e começo da primavera, dão a chance de observar no leito dos rios os restos fossilizados de mastodontes. Famosa por ter sido a locação de três filmes de Tarzã estrelados pelo campeão olímpico Johnny Weissmuller, a floresta do parque tem trilhas naturais e também um playground.

Crystal River National Wildlife Refuge

O Crystal River é uma das maiores áreas de invernada dos manatis e abriga cerca de 200 desses bichos incomuns. O refúgio (p. 221), criado em 1983 para proteger esse animal ameaçado, só é acessível de bote. Na marina da cidade, várias agências oferecem passeios no rio Crystal com barcos de fundo transparente e mergulhos com snorkel, em que a família pode nadar com os manatis.

Merritt Island National Wildlife Refuge

Esse enorme refúgio (pp. 148-9) tem dunas costeiras e charcos de água salgada e doce, habitat de mais de 1.500 espécies. Explore a área de carro por 10km, em trilhas, em uma plataforma de onde se podem ver os manatis, ou de canoa pelos riachos.

Homosassa Springs Wildlife State Park

Veja os manatis nadar nas Homosassa Springs (p. 219), na alta Costa do Golfo. Observe os peixes bem de perto no Fish Bowl, um observatório imerso e flutuante – só que nesse caso as pessoas ficam no aquário, e os peixes, do lado de fora!

Introdução à Flórida

Como Chegar

A Flórida, um dos destinos turísticos mais procurados nos EUA, atrai milhões de turistas por ano. O estado tem dois grandes aeroportos internacionais e vários aeroportos menores. Confira as exigências de entrada e prepare-se com toda a documentação necessária, inclusive passaporte para as crianças, para garantir a entrada no país sem transtornos. Se você planejar com antecedência, é bem provável que consiga taxas melhores.

Exigências de entrada

Cidadãos de 36 países não precisam de visto para viajar aos EUA por menos de 90 dias, mas é preciso pedir autorização antecipada pelo **Electronic System for Travel Authorization**. Cidadãos de todos os outros países, como do Brasil, devem obter visto de entrada nos consulados dos EUA. A **Transportation Security Administration** informa as normas de segurança para viajantes. Antes de desembarcar, todos devem preencher o formulário I-94/I-94W da agência **US Customs and Border Protection** com detalhes do passaporte, chegada e partida, endereço no país e uma declaração com o valor de quaisquer presentes. Na chegada, os formulários são inspecionados por funcionários da CBP. Guarde a metade do formulário I-94/I-94W relativa à partida, que deve ser apresentada ao sair dos EUA.

De avião

Os aeroportos de **Miami (MIA)** e **Orlando (MCO)** recebem a maioria dos voos internacionais e têm conexões frequentes com outras cidades dos EUA. Grandes companhias, como **Air Canada**, **Air France**, **British Airways** e **Virgin Atlantic**, pousam nos dois. A **Aer Lingus** vai a Orlando, e Miami recebe ainda a **Air Berlin** e muitas linhas aéreas sul-americanas. A British Airways tem voos para **Fort Lauderdale (FLL)** e **Tampa (TPA)**, a maior porta de entrada para a Costa do Golfo. **Jacksonville (JAX)** é o principal aeroporto do norte da Flórida. Várias linhas nacionais, como **American Airlines**, **Continental** e **Delta**, oferecem voos frequentes no estado.

As tarifas baixam de abril a meados de novembro, a não ser em feriados. Para quem tem filhos, os voos diretos são melhores, mas caros.

Transporte do aeroporto

Todos os aeroportos principais têm balcões que providenciam transporte para a cidade, mas consulte seu hotel com antecedência para ver se ele dispõe desse serviço. As autolocadoras (p. 24) têm agências em todos os aeroportos.

O ônibus expresso **Airport Flyer** custa $2,35 de MIA ao centro de Miami ou Miami Beach. A tarifa de táxi de uma a cinco pessoas fica cerca de $22 até o centro e $32 fechados até Miami Beach. Viagens compartilhadas como **Super Shuttle** são cerca de $55 pela primeira pessoa até o centro ou a praia e $22 por cada pessoa a mais.

O MCO fica a 25km do Walt Disney World® Resort, e 30-45 minutos de táxi custam $40-60. Ônibus especiais cobram $21 por pessoa e $34 para ida e volta. Os ônibus locais são lentos, mas baratos: $4 por pessoa.

Abaixo, à esq. Turistas no saguão de partidas do Orlando International Airport
Abaixo, à dir. A MacArthur Causeway, ponte de seis pistas que liga o centro de Miami a Miami Beach através da baía de Biscayne

Como Chegar | 23

De trem
Amtrak é o sistema ferroviário nacional dos Estados Unidos, com paradas em Jacksonville, Orlando, Tampa e Miami. Não se trata de trens de alta velocidade – talvez seja necessário pernoitar a bordo –, e são mais caros que os aviões. Consulte no site da Amtrak as tarifas para famílias e as promoções.

De ônibus
Greyhound é a maior empresa de ônibus interurbanos. Os ônibus mais novos têm bom espaço para as pernas e tomadas elétricas. Reserve on-line com antecedência e veja descontos para famílias e promoções.

De carro
A Flórida tem uma ótima malha viária e centros turísticos de informação ao longo das principais rodovias. A I-95 cruza a costa leste e a I-75 cobre a Flórida central, com estradas de ligação para a costa oeste. Como a principal artéria da costa oeste, a Route 41 não é expressa, mas lenta, é melhor usar a I-75 e consultar um mapa. Entre as vias expressas de leste a oeste estão a I-10, no norte do estado, e a I-4, de Orlando a Tampa. No sul, a I-75 atravessa os Everglades. A Bee Line Expressway, entre Orlando e a Costa Espacial, e o Florida Turnpike, de Orlando ao sul de Miami, são as únicas estradas com pedágio. A I-95 fica congestionada entre Fort Lauderdale e Miami, e é melhor evitá-la nos horários de pico da manhã e do fim da tarde.

Por mar
A Flórida tem os portos de cruzeiro mais procurados dos EUA, com excelente infraestrutura, carregadores de bagagem e táxis de sobra. Vários cruzeiros da América do Sul, do Caribe e da Europa aportam na Flórida. **Seabourn**, **Holland America** e **Royal Caribbean** são as companhias mais famosas. A maioria dos cruzeiros chega a Fort Lauderdale, o maior e mais movimentado porto e o mais conveniente para conexões aéreas com outras cidades. Os navios da **Disney Cruise Line** atracam no Cabo Canaveral. Os outros grandes portos, Miami e Tampa, têm táxis ou ônibus especiais para o centro e para o aeroporto.

Informações

Exigências de entrada
US Customs and Border Protection, ESTA www.cbp.gov
Transportation Security Administration www.tsa.gov

De avião
Aeroportos
FLL www.fll.net
JAX www.airport-jacksonville.com
MIA www.miami-airport.com
MCO www.orlandoairports.net
TPA www.tampaairport.com

Companhias aéreas
Aer Lingus www.aerlingus.com
Air Berlin www.airberlin.com
Air Canada www.aircanada.com
Air France www.airfrance.com
American Airlines www.aa.com
British Airways www.britishairways.com
Continental www.continental.com
Delta www.delta.com
Virgin Atlantic www.virgin-atlantic.com

Transporte do aeroporto
Airport Flyer www.miami-airport.com/bus_and_rail_info.asp
Super Shuttle www.supershuttle.com

De trem e de ônibus
Amtrak www.amtrak.com
Greyhound www.greyhound.com

Por mar
Disney Cruise Line disneycruise.disney.go.com
Holland America www.hollandamerica.com
Royal Caribbean www.royalcaribbean.com
Seabourn www.seabourn.com

Abaixo, à esq. Um ônibus da Greyhound em parada de descanso
Abaixo, à dir. O transatlântico Enchantment of the Seas, da Royal Caribbean, atracado no terminal de cruzeiros de Key West

Introdução à Flórida

Como Circular

Embora existam trens e ônibus entre as maiores cidades, é mais econômico e conveniente alugar um carro para a família. É fácil transitar pela Flórida, com estradas excelentes e boa sinalização. As cidades maiores têm transporte público, e as menores oferecem passeios turísticos em trólebus, mas os itinerários são limitados, e um carro dá mais flexibilidade. Os RVs também são bons para viajar, ainda mais porque há campings por todo o estado.

Conexões no estado

Os aeroportos de Miami, Fort Lauderdale, Orlando e Tampa (p. 22) oferecem conexões para cidades menores da Flórida, em geral em aviões de carreira pequenos. Os trens da Amtrak vão a Jacksonville, Orlando, Tampa e Miami, e os ônibus da Greyhound (p. 23) atendem a destinos menores e dispõem de serviço expresso entre Fort Lauderdale, Tampa e Jacksonville. Contudo, as tarifas para toda a família podem ser caras, caso em que se torna mais econômico e mais rápido viajar de carro. Os destinos turísticos mais procurados em geral se encontram a 4 h ou 5 h de carro entre si. As exceções – distâncias que fazem valer a pena o custo da passagem de avião – são do sul ao norte, de Miami a cidades como Tallahassee (750km) ou Panama City (898km).

De carro ou RV

Há autolocadoras, como **Avis**, **Budget** e **Thrifty**, nos aeroportos e nas grandes cidades do estado. As taxas variam com a temporada, mas em geral o aluguel semanal de um carro pequeno custa menos de $200. As agências exigem que o motorista seja maior de 21 anos (25, em certos casos) e que tenha carteira de habilitação válida e cartão de crédito conhecido. Todas as carteiras americanas e a maioria das estrangeiras são aceitas, mas é bom ter uma habilitação internacional se a sua não estiver em inglês. Se o seu seguro de auto não cobre viagens, considere contratar um ao alugar um carro. Os impostos estaduais e municipais podem acrescer 20% à conta. A reserva antecipada economiza dinheiro. Os sites de viagem, como **Expedia**, dão um resumo das tarifas por região. Há postos de gasolina de sobra, mas muitos fecham à noite. Os centros urbanos da Flórida têm trânsito pesado das 7h às 9h e da 1h30 às 18h; evite esses horários, se possível.

NORMAS DE TRÂNSITO

Como no Brasil, o trânsito nos EUA é de mão direita. Os limites de velocidade são 20-30 mph (32-48km/h) em zonas comerciais e residenciais e 55 mph (88km/h) nas rodovias, exceto nas interestaduais, onde o limite vai a 70 mph (112km/h). A sinalização é clara e fácil de entender. Pode-se virar à direita no farol vermelho, a menos que haja placa em contrário. A lei da Flórida exige cinto de segurança para todos e cadeirinha aprovada pelo governo federal para levar crianças menores de 5 anos. O site da **Florida Highway Safety and Motor Vehicles** é o melhor para normas de trânsito.

Abaixo, à esq. Carros passam diante dos hotéis art déco da Ocean Drive, em South Beach, Miami
Abaixo, à dir. O Walt Disney World® Resort Monorail transita entre os parques e os resorts da Disney

Como Circular | 25

DE RV

Os veículos recreativos (RVs) ou trailers podem ser ótimos para a família, por darem hospedagem e transporte. Empresas como **Cruise America** e **Florida RV World** oferecem aluguéis variados. Muitos estacionamentos de RV são mini-resorts, com várias comodidades (p. 31).

De transporte público

A maioria das cidades da Flórida tem linhas de ônibus, mas a procura é pequena, e o intervalo entre eles pode ser de mais de uma hora. Miami Beach tem duas ótimas linhas da **South Beach Local**, e o **Walt Disney World® Resort** (pp. 106-17) é bem servido de ônibus, bondes, barcos e monotrilho. Balneários como Bradenton e Sarasota têm trólebus turísticos entre a cidade e a praia, e a **Suncoast Beach Trolley** interliga todas as praias, de Clearwater a St. Petersburg.

De bicicleta

A Flórida tem muito espaço para bicicletas, e as famílias encontram ciclofaixas em quase todo lugar, que as ajudam a se deslocar, mas é arriscado pedalar nas grandes vias. Quem gosta de passeios longos pode experimentar o Pinellas Trail, que vai de Tarpon Springs a St. Petersburg (69km), passando por cidades bonitas e um litoral pitoresco. O Florida Keys Overseas Heritage Trail percorre 98km entre as vilas das Keys, com vistas ímpares do mar e do golfo dos dois lados. Veja mais detalhes e ideias na página **Bike Florida**.

De barco

A Intracoastal Waterway segue paralela ao litoral atlântico da Flórida por 611km e oferece águas calmas para vela ou barcos a motor. Em muitas cidades alugam-se barcos, particularmente em Fort Lauderdale e Miami. Também há barcos com tripulação para contratar. **Fort Lauderdale Water Taxi** (p. 80) e **Delray Beach Cruises** oferecem passeios turísticos.

Great Rivers of Florida, cruzeiro de sete dias da **American Cruise Lines** no barco fluvial American Glory, que sai de Jacksonville, leva os passageiros pelos rios St. Johns e Tolomato e passa pela Ocala National Forest, com paradas em St. Augustine e na ilha Amelia. As casas flutuantes dão a oportunidade de explorar as ilhas do sudoeste da Flórida em torno da Sanibel, percorrer as Keys ou descobrir a beleza dos rios St. Johns e Suwannee. Agências como **Suwannee Houseboats** oferecem aluguel diário, semanal ou de fim de semana.

Informações

De carro ou RV
Avis www.avis.com
Budget www.budget.com
Cruise America www.cruiseamerica.com
Expedia www.expedia.com
Florida Highway Safety and Motor Vehicles 840 617 2000; flhsmv.gov
Florida RV World floridarvworld.com
Thrifty www.thrifty.com

De bicicleta
Bike Florida www.bikeflorida.com

De transporte público
South Beach Local www.miamidade.gov/transit
Suncoast Beach Trolley www.psta.net/beachtrolley.php

De barco
American Cruise Lines www.americancruiselines.com
Delray Beach Cruises www.delraybeachcruises.com
Fort Lauderdale Water Taxi www.watertaxi.com
Suwannee Houseboats www.suwanneehouseboats.com

Abaixo, à esq. Placa de ciclovia na ilha Sanibel
Abaixo, à dir. Trólebus percorre a Fifth Avenue, em Naples

Informações Úteis

A Flórida conta com a infraestrutura e todos os serviços de que os turistas possam precisar, de atendimento médico a conexões Wi-Fi e caixas eletrônicos. Planeje antes para tudo correr bem e evitar contratempos, que podem ser maiores quando se viaja com crianças. O seguro de viagem é sempre um investimento sensato para os turistas estrangeiros.

Seguro

O alto custo da assistência médica para não residentes nos EUA e o risco de perder a bagagem e de o voo atrasar tornam essencial um seguro. As apólices devem cobrir emergências clínicas e dentárias, cancelamento de viagem, bagagem e perda de documentos. Outra opção a considerar é a volta para o seu país em emergências. Um agente de viagem ou corretor de seguros pode recomendar a apólice indicada.

Saúde

Os medicamentos com receita devem estar na bagagem de mão, junto com remédios para dor de cabeça, alergia ou indigestão. Mantenha-os na embalagem original, para facilitar a passagem pela segurança do aeroporto. Avise os funcionários da segurança se tiver itens especiais, como suprimentos para diabetes. Leve sempre protetor contra o sol forte da Flórida e água engarrafada, para evitar desidratação.

EMERGÊNCIAS MÉDICAS

Seu hotel pode sugerir um médico ou instalações próximas. Médicos e dentistas em geral aceitam cartões de crédito, mas alguns exigem dinheiro. Você encontra o endereço de pronto-socorros nas páginas amarelas da lista telefônica. As farmácias estão relacionadas nas páginas de mapas deste guia. Chame uma **ambulância** pelo 911.

Segurança pessoal

Na cidade ou em parques de diversões movimentados, é bom estar alerta, sobretudo com batedores de carteira. Deixe-a em um bolso interno ou leve a bolsa entre o braço e o corpo, passando a alça pela cabeça e cruzando-a sobre o peito; nos restaurantes, deixe a bolsa ou maleta no colo. Não mostre smartphones ou tablets e evite usar joias caras. Não deixe dinheiro na praia; compre recipientes à prova d'água em lojas de viagem e pendure-os no pescoço.

Use o cofre do hotel para guardar passaportes, cartão de crédito e dinheiro; laptops e tablets cabem em muitos cofres. Tenha uma cópia dos passaportes e cartões de crédito para substituí-los mais rapidamente em caso de perda. À noite, antes de sair, pergunte na portaria do hotel se o bairro é seguro.

Quando estiver no quarto, mantenha a porta trancada e, quando sair para passear, não ponha o aviso *"make up the room"* (arrume o quarto). Entregue sua bagagem apenas para um funcionário do hotel e peça um recibo quando guardar a bagagem no hotel. Nunca deixe malas desacompanhadas em aeroportos, pontos de táxi ou saguões de hotel.

Abaixo, à esq. Num parque de diversões com muita gente, os visitantes devem tomar cuidado com ladrões
Abaixo, à dir. Caixa eletrônico do City National Bank of Florida, que pode ser usado pela maioria dos portadores de cartão

A maneira mais rápida de chamar a **polícia** é telefonar para 911, a fim de denunciar um crime, em caso de **incêndio** ou para pedir ajuda quando alguém estiver ferido. Se perder objetos valiosos, não deixe de pegar uma cópia do boletim de ocorrência para apresentar ao seguro ao voltar para casa. Contate sua embaixada ou consulado se perder um passaporte. O site do **Departamento de Estado dos EUA** disponibiliza os dados de todas as embaixadas estrangeiras no país.

Ao ir a uma praia ou parque temático lotado, combine um local de encontro para o caso de alguém se perder. Ensine as crianças a procurar alguém com uniforme da polícia para pedir ajuda.

SEGURANÇA NO CARRO
A maioria dos turistas se locomove de carro na Flórida. Ainda que os crimes sejam raros, é prudente ter segurança. Mantenha as chaves em local fácil para poder entrar rápido no carro, e o tanque cheio para não ter de procurar por um posto de gasolina num local desconhecido. É mais seguro manter as portas travadas e os vidros fechados, usando o ar-condicionado, se necessário. Programe um atalho de emergência em seu celular para discar rápido 911 e chamar a polícia ou atendimento médico. Se seu voo chegar tarde da noite a uma cidade, talvez seja melhor ficar em um hotel perto do aeroporto e pegar um carro de manhã, em vez de tentar ir a um local não familiar por ruas escuras.

Dinheiro
BANCOS E CASAS DE CÂMBIO
Casas de câmbio como a **Travelex**, existente nos grandes aeroportos, trocam moeda estrangeira por dólares. Contudo, as taxas de câmbio costumam ser melhores nos caixas eletrônicos (ATMs), e a comissão, mais baixa que nas casas de câmbio. A maioria dos ATMs em bancos faz parte da rede mundial Plus ou da Cirrus. Eles e muitos estabelecimentos e restaurantes aceitam os principais cartões de crédito e de débito, embora se cobre juro nas retiradas com cartão de crédito. Consulte as taxas com seu banco ou a operadora do cartão. Use caixas eletrônicos dentro de bancos, e não na rua, para evitar roubos.

MOEDA
A moeda é o dólar, composto de 100 centavos (cents). As moedas são de 1 cent (penny), 5 cents (nickel), 10 cents (dime) e 25 cents (quarter). Cada uma tem tamanho diferente, facilitando a diferenciação. Existe a moeda de $1, mas é rara. As notas mais comuns são de $1, $5, $10 e $20, embora existam de $50, $100 e de valores mais altos. Os caixas eletrônicos liberam principalmente notas de $20.

CARTÕES DE CRÉDITO, CHEQUES DE VIAGEM E CARTÕES DE DÉBITO
Os principais cartões de crédito – como Visa, MasterCard e American Express – e os de débito são bem aceitos nos EUA. É melhor pagar compras grandes com crédito.

Ainda aceitos, os cheques de viagem tornaram-se menos comuns por causa dos ATMs, e vão sendo trocados lentamente por cartões de viagem. Como os cheques de viagem, esses cartões são pré-pagos, com débito nos fundos à medida que são usados. Emitidos por operadoras de cartão como Visa ou MasterCard, os cartões de viagem são tão fáceis de usar quanto um cartão de crédito, mas a taxa de juro é fixada antes e a segurança é maior, pois há um limite de valor, e deve-se usar senha e/ou assinatura. Há taxas em alguns serviços, como recarga.

Informação turística
Visit Florida é o órgão de turismo oficial, que dá detalhes dos postos turísticos nas cidades.

Abaixo, à esq. Banho de sol perto de um posto de salva-vidas em South Beach, Miami
Abaixo, à dir. Policial de moto patrulha rua movimentada em Daytona Beach durante a Bike Week

Introdução à Flórida

Telecomunicações

A Flórida usa códigos de área. As ligações gratuitas têm os prefixos 800, 866, 877 ou 888. Para ligar para fora da área, disque 1 antes do código da área, mesmo em ligações gratuitas. Para ligar direto ao exterior, digite 011, o código do país, o código da cidade e o número. Para chamadas por via da telefonista, disque 01, o código do país, o código da cidade e o número.

CELULARES

Os telefones públicos estão restritos a aeroportos e estações de trem. Os hotéis cobram taxa alta nas ligações, o que torna os celulares convenientes e econômicos. Os mais modernos são compatíveis com as operadoras dos EUA, mas com taxas de roaming altas. Pode-se ainda alugar um celular. Os **sites de aluguel on-line** informam as opções comuns. A maioria das bancas de jornal vende cartões telefônicos pré-pagos, com taxas por minuto mais baixas que a da maioria dos celulares.

INTERNET E E-MAIL

Os hotéis em geral dispõem de acesso à internet e/ou Wi-Fi, às vezes gratuito. Também há Wi-Fi grátis em bibliotecas públicas, livrarias Barnes & Noble e filiais da Starbucks e do McDonald's.

CORREIO

Muitos hotéis vendem selos e enviam cartões para os hóspedes ou então indicam a agência do correio mais próxima. A entrega de cartas no exterior leva de 5 a 10 dias úteis.

Mídia

JORNAIS E REVISTAS

Toda cidade grande da Flórida tem seu jornal diário. Entre os mais lidos estão o *Miami Herald* e o *St. Petersburg Times*. Publicações nacionais como *USA Today* e *The New York Times* podem ser encontradas em caixas automáticas na rua, com jornais locais; jornais e outras publicações estrangeiras, em livrarias.

TELEVISÃO E RÁDIO

As maiores redes de TV nacionais são CBS, NBC, ABC e PBS. Há vários canais a cabo, como CNN, Fox e ESPN. As crianças gostam de Nickelodeon, Disney e Cartoon Network, e a MTV atrai os jovens. Os hotéis também podem dispor de canais de filmes pagos.

Toda região tem estações de rádio. A AM consiste sobretudo em música popular, rock e entrevistas, e algumas estações religiosas. No sul da Flórida, são muito ouvidos os programas de música e entrevistas em espanhol. As estações de música clássica estão na FM. A Rádio Pública Nacional (NPR) tem boa audiência com notícias, debates e música clássica.

Portadores de deficiência

A maioria dos transportes públicos, prédios públicos, hotéis, parques temáticos, restaurantes e atrações é acessível para portadores de deficiência. Os **parques estaduais** oferecem muitas trilhas acessíveis, e há praias que fornecem cadeiras de rodas próprias para areia. Veja informações específicas em **Visit Florida** ou nos lugares a que você pretende ir.

Banheiros

A maioria das atrações, museus, lojas de departamento e shoppings dispõe de banheiros com instalações para trocar fraldas.

O que levar

A vida na Flórida é informal e raramente se usam roupas elegantes, mesmo em restaurantes caros. Como o ar condicionado nos restaurantes e nos cinemas pode ser gelado, é bom levar um casaco.

Chapéu, repelente de insetos, óculos escuros e filtro solar são obrigatórios. Leve mais de uma roupa

Abaixo, à esq. *Caixas eletrônicos de jornais e revistas na ilha Sanibel*
Abaixo, à dir. *Anúncio de acesso gratuito à internet para hóspedes no Radisson Hotel, em Buena Vista, Orlando*

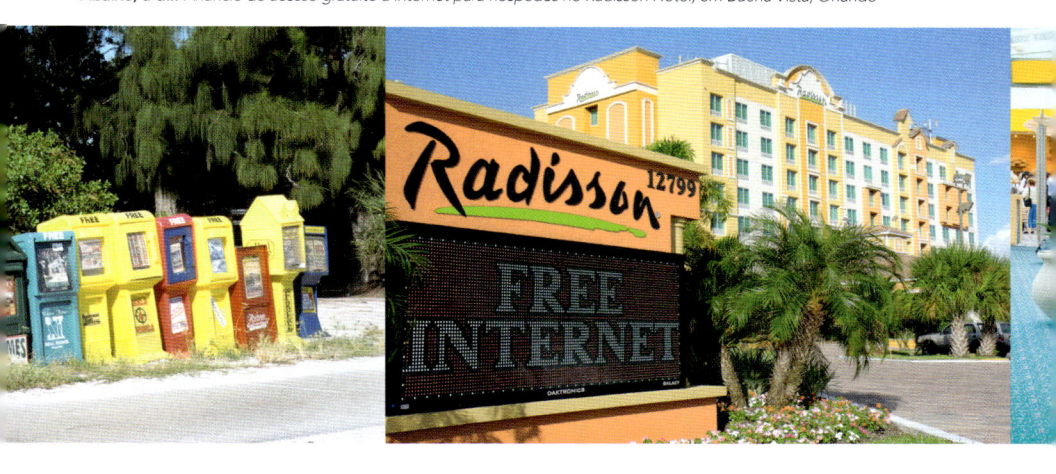

Informações Úteis

de banho, pois demoram para secar. A Flórida tem dias frios no inverno – se for nessa estação, leve agasalho. Leve também proteção contra chuva, porque há chuvaradas o ano inteiro.

É fácil encontrar fraldas e leite infantil, mas carregue um suprimento de emergência. Ponha numa mala pequena de rodinhas ou mochila um jogo ou livro preferido, pijama, malha, água e um lanche para cada criança levar e pegar facilmente.

Estimule as crianças

As crianças ficam mais empolgadas com a viagem quando participam do planejamento. Leia antes este guia com elas e deixe-as escolher algumas das atividades. Há muitas dicas de planejamento na internet. Uma câmera barata para cada criança ajuda a mantê-las interessadas e propicia ótimas lembranças.

Horários de funcionamento

Em geral o comércio funciona das 9h às 17h. As lojas abrem às 9h ou 10h e fecham às 17h ou às 18h, de segunda a sábado, mas algumas ficam até mais tarde. No domingo, é variado: certas lojas abrem às 12h; outras ficam fechadas. O horário bancário usual é das 9h às 15h de segunda a quinta, e até as 18h às sextas, mas muitos bancos grandes abrem até as 17h ou 18h na semana. Bancos com expediente no sábado, em geral, abrem das 9h às 12h. Os museus abrem todo dia das 10h às 17h30, mas verifique antes.

Eletricidade

A corrente nos EUA é de 110 volts. São necessários conversor para aparelhos 220V e adaptador de plugue.

Fuso horário

A maior parte da Flórida está no horário do leste, 5 horas atrás do meridiano de Greenwich (GMT). A exceção é o Panhandle, no oeste, que está no horário-padrão central, 1 hora a menos que o do leste.

Etiqueta e gorjeta

A Flórida é um destino preferido das famílias, e todos, de atendentes de hotel a motoristas de ônibus, costumam sorrir para as crianças. Porém, os pais devem incentivar os filhos a ser educados e respeitosos. Caso haja uma discussão ruidosa em lugares públicos, é melhor levar as crianças para fora até se acalmarem.

Lembre-se de que os prestadores de serviço nos EUA esperam ser gratificados. A quantia usual é de 15-20% para garçons, taxistas, barbeiros e cabeleireiros. A gorjeta para o pessoal de hotel costuma ser incluída na conta. Os carregadores devem receber cerca de $1 por mala; as arrumadeiras, $1-2 por dia; e os guardadores de volumes, $1 por peça. Embora não seja obrigatória, quando garçons e outros ajudam as crianças, uma gorjeta extra é bem-vinda.

Informações

Saúde e segurança
Polícia, ambulância, bombeiros 911
Departamento de Estado dos EUA
www.usembassy.gov

Dinheiro
Locais de câmbio de moeda
www.us.travelex.com

Informação turística
Visit Florida 2540 West Executive Center Circle, Suite 200, Tallahassee, 32301; 866 972 5280;
www.visitflorida.com

Telecomunicações
Aluguel de celulares on-line
www.rentcell.com

Portadores de deficiência
Parques estaduais
floridastateparks.org
Visit Florida www.visitflorida.com/articles/florid-able

Abaixo, à esq. Viajantes junto ao painel de chegadas e partidas no Orlando International Airport
Abaixo, à dir. Acesso para cadeirantes no Metrobus do município de Miami-Dade

Onde Ficar

Com centenas de resorts luxuosos, milhares de apartamentos de aluguel e campings que atraem milhões de turistas o ano inteiro, a Flórida consegue mesmo atender a qualquer gosto e bolso. As famílias encontram todo tipo de hospedagem – dos mais exclusivos resorts aos mais básicos motéis, que em geral têm uma piscina para divertir as crianças. As sugestões de hospedagem estão no fim de cada capítulo deste guia.

Os melhores negócios

Os meses de inverno são os mais procurados e caros, sobretudo nas festas. Em geral, quanto mais perto da praia, maior o preço – então, ficar num motel na estrada e ir de carro à praia significa economia, com quartos para quatro por apenas $150 a diária, mesmo na alta temporada. A maioria dos lugares permite estadia gratuita dos filhos com os pais, mas alguns exigem que as crianças sejam menores de 12 anos. Há promoções fora da temporada, na primavera e no outono. **Hotels.com**, **Travelocity** e **Expedia** são boas fontes para encontrar preços mais baixos, e a **Kayak** compara vários sites de hotéis econômicos.

Extras ocultos

O imposto estadual de 6% mais impostos turísticos podem elevar o total em 12%. Lembre-se de que a gorjeta (p. 29) não é opcional nos EUA. A economia é considerável nos hotéis que contam com café da manhã gratuito, acesso à internet e frigobar no quarto.

Resorts

A Flórida tem resorts com golfe, spa, tênis, praias e diversas opções de comida. O **Sandestin Golf and Beach Resort** (p. 204) é um que oferece várias acomodações, programas infantis e lojas e restaurantes próprios. Se o orçamento permitir, os resorts e hotéis **Ritz-Carlton** são dos melhores do estado.

Hotéis e motéis

Espaço e instalações para cozinhar são dois itens importantes para a família ao escolher hotel ou motel. As suítes oferecem espaço extra, cozinha e às vezes duas TVs. Muitos hotéis e motéis modestos têm micro-ondas e frigobar. Veja se há berço ou cama pequena disponíveis e se são gratuitos, se há cardápio infantil no restaurante do hotel e se ele indica babás.

Apartamentos

A Flórida está cheia de condomínios e flats cujos donos os alugam. Os apartamentos têm bom espaço e cozinha. Muitos condomínios são bem localizados, até diante da praia, e costumam ter piscina. Há unidades com um, dois ou três dormitórios, e os preços são melhores que os dos hotéis. Contudo, em geral não há serviço de arrumação. Os órgãos de turismo publicam listas de acomodações, do mesmo modo que sites como **HomeAway**.

Abaixo, à esq. Barracas armadas no Little Talbot Island State Park
Abaixo, à dir. Cozinha, mesa de jantar e sala de estar no Hawks Cay Resort, Duck Key

Permuta de casas

Muitas famílias dizem ter gostado de permutar sua casa. Uma família da Flórida talvez troque a casa dela pela sua nas férias, o que implica uma economia enorme para ambos. As permutas podem ser combinadas por meio de agências especializadas, como **Home Exchange** e **Home Link**. Por uma taxa mensal módica, os interessados se inscrevem e descrevem sua casa. Os inscritos podem procurar os lugares a que desejam ir, escolher imóveis e enviar e-mails particulares diretamente aos donos. Aconselha-se trocar e-mails, falar por telefone e enviar fotos recentes da casa antes de assinar um contrato.

Campings

Muitos dos campings para veículos recreativos (RVs ou trailers) por todo o estado contam com parquinhos infantis e piscinas, além de pingue-pongue e quadras de vôlei e basquete. Todos dispõem de local para piquenique e instalações de lavanderia. A **Camp Florida** oferece uma listagem completa de estacionamentos de RVs, com centenas de locais no estado. Existem várias agências de aluguel de RVs (p. 25). Alguns dos terrenos de acampamento têm chalés para as pessoas que não chegam num RV. Os hóspedes dos chalés da **Disney's Fort Wilderness Resort & Campgrounds** (p. 136) têm à disposição transporte em ônibus, ao chegar ao aeroporto, e também para todas as atrações do Walt Disney World®, quando instalados no camping.

Parques estaduais

Grande parte dos parques estaduais da Flórida tem área para armar barracas, e dezenove deles também dispõem de cabanas para alugar por preço mais baixo que o da maioria dos motéis, com acesso a toda a infraestrutura do parque. As acomodações vão de chalés modernos e bem equipados, como os do **Grayton Beach State Park** (p. 205), às cabanas de troncos simples do **Myakka River State Park** (p. 229). É essencial reservar, o que se pode fazer com até onze meses de antecedência. Veja mais informações no site dos **Florida State Parks**.

Pousadas

As pousadas de meia pensão estão relacionadas nos guias turísticos de cada local e podem ser encontradas por meio de vários serviços de reserva. A hospedagem é em casas particulares ou pousadas pequenas. Embora em geral sejam agradáveis, nem todas oferecem a privacidade nem a tolerância a ruídos que as famílias esperam. Antes de reservar, pergunte sobre questões específicas e a conduta com famílias.

Informações

Os melhores negócios
Expedia www.expedia.com
Hotels.com www.hotels.com
Kayak www.kayak.com
Travelocity www.travelocity.com

Resorts
Ritz-Carlton www.ritzcarlton.com

Apartamentos
HomeAway www.homeaway.com

Permuta de casas
Home Exchange
www.homeexchange.com
Home Link www.homelink.com

Campings
Camp Florida www.campflorida.com

Parques estaduais
Florida State Parks
www.floridastateparks.org

Pousadas
B&B agencies
www.bedandbreakfast.com
www.florida-bed-and-breakfasts.net
www.floridainns.com

Abaixo, à esq. Espreguiçadeiras perto da piscina no Biltmore Hotel, Miami
Abaixo, à dir. Saguão com decoração suntuosa no Hilton Hotel, St. Augustine

Onde Comer

A Flórida satisfaz a todos os paladares. Águas generosas e o bom clima dão ótimos frutos do mar e frutas tropicais. Existe um amplo leque de culinárias, inclusive pratos simples, para quem os prefere. Como as famílias compõem uma fatia grande dos visitantes do estado, há muitos restaurantes voltados para crianças. As categorias de preço deste guia preveem um almoço de dois pratos para uma família de quatro pessoas, com refrigerante incluso.

Comer fora

Os restaurantes em geral abrem de 7h-10h para o café da manhã, 11h30-14h para o almoço e 17h30--22h para o jantar, mas muitos servem comida o dia inteiro. Os *"earlybird specials"*, para quem janta antes das 18h, são vantajosos para famílias com crianças.

Em geral não é necessário reservar para o almoço ou em restaurantes baratos, mas sim para jantar em locais muito procurados, especialmente na alta temporada de inverno. A maioria dos restaurantes tem lugar para os pequenos e oferece assentos altos, mas consulte antes os lugares chiques. Em todos os restaurantes, cafés e até bares é proibido fumar. Em qualquer lugar sem autosserviço, a gorjeta é obrigatória. O mínimo aceitável é 15%, e a gorjeta-padrão para um bom serviço é de 20%.

Pescado do dia

Peixes firmes e macios como garoupa, dourado, olho-de-boi, sereia, atum e serra-da-índia são comuns nos cardápios, como entrada e em sanduíches gostosos. Grandes e adocicados, os lendários camarões do Golfo são servidos frios, com molho de coquetel, ou como ingrediente de muitos pratos. As pinças do caranguejo-real são outra iguaria da Flórida – e mais valorizadas porque só existem de meados de outubro a meados de maio. Em Miami, vá ao **Joe's Stone Crab** (p. 69), que serve frias essas pernas carnudas, com manteiga mole e mostarda.

Delícias tropicais

A Flórida tem grande fartura de frutas tropicais, como laranja, manga, melão e mamão. As feiras semanais de produtores são bons lugares para comprá-las. Não deixe de tomar um suco de laranja fresco nas bancas do mercado.

Conforto sulista

O norte da Flórida mostra sua herança sulista em locais como o **Fish House** (p. 195), em Pensacola, que serve uma deliciosa especialidade do Sul parecida com a polenta, um mingau saboroso feito com milho moído bem fino. Mais ao sul, a influência latino-americana reflete-se nos cardápios – ceviche (um prato principal de frutos do mar crus com molho de limão), feijão com arroz e banana-da-terra.

Sabor cubano

Tampa e Miami, com uma grande população cubana, têm restaurantes que servem pratos espanhóis

Abaixo, à esq. Patio Dining Room, de decoração elegante, no Columbia Restaurant, Ybor City
Abaixo, centro Frutas tropicais no Lincoln Road Farmers' Market, South Beach

como porco tostado, *arroz con pollo* (arroz com galinha) e *paella*. Os sanduíches cubanos de presunto, porco assado, queijo e picles servidos em pão crocante são os mais pedidos. O **Versailles Restaurant** (p. 62) é o ponto mais conhecido da Little Havana, na calle Ocho, em Miami, e o **Columbia Restaurant** (p. 218), em Ybor City, Tampa, fundado em 1905 e o mais antigo restaurante do estado, é imperdível, pelos dançarinos de flamenco, decoração tradicional e ótima comida. Tem filiais em St. Petersburg, Sarasota e St. Augustine.

Favoritos da família

Crianças comportadas são bem-vindas em qualquer lugar, mas os muitos estabelecimentos informais ao ar livre, principalmente os que ficam na água, são bons para família com filhos pequenos. Em Sarasota, as crianças ficam bastante entretidas vendo os barcos passar pelo **Old Salty Dog** (p. 226). As redes **Five Guys Burgers and Fries** (p. 218) e **Johnny Rockets** (p. 84), encontradas em muitas cidades, oferecem hambúrgueres que vão satisfazer com certeza. Nos restaurantes mais formais, é aconselhável jantar mais cedo com as crianças, antes que lotem. Para se assegurar de que os melhores restaurantes recebem bem famílias, pergunte se têm cardápio infantil. Se as crianças quiserem mais que o hambúrguer, o frango e o cachorro-quente de sempre, divida uma porção para adulto.

Quitutes na rua

A sobremesa mais típica dos cardápios é a *Key lime pie* (torta de limão das Keys), genuína só quando o recheio ácido é feito com os limões pequenos, redondos e amarelo-esverdeados do sul da Flórida. O flã, um creme espanhol típico, agrada aos jovens. Muitas cidades têm sorveterias autônomas que oferecem especialidades como casquinhas da casa ou sorvetes à italiana. A **Dolce Vita Gelato Cafe** (p. 55), em Miami, é famosa, e a **Hyppo** (p. 168), em St. Augustine, serve picolés gourmet de sabores incomuns.

Alergias e dietas

Trigo, leite e moluscos são ingredientes importantes na culinária da Flórida. Avise ao garçom se tiver restrições alimentares. A maioria dos restaurantes faz boas substituições, inclusive em pratos vegetarianos e sem glúten. Não deixe de avisar sobre alergia a frutos secos e leve remédios para toda a família.

Abaixo, à esq. The Old Salty Dog, restaurante à beira-mar de pratos fartos, Sarasota
Abaixo, à dir. Clientes comem um lanche na Johnny Rockets, Fort Lauderdale

Onde Comer | 33

CRIANÇADA!

Fatos sobre a comida

1 A Flórida é famosa pelos limões das Keys, verdes quando nascem e de casca amarelo-esverdeada ao amadurecer. Que sobremesa famosa é feita com eles?

2 A Flórida cultiva mais de doze frutas tropicais. Laranja, grapefruit, limão-bravo e limões são os mais comuns. Quantos mais você conhece?

3 Os sanduíches cubanos são populares na Flórida. São feitos com presunto, porco, queijo e um ingrediente-surpresa. Sabe qual é ele?

Respostas no fim do quadro.

UMA HISTÓRIA ÁCIDA

As primeiras laranjeiras da Flórida foram plantadas em meados dos anos 1500 pelos pioneiros espanhóis, perto de St. Augustine. Hoje há mais de 74 milhões de pés no estado.

Armado até as garras

Os caranguejos-reais existem no litoral do Atlântico e do Golfo, mas são criados comercialmente sobretudo na Flórida. Só são servidas as enormes garras carnudas do bicho. Os pescadores só têm permissão para tirar uma das pernas dianteiras, de cerca de 7 cm, e devem pôr o caranguejo a salvo de volta na água. As garras soltam-se com facilidade e voltam a crescer três ou quatro vezes.

Respostas: 1 Key lime pie. 2 Manga, mamão, kiwi, carambola, maracujá, abacate, lichia, goiaba, jaca, banana e tangerina, entre outras. 3 Picles.

Introdução à Flórida

Compras

Pechinchas, alta moda, brinquedos, livros, arte ou artesanato – a Flórida não deixa a dever à lista de compras de ninguém. As crianças vão encontrar recordações irresistíveis por todo o estado, de astronautas e foguetes a nariz de palhaço e orelhas do Mickey Mouse.

Horários de funcionamento

Todas as lojas abrem ao menos de 10h-17h seg-sáb. Aos domingos, o expediente é em geral 12h-17h ou 18h. Ligue para confirmar antes de ir a uma loja ou shopping.

Filão de pechinchas

Os maiores shoppings de marcas do estado, com lojas de grandes fabricantes, às vezes chamadas lojas de fábrica, prometem economia. O maior é o **Sawgrass Mills**, em Sunrise, com mais de 350 lojas, entre elas Polo Ralph Lauren for Children, Tommy Hilfiger Kids e Children's Place Factory Store. As crianças pacientes podem ser premiadas com uma ida à Build-a-Bear Workshop, à loja da Lego® e à Game Works.

O **Dolphin Mall**, em Miami, contém marcas bem conhecidas e lojas de fábrica como Coach Leather e Banana Republic. Toy World e Toy Zam vão agradar às crianças. A Gymboree tem roupas para recém-nascidos e até os 12 anos, e a Justice e a Journeys voltam-se para garotas e garotos adolescentes.

A **Premium** é a maior incorporadora de lojas, com shoppings em todo o estado, inclusive Orlando e St. Augustine. A **Silver Sands Factory Stores**, em Sandestin (p. 191), tem lojas GapKids, Socks Galore e Strasburg Children. O atendimento ao consumidor dos shoppings costuma dar um talão de cupons com descontos em certas lojas.

Mercados

A maioria das cidades tem mercados semanais em que os produtores oferecem produtos frescos e bancas vendem quitutes cozidos e sobremesas. O **Saturday Morning Market**, na orla de St. Petersburg (p. 210), é um dos maiores e melhores, bem como o pitoresco **Daytona Flea and Farmers' Market**, onde achados de bricabraque dão mais diversão toda sexta-feira, sábado e domingo.

Aventuras artísticas

Artistas e artesãos parecem se fortalecer com o sol da Flórida, e as galerias proliferam em toda cidade. A **Quayside Art Gallery** (p. 195), em Pensacola, é de artistas e dirigida por eles, e a **Florida Craftsmen Gallery**, em St. Petersburg, tem as melhores bijuterias e outras peças criativas.

As muitas feiras pitorescas ao ar livre no estado são divertidas para a família e dão a chance de conversar com os artistas. No **Florida Folk Festival** (p. 14), no Panhandle, artesãos costumam expor e vender objetos folclóricos tradicionais.

Disney delights

A loja World of Disney®, no **Downtown Disney® Marketplace** (p. 117), tem de tudo que uma criança possa querer, de relógio do Mickey a tiaras

Abaixo, à esq. Produtos frescos à venda em um dos muitos mercados da Flórida
Abaixo, à dir. Gravuras e presentes inspirados por Salvador Dalí na loja do Dalí Museum, St. Petersburg

das princesas. Melhor ainda, no Mickey's Mart todos os artigos custam até $10. A Once Upon a Toy, uma loja de brinquedos deliciosa, com um trem em miniatura que corre por trilhos suspensos no alto, tem jogos antigos refeitos com temas da Disney. A Lego® Imagination Store sem dúvida inspira os jovens construtores com a divertida mostra de esculturas com Lego®. As meninas pequenas adoram a LittleMissMatched, onde as meias vêm em pacotes de três, para ser misturadas, não combinadas, solucionando o problema antiquíssimo de perder um pé de meia.

Lojas de museu

Têm itens interessantes para todas as idades, sobretudo a loja do **Ringling Museum** *(p. 225)*, com toda a parafernália circense, inclusive bolas de malabares e quebra-cabeças, e a do **Dalí Museum** *(p. 221)*, com relógios derretidos e outras lembranças.

Brinquedos por pouco

As lojas **Learning Express**, espalhadas pela Flórida, agradam às crianças e aos pais com um estoque de brinquedos educacionais e divertidos. Lojas como **Dollar General** e Family Dollar, em que muitas coisas, até brinquedos e lanches, custam apenas $1, são o deleite do consumidor. Quase toda cidade tem uma loja de 1 dólar com grande variedade.

Livros

As grandes livrarias, como **Barnes & Noble**, estão por todo lado e têm seções extensas para crianças, mas a Flórida bibliófila ainda tem muitas livrarias autônomas. Na enorme **Vero Beach Book Center** há uma loja exclusiva para crianças. Em St. Petersburg está a maior livraria do estado, **Haslam's Book Store**, com 350 mil livros novos e usados.

Muitas comunidades da Flórida realizam feiras de livros ao ar livre que divertem a família. Seções de autógrafos e eventos infantis fazem parte da festa. A maior, a **Miami Book Fair International**, realizada em novembro, atrai até 350 autores e conta com a Children's Alley, com contação de histórias, bonecos e jogos. O **Festival of Reading**, em março, em St. Petersburg, dispõe de uma Children's Storyland, com personagens fantasiados, jogos e atividades.

Informações

Filão de pechinchas
Dolphin Mall *www.shopdolphinmall.com*
Premium *www.premiumoutlets.com*
Sawgrass Mills *www.simon.com/mall/?id=1262*

Mercados
Daytona Flea and Farmers' Market
2987 Bellevue Ave, 32124; 386 253 3330; *www.daytonafleamarket.com*

Aventuras artísticas
Crafts Fairs *www.artfestival.com*
Florida Craftsmen Gallery 501 Central Ave, St. Petersburg, 33701; 727 821 7391; *floridacraftsmen.net*

Brinquedos por pouco
Dollar General *www.dollargeneral.com*
Family Dollar *www.familydollar.com*
Learning Express *www.learningexpress.com*

Livros
Barnes & Noble *www.barnesandnoble.com*
Festival of Reading University of South Florida, St. Petersburg; 727 445 4142; *www.festivalofreading.com*
Haslam's Book Store, 2025 Central Ave, St. Petersburg, 33713; 727 822 8616; *www.haslams.com*
Miami Book Fair International, Miami-Dade College, 33132; 305 237 3258; *www.miamibookfair.com*
Vero Beach Book Center, 2145 Indian River Rd, Vero Beach; 772 569 2050

Abaixo, à esq. Parte do projeto Crochet Coral Reef, na Florida Craftsmen Gallery, St. Petersburg
Abaixo, à dir. Uma profusão de bichos de pelúcia e lembranças da Disney no Downtown Disney® Marketplace

Diversão

O rico cardápio de diversão na Flórida conta com musicais da Broadway, música clássica, rock, circo, balé e teatro, com muitas apresentações dedicadas às crianças. A maior gama de eventos encontra-se no sul da Flórida, sobretudo em Miami e ao longo da Costa do Ouro. Na Costa do Golfo, Tampa e Sarasota são grandes centros culturais, e cidades universitárias, como Gainesville e Tallahassee, costumam oferecer eventos animadores.

Fontes de informação

Na maioria das cidades da Flórida, os jornais de sexta-feira em geral trazem a programação de eventos regionais do fim de semana. Os órgãos de turismo e as câmaras de comércio são bons lugares para conseguir folhetos e informação.

Reservas

É melhor conferir na internet informações sobre compra antecipada e fazê-la com cartão de crédito. Por telefone ou on-line em geral se cobra taxa de serviço de $2-$8 sobre o preço do ingresso. Alguns lugares vendem através da **Ticketmaster**.

Palcos principais

Os maiores lugares têm apresentações de companhias itinerantes da Broadway, de artistas nacionais e conhecidos e grupos locais. Os mais destacados na costa leste são **Adrienne Arsht Center for the Performing Arts**, em Miami, **Broward Center for the Performing Arts**, em Fort Lauderdale, e **Raymond F. Kravis Center for the Performing Arts**, em West Palm Beach. Entre os locais da costa leste estão o **David A. Straz Center for the Performing Arts**, em Tampa, e o **Barbara B. Mann Performing Arts Hall**, em Fort Myers. Estrelas do rock tocam em geral em estádios esportivos, como o **Sun Life Stadium**, em Miami Gardens, o **Florida Citrus Bowl**, em Orlando, e o **EverBank Field**, em Jacksonville.

Teatro

O **Asolo Repertory Theater**, em Sarasota, e a **Florida Repertory Company**, em Fort Myers, apresentam peças variadas, inclusive muitos musicais que fascinam famílias. O **Orlando Shakespeare Theater** (p. 130) promove peças modernas e obras de Shakespeare, além de infantis. O **Riverside Children's Theater** (p. 94), em Vero Beach, e o **Actors' Playhouse** (p. 52), em Miami, também têm teatro para crianças, e o **Miami Children's Theater**, o **Fort Lauderdale Children's Theater** e o **Theatreworks**, de Jacksonville, voltam-se para os jovens. Em Delray Beach, o **Puppetry Arts Center** encanta com suas produções com bonecos e um museu.

Teatro no jantar

Servindo diversão junto com o jantar, teatros como o **Golden Apple Dinner Theater**, em Sarasota, em geral oferecem às famílias até mesmo musicais da Broadway. Teatros

Abaixo, à esq. O Orlando Shakespeare Theater, com a montagem do clássico Branca de Neve e os sete anões
Abaixo, ao centro Acrobatas elegantes apresentam-se no Flying High Circus, em Tallahassee

Diversão | 37

temáticos, como o **Medieval Times**, em Kissimmee, têm atrativos especiais; nesse caso, cavaleiros de armadura duelando. O **Murder Mystery Dinner Train**, em Fort Myers, mistura jantar com passeio de trem e a chance de solucionar um mistério.

Circus Sarasota, com muitas estrelas internacionais, monta sua lona no mês de fevereiro. O **PAL Sailor Circus**, com artistas jovens, apresenta-se em Sarasota na última semana de dezembro e janeiro e na primeira semana de abril. O **Flying High Circus** exibe acrobacias espantosas no ar e no chão em abril, em Tallahassee. O **Ringling Brothers and Barnum & Bailey** leva seus grandes shows itinerantes a Miami, Fort Myers, Jacksonville, Tampa, Tallahassee, Orlando e Pensacola todo ano, geralmente em janeiro.

Música, dança e cinema

A **Miami Symphony Orchestra** toca em vários locais da região, e um esplêndido prédio de Miami Beach, o New World Center, feito pelo arquiteto Frank Gehry, é a sede da **New World Symphony**. Os **Sunday Musicals** apresentam concertos para adultos e crianças há mais de 25 anos, no campus da Universidade de Miami. O **Miami City Ballet** dança em Miami, Palm Beach, Fort Lauderdale e Naples e apresenta programas gratuitos para jovens no inverno. A **Sarasota Orchestra**, fundada em 1960, toca tanto música clássica como popular. O **Sarasota Film Festival** dedica um dia a "Short Stacks", com panquecas para comer e filmes para a família.

Circos

A herança circense da Flórida pode ser atestada em vários espetáculos, que deliciam todas as idades. O

Informações

Reservas
Ticketmaster *www.ticketmaster.com*

Palcos principais
Adrienne Arsht Center for the Performing Arts *www.arshtcenter.org*
Barbara B. Mann Performing Arts Hall *bbmannpah.com*
Broward Center for the Performing Arts *browardcenter.org*
David A. Straz Center for the Performing Arts *www.strazcenter.org*
EverBank Field 1 Stadium Blvd, Jacksonville; 954 522 5334
Florida Citrus Bowl *www.fcsports.com*
Raymond F. Kravis Center for the Performing Arts *www.kravis.org*
Sun Life Stadium *sunlifestadium.com*

Teatro
Asolo Repertory Theatre *www.asolorep.org*
Florida Repertory Company *floridarep.org*
Fort Lauderdale Children's Theater *flct.org*
Miami Children's Theater *www.miamichildrentheater.com*
Puppetry Arts Center *puppetcenter.org*
Theatreworks *theatreworksjax.com*

Teatro no jantar
Golden Apple Dinner Theater 25 N Pineapple Ave, Sarasota; 800 652 0920
Medieval Times *medievaltimes.com*
Murder Mystery Dinner Train *semgulf.com*

Música, dança e cinema
Miami City Ballet *miamicityballet.org*
Miami Symphony Orchestra *themiso.org*
New World Symphony *www.nws.edu*
Sarasota Film Festival *www.sarasotafilmfestival.com*
Sarasota Orchestra *sarasotaorchestra.org*
Sunday Musicals *sundaymusicals.org*

Circos
Circus Sarasota *circussarasota.com*
Flying High Circus *circus.fsu.edu*
PAL Sailor Circus *sailorcircus.org*
Ringling Brothers and Barnum & Bailey Circus *www.ringling.com*

Abaixo, à esq. Ator mistura-se a espectadores no Murder Mystery Dinner Train, Fort Myers
Abaixo, à dir. Apresentação de dança nos Sunday Musicals, série popular de concertos de Miami

A História da Flórida

Além de praias ensolaradas e parques temáticos, a Flórida tem uma história rica para contar, da pré-história e dos povoados indígenas à descoberta espanhola e aos dois séculos movimentados em que a região mudou de mãos constantemente, até relaxar na Era de Ouro. Os gloriosos prédios antigos, vizinhos da arquitetura moderna, são apenas um exemplo dos resquícios fascinantes do passado da Flórida, pronto para ser descoberto.

Primeiros habitantes

A história da Flórida começou com os paleoíndios – caçadores de animais grandes que parecem ter cruzado o estreito de Bering da Ásia (Eurásia) para a América do Norte por uma ponte de terra e gelo, há cerca de 12 mil anos. Instalaram-se onde havia água potável e dividiram a terra com animais enormes, como mastodontes, preguiças gigantes e mamutes.

Após séculos, as tribos formaram aldeias, cultivaram a terra e adquiriram costumes como fazer montículos fúnebres, que existem ainda hoje. Quando os europeus chegaram a essa parte do Novo Mundo, a Flórida era habitada por cerca de 350 mil pessoas de várias tribos. Os espanhóis e os britânicos registraram o nome de quase cem grupos. Os maiores eram o apalache e o timucua.

Índios timucuas matam aligatores no nordeste da Flórida, em meados do século XVI

Flórida Espanhola

A história escrita da Flórida começou quando o explorador espanhol Ponce de León "descobriu" a região em 1513, ao aportar provavelmente perto de St. Augustine. Ele chamou a terra de "La Florida" por causa da festa espanhola, a Páscoa Florida. Houve mais expedições, algumas chefiadas pelo implacável conquistador Hernando de Soto (c. 1497-1542). Os espanhóis levaram à Flórida o cristianismo, os cavalos e o gado, mas também doenças novas, como a varíola e a febre tifoide, e massacraram muitos nativos na busca de ouro e de tesouros. Nos anos 1770, as tribos nativas americanas da Flórida passaram a ser chamadas coletivamente de *seminoles*, que significa "selvagens" ou "chucros".

Na esteira dos espanhóis vieram os britânicos, ávidos por outro tipo de tesouro – os valiosos couros e peles. Dominaram a Flórida em 1763 ao trocá-la por Cuba. Derrotados os britânicos na Guerra da Independência dos EUA, os espanhóis reconquistaram a Flórida com o Segundo Tratado de Paris, de 1783. Dominaram a região até 1819, quando ela se tornou território dos EUA para pagar dívidas da Espanha. A longa influência espanhola

Cronologia

10.000 a.C.	1000 a.C.	1513 d.C.	1539	1763	1783
Os paleoíndios, primeiros habitantes da Flórida, fazem utensílios de pedra		O explorador espanhol Ponce de León descobre "La Florida"		Pelo Tratado de Paris, a Grã-Bretanha ganha a Flórida e devolve Cuba à Espanha	
	Primeiras comunidades paleoíndias constroem montes fúnebres		O conquistador espanhol Hernando de Soto chega à baía de Tampa		Pelo Segundo Tratado de Paris, a Flórida é devolvida à Espanha

A História da Flórida | 39

pode ser vista nas igrejas, na arquitetura e na comida do estado.

As Guerras Seminoles

No período anterior à Guerra de Secessão, chamado antebélico, as tribos indígenas se solidarizaram com os escravos que se refugiavam na Flórida, o que criou um conflito crescente com os EUA. Em 1817, o antagonismo causou a primeira das três guerras seminoles. Andrew Jackson, futuro presidente dos EUA, invadiu a Flórida, então espanhola, e derrotou os seminoles. Sob a bandeira dos EUA, começou a prosperar a economia latifundiária fundada na escravatura, como em outros estados sulistas. A terra valia muito, e o governo americano foi pressionado a expulsar os índios de suas terras. Em 1832, os EUA assinaram o Tratado Territorial de Payne com alguns chefes seminoles, prometendo-lhes terras a oeste do rio Mississippi se as tribos saíssem da Flórida pacificamente. Muitos concordaram, mas os que ficaram estavam dispostos a defender sua terra. De 1835 a 1842 e de 1855 a 1858, os guerreiros seminoles desafiaram o Exército dos EUA, muito mais poderoso. Acabaram perdendo a guerra, e quase todos os seminoles foram exilados. Mas um grupo de cerca de 300 permaneceu obstinadamente, escondendo-se nos Everglades. Seus descendentes são as tribos seminoles atuais.

O Estado da Flórida

A Flórida tornou-se o 27º Estado dos EUA em 1845. A maioria da população estadual estava no norte, onde floresceram as plantações. Em 1850, a população crescera para 87.445; quase metade era de escravos afro-americanos. Em 1861, para preservar seu modo de vida agrícola, o estado separou-se da União e aderiu aos Estados Confederados da América. Situada bem ao sul do conflito, a Flórida foi poupada da destruição sofrida por outros estados sulistas na Guerra de Secessão (1861-5). Seu papel principal foi fornecer à Confederação cerca de 15 mil soldados, algodão e alimentos, como sal e carnes bovina e suína. Quando os confederados perderam a guerra e a escravidão foi banida, a economia das plantações definhou. Mas logo os astutos construtores voltaram os olhos para a nova fonte de riqueza: o turismo.

Seminoles tentam emboscar tropas americanas na Primeira Guerra Seminole

LUGARES HISTÓRICOS

Cathedral Basilica of St. Augustine
Admire o belo exemplo da arquitetura espanhola que tanto influenciou as construções na Flórida *(p. 171)*.

Museum of Arts and Sciences (MOAS)
Veja a preguiça pré-histórica gigante, que tem 4m de altura *(pp. 176-7)*.

Indian Temple Mound Museum
Conheça o enorme acervo de artefatos de cerâmica desse museu ao lado de um dos maiores montículos cerimoniais indígenas da Flórida *(p. 193)*.

Mission San Luis
Confira um raro exemplo de harmonia racial na recriação do lugar compartilhado por espanhóis e índios apalaches *(p. 200)* feita por artistas fantasiados.

Kingsley Plantation
Visite a mais antiga fazenda da Flórida e explore a casa-grande, a cozinha e o celeiro restaurados, além das ruínas de 25 das cabanas originais dos escravos *(p. 165)*.

Ybor City Museum State Park
Reconstitua a história da indústria de charutos da cidade e conheça a casa restaurada de um trabalhador *(p. 218)*.

1818 — O exército de Andrew Jackson invade a Flórida na Primeira Guerra Seminole

1825 — A Vila de Talasi é escolhida para capital do estado e rebatizada de Tallahassee

1845 — A Flórida torna-se o 27º estado dos EUA

1861 — A Flórida une-se aos Estados Confederados da América

Era de Ouro da Flórida

Se a maior parte do desenvolvimento inicial da Flórida foi no norte, o clima agradável da terra mais ao sul tornou-se atraente para a construção civil. Barões das ferrovias como Henry Flagler, na costa leste, e Henry Plant, na costa oeste, expandiram as estradas de ferro no final dos anos 1880 e 1890 e passaram a construir os primeiros hotéis para atrair passageiros. O turismo explodiu, fizeram-se fortunas e belas mansões foram construídas.

As ferrovias também permitiram que consumidores ávidos de todo o país tivessem acesso à suculenta produção de laranja e limão do Estado do Sol, que logo se tornou o maior Estado produtor de cítricos dos EUA. Imigrantes de Cuba, ilha caribenha vizinha, levaram consigo o conhecimento da manufatura dos estimadíssimos charutos. O clima quente e úmido de Tampa era propício para o enrolamento das folhas de tabaco com perfeição, e Ybor City (p. 218) foi fundada nesse local em 1885 por Vicente Martinez Ybor, que aí instalou sua fábrica e seus operários.

Retrato de Henry Flager, fundador da Florida East Coast Railway

Alta e queda

O carro modelo T de Henry Ford saiu das linhas de montagem em 1908, tornando os automóveis acessíveis pela primeira vez. Em nenhum lugar se sentiu o efeito deles com tanta intensidade como na Flórida, para onde os "turistas de lata" debandavam. Em 1914, o empresário Carl Fisher imaginou construir a rodovia norte-sul Dixie, que percorreria desde a fronteira do Canadá até o sul da Flórida, e sonhou com uma cidade balneária na ponta sul da rodovia, Miami Beach (pp. 66-7). Nos anos 1920, investidores de todo tipo acorreram para comprar e vender terras em cidades do sul do estado, como Miami e Palm Beach (pp. 88-9). Os preços dispararam, e os vigaristas entraram na jogada. Alguns ludibriados compraram terras no escuro e depois se viram donos de pântanos inúteis. Em 1925, os preços eram astronômicos; os compradores rarearam, e a alta imobiliária se reverteu para queda. Um furacão que devastou Miami em 1926 deprimiu ainda mais o mercado. Quando começou a Grande Depressão no resto do país, em 1929, os moradores da Flórida já conheciam a agrura econômica.

Crianças sobem em calhambeque em Coral Gables, cidade do "turismo de lata"

A segunda alta

Os programas de emprego do governo e a florescente indústria cítrica ajudaram a Flórida a escapar da Depressão, e muita gente chegou de todos os EUA à procura de emprego, ajudando a economia do estado a crescer. A Segunda Guerra Mundial trouxe nova expansão, pois o clima ameno da Flórida o ano inteiro fez dela um centro de treinamento para o Exército e a Marinha dos EUA. Seguiu-se a construção de rodovias e aeroportos, e no fim da guerra uma rede de transportes moderna estava pronta à espera de turistas.

Forasteiros vieram também de outros países, sobretudo para Miami. A ascensão de Fidel Castro ao poder em Cuba, em 1959, causou um êxodo de cubanos, e a instabilidade do Haiti nos anos 1970 levou à fundação de uma comunidade chamada Little Haiti.

A primeira Daytona 500 deu a largada em 1959, tornando o Daytona International Speedway (p. 174) uma meca dos fãs de corridas

Cronologia

1885 — Vicente Ybor transfere sua indústria de charutos para Tampa

1915-27 — É construída a rodovia Dixie, que liga o Meio-Oeste ao sul da Flórida

1929-34 — A Grande Depressão chega à Flórida

1958 — O primeiro satélite terrestre, *Explorer I*, é lançado da Flórida

1971 — O Walt Disney World® abre em Orlando ao custo de $700 milhões

1980 — 125 mil cubanos chegam à Flórida no êxodo de Mariel, de cinco meses

de carro. A exploração do espaço e a instalação da Nasa e do Kennedy Space Center (pp. 144-7), em 1962, também criaram empregos e atraíram turistas. A era dos parques temáticos começou em 1959, quando os Busch Gardens (pp. 214-5) foram inaugurados em Tampa, e 10 mil pessoas esperaram impacientes os portões do Walt Disney World® (pp. 106-17) se abrirem, em 1971.

Flórida atual

Hoje, a Flórida é o quarto Estado mais populoso dos EUA e um dos destinos de férias mais procurados do mundo. Sua população diversificada tem 20% de aposentados com mais de 65 anos, atraídos pelo ótimo clima. Os mais de 300 mil cubanos que se refugiaram no sul da Flórida nos anos 1960 fixaram-se lá, formaram família e se tornaram influentes nos negócios e na política. O Walt Disney World® cresce todo ano e ganhou a companhia dos Universal Studios Florida® (pp. 118-9), do SeaWorld® (pp. 122-3) e da Legoland® (pp. 132-5), fazendo de Orlando a capital mundial dos parques temáticos.

A arquitetura art déco dos anos 1930 de Miami Beach foi redescoberta pelos jovens e chiques, que debandam para os hotéis e boates da cidade. O Estado também é um polo importante do crescente ramo de cruzeiros, com portos movimentados em Miami, Fort Lauderdale (pp. 80-1), Tampa e outras cidades costeiras, recebendo milhares de transatlânticos por ano. Tudo isso significa emprego. Recentemente, com a economia acrescida da indústria eletrônica, de plásticos, da construção civil e de bancos internacionais, jovens pretendentes ao mercado de trabalho correram para a Flórida. Como a maioria do mundo, o Estado sentiu a desaceleração econômica iniciada em 2008, mas, venha o que vier, o sol continuará brilhando na Flórida.

Fachada art déco do Jackie Gleason Theater of the Performing Arts, Miami

2000	2004	2010	2014
George Bush vence a eleição presidencial, e a Flórida foi o estado decisivo	Frances, um dos furacões mais mortíferos da história, provoca danos de $40 bilhões	Grande vazamento de óleo de petroleiro da BP reduz o turismo. Operação de limpeza tem sucesso	Planos da Nasa de lançar a nave espacial tripulada Orion

VOCÊ SABIA?

O que um nome diz?

Muitos dos nomes da Flórida atual – Hialeah (prado lindo), no município de Miami, Appalachee (povo do outro lado) Parkway, em Tallahassee, e a cidade de Apalachicola (terra do povo amigo) – vêm dos colonizadores nativos. Os espanhóis também deixaram sua herança, como em Fernandina (nome feminino popular na Espanha).

Pioneiros voadores

O aviador Tony Jannus, da Flórida, conduziu o avião que lançou o primeiro paraquedista, em 1912, e em 1º de janeiro de 1914 pilotou o primeiro voo de linha de passageiros – de St. Petersburg a Tampa (cerca de 32km).

Curtindo o bronzeado

Em 1944, o farmacêutico Benjamin Green, de Miami Beach, inventou o primeiro creme bronzeador, cozinhando manteiga de cacau em panela de café no fogão da sua mulher.

Beber para vencer

A bebida esportiva Gatorade® foi criada em 1965 na Universidade da Flórida, para ajudar seus times a aguentar o calor, e foi batizada de "Gators", o apelido dos times.

Símbolos estaduais

O pássaro mascote da Flórida é o *mockinbird* (primo do sabiá); e o vegetal, a flor de laranjeira. O brasão da bandeira representa o estado com o sol brilhando, uma palmeira-da-flórida, um vapor e uma mulher seminole espalhando flores.

A linda praia de areia branca do Fort Zachary Taylor Historic State Park, em Key West, com rochas de coral e guarnecida por casuarinas

Atrações da
FLÓRIDA

MARLIN

Miami

Exótica, glamorosa, pitoresca e cosmopolita – Miami é tudo que o cinema a fez ser. A cidade assimilou seu caráter multicultural com as primeiras migrações de judeus nova-iorquinos e baameses. Desde então, a imigração de pessoas de outras nacionalidades, como cubanos, haitianos, brasileiros e jamaicanos, influenciou a comida, a arte e a cultura de Miami. As famílias adoram seu clima carnavalesco.

Principais atrações

Vizcaya Museum and Gardens
Marco mais conhecido e mais excêntrico de Miami, esse palácio de fantasia e seu jardim propiciam um dia divertido e criativo (pp. 60-1).

South Beach
Admire esse bairro, o mais filmado de Miami, com construções art déco deslumbrantes. As crianças vão adorar a bela praia (pp. 68-9).

Coral Gables
Feita nos anos 1920 com pedras do local, a "cidade-beleza" exibe arquitetura elegante e oferece à família museus e parques (pp. 52-3).

Coconut Grove
Compre, coma e goze o clima festivo desse destino da moda, antiga comunidade baamesa e depois reduto hippie (p. 54).

Centro de Miami
Vá a essa região movimentada, lar dos animados Bayfront Park e do Mercado, bem como de Little Havana, onde está a comunidade cubana (pp. 58-9).

North Miami Beach
Aproveite as compras de primeira classe e os altos resorts nas mais recentes ondas de Miami: Surfside, Sunny Isles e Bal Harbour (p. 70).

À esq. Um clássico Thunderbird antigo estacionado diante de um hotel no histórico Art Deco District, South Beach
Acima, à dir. Araras com penas muito coloridas na Jungle Island

O Melhor de Miami

Embora seja famosa pela vida noturna, Miami é bem cotada como destino artístico, com festividades anuais, museus, teatros e galerias que refletem sua herança cultural rica e variada. Sua localização no litoral atrai famílias interessadas em esportes aquáticos e outras atividades à beira-mar. Além disso, há vários parques, zoológicos e atrações interativas que encantam visitantes de todas as idades.

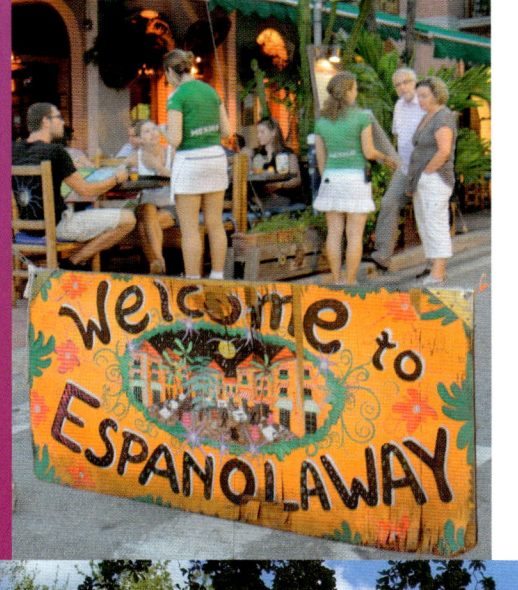

Fim de semana na praia

As melhores praias para a família ficam do outro lado da ponte que vem do centro, em Virginia Key e Key Biscayne. Vá ao **Bill Baggs Cape Florida State Park** *(p. 65)* a tempo de visitar o farol e subir ao topo para ver as praias de Key Biscayne e mais além. Almoce no restaurante da praia do parque antes de alugar um caiaque para brincar com as ondas. Visite o **Crandon Park** *(pp. 64-5)* à tarde para relaxar na praia, depois explore o **Marjory Stoneman Douglas Biscayne Nature Center** *(p. 65)* do parque, poupando-se do sol. A seguir, vá ao **Virginia Key Beach Park** *(p. 64)* para se divertir no playground. Visite a **South Beach** *(pp. 68-9)* para fechar o fim de semana nas praias de Miami. Pegue o rumo do **South Pointe Park** *(p. 68)* para escapar da multidão e ver os navios de cruzeiro entrando e saindo do porto.

À esq. *Placa à entrada do Española Way, South Beach*
Abaixo *A Casa de Pedra, no Deering Estate, em Cutler*

Acima Um dos numerosos postos de salva-vidas de South Beach

Viagem ao passado

Para uma cidade relativamente jovem, Miami tem muita história, que se centra sobretudo nos anos 1910 e 1920. Comece com um passeio a pé guiado pelo Art Deco District, em **South Beach**, depois visite o **Jewish Museum of Florida** (p. 68), dedicado a outro aspecto do passado da cidade. Ao sul do centro, o **Vizcaya Museum and Gardens** (pp. 60-1) foi construído em 1916 para parecer antigo e europeu. Em **Coral Gables** (pp. 52-3), casas da década de 1920 povoam um dos empreendimentos planejados mais bem-sucedidos do país; saiba mais no **Coral Gables Museum** (p. 53). Feita perto de 1891 numa floresta virgem, **The Barnacle Historic State Park** (p. 54), em **Coconut Grove** (p. 54), proporciona um vislumbre da velha Flórida. Visite a **Deering Estate at Cutler** (p. 56), que pertenceu a Charles Deering, irmão de James Deering, que construiu **Vizcaya**. Veja outra construção histórica que revela o sonho bizarro de um homem, o **Coral Castle** (p. 57), em Homestead.

Safári animal

As famílias que gostam de animais podem vê-los na natureza e em atrações por toda Miami. Faça uma excursão de barco, saindo do **Bayside Marketplace** (p. 61), para procurar golfinhos no mar, depois vá ao **Miami Seaquarium®** (p. 64), em Key Biscayne, para vê-los dar um espetáculo, junto com orcas e leões-marinhos. Inscreva-se para ter um encontro com um golfinho e espie os crocodilos, tubarões, manatis e outros seres marinhos. Indo a sul, o **Miami Science Museum** (p. 55) e o **Zoo Miami** (pp. 56-7) propiciam oportunidades de se aproximar bem dos animais. A caminho de **South Beach**, a **Jungle Island** (p. 63) é repleta de pássaros exóticos, cangurus e grandes felinos.

Ânsia cultural

O bater de dominós, a lufada de café forte, o esforço da salsa e o aroma entorpecedor do charuto são traços de Miami tanto quanto as praias. É em Little Havana que se inicia a investigação cultural. Caminhe pela **Calle Ocho** (p. 62) e conheça o Domino Park, as lojas, a comida. Ainda no centro, dê uma entrada no **Miami Art Museum** (p. 62). Em **Coconut Grove**, saboreie a arquitetura baamense no Charles Avenue Historic District. Em **South Beach**, o **Tap Tap Haitian Restaurant** (p. 63) oferece o verdadeiro paladar do Haiti. Ao longo do **Española Way** (p. 68), latino é o sabor *du jour*.

À dir. Lolita, a orca, apresenta-se para visitantes no Miami Seaquarium®, Key Biscayne

Miami

O ponto mais ao sul da Flórida, antes de o continente se estreitar na fieira de ilhas conhecidas como Florida Keys, Miami consiste em uma colossal área suburbana e metropolitana limitada à frente pela movimentada Miami Beach e por Key Biscayne, mais tranquila. A baía de Biscayne separa o continente das ilhas; uma ponte com pedágio leva a Key Biscayne, e cinco pontes atravessam para Miami Beach. A Interstate 95 e a Florida's Turnpike (Route 821) seccionam a cidade em norte e sul. A Highway 1, também chamada Dixie Highway, corre paralela, perto da baía. Os ônibus e trens da Miami-Dade Transit fornecem o transporte público.

Cágados na Jungle Island, Miami

Miami | 49

O famoso restaurante Big Pink, na Collins Avenue, Miami Beach

Estátua de bronze do fundador George Merrick, diante de Coral Gables City Hall

Crianças aprendem sobre a mostra do Cruise Ship no Miami Children's Museum

O Bill Baggs Cape Florida State Park visto do farol, em Key Biscayne

Informações

🚗 **Como chegar a Miami e arredores**
Avião Vá ao Miami International Airport (www.miami-airport.com). É fácil pegar táxi no aeroporto, mas não nas ruas; ligue antes para 305 876 7024 para reservar. **Ônibus e trem** O Miami-Dade Transit (www.miamidade.gov/transit) opera o Metrobus, Metromover (no centro) e Metrorail, com conexões com o aeroporto.
Carro Autolocadoras como Avis (www.avis.com) e Hertz (www.hertz.com) estão no aeroporto; note que todos os carros, inclusive alugados, precisam de um transponder para usar a Florida's Turnpike.

ℹ️ **Informação turística** Greater Miami Convention and Visitors Bureau, 701 Brickell Ave, St 2700, Miami, 33131; 305 539 3094 e 800 933 8448; www.miamiandbeaches.com

🛒 **Supermercados** Publix (www.publix.com) e Winn-Dixie (www.winndixie.com) têm lojas por toda a cidade. **Mercados** Há lojinhas de comidas étnicas em Little Havana, Little Haiti, South Beach e outros encraves culturais.

🎊 **Festivais** Veja Coral Gables e Coconut Grove (pp. 50-1), Centro, Little Havana e Vizcaya (pp. 58-9) e Miami Beach (pp. 66-7).

➕ **Farmácias** Há farmácias Publix, Walgreens (www.walgreens.com) e CVS (www.cvs.com/pharmacy) por toda a cidade; algumas filiais da CVS e da Walgreens ficam abertas 24h.

🚻 **Banheiros** Quase todas as principais atrações, restaurantes, shoppings e a maioria dos postos de gasolina tem banheiros públicos.

Coral Gables, Coconut Grove e Arredores

South Miami tem bairros dos mais antigos, mais interessantes e mais adequados a famílias da região metropolitana. Árvores altas enredadas por barba-de-velho, ruas sinuosas sombreadas onde se veem lindas mansões e parques bem-cuidados. Coral Gables e Coconut Grove são dois dos distritos mais procurados dessa parte da cidade, mas os turistas não devem deixar de ver a histórica Cutler Bay, nem Homestead, cidade agrícola à beira do Everglades National Park e das Florida Keys. Mais longe, as famílias têm muito o que ver e fazer no Fruit & Spice Park (*p. 57*), no Coral Castle e no Zoo Miami.

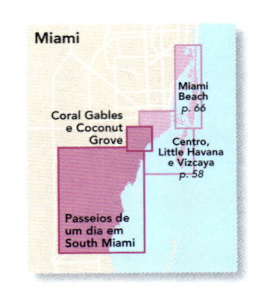

A elegante decoração interior da casa no Barnacle Historic State Park, Coconut Grove

Locais de interesse

ATRAÇÕES
1. Coral Gables
2. Coconut Grove
3. The Barnacle Historic State Park
4. Peacock Park
5. Fairchild Tropical Garden
6. Deering Estate, em Cutler
7. Zoo Miami
8. Coral Castle

COMIDA E BEBIDA
1. Publix Supermarket and Deli
2. Al's Coffee Shop
3. The Cascade
4. Ortanique on the Mile
5. The Cheesecake Factory
6. Le Bouchon du Grove
7. Rincón Argentino
8. LuLu
9. Dolce Vita Gelato Cafe
10. Peacock Garden Cafe

COMPRAS
1. Miracle Mile

HOSPEDAGEM
1. The Biltmore Hotel
2. Sonesta Bayfront Hotel

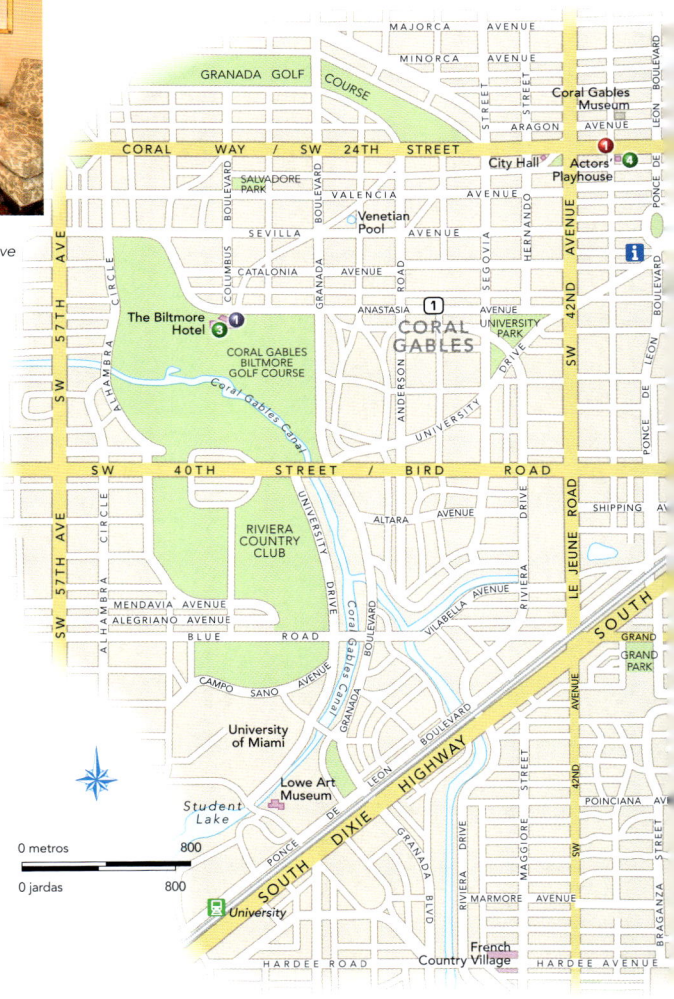

Coral Gables, Coconut Grove e Arredores | 51

Informações

🚗 **Como circular** A melhor maneira de circular por Coral Gables e Coconut Grove é de carro, mas o trânsito pode ficar bem pesado. A Florida's Turnpike (veja o mapa em destaque) é mais rápida ao ir para o quadrante sudoeste. Partindo do centro, o Metrorail vai aos dois bairros e adiante, mas não até Homestead. Porém, o ônibus 34 liga o terminal do Metrorail a Homestead.

ℹ️ **Informação turística** Coral Gables Chamber of Commerce, 224 Catalonia Ave, Coral Gables 33134; 305 446 1657; *coralgableschamber.org*. Coconut Grove Chamber of Commerce, 2820 McFarlane Rd, 33133; 305 444 7270; *www.coconutgrovechamber.com*. Tropical Everglades Visitor Center, 160 US 1, Florida City, 33034; 305 245 9180; *www.tropicaleverglades.com*

🛒 **Supermercados** Publix,14601, S Dixie Hwy, 33176; 305 255 8005 & 2270 SW 27th Ave, 33145; 305 445 9661; *www.publix.com*
Mercados Saturday Farmers' Market, 405 Biltmore Way, Coral Gables, 33134 & Grand Ave, na esquina de Margaret St, Coconut Grove, 33133; todo sáb

🎉 **Festivais** Redland Heritage Festival (jan). Coconut Grove Arts Festival, *new.cgaf.com* (fev). Washington Day Regatta (fev). Deering Seafood Festival (mar). Youth Arts Day & Music Fest (mai-jun). The Goombay Festival, *www.goombayfestivalcoconutgrove.com* (jun). International Mango Festival (jul). Spooktober at Zoo Miami (out)

➕ **Farmácia** Walgreens, 3595 Coral Way, Coral Gables, 33145; 305 444 8427; *www.walgreens.com*; aberto 24h

⛹️ **Playgrounds mais próximos** Douglas Park, 2765 SW 37th Ave, 33134; diariam (p. 53). Peacock Park, 2820 McFarlane Rd, 33133; diariam (p. 55)

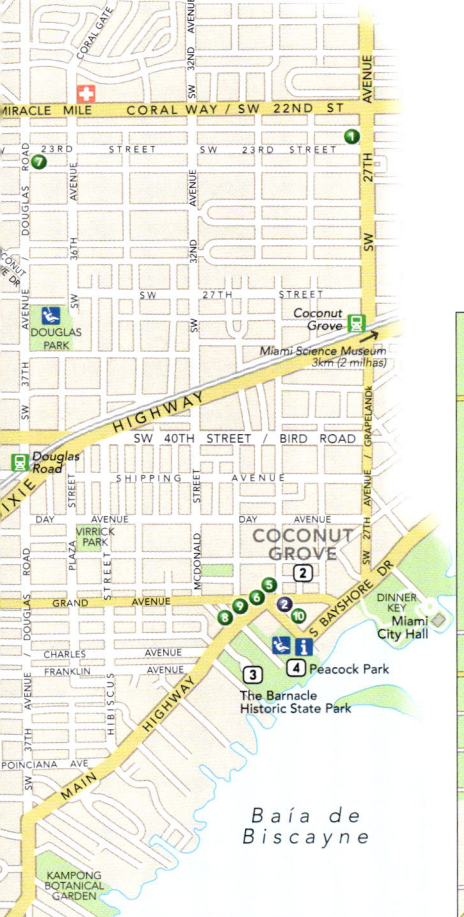

Crianças brincam em poça de maré no Matheson Hammock County Park, Coral Gables

① Coral Gables
Cidade da fantasia

Cidade de sonho, Coral Gables foi feita pelo construtor George Merrick, que vislumbrou um dos primeiros e mais bem-sucedidos subúrbios planejados dos EUA. Chamada "cidade-beleza", deve o apelido às ruas sombreadas por carvalhos e às casas de primeira qualidade. A cidade é dotada de uma das mais lindas piscinas públicas do mundo – a Venetian Pool, antigamente uma pedreira de calcário. As famílias adoram as áreas verdes da região e sua esplêndida arquitetura.

Fachada do Biltmore Hotel

Destaques

① **Miracle Mile** Graciosas fontes de pedra guarnecem essa sucessão de lojas e restaurantes dos anos 1950, decorada com belas tamareiras em forma de abacaxi.

② **Actors' Playhouse** Instalado no antigo Miracle Theatre, apresenta peças infantis com atores mirins, além de programas adultos.

③ **City Hall** Feita em estilo neomediterrâneo para combinar com as casas e os prédios comerciais de Coral Gables, a linda Prefeitura, de cerca de 1927, encontra-se no fim da Miracle Mile.

④ **Venetian Pool** Pontes de pedra, grutas, cascatas e vegetação exuberante cercam essa piscina fantástica escavada em antiga pedreira de calcário, fonte do material de construção de Coral Gables.

⑤ **The Biltmore Hotel** Predileto de ricos e famosos desde a inauguração, em 1926, esse hotel mais parece um castelo transposto de um conto de fadas.

⑥ **Lowe Art Museum** Na Universidade de Miami, esse museu tem arte americana, indígena, renascentista, europeia e asiática em seu acervo permanente, e também faz exposições itinerantes.

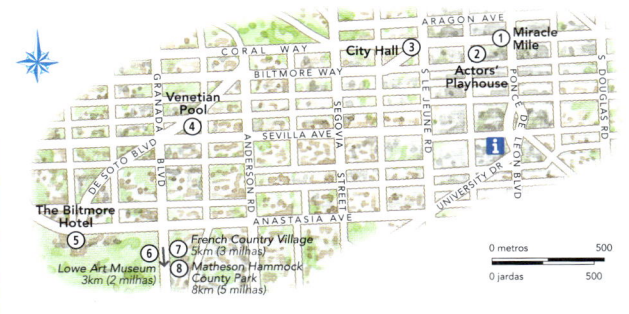

⑦ **French Country Village** Uma das vilas residenciais internacionais de Coral Gables, ainda tem vários prédios com arquitetura original. Hera, frisos de madeira e estilo de chalé dão às casas um ar provincial francês.

⑧ **Matheson Hammock County Park** Grande atração para a família, a Atoll Pool Beach é totalmente protegida, margeada por palmeiras e segura para crianças pequenas. Playgrounds, áreas de piquenique com sombra, ciclovias, trilhas e escola de iatismo tornam o parque uma grande diversão.

Informações

🌐 **Mapa** 11 C4
Endereço Actors' Playhouse: 280 Miracle Mile, 33134; www.actorsplayhouse.org. City Hall: 405 Biltmore Way, 33134; www.coralgables.com. Venetian Pool: 2701 DeSoto Blvd, 33134; www.coralgables.com. The Biltmore Hotel: 1200 Anastasia Ave, 33134; www.biltmorehotel.com. Lowe Art Museum: 1301 Stanford Ave, 33134; www.lowemuseum.org. Matheson Hammock County Park: 9610 Old Cutler Rd, 33156; www.miamidade.gov

🚗 **Metrô** Metrorail para a estação Douglas Road e ônibus 42

ℹ️ **Informação turística** Coral Gables Chamber of Commerce, 224 Catalonia Ave, 33134; coralgableschamber.org

🕐 **Aberto** Actors' Playhouse: box office 10h-18h seg-sex & 12h-18h sáb-dom. City Hall: 8h-17h seg-sex. Venetian Pool: 11h-17h30 ter-sex & 10h-16h30 sáb-dom, fechado dez-jan. Lowe Art Museum: 10h-16h ter-sáb & 12h-16h dom. Matheson Hammock County Park: aurora-pôr do sol diariam

💲 **Preço** Actors' Playhouse: preços variados. City Hall & The Biltmore Hotel: grátis. Venetian Pool: $35-44. Lowe Art Museum: $30-40; até 12 anos grátis. Matheson Hammock County Park: $5-6 por veículo

Preços para família de 4 pessoas

Para relaxar

Vá ao **Douglas Park** *(2755 SW 37th Ave, 33134)*, com áreas verdes à sombra de árvores enormes, playgrounds e abrigo para piquenique. Ao lado, **Todo Frio Ice Cream N More** *(www.todofrio.net)* vende sorvetes de massa por preço razoável.

Lanche e café na conhecida Al's Coffee Shop, em Coral Gables

Comida e bebida

Piquenique: até $25; lanche: $25-50; refeição: $50-80; para a família: mais de $80 (quatro pessoas)

PIQUENIQUE Publix Supermarket and Deli *(2270 SW 27th Ave, 33145; 305 445 9661; www.publix.com)* vende sanduíches, saladas, asas de frango, bebidas e outros lanches para viagem. Leve para um piquenique no Zip to Douglas Park.
LANCHE Na **Al's Coffee Shop** *(2121 Ponce de Leon Blvd, 33134; 305 461 5119; www.alscoffeeshop.com)* há sanduíches, saladas, hambúrguer e bom café.
REFEIÇÃO The Cascade *(no Biltmore Hotel; 855 445 8066; www.biltmorehotel.com)* serve culinária moderna francesa e caribenha. Tem cardápio infantil.
PARA A FAMÍLIA Ortanique on the Mile *(278 Miracle Mile, 33134; 305 446 7710 ou 877 446 7710; www.biltmorehotel.com)* tem decoração e cozinha caribenhas. Para os adultos, pratos como *curry crab cake melt*, ou bolinhos de milho; para as crianças, frango ou massa.

Compras

Lojas de eletrônicos, livros, antiguidades e outras na **Miracle Mile** *(shop coralgables.com)*. Lojas e restaurantes são na maioria autônomos e prezados pela qualidade e variedade. Muitas lojas são especializadas em casamentos e roupas infantis.

Se chover...

O **Coral Gables Museum** *(285 Aragon Ave, 33134; 305 603 8067; www.coralgablesmuseum.org)* revela o patrimônio de Coral Gables com exposições permanentes e itinerantes sobre a história e as raízes espanholas da cidade e sua arquitetura e arte.

Miracle Mile, a avenida de compras em Coral Gables

Próxima parada...

CAULEY SQUARE SHOPS Siga 22km a sudoeste de Coral Gables para comprar nas Cauley Square Shops *(www.cauleysquareshops.net)*. Aí era o ponto final dos trens em Miami antes de descerem para as Keys. Dê uma olhada na Aviary Birdshop, que tem aves à venda, coma nos restaurantes instalados em chalés antigos e admire os prédios de estilo espanhol nas ruas pavimentadas com pedras.

- **Para evitar fila** Miracle Mile e áreas vizinhas são mais tranquilas de manhã
- **Idade** Mais de 3 na Venetian Pool; mais de 5 em outras atrações; livre no Matheson Hammock Park
- **Atividades** Lowe Art Museum tem Family Days duas vezes por ano.
- **Duração** Um dia
- **Café** Matheson Hammock County Park tem lanchonete.
- **Banheiros** Em todos os estabelecimentos comerciais

Bom para a família?
Passear de carro por Coral Gables já é bem divertido, quanto mais visitar suas ótimas atrações.

CRIANÇADA!

Mistura em Coral Gables
Desembaralhe as letras para compor nomes e palavras que fazem parte da história de Coral Gables: 
1. ÁRLCCIAO
2. CRMRKEI
3. PENHLSAO
4. TROEMIBL
5. UAQERIUTTAR

Respostas no fim do quadro.

LEITO DE CALCÁRIO

Miami está assentada sobre uma rocha chamada oólito ou calcário-de-miami. Formou-se com antigos leitos de coral, quando o mar cobria o sul da Flórida, devido a drásticas mudanças climáticas. Olhando com atenção, é possível ver seres marinhos fossilizados incrustados na rocha.

Très français

Muitas das casas que faziam parte da French Country Village ainda existem na Hardee Road. Caminhe ou passe de carro pela rua para ver as casas dos números 500, 501, 508, 524, 535 e 536. O que faz que elas pareçam saídas do interior da França? (Dica: atente para as casas de tijolos aparentes, jardim murado e sacada decorada.)

Respostas: 1 Calafato, 2 Merrick, 3 Espanhol, 4 Biltmore, 5 Arquitetura.

Miami

O pátio frondoso de CocoWalk, shopping caro em Coconut Grove

② Coconut Grove
Finura no Grove

Mansões luxuosas e barcos a vela singrando ao vento ou ancorados na Biscayne Bay definem Coconut Grove como comunidade rica em que um café na calçada é uma experiência típica. A região mudou muito desde a época da contracultura hippie dos anos 1960. Hoje, atrai famílias com seu Peacock Park

Informações

- **Mapa** 12 G5
- **Ônibus** 42, em Coral Gables. **Metrô** Metrorail, em Coral Gables.
- **Informação turística** Coconut Grove Chamber of Commerce, 2820 McFarlane Rd, 33133; 305 444 7270; www.coconut grovechamber.com
- **Para evitar fila** Vá em dia útil, se possível, pois a cidade lota nos fins de semana.
- **Passeios guiados** Ghost Tours Miami (786 236 9979; www.ghost grove.com) oferece passeios históricos para famílias em Coconut Grove. Reserve um mês antes.
- **Idade** A partir de 5 anos
- **Duração** Meio dia ou um dia
- **Comida e bebida** LANCHE The Cheesecake Factory (CocoWalk, 3015 Grand Ave, 33133; 305 447 9898; www.thecheesecakefactory.com) tem pratos rápidos como mini-corndogs e Dynamite Shrimp. PARA A FAMÍLIA Le Bouchon du Grove (3430 Main Hwy, 33133; 305 448 6060; lebouchon dugrove.com) serve sanduíches, saladas, sopas e entradas de influência francesa.
- **Festival** O Goombay Festival celebra a herança baamesa de Coconut Grove, com grupos de Junkanoo (jun ou ago).

Preços para famílias de 4 pessoas

Iates e barcos pequenos atracados na marina, em Dinner Key

(p. 55), ruas animadas, galerias de arte e o CocoWalk, um shopping ao ar livre. Ao redor do centro da região, no cruzamento de Grand Avenue, McFarlane Avenue e Miami Highway, estão os bairros de mansões mediterrâneas, que contrastam com as "casas-conchas" baamesas de tábuas.

Para relaxar

Percorra 3km a nordeste até a periferia de Coconut Grove e a **Dinner Key** (www.miamigov.com), uma supermarina de iates. Esse lugar era a base de hidroaviões da Pan American Airways nos anos 1930. Faça um passeio pela marina para apreciar os prédios históricos da "PanAm" – um dos quais hoje abriga a Prefeitura de Miami – e os reluzentes iates modernos.

③ The Barnacle Historic State Park
Um pedaço da velha Miami

Como muitos pioneiros da Flórida e moradores atuais, o comodoro Ralph Munroe mudou-se do norte do estado para Coconut Grove. No final dos anos 1800, ele criou esse terreno residencial extenso e construiu uma casa chamada The Barnacle (Cirrípede), por causa do cômodo central octogonal. As famílias podem visitar essa faixa estreita de terreno, que vai da Main Highway à baía de Biscayne, para ver como era Coconut Grove há mais de cem anos. Parte da outrora vasta Miami Hammock, sua floresta primária tem pontos secretos, como um cemitério com túmulos sem lápide e bancos sob árvores.

Informações

- **Mapa** 12 G5
- **Endereço** 3485 Main Hwy, Coconut Grove, 33133; 305 442 6866; www.floridastateparks.org/thebarnacle
- **Ônibus** 42 em Coral Gables. **Metrô** Metrorail em Coral Gables.
- **Informação turística** Coconut Grove Chamber of Commerce, 2820 MacFarlane Rd, 33133; 305 444 7270; www.coconutgrove chamber.com
- **Aberto** 9h-17h sex-seg
- **Preço** $8-18
- **Passeios guiados** São oferecidos na casa de Barnacle às 10h, 11h30, 13h e 14h30 sex-seg ($5-12; até 5 anos, grátis)
- **Idade** A partir de 5 anos
- **Duração** 1 hora
- **Comida e bebida** REFEIÇÃO Rincón Argentino (2345 S Douglas Rd, 33145; 305 444 2494; www.rinconargentino.com) serve sopas, saladas, carnes, frutos do mar e ótimas massas caseiras. PARA A FAMÍLIA Lulu (3105 Commodore Plaza, Coconut Grove, 33133; 305 447 5858; www.luluinthegrove.com) tem mesas fora com vista para o movimento das ruas de Coconut Grove. Prove o sanduíche de bacon.

A casa Barnacle, com telhas vermelhas, no Barnacle Historic State Park

Coral Gables, Coconut Grove e Arredores | 55

Para relaxar

O Barnacle tem muitos espaços abertos, mas, se as crianças quiserem mais, vá ao **Kampong Botanical Garden** *(4013 Douglas Rd, 33133; 305 442 7169; ntbg.org)*, que faz passeios guiados em seu terreno exuberante de qua e sáb. Não deixe de ver o baobá de 80 anos e faça uma visita à casa e à coleção do dr. David Fairchild, que é mais conhecido pelo **Fairchild Tropical Garden** *(p. 56)*.

Figueiras-de-bengala margeiam o caminho no Kampong Botanical Garden

④ Peacock Park
Saltos, rampas e paus-de-porco

Com esse nome não por causa do pavão, mas de uma família pioneira de Coconut Grove, a Peacock, cuja filha se casou com o fundador de Coral Gables, George Merrick, esse parque espraia-se como um cobertor verde até a baía de Biscayne. As crianças podem jogar beisebol, basquete e futebol ou passear de skate nas rampas do **Grove Skate Park**, feitas para principiantes. Velhos carvalhos e paus-de-porco *(gumbo limbo)* dão sombra a um parquinho e mesas onde a família pode fazer piquenique.

Se chover...

Siga 4km a nordeste até o **Miami Science Museum** *(3280 S Miami Ave, Miami, 33129; 305 646 4200; miamisci.org)*, com três prédios separados – Wildlife Center, planetário e museu – que despertam a curiosidade infantil por animais, pelo céu e por fenômenos científicos. O museu dispõe de uma programação diária de demonstrações e espetáculos.

A baía de Biscayne vista da passarela do Peacock Park

Informações

- **Mapa** 12 G5
- **Endereço** 2820 McFarland Rd, 33133; 305 442 0375. Grove Skate Park: no Peacock Park; 786 290 5150; groveskatepark.com
- **Ônibus** 42 em Coral Gables. **Metrô** Metrorail em Coral Gables
- **Informação turística** Coconut Grove Chamber of Commerce, 2820 MacFarlane Rd, 33133; 305 444 7270; www.coconutgrovechamber.com
- **Aberto** diariam. Grove Skate Park: 15h-19h seg-qui, 15h-20h sex e 11h30-20h sáb-dom
- **Preço** Grove Skate Park: $20-30 (seg-sex) e $40-50 (sáb-dom)
- **Idade** Livre
- **Duração** 1 hora
- **Comida e bebida** PIQUENIQUE Dolce Vita Gelato Cafe *(3462 Main Hwy, 33133; 305 461 1322; www.dolcevitagelato.com)* tem sorvete e quitutes para um piquenique junto à baía no Peacock Park. PARA A FAMÍLIA Peacock Garden Cafe *(2889 McFarlane Rd, 33133; 305 774 3332; peacockspot.com)* serve saborosas sopas, massas, sanduíches, frutos do mar e carne em local agradável.

CRIANÇADA!

Conheça o pau-de-porco no Peacock Park

1 O nome botânico do pau-de-porco *(gumbo limbo)* é *Bursera simaruba*.

2 Como ele tem casca fina vermelha, os moradores o chamam jocosamente de "árvore de turista", por causa dos visitantes que não passam filtro solar ao tomar banho de sol na Flórida!

3 As árvores são às vezes chamadas de "cercas vivas" porque, quando os galhos são enfiados no chão em fila, logo nascem folhas.

4 A madeira do pau-de-porco era usada por tradição para esculpir cavalos de carrossel.

SALA DE ESTAR

O comodoro Munroe chamou sua casa de Barnacle porque a sala central tem oito lados e ele a achou parecida com um cerrípede, crustáceo que se agarra a raízes no mangue, aos barcos e a outros hospedeiros. Pense em bichos marinhos como o polvo e a água-viva. Você consegue desenhar uma sala com forma parecida?

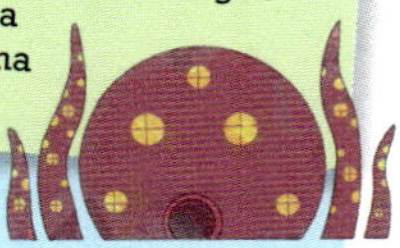

Choco loco

O Dolce Vita Gelato Cafe de Coconut Grove é conhecido por ser um pouco *loco* (louco, em espanhol) graças aos seus sabores de chocolate com ingredientes locais, como chocolate-pimenta e chocolate-laranja. Você consegue imaginar outros temperos, frutos ou legumes da Flórida que poderiam criar um sabor novo e bem gostoso com chocolate?

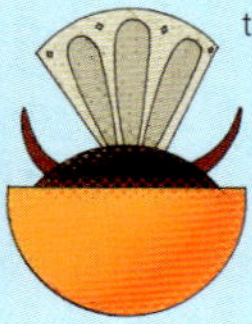

Piquenique até $25; **Lanche** $25-50; **Refeição** $50-80; **Para a família** mais de $80 (para quatro pessoas)

5 Fairchild Tropical Garden

Borboletas, cactos e mania de manga

No começo do século XX, o dr. David Fairchild deu início à busca de 37 anos de espécimes vegetais de todo o mundo. A coleção continua a crescer, e hoje é uma das mais respeitadas do gênero no mundo. Flores vistosas junto ao lago perfumam o jardim botânico, famoso pelas orquídeas, mangueiras, palmeiras e outras plantas tropicais. Entre os jardins está a única floresta tropical plantada dos EUA. As crianças vão adorar o colorido jardim de borboletas, a coleção de cactos e a horta comestível. O Fairchild também faz exposições de artistas de nome, dá oportunidade de avistar pássaros e organiza programas familiares como o chá da tarde.

Informações

- **Endereço** 10901 Old Cutler Rd, Miami, 33156; 305 667 1651; www.fairchildgarden.org
- **Ônibus** Route 136 (só dias úteis). **Carro** De Coral Gables, siga a LeJeune Rd até a Old Cutler Rd.
- **Aberto** 9h30-16h30 diariam
- **Preço** $74-84; até 6 anos, grátis
- **Para evitar fila** Veja na internet a programação dos eventos para a família, para evitar filas ao estacionar e entrar
- **Passeios guiados** Passeios narrados em bonde aberto saem toda hora 10h-15h seg-sex, 10h-16h sáb-dom
- **Idade** A partir de 3 anos
- **Atividades** Para conhecer plantas e bichos, pergunte no balcão de informações sobre atividades
- **Duração** 2 horas
- **Comida e bebida** LANCHE Lakeside Café (no local) serve pratos infantis, sanduíches à la carte, saladas, sobremesas e sorvete. PARA A FAMÍLIA Red Fish Grill (9610 Old Cutler Rd, Miami, 33156; 305 668 8788; redfishgrill.net; só jantar), no Matheson Hammock County Park (p. 52), ao lado do Fairchild Tropical Garden, tem jantares ótimos junto à água
- **Festa** O International Mango Festival tem iguarias de manga, feira de frutas e atividades infantis (meados jul)

Se chover...

Com ar-condicionado, o **Dadeland Mall** (7535 SW 88th St, Miami, 33156; 305 665 6226; www.simon.com/mall), 5km a oeste do jardim, tem lojas de brinquedos e roupas infantis e é perfeito para se refrescar ou se proteger da chuva.

6 Deering Estate, em Cutler

Sabe guardar segredo?

Antiga área de caça dos seminoles e depois povoado de Cutler no fim do século XIX, esse local tem uma história rica. Hoje a propriedade conta com duas casas. O Richmond Cottage, mais velho, construído nos primórdios de Cutler, foi comprado em 1915 por Charles Deering, comerciante e colecionador de arte. Ele construiu aí a robusta Stone House (Casa de Pedra) para guardar sua vasta coleção de arte, reunida em anos de viagens ao exterior. Sua adega secreta de vinhos da era da Lei Seca dá um ar de mistério à casa. O sobrado Richmond contém peças históricas, entre elas fotos da devastação causada pelo furacão Andrew em 1992, da qual a propriedade levou sete anos para se recuperar. O local oferece também passeios guiados de canoa e bicicleta, e tours por sua Artist Village; veja os horários no site.

Para relaxar

O extenso terreno da propriedade tem espaço de sobra para correr e explorar a natureza.

O elegante Richmond Cottage, no Deering Estate, em Cutler

Informações

- **Endereço** 16701 SW 72nd Ave, Miami, 33157; 305 235 1668 (ext. 233); www.deeringestate.org
- **Carro** Alugue em Coral Gables
- **Aberto** 10h-17h diariam
- **Preço** $38-48; até 4 anos, grátis
- **Para evitar fila** Evite ir quando grupos de escola ou outros estão em visita.
- **Passeios guiados** Visitas às casas 10h30 e 13h30 diariam
- **Idade** A partir de 6 anos
- **Atividades** Passeios de canoa a partir de 9 anos e outros eventos
- **Duração** 1-2 horas
- **Comida e bebida** PIQUENIQUE Panera Bread (13617 S Dixie Hwy, Miami, 33176; www.panerabread.com) tem lanches para piquenique no jardim. LANCHE Offerdahl's Café Grill (14685 S Dixie Hwy, Miami, 33176; www.offerdahls.com) tem refeições e meias porções para crianças.

7 Zoo Miami

Com os pés no ToadStool

Ex-Miami MetroZoo, o Zoológico de Miami tem muito espaço aberto e barreiras naturais em vez de jaulas e cercas. Fora a alegria de ver e até acariciar animais de todo o mundo, as crianças aproveitam atrações especiais feitas especificamente para elas. No Children's Zoo, pode-se andar de camelo, alimentar girafas e papagaios, maravilhar-se com as borboletas, girar num carrossel que retrata 30 animais ameaçados de extinção ou se refrescar no ToadStool, espaço com ar-condicionado em que os animais vivem. O zoo tem também um playground moderníssimo com aparelhos aquáticos.

Um tigre-branco diante de uma imitação de templo khmer, no Zoo Miami

Passeios de um Dia em South Miami | 57

Informações

- **Endereço** 12400 SW 152nd St, Miami, 33177; 305 251 0400; www.miamimetrozoo.com
- **Trem** Metrorail para Dadeland South, depois ônibus 252
- **Aberto** 9h30-17h30 diariam
- **Preço** $56-66; até 2 anos grátis
- **Para evitar fila** O zoológico fica cheio nos fins de semana
- **Passeios guiados** Vários passeios guiados e programas, como de bonde e de monotrilho elevado com ar-condicionado
- **Idade** A partir de 2 anos
- **Atividades** Diversão para a família, como dar de comer a girafas e encontro com animais selvagens.
- **Duração** 2-3 horas
- **Comida e bebida** PIQUENIQUE O Pink Flamingo (no local) serve nachos, cachorros-quentes e sorvete. O zoológico tem mesas de piquenique. LANCHE Carousel Café (no local) tem hambúrguer, pizza, sanduíches e frango empanado

Se chover...
Em rápida caminhada a noroeste do zoo, o **Gold Coast Railroad Museum** (www.gcrm.org) diverte a família com passeios de trem nos fins de semana, mesas de brinquedo e uma coleção de vagões antigos, como o presidencial *Ferdinand Magellan*.

⑧ Coral Castle
Milhares de quilos de pedras e um fracote de 45 quilos

O coração do imigrante letão Edward Leedskalnin podia estar partido, mas isso não o impediu de fazer uma proeza de engenharia motivado por um amor não correspondido. Esse homem de 45 kg construiu um castelo de coral para homenagear o amor perdido e os três filhos que ele fantasiou. Patrimônio histórico nacional, tem como atrações um telescópio Polaris para avistar a Estrela Polar, uma mesa de 2.250 kg em forma de coração incluída em *Acredite se quiser!*, o playground Gruta dos Três Ursos e um relógio de sol que funciona.

Para relaxar
Em Redland, distrito agrícola de Homestead, o **Fruit & Spice Park** (www.fruitandspicepark.org) oferece uma visita sensorial que inclui as mais de 70 espécies de banana e abacate do parque, 160 tipos de manga e jardins que representam a Ásia e outras regiões quentes.

Informações

- **Endereço** 28655 S Dixie Hwy, Homestead, 33031; 305 248 6345; www.coralcastle.com
- **Trem** Metrorail para Dadeland South, e ônibus 34 ou 35
- **Informação turística** Tropical Everglades Visitor Center, 160 US 1, Florida City, 33034; 305 245 9180; www.tropicaleverglades.com
- **Aberto** 8h-18h dom-qui (até 20h sex-sáb)
- **Preço** $44-60; até 6 anos, grátis
- **Idade** A partir de 4 anos
- **Duração** 1 hora
- **Comida e bebida** PIQUENIQUE Rosita's Restaurante (199 W Palm Dr, Florida City, 33034; 305 245 8652) vende comida mexicana autêntica para levar até o Homestead Bayfront Park, nas proximidades. LANCHE Mango Café (24801 SW 187th Ave, 33031; 305 247 5727), no Fruit & Spice Park, usa os alimentos do parque para complementar seus sanduíches, pizzas e saladas

CRIANÇADA!

Que árvore eu sou?
Aprenda o nome das árvores que você vê nos parques e em atrações naturais como o Deering Estate, depois veja se adivinha que árvores são estas:
1. Tenho cachos e me contorço toda.
2. Esprema um suco amarelo e descubra o meu nome.
3. Sou um lamaçal com um bando de árvores.
4. Uso meu cabelo preso em cima com um elástico.

Respostas no fim do quadro.

AMOR MONUMENTAL
Edward Leedskalnin se comprometeu com Agnes Scuffs quando ela tinha 16 anos, mas ela o largou um dia antes do casamento. Inspirado nessa história, o cantor Billy Joel fez a canção *Sweet Sixteen*, e o videoclipe foi filmado em Coral Castle.

Arquiteto aspirante
O Richmond Cottage, no Deering Estate, foi feito no fim do século XIX com telhado de madeira bem inclinado, de beiradas longas. A Stone House (Casa de Pedra) foi construída em 1922 com telhas de barro, sacadas e torretas. Você consegue apontar as diferenças arquitetônicas das duas casas? Em qual você preferiria morar?

Respostas: 1 Pau-de-porco. **2** Laranjeira. **3** Mangue. **4** Palmeira.

Muros externos do incomum Coral Castle, em Homestead

Piquenique até $25; **Lanche** $25-50; **Refeição** $50-80; **Para a família** mais de $80 (para quatro pessoas)

Centro, Little Havana, Vizcaya e Arredores

Embora mais bonito à noite, quando as luzes da cidade se espelham na baía, do ponto de vista estético o centro de Miami também é atraente de dia. Pontilhado de arranha-céus, o distrito tem vários prédios antigos charmosos. As famílias gostam de percorrer os lindos jardins de Vizcaya, ao sul do centro. Do outro lado da baía, Key Biscayne oferece a paz da praia aos turistas que querem escapar do alvoroço do bairro cubano de Little Havana.

"Ligres" – cruzamento de leão e tigre – no zoo interativo Jungle Island

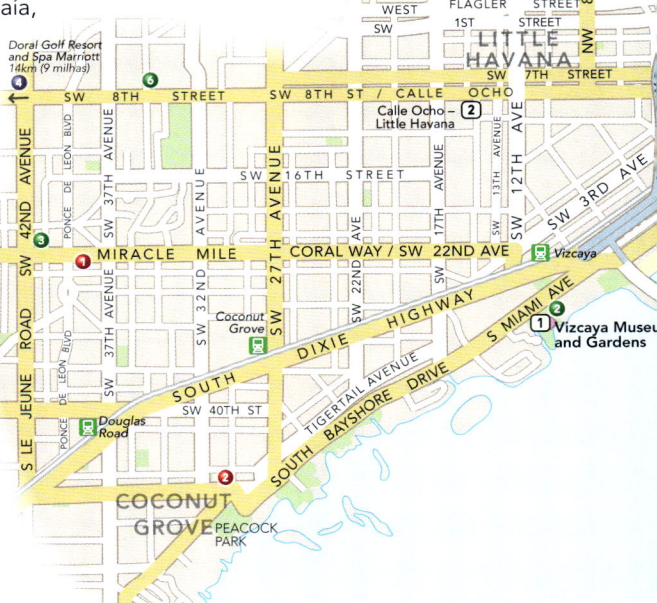

Locais de interesse

ATRAÇÕES
1. Vizcaya Museum and Gardens
2. Calle Ocho – Little Havana
3. Miami Art Museum
4. Miami Children's Museum
5. Jungle Island
6. Miami Seaquarium®
7. Virginia Key Beach Park
8. Crandon Park
9. Bill Baggs Cape Florida State Park

COMIDA E BEBIDA
1. Cacique's Corner Restaurant
2. Vizcaya Café
3. Seasons 52
4. Tradewinds Waterfront Bar & Grill
5. Tinta y Café
6. Versailles Restaurant & Bakery
7. La Sandwicherie Brickell
8. Rigatti's Café
9. The Food Court
10. Jerry's Famous Deli
11. Lakeside Café
12. Tap Tap Haitian Restaurant
13. Dolphin Lobby
14. Donut Gallery Diner
15. Winn-Dixie
16. The Rusty Pelican
17. La Nouvelle Boulangerie
18. Cantina Beach
19. Lighthouse Café
20. Boater's Grill

COMPRAS
1. Miracle Mile
2. CocoWalk
3. Bayside Marketplace

HOSPEDAGEM
1. Mandarin Oriental
2. The Ritz-Carlton Key Biscayne
3. Silver Sands Beach Resort
4. Doral Golf Resort and Spa Marriott

Escultura na fachada de uma sorveteria diante do Domino Park, calle Ocho

Centro, Little Havana, Vizcaya e Arredores | 59

Informações

🚗 **Como circular** O trânsito no centro é confuso e frustrante no horário de pico. Os veículos elevados Metromover e Metrobus (www.miamidade.gov/transit) facilitam a locomoção nesses lados da cidade.

ℹ️ **Informação turística** Greater Miami Chamber of Commerce, 1601 Biscayne Blvd, 33132; www.miamichamber.com. Greater Miami Convention and Visitors Bureau, 701 Brickell Ave, Ste 2700, Key Biscayne, 33131; 305 539 3094, 800 933 8448

🛒 **Supermercados** Publix no rio Miami, 311 SW 7th St, 33130; 305 860 9477. Publix em Mary Brickell Village, 911 SW 1st Ave, 33130; 305 358 1575. Publix em Brickell Village, 1345 SW 13th St, 33130; 305 860 2280. Veja www.publix.com. **Mercados** El Palacio de los Jugos, 5721 W Flagler St, 33144; 305 264 4557

🎉 **Festivais** Miami International Regatta, www.miamiinternationalregatta.com (mar). International Hispanic Theatre Festival, www.teatroavante.com (jul)

✚ **Farmácia** Walgreens, 1 SE Third Ave, 33131; 305 373 4320; www.walgreens.com; aberto 24h diariam

🛝 **Playgrounds mais próximos** Bayfront Park, 301 N Biscayne Blvd, 33132; aberto 24h (p. 62). Bill Baggs Cape Florida State Park, 1200 S Crandon Blvd, 33149; 8h-pôr do sol diariam (p. 65). Crandon Park, 4000 Crandon Blvd, 33149; aurora-pôr do sol diariam (p. 64). Virginia Key Beach Park, 4020 Virginia Beach Drive, 33149; aurora-pôr do sol diariam (p. 64)

① Vizcaya Museum and Gardens
Dragões e sapos numa pérola da arquitetura

Imagem emblemática de Miami na baía de Biscayne, o palacete Vizcaya é um monumento à opulência do início do século XX e à admiração de um homem por tudo o que era europeu. Industrial milionário, James Deering mandou construir uma mansão de mais de 30 cômodos no estilo de um palácio italiano e a encheu de mobília e arte finas. Para as famílias, o que mais interessa está ao ar livre, na orla e nos jardins, onde dragões, sereias e sapos entalhados cospem água em bacias.

Luminária esculpida

Destaques

Pátio Nos anos 1980, foi instalada uma cúpula de vidro para proteger a coleção de arte do museu. As portas de chumbo e vidro têm vista para a baía e os jardins.

Entrada

Dining Room Essa sala suntuosa era usada sobretudo para recepções. O teto é decorado com motivos entalhados de cobras e cavalos-marinhos.

East Terrace Espaço calçado ao ar livre, com vista para a baía e uma barcaça decorada com sereias e golfinhos, feita na orla para conter a força das ondas.

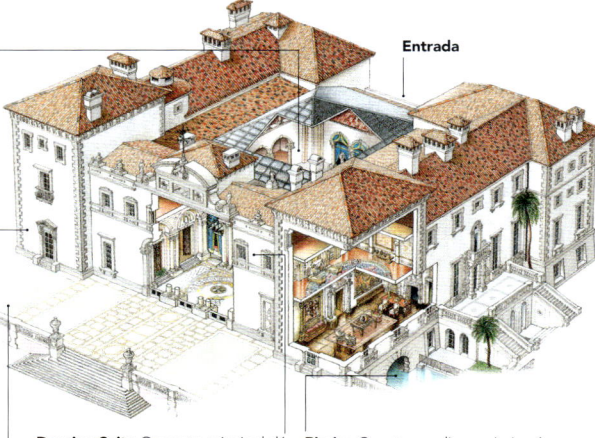

Deering Suite O quarto principal dá para a baía. No banheiro, as torneiras em forma de cisne folheadas a ouro forneciam água doce e salgada.

Piscina Com trampolim, a piscina é parcialmente coberta. As portas do fundo abrem-se para um pista de boliche e uma sala de bilhar.

Maze Garden Ao sul do East Terrace estão o Secret Garden, o Theater Garden e o Maze Garden, muito apreciado por famílias e especialmente crianças, por causa do labirinto circular.

Garden Mound and Casino Uma escada leva a um montículo elevado, cuja edícula parece um gazebo, ou "Cassino". O teto tem pinturas de anjos e menestréis que parecem olhar para os visitantes.

Informações

- **Mapa** 13 D6
- **Endereço** 3251 S Miami Ave, 33129; 305 250 9133; www.vizcayamuseum.org
- **Metrô** Metrorail para a estação Vizcaya. **Ônibus** Metrobus 48
- **Aberto** 9h30-16h30 diariam, fechado ter, Ação de Graças e 25 dez. Jardins: até 17h30
- **Preço** $42-52; até 6 anos, grátis
- **Para evitar fila** Chegue cedo para explorar o local com audioguia ou passeio guiado

- **Passeios guiados** Vizcaya tem passeios guiados em inglês às 11h30, 12h30, 13h30 e 14h30 qua-seg e em espanhol às 14h sex, 14h e 15h sáb-dom. Há audioguias em cinco línguas, que logo se esgotam quando o museu está lotado
- **Idade** A partir de 6 anos; não indicado para menores porque não se pode tocar em nada
- **Atividades** Mapas especiais e folhetos de guia disponíveis para crianças

- **Duração** 1-2 horas
- **Cadeira de rodas** Sim
- **Café** Vizcaya Café (p. 61)
- **Loja** Vizcaya Shop (p. 61)
- **Banheiros** Perto do Vizcaya Café e da Vizcaya Shop, ao sul da entrada da casa e a sudoeste dos jardins

Bom para a família?
Preços razoáveis e jardins e interior impressionantes fazem a visita ter um ótimo custo-benefício.

Preços para família de 4 pessoas

Centro, Little Havana, Vizcaya e Arredores | 61

CocoWalk, shopping ao ar livre perto de Coconut Grove

Para relaxar
Vá ao **Bayside Marketplace** *(401 Biscayne Blvd, 33132; 305 577 3344; www.baysidemarketplace.com)* para fazer compras e comer, pegar uma excursão de barco ou alugar um jet ski. Há lojas especializadas em brinquedos e confecções infantis.

Comida e bebida
Piquenique: até $25; lanche: $25-50; refeição: $50-80; para a família: mais de $80 (para quatro pessoas)

PIQUENIQUE Cacique's Corner Restaurant *(100 W Flagler St, 33130; 305 371 8317)* é uma das lanchonetes de comida cubana para viagem que pode ser apreciada junto ao mar no Bayside Park.

LANCHE Vizcaya Café *(térreo, ala norte do Vizcaya; 305 856 8189)* serve sanduíches, hambúrgueres e lanches. Assentos em ambiente de biblioteca e ao ar livre, perto da piscina. Refeições infantis vêm com fritas e purê de maçã. Arremate com picolé de limão das Keys mergulhado em chocolate amargo.

REFEIÇÃO Seasons 52 *(321 Miracle Mile, Coral Gables, 33134; 305 442 8552; www.seasons 52.com)* faz parte de uma rede pequena nascida na Flórida, com cardápio saudável ótimo para famílias preocupadas com hábitos alimentares. Tudo é fresco, da estação e abaixo de 475 calorias.

PARA A FAMÍLIA Tradewinds Waterfront Bar & Grill *(401 Biscayne Blvd; 305 416 6944; www.tradewindsbarandgrill.com; abre 9h até tarde)* proporciona refeições junto ao píer. Há pratos especiais de almoço baratos, além de frutos do mar, costela, bifes e sundaes com calda de chocolate quente.

Compras
A **Vizcaya Shop**, na ala norte do museu, tem amplo leque de presentes, como cartões-postais, livros e bijuteria. O museu também fica perto dos distritos comerciais **Miracle Mile** *(p. 53)*, **CocoWalk** *(p. 54)* e **Bayside Marketplace**.

Calçados e outros artigos na chique Vizcaya Shop

Saiba mais
INTERNET Obtenha mais informação sobre o Vizcaya Museum and Gardens baixando folhetos do site www.vizcayamuseum.com.

Próxima parada...
CHARLES DEERING ESTATE
James Deering decidiu construir uma casa de inverno em Miami porque seu pai se mudara para lá e seu meio-irmão, Charles, também fizera uma casa esplêndida. O Charles Deering Estate *(p. 55)*, a 23km ao sul do Vizcaya, presta-se a uma ótima reunião em família.

CRIANÇADA!

Quiz-caya
1 James Deering construiu Vizcaya para imitar os palácios de um país europeu. Você sabe que país é esse?
2 O que James Deering construiu para proteger a mansão da erosão das ondas?
3 Que bichos decoram o teto da sala de jantar principal?

Respostas no fim do quadro.

Cavalos-marinhos e caravelas
James Deering usou várias vezes símbolos que representam cavalos-marinhos e os navios chamados caravelas por toda a sua casa e pelos jardins. Quantos deles você é capaz de identificar?

JARDIM EM FORMA
Os jardins do Vizcaya são chamados "formais" porque, como os grandiosos jardins da França e da Itália, eles são feitos com formas geométricas.

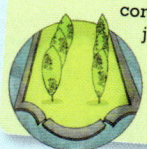

Casa dos sonhos
James Deering construiu a casa de seus sonhos em Miami, sem poupar nada. Mas sempre perguntava ao arquiteto: "Precisa ser tão grandioso?" Se você tivesse dinheiro suficiente, que tipo de casa construiria? Usando como exemplo os mapas e a planta da casa que você recebeu em Vizcaya, desenhe a planta e o terreno da casa dos seus sonhos.

Respostas: 1 Itália. **2** Uma barcaça de pedra. **3** Cópias de cavalos-marinhos.

Miami

Partida de dominó no Domino Park, Calle Ocho

② Calle Ocho – Little Havana

Cubanos, café com leite e dominó

Os refugiados cubanos fixaram-se ao redor da calle Ocho (rua Oito, em espanhol) em meados do século XX. Outro grande afluxo ocorreu no terrível êxodo de Mariel, em 1980. Hoje, a população cubana ocupa a maioria das ruas de Miami. Passeie pela calle Ocho para conhecer a cultura e a comida cubanas. As estrelas incrustadas na calçada fazem recordar celebridades hispânicas como o jogador de beisebol Sammy Sosa e a cantora Celia Cruz. Os restaurantes e as padarias em que os moradores pedem sanduíches à cubana e vitamina de mamão têm janelas abertas. Charuteiros enrolam folhas aromáticas e as lojas vendem camisas guayaberas preguedas e mesas feitas para bater dominós. No Domino Park, as partidas seguem dia afora e noite adentro.

Se chover...

Para ter uma visão geral do centro de Miami, pegue o **Metromover** (www.miamidade.gov/transit), transporte elevado automatizado que circula num percurso de 4km. É divertido e grátis, e a estação mais próxima fica na 59 SE 8th Street.

③ Miami Art Museum

Uma paleta de culturas

Situado ao lado do HistoryMiami (p. 63), na Cultural Plaza, o Miami Art Museum (MAM) tem acervo permanente da arte das Américas, Europa e África dos séculos XX e XXI. Crianças e adultos encontram interatividade e oportunidades para aprender no andar de cima, na Visitors' Gallery. O MAM mudará para o novo Museum Park na baía, o Bicentennial Park, em dezembro de 2013, rebatizado de Pérez Art Museum Miami.

Para relaxar

O exuberante e adorável **Bayfront Park** (301 N Biscayne Blvd, 33132; 305 358 7550; www.bayfrontparkmiami.com) tem um dos mais legais playgrounds já feitos. Conta com navio pirata, cama elástica e uma escultura de uma onda onde surfam um golfinho, uma tartaruga e um manati, e com a qual se pode brincar.

Informações

- **Mapa** 13 D3
- **Metrô** Metromover partindo do centro. **Ônibus** Metrobus 6 no centro.
- **Informação turística** Greater Miami Chamber of Commerce, 1601 Biscayne Blvd, 33132; 305 350 7700; www.miamichamber.com
- **Passeios guiados** LittleHavanaGuide (littlehavanaguide.com) tem passeios temáticos sobre arte, música e segredos locais.
- **Idade** A partir de 6 anos
- **Duração** Um dia
- **Comida e bebida** LANCHE Tinta y Café (268 SW 8th St, 33130; 305 285 0101), típico café cubano, tem sanduíches inteiros e meias porções. Prove a guanabana (graviola) ou o suco de manga. REFEIÇÃO Versailles Restaurant & Bakery (3555 SW 8th St, 33135; www.versaillesrestaurant.com) serve sopas, saladas e omeletes.
- **Festa** O Carnaval Miami celebra a cultura latina (fev ou mar).

Informações

- **Mapa** 14 F1
- **Endereço** 101 W Flagler St, 33130; 305 375 3000; www.miamiartmuseum.org
- **Ônibus** Metromover e Metrobus 103/C são os melhores para circular pelo centro.
- **Informação turística** Greater Miami Chamber of Commerce, 1601 Biscayne Blvd, 33132; 305 350 7700; www.miamichamber.com
- **Aberto** 10h-17h ter-sex & 12h-17h sáb-dom
- **Preço** $24-34; até 11 anos, grátis (grátis no 2º sáb do mês)
- **Passeios guiados** privados por agendamento no 2º sáb do mês; veja detalhes no site.
- **Idade** A partir de 5 anos
- **Atividades** interativas especiais e passeios guiados no 2º sáb do mês
- **Duração** 1-2 horas
- **Cadeira de rodas** Sim
- **Comida e bebida** LANCHE La Sandwicherie Brickell (34 W 8th St, 33130; www.lasandwicherie.com) oferece sanduíches à francesa, sucos e vitaminas saborosas. REFEIÇÃO Rigatti's Café (100 S Miami Ave, 33130; 305 377 1672) é um restaurante italiano com massas, sopas, saladas e sanduíches.
- **Festival** MAM Family Festival, atividades e jogos temáticos (abr)

④ Miami Children's Museum

Crianças brincam de adulto

Esse museu envolve as famílias nos mundos das finanças, dos negócios, da saúde e da arte e no ritmo tropical de Miami. Torne-se uma estrela do rock no estúdio de gravação, vista-se como policial e monte numa moto, opere um caixa eletrônico e cozinhe numa *chickee* (choça) dos índios micossuques. Tente dançar

Crianças brincam com o Pink Snail (Caracol Rosa) no Miami Children's Museum

Preços para famílias de 4 pessoas

Centro, Little Havana, Vizcaya e Arredores | 63

o limbo num barco de cruzeiro e depois vá ao Everglades Park para ver onde moram os aligators. Não perca o Castle of Dreams – talvez o maior e mais encantador castelo de areia já construído. As crianças podem subir e deslizar nele e sentir a consistência dos areais de vários países.

Para relaxar
As crianças brincam no **Kaboom! Peace Playground** (no local) e fazem piquenique nas mesas da praça.

Informações
- **Mapa** 15 A3
- **Endereço** 980 MacArthur Causeway, 33132; 305 373 5437; www.miamichildrensmuseum.org
- **Ônibus** Metrobus 113/M ou 119/S no centro
- **Informação turística** Greater Miami Convention and Visitors Bureau, 701 Brickell Ave, Ste 2700, 33131; 305 539 3094
- **Aberto** 10h-18h diariam
- **Preço** $60-70 (grátis 15h-21h 3ª sex do mês); até 1 ano, grátis
- **Para evitar fila** Ligue antes para perguntar se há excursões de escolas.
- **Idade** A partir de 2 anos
- **Atividades** Baixe do site folhas com atividades infantis
- **Duração** 2 horas
- **Comida e bebida** PIQUENIQUE The Food Court (401 Biscayne Blvd, 33132; 305 577 3344; www.baysidemarketplace.com) tem muitos balcões com comida para viagem. Faça piquenique no vizinho Bayfront Park. REFEIÇÃO Jerry's Famous Deli (1450 Collins Ave, 33139; 305 532 8030; www.jerrysdeli.com) tem pizza, comida judaica e cardápio infantil.

Show Dr. Wasabi's Wild Adventures, com uma alpaca, Jungle Island

⑤ Jungle Island
Papagaios, macacos e um ligre? Minha nossa!

Jungle Island começou em Coral Gables, em 1936, como uma atração com papagaios. Hoje, muito maior, abriga animais de várias partes do mundo. Os papagaios e araras de plumagem vistosa continuam no centro do palco, e as famílias podem alimentá-los e tirar fotos. Há também a casa de um lório-arco-íris, animais domésticos, wallabies, pinguins, cangurus e um ligre – cruzamento de leão com tigre. O parque tem shows e explicações dos tratadores o dia inteiro.

Se chover...
No **HistoryMiami** (101 W Flagler St, 33130; 305 375 1492; www.historymiami.org), mostras interessantes contam a história do sul da Flórida – da chegada de mamutes e bisões à imigração de gente das Bahamas, de Cuba e outros países. O museu também oferece passeios a pé, de barco e ônibus no centro e outras atrações.

Informações
- **Mapa** 15 A3
- **Endereço** 111 Parrot Jungle Trail, 33132; 305 400 7000; www.jungleisland.com
- **Ônibus** Metrobus 113/M ou 119/S no centro
- **Informação turística** Greater Miami Convention and Visitors Bureau, 701 Brickell Ave, Ste 2700, 33131; 305 539 3094; www.miamiandbeaches.com
- **Aberto** 10h-17h seg-sex e 10h-18h sáb-dom
- **Preço** $112-132; até 3 anos, grátis
- **Para evitar fila** Reserve on-line e poupe $2 por ingresso
- **Passeios guiados** O parque oferece passeios especiais, como Jungle Encounter, Lemur Experience, VIP Safari, e passeios com audioguia em inglês e espanhol
- **Idade** A partir de 2 anos
- **Duração** 2 horas
- **Comida e bebida** LANCHE Lakeside Café (no local) conta com pizza, wraps e hambúrguer. REFEIÇÃO Tap Tap Haitian Restaurant (819 Fifth St, 33139; 305 672 2898; www.taptaprestaurant.com) serve culinária inspirada no Oeste da Índia.

CRIANÇADA!

Jogos mentais da Jungle Island
1 Invente nomes para outras misturas de animais como o ligre. Você consegue imaginar esses seus animais fantásticos?
2 Você viu a "árvore de salsicha"? Não dá para comer essas sementes que parecem salsicha, mas que tipo de comida você gostaria que desse em árvore? Você consegue desenhar essas árvores?

O VERDADEIRO SANDUÍCHE CUBANO
Miami e Tampa vendem a maior variedade de sanduíches cubanos. O pão cubano – crocante por fora e macio por dentro – é um ingrediente crucial. Dentro do sanduíche vão presunto, porco assado, queijo e picles. A marca do bom sanduíche cubano é a prensagem. Usa-se um ferro quente pesado para aquecer e derreter os ingredientes.

Receitas animais
Agora que você sabe fazer um sanduíche cubano, pense em receitas de que os animais de Jungle Island e dos parques de Miami poderiam gostar. Os pinguins de Jungle Island talvez adorassem picolé de peixe. Como você o faria? Imagine outros quitutes para animais. Procure nas placas as dicas do que cada animal come e observe-os enquanto eles são alimentados.

Piquenique até $25; **Lanche** $25-50; **Refeição** $50-80; **Para a família** mais de $80 (para quatro pessoas)

⑥ Miami Seaquarium®
Bichos enormes para respingos tão pequenos

O Miami Seaquarium®, o aquário mais antigo do mundo, é onde foram filmados os episódios da série de TV *Flipper*, dos anos 1960. Golfinhos, orcas, leões-marinhos e peixes-bois são as maiores atrações. O aquário também abriga tartarugas, crocodilos, arraias e tubarões. Veja-os nos espaços que recriam seu habitat, e durante os shows de 10 a 20 minutos e a alimentação. As crianças se aproximam dos animais em programas especiais como Dolphin Encounter e ao dar comida aos leões-marinhos. Uma passarela elevada de corda, um parquinho, aquários de peixes, barcos e caminhões com controle remoto garantem mais diversão.

Para relaxar
Brinque na areia em **Hobie Beach** *(Rickenbacker Causeway, 33149; 305 361 2833)*, também chamada Windsurfer Beach por causa do bom vento. A praia é boa para pescar, apreciar o panorama, gastar energia ou simplesmente relaxar. O estacionamento junto à praia é gratuito.

Orcas dão espetáculo no Miami Seaquarium®

Informações
- **Endereço** 4400 Rickenbacker Causeway, 33149; 305 361 5705; www.miamiseaquarium.com
- **Carro** Route 102/B no centro. Pedágio $1,50 ida e volta.
- **Informação turística** Key Biscayne Chamber of Commerce & Visitor Center, 88 W. McIntyre St Suite 100, 33149; 305 361 5207; www.keybiscaynechamber.org
- **Aberto** 9h30-18h diariam
- **Preço** $140-160; até 2 anos, grátis (estacionamento $8)
- **Para evitar fila** Compre on-line e poupe $2 por ingresso.
- **Passeios guiados** Sea Trek Reef Encounter deixa os visitantes andarem por um recife tropical submarino, com um capacete especial, enquanto os funcionários alimentam os peixes.
- **Idade** A partir de 2 anos
- **Duração** 4 horas
- **Comida e bebida** LANCHE Dolphin Lobby *(no local)* vende cachorros-quentes, pretzels macios, nachos e sorvete. REFEIÇÃO Donut Gallery Diner *(83 Harbor Dr, 33149; 305 361 9985; www.donutgallerydiner.com)* serve café da manhã e sanduíches e entradas no almoço, além de saladas, mas não tem sonhos.
- **Festival** Bunny Palooza tem caça a ovos de Páscoa (mar-abr)

⑦ Virginia Key Beach Park
Um parque com história

Esse parque na praia foi criado nos anos 1940, antes da dessegregação e do acesso para carros, para ser uma praia "só para negros". Na entrada principal ainda se veem algumas das construções antigas, como o salão de baile coberto, perto da área de piquenique, um playground e um campo de futebol. A entrada oeste tem um clima mais familiar, com guarda-sóis de palha (*chickee*) e outro parquinho. Como toda a região de Virginia Key-Key Biscayne, o parque costuma atrair muitos ciclistas.

Se chover...
Vá à **Toy Town** *(260 Crandon Blvd 43, 33149; 305 361 5501; www.toytownonline.com)* fazer compras. A loja vende brinquedos educativos e outros, além de acessórios para bebês. Tem também uma seção de moda juvenil.

⑧ Crandon Park
Diversão para toda a família

A maioria dos fãs de tênis deve reconhecer o Crandon Park por ser sede do Sony Ericsson Open, torneio anual do esporte. Esse parque extenso ocupa um terço de Key Biscayne e oferece um campo de golfe de dezoito buracos, marina, ciclovias, carrossel e área de diversão, playground, uma bela praia de 5km, jardim, trilhas naturais, reserva natural e centro ambiental. Promove uma série de programas recreativos e ambientais.

Tanque interativo no Marjory Stoneman Douglas Biscayne Nature Center

Informações
- **Endereço** 4020 Virginia Beach Dr, 33149; 305 960 4600; www.virginia keybeachpark.net
- **Carro** Route 102/B do centro de Miami. Pedágio $1,50 ida e volta.
- **Informação turística** Key Biscayne Chamber of Commerce & Visitor Center, 88 W. McIntyre St Suite 100, 33149; 305 361 5207; www.keybiscaynechamber.org
- **Aberto** Aurora-pôr do sol diariam
- **Preço** $5 por veículo
- **Idade** Livre
- **Duração** Meio dia
- **Comida e bebida** PIQUENIQUE Winn-Dixie *(604 Crandon Blvd, Key Biscayne, 33149; 305 361 8261; www.winndixie.com)* tem mercearia e padaria. Pegue sanduíches prontos e sobremesa para fazer piquenique na praia. PARA A FAMÍLIA The Rusty Pelican *(3201 Rickenbacker Causeway, 33149; 305 361 3818; www.therusty pelican.com)* serve aos fregueses uma variedade de sushis, porções pequenas, frutos do mar grelhados e carnes, diante do panorama da baía de Biscayne.

Informações

- **Endereço** 6747 Crandon Blvd, 33149; 305 361 5421; www.miami-dade.gov/parks
- **Carro** Route 102/B do centro de Miami. Pedágio $1,50 ida e volta.
- **Informação turística** Key Biscayne Chamber of Commerce & Visitor Center, 88 W. McIntyre St Suite 100, 33149; 305 361 5207; www.keybiscaynechamber.org
- **Aberto** 8h-17h diariam
- **Preço** $5-6 por veículo; gratuito no centro ambiental
- **Para evitar fila** Chegue cedo, sobretudo nos fins de semana. Evite a visita durante o Sony Ericsson Open, em março
- **Passeios guiados** Eco Adventures (www.miamiecoadventures.org) faz excursões de bicicleta, canoa e caiaque com snorkel
- **Idade** Livre
- **Atividades** O centro ambiental tem vários programas. Veja detalhes no site e na página "Kids Only".
- **Duração** Meio dia a um dia
- **Comida e bebida** PIQUENIQUE La Nouvelle Boulangerie (328 Crandon Blvd, 33149; 305 365 5260) oferece pães e sanduíches frescos para um piquenique no Crandon Park. PARA A FAMÍLIA Cantina Beach (455 Grand Bay Dr, 33149; 305 365 4500; www.ritzcarlton.com/keybiscayne), no Ritz-Carlton Key Biscayne, tem opções mexicanas e americanas, mais vitaminas de frutas no cardápio infantil.

Se chover...

Com o nome da heroína que ajudou a salvar os Everglades, o **Marjory Stoneman Douglas Biscayne Nature Center** (www.biscaynenaturecenter.org) ocupa o lado norte do Crandon Park. Suas mostras introduzem a ecologia do parque ao longo das suas trilhas. As crianças adoram o tanque interativo e a exposição de conchas.

⑨ Bill Baggs Cape Florida State Park

Espaço para todos

Citada entre as melhores dos EUA, as praias do parque continuam relativamente vazias por causa do pedágio na ponte e da tarifa do parque. Há muita coisa para fazer: alugar bicicletas e caiaques, comer em dois restaurantes, caminhar por trilha na natureza, correr no playground e subir os 109 degraus até o alto do Cape Florida Lighthouse, farol erigido em 1825. O parque faz parte da Rede Nacional de Metrôs para a Liberdade por seu papel na fuga de escravos para as Bahamas.

Se chover...

Conheça o pequeno **Lighthouse Keeper's Cottage**, de tijolos, na vizinhança. Há mostra sobre a vida da família do zelador, cômodos com mobília da época e brinquedos antigos. Um vídeo de orientação é projetado na cozinha externa.

Interior do Cape Florida Lighthouse, Bill Baggs Cape Florida State Park

Informações

- **Endereço** 1200 S Crandon Blvd, 33149; 305 361 5811; www.floridastateparks.org/capeflorida
- **Carro** Route 102/B no centro. Pedágio $1,50 ida e volta.
- **Informação turística** Key Biscayne Chamber of Commerce & Visitor Center, 88 W. McIntyre St Suite 100, 33149; 305 361 5207; www.keybiscaynechamber.org
- **Aberto** Parque: 8h-pôr do sol diariam. Farol: 9h-17h qui-seg.
- **Preço** $8 por veículo
- **Para evitar fila** Chegue cedo nos fins de semana e no inverno e na primavera
- **Passeios guiados** Há passeios guiados no farol qui-seg.
- **Idade** Livre
- **Duração** Meio dia
- **Comida e bebida** REFEIÇÃO Lighthouse Café (on site; www.lighouserestaurants.com) oferece café da manhã, sanduíches e entradas cubanas. PARA A FAMÍLIA Boater's Grill (no local; 305 361 0080) serve hambúrguer, massas e ótimos jantares com frutos do mar.

CRIANÇADA!

Embrulhada animal

Desembaralhe as letras abaixo para encontrar nomes de animais do Miami Seaquarium®:

1. OOLICDRCO
2. CRAO
3. ANITMA
4. HNOLIGFO
5. OTBĂARU

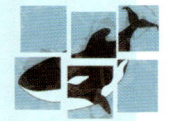

Respostas no fim do quadro.

PLANTAS MALUCAS

No sul da Flórida há plantas que não existem em outro lugar nos EUA. O nome quase sempre denuncia a aparência. Nas trilhas do Marjory Stoneman Douglas Biscayne Nature Center e na praia, tente ver a baioneta-espanhola, com folhas que parecem facão, e a figueira-estranguladora, que se enrola em folhas.

Bingo de bichos

Faça nove quadrados num cartão ou numa folha de papel traçando duas linhas horizontais e duas verticais. Em cada quadrado escreva o nome de um dos animais abaixo, que você pode ver em Key Biscayne – em cativeiro ou solto. Quando vir um, ponha um X no quadrado. Quando tiver três deles com X em qualquer sentido, grite "BINGO!".

1. Peixe-palhaço
2. Borboleta-zebra
3. Leão-marinho
4. Esquilo
5. Moreia
6. Águia-pescadora
7. Manati
8. Tubarão

Respostas: 1 Crocodilo 2 Orca 3 Manati 4 Golfinho 5 Tubarão.

Piquenique até $25; **Lanche** $25-50; **Refeição** $50-80; **Para a família** mais de $80 (para quatro pessoas)

Miami Beach e Arredores

Longa ilha de barreira, Miami Beach estende-se da chique South Beach até as áreas com arranha-céus da ponta norte. Os moradores chamam a parte central da ilha de Middle Beach. Na areia branca que recobre a orla de Miami Beach, os turistas vão perceber o contraste com a vibração da cidade grande no continente. Ainda assim, as várias comunidades da ilha oferecem bons lugares onde comprar e onde comer, com toda a sofisticação do continente. O Haulover Park, na North Miami Beach, oferece uma ampla gama de esportes aquáticos. O Lummus Park, situado na movimentada South Beach, também é muito procurado. Mais ao sul, o South Pointe Park, com playground de tema marítimo, é mais calmo.

Barcos ancorados na Bill Bird Marina, em Bal Harbour

Locais de interesse

ATRAÇÕES
1. South Beach
2. Middle Beach, Bal Harbour, North Miami Beach
3. Enchanted Forest Elaine Gordon Park
4. Oleta River State Park
5. Ancient Spanish Monastery

COMIDA E BEBIDA
1. T-Mex Tacos
2. La Sandwicherie
3. Big Pink
4. Joe's Stone Crab
5. Café Vert
6. Timó Restaurant & Bar
7. Bulldog Barbecue
8. Flanigan's Seafood Bar and Grill
9. Blue Marlin Fish House
10. Carpaccio at Bal Harbour Shops
11. Aventura Latin Café Express
12. Kitchen 305

COMPRAS
1. Alvin's Island

HOSPEDAGEM
1. Acqualina Resort & Spa on the Beach
2. Beacon Hotel
3. Century Hotel
4. Eden Roc Renaissance Miami Beach
5. Fontainebleau Miami Beach
6. Miami Beach Resort & Spa
7. Nassau Suite Hotel
8. Newport Beachside Hotel & Resort
9. Oleta River State Park
10. Sea View Hotel
11. Trump International Beach Resort
12. Shula's Hotel and Golf Course

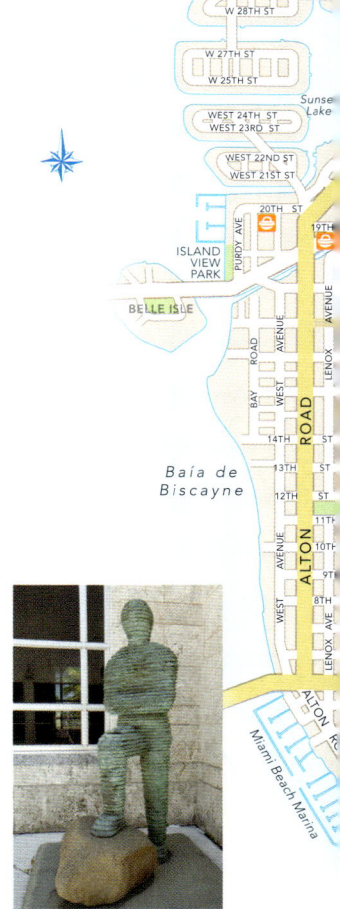

Daniyyel, de Boaz Vaadia, no Bass Museum, South Beach

Miami Beach e Arredores | 67

Passeios de um dia em Miami Beach

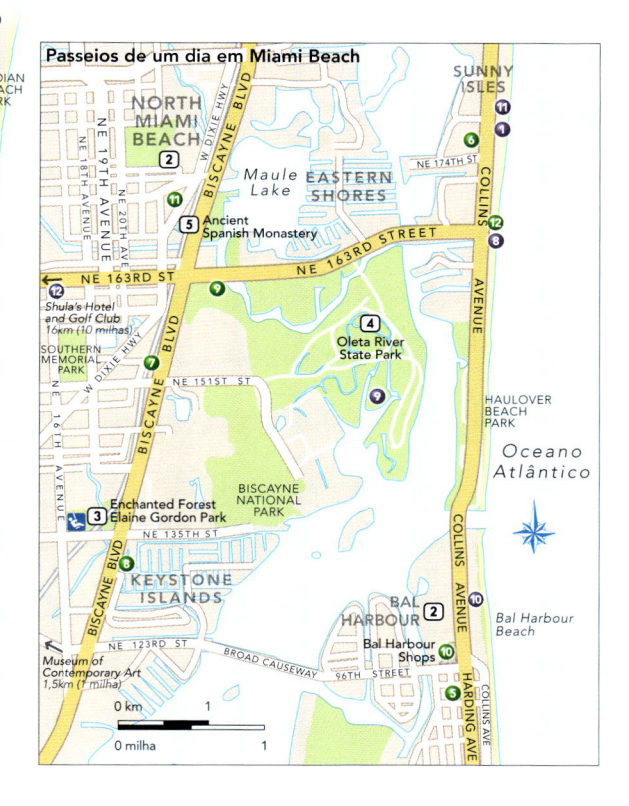

Informações

🚗 **Como circular** O tráfego pode ficar pesado na Collins Avenue e na South Beach's Ocean Drive, ainda mais à noite. Os ônibus da Miami-Dade (www.miamidade.gov) percorrem a praia. A maioria dos parquímetros não aceita cartões de crédito.

ℹ️ **Informação turística** Miami Beach Chamber of Commerce, 1920 Meridian Ave, Miami Beach, 33139; 305 674 1300; www.miamibeachchamber.com

🛒 **Supermercados** Publix on the Bay, 1920 West Ave, 33139; 305 535 4268 e Publix Super Market, 1045 Dade Blvd, 33139; 305 534 4621; www.publix.com.
Mercados Lincoln Road Farmers' Market, South Beach, 33139; dom

🎭 **Festivais** Art Deco Weekend, www.mdpl.org/events (jan).

South Beach Wine & Food Festival, 2012.sobefest.com (fev). Miami Beach Festival of Arts, web.miamibeachfl.gov (abr). Art Basel, www.artbasel.com (jun e dez).

➕ **Farmácia** Walgreens, 100 Lincoln Rd, 33139; 305 532 7909; aberto 24h diariam

🛝 **Playgrounds mais próximos** Enchanted Forest Elaine Gordon Park, 1725 NE 135th St, 33167; aurora-pôr do sol (p. 70). Indian Beach Park Tot Lot, Collins Ave com 46th St, 33140. Lummus Park, Ocean Drive com 13th St, 33139; 24h diariam. Marjory Stoneman Douglas Park, 2901 SW 22nd Ave, 33133. South Pointe Park, 1 Washington Ave, 33109; 24h diariam (p. 68).

① South Beach
A Praia do Sul, ou SoBe

Altos e baixos é a melhor descrição da história de South Beach, apelidada SoBe. Bairro bem desenvolvido já antes da Grande Depressão dos anos 1930, ressuscitou depois como vitrine da arquitetura art déco. Na década de 1980, quando as construtoras quiseram arrasar prédios degradados, os ativistas fizeram uma campanha que tornou South Beach a Riviera dos EUA. Além de admirar os prédios art déco, a família pode relaxar na praia e fazer ótimas compras.

Detalhe de edifício art déco, South Beach

Destaques

② Lincoln Road O principal trecho de compras de South Beach é um shopping que tem elementos do passado e do presente, como galerias e cinemas históricos.

③ Española Way Essa bonita viela arborizada é animada e tem prédios de estilo espanhol que abrigam restaurantes, lojas e bares, vários deles latinos.

④ Ocean Drive Famosa para os aspirantes a modelo, essa avenida de South Beach tem quinze quadras de hotéis art déco, com cafés e bares que tomam a calçada.

⑤ Wolfsonian Museum Dedicado às artes decorativas de 1885 a 1945, esse museu com clima antigo fica bem na tendência art déco de South Beach. Expõe de esculturas a utensílios domésticos.

① Bass Museum of Art Embora receba sobretudo exposições temporárias de arte moderna, o museu dispõe ainda de acervo permanente e objetos egípcios antigos, entre eles múmias e sarcófagos, que intrigam as crianças.

⑥ Jewish Museum of Florida Se alguns museus desse tipo podem ser pesados, esse se volta para a história alentadora dos judeus na Flórida.

⑦ South Pointe Park A família que quiser se afastar da correria de South Beach pode relaxar nesse parque com playground vendo passar os navios de cruzeiro.

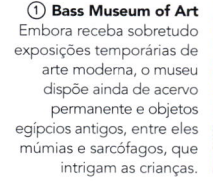

Informações

🌐 **Mapa** 16 G4
Endereço Bass Museum of Art: 2100 Collins Ave, 33139; 305 673 7530; www.bassmuseum.org. Wolfsonian Museum: 1001 Washington Ave, 33139; 305 531 1001; www.wolfsonian.org. Jewish Museum of Florida: 301 Washington Ave, 33139; 305 672 5044; www.jewishmuseum.com. South Pointe Park: 1 Washington Ave, 33139; 305 673 7006; www.miamibeachfl.gov

🚌 **Ônibus** Miami-Dade para South Beach e ônibus 123 na cidade

🕐 **Aberto** Bass Museum of Art: 12h-17h qua-dom. Wolfsonian Museum 12h-18h diariam (até 21h sex), fechado qua. Jewish Museum of Florida: 10h-17h ter-dom. South Pointe Park: aurora-22h.

💲 **Preços** Bass Museum of Art: $28-38; até 6 anos, grátis. Wolfsonian Museum: $24-34; até 6 anos, grátis. Jewish Museum of Florida: $12-22; até 6 anos, grátis (grátis sáb).

👥 **Para evitar fila** Evite o trânsito do lado leste de South Beach em qualquer horário após 12h

🚩 **Passeios guiados** Passeios a pé guiados diários no Art Deco District *(1001 Ocean Dr, 33139; 305 531 3484; www.mdpl.org)* passam por mais de 100 prédios históricos em 90 minutos, com 20 paradas. Também há audioguias por celular e iPod. Ligue antes para reservar.

👫 **Idade** A partir de 7 anos

👫 **Atividades** Bass Museum of Art realiza atividades infantis no último dom do mês. Jewish Museum of Florida tem gincana, e quem a completar ganha um

Preços para família de 4 pessoas

Para relaxar

Vá ao **Lummus Park** *(5th-15th St com Ocean Dr, 33139)*, que tem caminhos calçados para bicicleta e caminhadas, bem como playgrounds para ocupar as crianças.

Comida e bebida

Piquenique: até $25; lanche: $25-50; refeição: $50-80; para a família: mais de $80 (para quatro pessoas)

PIQUENIQUE T-Mex Tacos *(235 14th St, 33139; 305 538 3009; www.t-mex.net)* tem os quitutes para um piquenique na praia, como tacos, nachos e burritos. Aproveite um piquenique no Lummus Park.

LANCHE La Sandwicherie *(229 14th St, 33139; 305 532 8934; www.lasandwicherie.com)* oferece saladas, sucos, vitaminas e também sanduíches.

REFEIÇÃO Big Pink *(157 Collins Ave, 33139; 305 531 0888; www.mylesrestaurantgroup.com)* é como uma lanchonete à antiga, mas enorme e com TVs por todo canto. A família pode pedir o prato feito do jantar ou pratos dos cardápios normal e infantil.

PARA A FAMÍLIA Joe's Stone Crab *(11 Washington Ave, 33139; 305 673 0365; www.joesstonecrab.com; fechado almoço no verão)*, na praça desde 1913, diz ter descoberto que o caranguejo-real era comestível nos anos 1920. A maioria dos frutos do mar é bem cara, mas há pratos mais acessíveis no cardápio.

Hora do almoço na Big Pink, lanchonete para a família em South Beach

Chafariz coberto de limo no pátio do Joe's Stone Crab

Compras

South Beach é só compras, especialmente na Lincoln Road e na Collins Avenue. A família acha suvenires e artigos de praia na **Alvin's Island** *(200 Lincoln Rd, 33139; 305 531 9766; www.alvinsisland.com)*.

Saiba mais

FILME Miami aparece em dezenas de filmes importantes. Os filmes da Disney® *Surpresa em dobro* (2009) e *Neve pra cachorro* (2002) foram filmados em South Beach, bem como *Marley & eu* (2008).

Próxima parada...

AMELIA EARHART PARK A família que prefere o verde às ruas da cidade vai gostar do Amelia Earhart Park *(401 E 65th St, 33014; 305 685 8389; www.miamidade.gov/parks/parks/amelia_earhart)*, situado a 23km a noroeste de South Beach. A fazenda do parque tem vacas, cabras, ovelhas e gansos, que as crianças pequenas adoram. As maiores também vão adorar a ponta de corda que leva ao parquinho da Tom Sawyer Island. Os cinco lagos do parque estão lotados de peixes, e um deles conta com esquis de prancha e de lâminas puxados por cabo. Também há aulas de esqui em prancha e surfe a reboque, além do tracional.

CRIANÇADA!

Detalhes déco

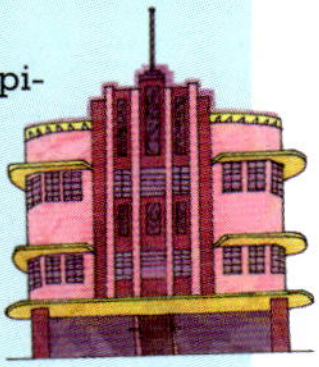

Procure os traços típicos da arquitetura art déco:
1. **Detalhes tropicais.** Procure palmeiras, golfinhos, ondas, flamingos e sóis raiados entalhados, pintados e de estuque. Você consegue desenhar alguns desses sem ajuda?
2. **Placas de néon.** Quantas você consegue contar?
3. **De volta ao futuro.** Alguns elementos da Art Déco pareciam futuristas quando feitos. Você consegue encontrar detalhes da era espacial? Acha que eles são futuristas?

BRITTO BRILHOSO

Romero Britto é um dos artistas mais populares e reconhecíveis de Miami. Usa cores e motivos vibrantes – sobretudo faixas e manchas. Muitas de suas esculturas e pinturas vistosas estão por toda a cidade e na galeria dele, que fica na Lincoln Road.

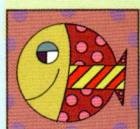

História de família

No Jewish Museum of Florida, 40 famílias judaicas contam sua história com palavras, imagens e objetos. Pergunte aos seus pais e avós como sua família acabou morando onde mora. Sua família sempre viveu no mesmo lugar? De que país ela veio? Conte a história da sua família oralmente, por escrito ou em desenhos. Talvez você até queira fazer uma vitrine como as do Jewish Museum. Que objetos você incluiria?

- livreto com charadas, jogos e receitas.
- **Duração** 1-2 dias
- **Café** No Jewish Museum of Florida (fechado no sabá sáb)
- **Banheiros** Na maioria das atrações e restaurantes e no South Pointe Park

Bom para a família?
A agitação na Ocean Drive e os parques e museus da área tornam o tédio impossível.

② Middle Beach, Bal Harbour, North Miami Beach
Comunidades praianas

Ao norte de SoBe, o ritmo muda um pouco, pois a Collins Avenue cruza locais mais tranquilos. Middle Beach, com restaurantes e lojas vistosos, começa perto da 23rd Street. Ao norte de Middle Beach, a acolhedora vila de Surfside, com uma charmosa faixa de lojas e restaurantes, começa na 87th Street. Bal Harbour, vila da moda pontilhada de hotéis altos e um shopping center chique, é vizinha de Surfside. Mais ao norte está Sunny Isles, a última das comunidades praianas. Uma ponte sai daí para North Miami Beach, bairro mais antigo, no continente, com um clima familiar e algumas lojas interessantes. As praias e os parques são as maiores atrações da região.

Para relaxar
Situado ao norte de Bal Harbour, o **Haulover Beach Park** (10800 Collins Ave, 33128; www.miamidade.gov) tem uma praia de 2km com mesas de piquenique. Do lado da baía, na marina, há aluguel de casas flutuantes, loja de pipas e restaurante. A parte norte é uma praia de nudismo.

Informações
- 🚌 **Ônibus** Metrobus 119/S e 120 em South Beach
- ℹ️ **Informação turística** Miami Beach Visitor Center, 9700 Collins Ave, 33154; 305 866 0311; www.miamibeachvisitorscenter.com. Sunny Isles Beach Visitor Center, 18070 Collins Ave, 33160; 305 792 1952; www.sunnyislesbeachmiami.com
- 👥 **Para evitar fila** A região é mais agitada no inverno e começo da primavera, e os preços sobem
- 👫 **Idade** Livre
- ⏱ **Duração** 1-2 dias
- 🍴 **Comida e bebida** LANCHE Café Vert (9490 Harding Ave, Surfside, 33154; 305 867 3151; 7h30-17h diariam, até 15h sex), franco--judaico, tem saladas, quiches, crepes e pratos kosher. PARA A FAMÍLIA Timó Restaurant & Bar (17624 Collins Ave, Sunny Isles, 33160; 305 936 1008; www.timorestaurant.com) serve pizza e frutos do mar.
- 🎉 **Festival** Festival de Pipas (fev)

Preços para família de 4 pessoas

Lojas elegantes em uma rua de Bal Harbour

③ Enchanted Forest Elaine Gordon Park
Árvores barbadas

Esse parque antigo tem grandes árvores retorcidas com barba-de--velho. As árvores dão sombra a áreas de piquenique espaçosas e agradáveis e a trilhas que acompanham e atravessam um riacho borbulhante no meio da cidade. Dois playgrounds e passeios de pônei garantem a diversão das crianças.

Se chover...
○ **Museum of Contemporary Art** (770 NE 125th St, 33161; 305 893 6211; www.mocanomi.org), bem perto, contém um acervo de obras de artistas conhecidos e emergentes. Há programas de arte pré-escolares e leitura na segunda terça-feira do mês, além de aulas de arte para escolares no primeiro sábado do mês.

Pôneis no exuberante Enchanted Forest Elaine Gordon Park

Informações
- 🌐 **Endereço** 1725 NE 135th St, North Miami, 33181; 305 895 1119
- 🚌 **Ônibus** Metrobus 107/G em Miami Beach
- ℹ️ **Informação turística** The Greater North Miami Beach Chamber of Commerce, 1870 NE 171st St, 33162; 305 994 8500; www.nmbchamber.com
- ⏱ **Aberto** Aurora-pôr do sol diariam
- 👫 **Idade** Livre
- ⏱ **Duração** 2-3 horas
- 🍴 **Comida e bebida** LANCHE Bulldog Barbecue (15400 Biscayne Blvd, 33160; 305 940 9655; www.bulldog-bbq.com) serve deliciosas batatas fritas com queijo e pimenta, sanduíches de carne, camarão e polenta. REFEIÇÃO Flanigan's Seafood Bar and Grill (72721 Bird Ave 33133; 305 446 1114; www.flanigans.net) é consagrado pelos pratos caseiros feitos na hora. Conta também com cardápio infantil.

④ Oleta River State Park
O campo na cidade grande

O maior parque urbano da Flórida tem tudo – de pista para bicicross e praia de areia a píer para pescar e cabanas. O rio e a baía dão ao pescador novato a oportunidade de fisgar peixes de água doce e salgada. Alugue um caiaque, um pedalinho ou uma bicicleta para explorar as trilhas do parque, o rio e a baía. Uma das atividades mais atraentes do parque é pedalar nas difíceis trilhas de 16km para bicicross, mas a família também pode passear de bicicleta em caminhos pavimentados.

Passeios de um Dia em Miami Beach | 71

Informações

- **Endereço** 3400 NE 163rd St, North Miami Beach, 33160; 305 919 1846; www.floridastateparks.org/oletariver
- **Ônibus** Metrobus 105/E e 108/H em Miami Beach
- **Informação turística** The Greater North Miami Beach Chamber of Commerce, 1870 NE 171st St, 33162; www.nmbchamber.com
- **Aberto** 8h-pôr do sol diariam
- **Preço** $6 por veículo
- **Para evitar fila** Evite fins de semana, os dias mais concorridos
- **Duração** Meio dia a um dia
- **Comida e bebida** PIQUENIQUE Blue Marlin Fish House (2500 NE 163rd St, 33160; 305 957 8822) oferece entradas, pizza e hambúrguer. Piquenique junto à baía. REFEIÇÃO Carpaccio at Bal Harbour Shops (9700 Collins Ave 139, 33154; 305 867 7777; www.carpaccioatbalharbour.com) serve pizzas, massas e outras especialidades italianas.

Se chover...
Bal Harbour Shops (9700 Collins Ave, 33154; 305 866 0311; www.balharbourshops.com), shopping center elegante, tem lojas para crianças. Veja a Young Versace, que tem roda-gigante. Books & Books realiza contação de histórias infantis semanalmente.

5 Ancient Spanish Monastery
Um quebra-cabeça abençoado

O dono de jornal William Randolph Hearst comprou os claustros e os prédios externos de um mosteiro espanhol do século XII e mandou desmontá-los e enviá-los ao norte de Miami em 1925. Poucos anos depois, as peças foram montadas como um quebra-cabeça, o que durou dezenove meses e custou $1,5 milhão. O mosteiro tem fama de ser a construção mais antiga do hemisfério ocidental. Em meio a um jardim, a capela, que serve de igreja paroquial, tem uma galeria com arcos em volta do pátio, cheia de entalhes, pinturas e relicários. O museu e sua loja têm uma antiga carroça fúnebre espanhola e outros objetos e contam a história das viagens da construção de Sacramenia, na Espanha, à Flórida.

Para relaxar
Pegue um táxi aquático da **Pelican Harbor Marina** (1275 NE 79th St, 33138; 305 754 9330; www.miamidade.gov/parks) até a reserva natural e santuário de aves da Pelican Island. A cerca de 350m da costa, há na ilha mesas de piquenique, chickee (choupanas de palha), churrasqueiras e espaço para caminhar.

O sino das refeições na entrada da capela do Ancient Spanish Monastery

Informações

- **Endereço** 16711 W. Dixie Hwy, North Miami Beach, 33160; 305 945 1461; www.spanishmonastery.com
- **Ônibus** Metrobus 108/H em Miami Beach
- **Informação turística** The Greater North Miami Beach Chamber of Commerce, 1870 NE 171st St, 33162; www.nmbchamber.com
- **Aberto** 10h-16h seg-sáb, 11h-16h dom
- **Preço** $24-34; até 6 anos, grátis
- **Para evitar fila** É melhor telefonar antes para não ir na hora da missa (quando a capela fica fechada) ou durante eventos especiais (o mosteiro pode estar fechado)
- **Passeios guiados** O mosteiro oferece visitas em inglês, espanhol, francês, italiano e alemão. Ligue antes para agendar
- **Idade** A partir de 5 anos
- **Duração** 1 hora
- **Comida e bebida** LANCHE Aventura Latin Café Express (17070 W Dixie Hwy, 33160; 305 705 2434; www.aventuralatincafeexpress.com; fechado dom) tem pratos infantis, sanduíches cubanos e outras especialidades. PARA A FAMÍLIA Kitchen 305 (16701 Collins Ave, 33160; 305 949 1300, ext. 1593; www.newportbeachside.com) serve pão síric, frutos do mar e carne; dispõe também de cardápio infantil.

CRIANÇADA!

Pistas no claustro
Encontre as respostas para as questões a seguir enquanto você explora o Ancient Spanish Monastery:
1. Qual o nome do primeiro altar depois de passar pelo portão de ferro?
2. O que há de incomum no sino à porta da capela?
3. O que está pendurado nas árvores no pátio central?

Respostas no fim do quadro.

BARBA-DE-VELHO
O que parece uma longa barba de velho pendurada nas árvores é uma planta epífita – aquela que não absorve nutrientes da planta em que se apoia e onde cresce. Diz a lenda que ela vem de um explorador espanhol que subiu na árvore atrás de uma indiazinha, caiu e ficou preso nos galhos. Sua barba continuou a crescer e se tornou esse líquen comprido chamado barba-de-velho.

Folhas divertidas
Na Enchanted Forest (Floresta Encantada), procure folhas caídas de todas as formas e tamanhos. Passe giz de cera nas folhas e guarde-as entre as páginas de um livro grosso como recordação das suas férias em Miami.

Respostas: 1 Altar francês. **2** Ele retrata em miniatura um monge tocando um sino. **3** Cristais.

Piquenique até $25; **Lanche** $25-50; **Refeição** $50-80; **Para a família** mais de $80 (para quatro pessoas)

Onde Ficar em Miami

Em Miami há hospedagem de todo tipo e tamanho. Há hotéis pequenos e grandes instalados em prédios art déco de Miami Beach, mas a cidade também é conhecida pelos resorts de luxo com programas infantis. A família pode contar ainda com apartamentos e casas de aluguel modestas.

AGÊNCIAS
HomeAway
www.homeaway.com
Esse site lista cerca de mil apartamentos e casas de aluguel por curto prazo na Grande Miami, alguns só por períodos semanais.

Vacation Rentals
www.vacationrentals.com
Ache nesse site apartamentos, coberturas e casas de todo tamanho, localização e preço.

Aeroporto *Mapa 10 H2*

HOTÉIS
Doral Golf Resort and Spa Marriott
4400 NW 87th Ave, 33178; 305 592 2000; www.doralresort.com
Esse resort não tem praia, mas seu parque aquático, o Blue Monster, compensa essa falta. O Doral é mais famoso pelos campos de golfe e pelo spa. Aulas de golfe e tênis e programação infantil diária ocupam jovens de todas as idades. Confira no site os pacotes para famílias.
$$

Shula's Hotel and Golf Club
6842 Main St, Miami Lakes, 33014; 305 821 1150 ou 800 24 SHULA; www.donshulahotel.com
Com o nome de Don Shula, ex-técnico do Miami Dolphins, esse hotel atrai golfistas e aqueles que adoram um spa, mas a localização, perto do Sun Life Stadium, sede dos Dolphins, torna-o ótimo para famílias. Há serviço de monitoria.
$$

Bal Harbour *Mapa 10 H2*

HOTEL
Sea View Hotel
9909 Collins Ave, 33154; 305 866 4441; seaview-hotel.com
Situado numa floresta de arranha-céus, esse hotel tem preços razoáveis e boa localização na orla, o que atrai famílias. No verão, ele se asso-

cia ao Miami Children's Museum (pp. 62-3) para organizar programas de acampamento na praia para a faixa etária de 3 a 10 anos.
$$$

Coconut Grove

HOTEL
Sonesta Bayfront Hotel Coconut Grove *Mapa 12 G4*
2889 McFarlane Rd, 33133; 305 529 2828; www.sonesta.com
De frente para o Peacock Park (p. 55) e perto das lojas e restaurantes do local, o Sonesta oferece ótimas vistas da baía de seus 22 andares. Entre as 210 unidades há quartos duplos e suítes de um ou dois quartos com cozinha completa.
$$$

Coral Gables

HOTEL
The Biltmore Hotel *Mapa 11 B2*
1200 Anastasia Ave, 33134; 855 311 6903; www.biltmorehotel.com
Uma estadia no Biltmore Hotel faz crianças e adultos se sentirem hóspedes de um castelo de um livro de histórias. As crianças podem se inscrever em aulas de culinária, golfe, tênis e tratamentos de spa concebidos especialmente para elas, ou nadar na famosa piscina.
$$$

Centro

HOTEL
Mandarin Oriental Miami *Mapa 14 G3*
500 Brickell Key Dr, 33131; 305 913 8288; www.mandarinoriental.com
É caro, mas as suítes familiares desse hotel são uma opção excelente. Os hóspedes ganham coquetel de boas-vindas e telefonemas gratuitos para casa. Os quartos com duas camas são mais baratos. Há babá, ioga para crianças, spa para adolescentes e clube de praia privativo.
$$$

Key Biscayne *Mapa 10 H3*

RESORT
Silver Sands Beach Resort
301 Ocean Dr, 33149; 305 361 5441; www.silversandsbeachresort.net
Com charme caseiro e preços relativamente acessíveis, esse resort é ótimo para famílias. Localizado na praia, conta com playground e com berço de cortesia em quartos e

O magnífico salão do Biltmore Hotel, Coral Gables

chalés de decoração alegre. Os quartos são quitinete, e os chalés têm cozinha completa.

HOTEL
The Ritz-Carlton Key Biscayne
455 Grand Bay Dr, 33149; 305 365 4500; www.ritzcarlton.com
Localizado junto da praia, o Ritz-Carlton propicia várias comodidades para famílias, como fraldas de natação, brinquedos e grades para cama. Considere reservar um quarto no andar do clube para economizar em lanches, refeições e bebidas.
$$$

Middle Beach   Mapa 10 H2
RESORTS
Miami Beach Resort
4833 Collins Ave, 33140; 866 765 9090; www.miamibeachresortandspa.com
Boa opção para famílias ativas, esse resort oferece vários esportes aquáticos, inclusive jet-ski e paravela. Os quartos e as suítes são bem equipados, e há pacotes para famílias.
$$

Eden Roc Renaissance Miami Beach
4525 Collins Ave, 33140; 305 531 0000 ou 800 319 5354; www.edenrocmiami.com
O acampamento diário Camp Roc monitora crianças de 5 a 12 anos enquanto os pais aproveitam o spa, a piscina e o ótimo restaurante. Também há piscina para a família, praia, jet-ski, passeios de barco e esqui na água.
$$$

Fontainebleau Miami Beach
4441 Collins Ave, 33140; 305 538 2000; www.fontainebleau.com
Talvez o mais famoso resort de Miami Beach, o Fontainebleau é também o mais hospitaleiro para famílias. Essa joia art déco e seus dois novos edifícios têm mais de 1.500 quartos e suítes, oito locais para refeições, um spa, vários bares e várias atrações aquáticas – todas na praia. O programa FB Kids tem sessões de dia e à noite nos fins de semana.
$$$

North Miami Beach
CAMPING
Oleta River State Park Mapa 10 H2
3400 NE 163rd St, 33160; 305 919 1846; www.floridastateparks.org
Os catorze chalés novos proporcionam conforto ao acampamento: a maioria tem cama de casal e beliche, mas não TV, cozinha, banheiro nem telefone, e os hóspedes devem levar roupa de cama e banho. As famílias gostam da praia, das trilhas e dos esportes aquáticos do parque.
$

Chalé de madeira rústico no acampamento do Oleta River State Park

South Beach
HOTÉIS
Century Hotel Mapa 16 G5
140 Ocean Dr, Miami Beach, 33139; 305 674 8855
Esse hotel art déco esconde-se da multidão no lado de South Beach. Alguns dos quartos têm cama de casal para receber uma família. Café da manhã simples incluso e praia perto.
$

Nassau Suite Hotel Mapa 16 G3
1414 Collins Ave, Miami Beach, 33139; 866 859 4177; www.nassausuite.com
Art déco clássico, esse hotel tem apartamentos e suítes de um quarto modernos e convenientes para casais com filhos, e seu cinema dispõe de uma série de filmes para a família. Café da manhã simples incluso. A praia fica a curta distância.
$$

Beacon Hotel Mapa 16 G4
720 Ocean Dr, Miami Beach, 33139; 305 674 8200 ou 877 674 8200; www.mybeaconhotel.com
Junto da praia e no centro do distrito art déco, esse hotel informal dos anos 1930 oferece café da manhã gratuito e cadeiras de praia. Tem um restaurante e serviço de quarto, mas também se encontra perto dos cafés na calçada ao longo da Ocean Drive.
$$$

Sunny Isles   Mapa 10 H2
RESORTS
Newport Beachside Hotel & Resort
16701 Collins Ave, 33160; 305 949 1300 ou 800 327 5476; www.newportbeachside.com
Um parquinho infantil na praia, piscina para crianças e passarinhos em gaiolas no saguão garantem a alegria das famílias com crianças. Há camas de parede retráteis em metade dos quartos e portas para separar quartos contíguos. A Kitchen 305 serve apenas jantar.
$$

Acqualina Resort & Spa
17875 Collins Ave, 33160; 305 918 8000 ou 877 312 9742; www.acqualinaresort.com
Embora caras, as suítes são a melhor opção para a família nesse hotel que não conta com quartos de duas camas. Um Children's Center, noites de cinema, artesanato e aulas particulares de natação e esportes fazem sucesso com as famílias. Sua programação premiada de biologia marinha para crianças é gratuita para os hóspedes.
$$$

Trump International Beach Resort
18001 Collins Ave, 33160; 305 692 5612 ou 866 628 1197; www.trumpmiami.com
Esse resort luxuoso ergue-se bem acima da praia. Uma piscina em estilo de gruta e o aluguel de esportes aquáticos e de cabana o fazem ainda mais divertido. Planet Kids, o clube infantil do resort, oferece uma programação empolgante de meio dia ou dia inteiro, com atividades que giram em torno do tema de aventuras ambientais.
$$$

Categorias de preço
As seguintes faixas de preço baseiam-se em uma diária na alta temporada para uma família de quatro pessoas, incluindo serviço e taxas adicionais.
$ até $150 **$$** $150-300 **$$$** mais de $300

Veja os símbolos na orelha da contracapa

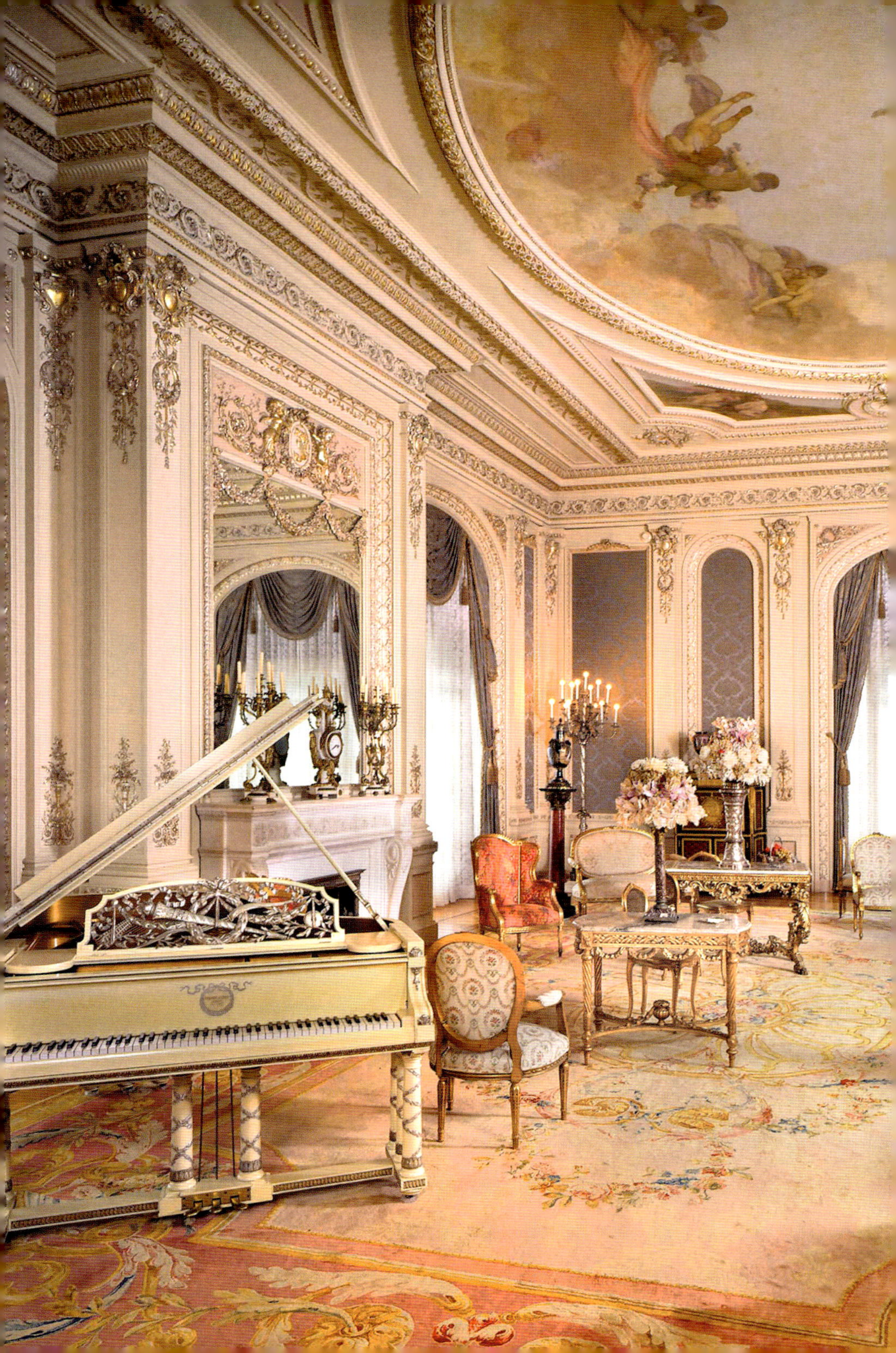

Costas do
Ouro e do Tesouro

Ao norte de Miami, o litoral atlântico da Flórida, cheio de sol, é dotado de quilômetros de ótimas praias, parques e atrações para a família. A Costa do Ouro conta com diversos parques temáticos, zoológicos e museus. Em contraste, a Costa do Tesouro, ao norte de Palm Beach, é só natureza, com praias agrestes e virgens e ilhas com pinheirais, em águas límpidas que atraem tartarugas, golfinhos e manatis.

Principais atrações

Museum of Discovery and Science
Nesse museu envolvente, há fósseis de dinossauros, um centro de tempestades, simulações espaciais e filmes Imax® (p. 80).

John U. Lloyd Beach State Park
Descubra uma das melhores praias agrestes da Costa do Ouro, faça uma trilha ou alugue um caiaque para explorar um riacho procurado por manatis (p. 82).

Butterfly World
Depois de admirar estufas tropicais cheias de borboletas, veja papagaios de muitas cores e aranhas assustadoras (p. 86).

Flagler Museum
Dê uma olhada no "palácio sobre rodas", o vagão particular do magnata Henry Flagler, nesse museu fascinante (pp. 90-1).

Juno Beach: Loggerhead Marinelife Center
Participe da busca de tartarugas e veja shows com elas e como são tratadas no Hospital das Tartarugas Marinhas (p. 93).

Florida Oceanographic Coastal Center
Conheça a vida marinha da Flórida, afague uma arraia e passeie pelos mangues da Indian River Lagoon (p. 97).

Esq. Sala de estar espetacular no Flagler Museum, Palm Beach
Acima, à dir. Pelicanos migratórios em poleiro perto da praia do Fort Pierce, Hutchinson Island

O Melhor das
Costas do Ouro e do Tesouro

Essa parte da Flórida tem algo para cada gosto. Fort Lauderdale é um balneário completo, e os parques estaduais permitem caminhadas, passeios de caiaque e visitas a reservas como Hobe Sound National Wildlife Refuge. No interior há muito o que fazer – parques de animais, zoos e centros de vida marinha deixam vislumbrar os ricos habitats da Flórida, e os sítios históricos e galerias de arte cobrem o lado cultural.

Em uma semana

Comece por **Fort Lauderdale** (pp. 80-1), indo a um ou dois museus antes do banho de sol na praia ou de um cruzeiro no *Jungle Queen*. Passe dois dias na **Big Cypress Seminole Indian Reservation** (p. 81) e depois volte para a **praia de Fort Lauderdale** para um mergulho ao entardecer. No terceiro dia, pegue a estrada e pare no **Butterfly World** (p. 86), antes de provar as delícias de **Boca Raton** (p. 86). Viaje ao Japão no quarto dia, graças ao **Morikami Museum and Japanese Gardens** (p. 87), e feche o dia nadando em **Palm Beach** (pp. 88-9). Fique na cidade por mais um dia para explorar o **Flagler Museum** (pp. 90-1), o **Palm Beach Zoo** (p. 92) e o **Lion Country Safari** (p. 92). Passe os dois últimos dias investigando a Costa do Tesouro, passando por **Juno Beach** (p. 93) e **Hutchinson Island** (pp. 96-7) para pernoitar em **Fort Pierce** (p. 96) e depois encerrar a viagem na cidade praiana de **Vero Beach** (pp. 94-5).

À esq. *Grande Relógio de Gravidade, no enorme átrio do Museum of Discovery and Science, Fort Lauderdale*
Abaixo *Exposição no Vero Beach Museum of Art, Vero Beach*
Abaixo, à dir. *Tartaruga-verde na costa da Juno Beach*

Acima Famílias aproveitam um dia de sol na praia do J. D. MacArthur State Park, Palm Beach

Na trilha de manatis e tartarugas

As tartarugas desovam no verão na costa atlântica da Flórida – centenas delas se arrastam para depositar os ovos na areia. O melhor lugar para vê-las é o **Hobe Sound National Wildlife Refuge** (p. 97), onde há passeios guiados em junho e julho. O **Florida Oceanographic Coastal Center** (p. 97), na **Hutchinson Island**, tem um programa sobre a tartaruga-do-mar. Já o **Loggerhead Marinelife Center** (p. 93) é um hospital de tartarugas doentes ou feridas.

O inverno é a melhor época para ver os manatis por esses lados: vá ao **John U. Lloyd Beach State Park** (p. 82) ou ao **Manatee Observation & Education Center**, em **Fort Pierce** (p. 96).

Arte versus ciência

A costa leste da Flórida é mais famosa pelas praias, mas também tem programas para estimular a cabeça das crianças. Há obras brilhantes da vanguarda e do Impressionismo americanos no **Museum of Art** (p. 80) de **Fort Lauderdale**, e as crianças com uma queda para ciências encontram inúmeras coisas para explorar no **Museum of Discovery and Science** (p. 80). Mergulhe na cultura nativa americana na **Seminole Okalee Indian Village**, no **Seminole Indian Hard Rock Hotel and Casino** (p. 84). Os mais jovens vão gostar do **Young at Art Children's Museum** (p. 84), em **Davie** (pp. 84-5), e os aspirantes a astrônomo podem admirar as estrelas no **Buehler Planetarium & Observatory** (pp. 84-5). O **Boca Raton Children's Museum** (p. 86) propicia uma introdução interessante e interativa à história da Flórida. Crianças mais velhas apreciam as obras coloridas de vidro do escultor americano Dale Chihuly, expostas no **Norton Museum of Art** (p. 88), em **Palm Beach**.

Grandes espaços abertos

Nada é melhor que um dia relaxando ou brincando na praia, mas as famílias ativas encontram muito que fazer fora da areia. O tranquilo **Hugh Taylor Birch State Park** (p. 82), a minutos do centro de **Fort Lauderdale**, oferece canoas, caminhadas e bicicleta, enquanto o **John U. Lloyd Beach State Park** tem trilha através de uma floresta isolada e um riacho perfeito para caiaque. Maravilhe-se com a vida animal exótica no **Lion Country Safari**, no **Palm Beach Zoo**, no **Butterfly World** ou nos **Flamingo Gardens** (p. 85). Alugue uma bicicleta e circule por **Palm Beach** pela **Lake Trail** (p. 88), de 5km, ou siga para o interior até o **Jonathan Dickinson State Park** (p. 97), perto de Stuart, onde famílias intrépidas exploram pinheirais, mangues e pântanos ao longo do rio Loxahatchee.

Costas do Ouro e do Tesouro

No litoral atlântico da Flórida, as Costas do Ouro e do Tesouro estendem-se por cerca de 322km de Miami à Costa Espacial e ao nordeste. A região é assolada por tempestades tropicais no verão, mas o clima é subtropical, ameno e quente na maior parte do ano. As praias são incríveis. O litoral é bastante urbanizado até Palm Beach, e desdobra-se em ilhas esparsamente povoadas, pântano e pinheiral mais ao norte. Separado das ilhas e das praias pela Intracoastal Waterway, o continente é pontilhado de mansões e rico em vida marinha e aves. As estradas são ótimas nessa região, mas o transporte público é restrito ao norte de West Palm Beach.

Pássaros nos Flamingo Gardens, Davie

Castelos de areia em praia pública, Palm Beach

Barba-de-velho e lago de ninfeias nos McKee Botanical Gardens, Vero Beach

Informações

Como chegar lá e aos arredores Avião Quase toda grande cidade dos EUA tem voos para Fort Lauderdale (www.broward.org/airport). Táxis ($15-20) e lotações do Go Airport Shuttle (www.floridalimo.com) vão do aeroporto para Fort Lauderdale. Há voos do aeroporto de Palm Beach (www.pbia.org) para todos os maiores centros da costa leste. Southeastern Florida Transportation Group (www.yellowcabflorida.com) dispõe de táxis e lotações. **Trem** Amtrak (www.amtrak.com) liga West Palm Beach e Fort Lauderdale a Miami, Tampa, Jacksonville, Orlando e lugares do litoral leste a Nova York. Tri-Rail (www.tri-rail.com) faz paradas entre West Palm Beach e Miami. **Ônibus** A Greyhound (www.greyhound.com) liga Fort Pierce, Fort Lauderdale e West Palm Beach a Miami e lugares ao norte. Ônibus locais são limitados. **Carro** É melhor conhecer de carro a maior parte da região. Avis (www.avis.com) e Hertz (www.hertz.com) têm escritórios de locação nos aeroportos.

Informação turística Veja nas entradas específicas

Supermercados Publix (www.publix.com) é a maior rede de supermercados, com lojas por toda a região

Festivais Easter Egg Hunt, Flagler Museum: crianças são convidadas a caçar 7 mil ovos nos gramados do museu; www.flaglermuseum.us (mar). Mardi Gras Parade & Party, Fort Pierce: 772 460 5299; www.jazzsociety.org/mardi-gras (mar). SunFest, West Palm Beach: música ao vivo, área com atividades para crianças e grande show de fogos; sunfest.com (mai). Pineapple Festival, Jensen Beach: 772 334 3444; www.pineapplefestival.info (nov)

Farmácias A rede de supermercados Publix (www.publix.com), a CVS (www.cvs.com) e a Walgreens (www.walgreens.com) contam com farmácias 24h

Banheiros Em todos os grandes shoppings, nas atrações e na maioria dos postos de gasolina

As Costas do Ouro e do Tesouro | 79

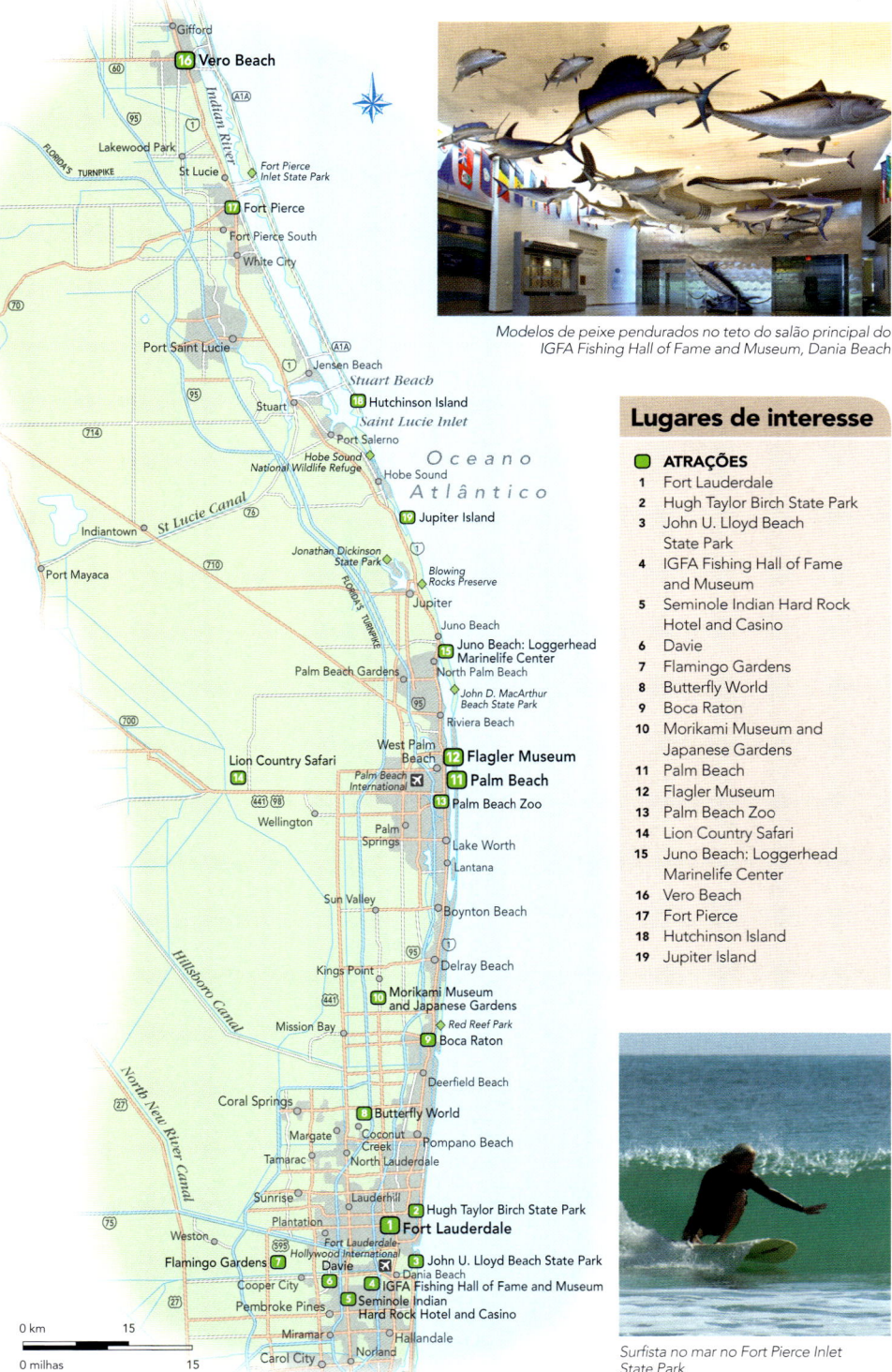

Modelos de peixe pendurados no teto do salão principal do IGFA Fishing Hall of Fame and Museum, Dania Beach

Lugares de interesse

ATRAÇÕES
1. Fort Lauderdale
2. Hugh Taylor Birch State Park
3. John U. Lloyd Beach State Park
4. IGFA Fishing Hall of Fame and Museum
5. Seminole Indian Hard Rock Hotel and Casino
6. Davie
7. Flamingo Gardens
8. Butterfly World
9. Boca Raton
10. Morikami Museum and Japanese Gardens
11. Palm Beach
12. Flagler Museum
13. Palm Beach Zoo
14. Lion Country Safari
15. Juno Beach: Loggerhead Marinelife Center
16. Vero Beach
17. Fort Pierce
18. Hutchinson Island
19. Jupiter Island

Surfista no mar no Fort Pierce Inlet State Park

Costas do Ouro e do Tesouro

① Fort Lauderdale e Arredores
Praias, carros antigos e um foguete no espaço

Pouco mais que um entreposto fluvial em 1900, Fort Lauderdale ficou conhecido como "a Veneza da América" quando seus pântanos foram transformados em canais nos anos 1920. Hoje, hidrotáxis e um barco antigo, o *Jungle Queen*, navegam essas águas margeadas por mansões, ligando o centro à magnífica praia. A cidade está repleta de casas antigas para explorar, galerias interativas e um excelente museu de ciências.

Porta rebuscada na Bonnet House

Destaques

① Museum of Discovery and Science Torne-se astronauta e viaje para Marte, ache fósseis junto a um megalodonte ou assista a um filme 3-D em Imax® nesse museu divertido.

② Riverwalk Park Nas margens do rio New, esse parque arborizado tem caminhos sinuosos com toda espécie de lojas e cafés.

③ Museum of Art Entre os pontos altos estão o vívido Impressionismo do artista americano William Glackens, arte contemporânea cubana e a esplêndida instalação *Indigo Room* do artista haitiano Edouard Duval-Carrié, com temas de vodu e migração.

④ Stranahan House Erigida em 1901, essa casa de pinho serviu de entreposto, em que o pioneiro Frank Stranahan comprava artigos como plumas de ganso e pelo de aligátor dos índios seminoles.

⑤ Fort Lauderdale Antique Car Museum Os 22 carros antigos desse museu, que datam de 1909 aos anos 1940, mantêm vivo o espírito dos automóveis Packard que eram feitos em Detroit, Michigan.

⑥ Bonnet House Museum and Gardens Percorra o jardim exuberante dessa casa-grande de estilo caribenho, projetada pelo pintor Frederic Clay Bartlett em 1920.

⑦ International Swimming Hall of Fame Esse museu está lotado de recordações da natação, com objetos relacionados ao lendário campeão olímpico Mark Spitz e à história do polo aquático.

Informações

🌐 **Mapa** 10 H1
Endereço Museum of Discovery and Science: 401 SW 2nd St, 33312; www.mods.org. Riverwalk Park: 20 N New River Dr, 33312; www.goriverwalk.com. Museum of Art: 1 E Las Olas Blvd, 33301; www.moafl.org. Stranahan House: 335 SE 6th Ave, 33301; stranahanhouse.org. Fort Lauderdale Antique Carro Museum: 1527 SW 1st Ave, 33315; antiquecarmuseum.org. Bonnet House Museum and Gardens: 900 N Birch Rd, 33304; www.bonnethouse.org. International Natação Hall of Fame: 1 Hall of Fame Drive, 33316; www.ishof.org

🚗 **Trem** Tri-Rail (www.tri-rail.com) em Miami e West Palm Beach, ou Amtrak (www.amtrak.com) em Orlando ou Miami. **Ônibus** 22 liga a estação de trem ao centro.

ℹ **Informação turística** 100 E Broward Blvd, Suite 200, 33301; 954 765 4466; www.sunny.org

🕐 **Aberto** Museum of Discovery and Science: 10h-17h seg-sáb e 12h-18h dom. Riverwalk Park: 24h. Museum of Art: 10h-17h ter, qua e sáb, 12h-17h dom (até 19h qui). Stranahan House: visitas às 13h, 14h e 15h diariam. Fort Lauderdale Antique Car Museum: 9h-15h seg-sex (agende sáb e dom). Bonnet House Museum and Gardens: 10h-16h ter-sáb, 11h-16h dom. International Swimming Hall of Fame: 9h-17h seg-sex (até 14h sáb-dom)

💲 **Preços** Museum of Discovery and Science: $64-75. Museum of Art: $30-40. Stranahan House: $38-48. Fort Lauderdale Antique Car Museum: $16-32; até 12 anos, grátis. Bonnet House Museum: $72-80; até 6 anos, grátis. International Natação Hall of Fame: $24-32

Preços para família de 4 pessoas

Fort Lauderdale e Arredores | 81

A praia de Fort Lauderdale, com muitos coqueiros

Para relaxar
A apenas 5km a leste do centro há uma praia de areia de 11km. Tendo ao fundo um belo passeio público e margeada por palmeiras, ela é perfeita para nadar.

Comida e bebida
Piquenique: até $25; Lanche: $25-50; Refeição: $50-80; Para a família: mais de $80 (para quatro pessoas)

PIQUENIQUE Publix at Las Olas *(601 S Andrews Ave, 33301; 954 728 8330; www.publix.com)*, supermercado mais próximo do centro de Fort Lauderdale, fica a 2 minutos de carro da praia. Tem sanduíches, pães e produtos de mercearia para comer na praia.

LANCHE Hot Dog Heaven *(101 E Sunrise Blvd, 33304; 954 523 7100; hotdogheaven.infinology.net; até 16h30 seg-sáb)*, a 10 minutos de carro pela Federal Highway, é um local pequeno com banquetas dentro e duas mesas fora. Um dos favoritos da cidade, serve ótimos cachorros-quentes de carne bovina.

REFEIÇÃO Coconuts *(429 Seabreeze Blvd, 33316; 954 525 2421; www.coconutsfortlauderdale.com)* tem mesas ao ar livre, à beira da água, perto do International Swimming Hall of Fame, com a cena de pelicanos e sua refeição diária de peixe. Banqueteie-se com caranguejo-real, tacos de peixe e frutos do mar.

PARA A FAMÍLIA 3030 Ocean *(Harbor Beach Resort Marriott, 3030 Holiday Drive, 33316; 954 765 3030; www.3030ocean.com; só jantar)* serve pratos modernos de frutos do mar, como peixe-espada grelhado em bloco de sal com amêndoas, e mahi com glacê de abricó.

Compras
Las Olas Boulevard é a rua de compras finas da cidade, com várias lojas de moda que atraem adolescentes. **Galleria** *(2414 E Sunrise Blvd, 33304; 954 564 1015; www.galleriamall-fl.com)* é um dos melhores shopping centers.

Saiba mais
FILME Sobre um cão amigo, o emocionante *Marley & eu* (2008) foi rodado em Fort Lauderdale.

Passeio de aerobarco na Big Cypress Seminole Indian Reservation, Clewiston

Próxima parada…
BIG CYPRESS SEMINOLE INDIAN RESERVATION Visite a Big Cypress Seminole Indian Reservation, posto indígena a 125km a noroeste da cidade, para fazer o divertido safári de pântano (www.billieswamp.com) e ver o didático Ah-Tah-Thi-Ki Museum (www.ahtahthiki.com).

CRIANÇADA!

Busca do bicho
Muitos animais se esconden nos lagos, palmeiras e jardins da Bonnet House. Veja se consegue avistar um destes:
1. Papagaio-verdadeiro
2. Macaco-de-cheiro
3. Cisne
4. Maritaca
5. Tartaruga-da-flórida
6. Manati

Veneza nos EUA?
Veneza é uma cidade famosa da Itália. Você sabe por que Fort Lauderdale é chamada "a Veneza da América"?

VELHO RIO NOVO
O rio New (Novo) de Fort Lauderdale é mesmo "novo"? Nem tanto. Quem lhe deu o nome foram os espanhóis, nos anos 1600, talvez por causa da lenda de que o rio passou a existir por milagre da noite para o dia. Na realidade, esse rio existe há milhares de anos.

Conte as horas no relógio de gravidade
O enorme relógio do Museum of Discovery and Science tem 16m de altura. Ao contrário dos relógios comuns, não tem ponteiros – sabe-se a hora certa contando o número de bolas que há nos trilhos:
1. Cada bola no trilho de baixo soma uma hora.
2. Cada bola no trilho do meio conta 10 minutos.
3. Cada bola no trilho de cima conta 1 minuto. Que horas são?

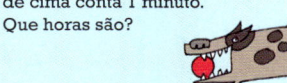

- **Passeios guiados** M. Cruz Rentals (www.mcruzrentals.com) faz excursões de Segway na praia de Fort Lauderdale
- **Idade** Livre
- **Atividades** Explore os cursos d'água no antigo barco *Jungle Queen* (www.junglequeen.com) ou com um hidrotáxi (www.watertaxi.com)
- **Duração** Ao menos 2 dias

Bom para a família?
Atrações instrutivas e divertidas, além de praia deliciosa, fazem da cidade ótimo destino para famílias.

② Hugh Taylor Birch State Park

Canoas, caminhadas, bicicletas

Esse parque agreste, a poucos minutos do centro de Fort Lauderdale, preserva uma fatia intacta da natureza da Flórida, graças a Hugh Taylor Birch, advogado de Chicago que doou sua propriedade em 1941 para ser parque público. O parque dá acesso a uma parte especialmente convidativa de Fort Lauderdale Beach, mas, para não remar 1,5km pelo lago Helen, de água doce, é melhor alugar uma canoa para três ou quatro pessoas. Crianças mais velhas talvez prefiram ir em seu caiaque. Procure tartarugas, patos, garças, esquilos, aves limícolas, guaxinins e o mais raro coelho-do-brejo.

De volta a terra firme, a Coastal Hammock Trail é uma caminhada fácil de 20-30 minutos através de floresta tropical. Ao longo do trajeto há painéis que informam sobre a

Informações

- **Mapa** 10 H1
- **Endereço** 3109 E Sunrise Blvd (saída da Hwy-A1A), 33304; 954 564 4521; www.floridastateparks.org/hughtaylorbirch
- **Ônibus** Nº 11 da Broward County Transit do centro de Fort Lauderdale até a entrada do parque
- **Aberto** 8h-pôr do sol diariam
- **Preço** $6 por veículo e $2 por pedestre ou ciclista
- **Passeios guiados** Passeios guiados por guarda-parques na Coastal Hammock Trail 10h30 sex
- **Idade** Livre
- **Atividades** No parque há aluguel de bote ($5,30 cada), aluguel de caiaque ($10 por hora na lagoa; $20 por hora no mar; $35 por 3 horas no mar) e aluguel de bicicleta ($12,50 por 1 hora, $25 por 4 horas e $35 por 24h)
- **Duração** Meio dia a um dia
- **Comida e bebida** LANCHE M. Cruz Rentals (no local) tem banca com bebidas frias e lanches como cachorro-quente. REFEIÇÃO Franco & Vinny's Pizza Shack (2884 E Sunrise Blvd, 33304; 954 564 9522; francoandvinnys.com; 16h-23h diariam) serve pizzas e massas excelentes, além de pratos especiais para crianças, como espaguete com almôndegas.

Preços para família de 4 pessoas

Canoas de aluguel no lago Helen, no Hugh Taylor Birch State Park

fauna endêmica – tente avistar uma das raras tartarugas-da-flórida ou uma raposa-cinzenta.

Outra diversão é alugar bicicletas e pedalar pelo parque em sua estrada de 3km.

Para relaxar

Se as crianças acharem que a molhação no caiaque não valeu, vá 3km ao sul para mergulhar nas piscinas ao ar livre do **Fort Lauderdale Aquatic Complex** (ci.ftlaud.fl.us/flac).

③ John U. Lloyd Beach State Park

Um dia na praia

A principal atração desse parque é a praia – uma bela faixa de 4km de areia imaculada que faz lembrar a velha Flórida e é ideal para nadar. Logo para o interior encontra-se a Barrier Island Nature Trail (trilha educativa), de 45 minutos, através de floresta de dossel, onde esquilos e guaxinins às vezes passam correndo. O córrego Whiskey, que divide o parque longitudinalmente, tem muitos manatis, ainda mais no inverno, e no manguezal há muitas aves para ver. As crianças mais novas talvez gostem de ver os barcos na ponta norte do parque.

Se chover...

Dirija-se 3km a sudoeste para assistir a uma partida de jai-alai no **Dania Jai-Alai Stadium** (301 E Dania Beach Blvd, 33004; 954 920 1511; www.betdania.com). Jai-alai é um jogo antigo do norte da Espanha, um pouco parecido com o squash, porém mais rápido.

Informações

- **Mapa** 10 H2
- **Endereço** 6503 N Ocean Drive, Dania Beach, 33004; 954 923 2833; www.floridastateparks.org/lloydbeach
- **Carro** Alugue um carro no aeroporto de Fort Lauderdale
- **Informação turística** Dania Beach Chamber of Commerce, 102 W Dania Beach Blvd, Dania Beach, 33004; 954 926 2323; www.daniabeachchamber.org
- **Aberto** 8h-pôr do sol diariam
- **Preço** $6 por veículo; $2 por pedestre ou ciclista
- **Idade** Livre
- **Atividades** Passeios autoguiados de 45 minutos na natureza no lado sul do parque.
- **Duração** Meio dia a um dia
- **Comida e bebida** LANCHE Publix Beachway Plaza (402 E Dania Beach Blvd, 33004; 954 90 4289; www.publix.com) fica perto do parque, de carro, e tem frios e sanduíches. REFEIÇÃO Dania Beach Bar & Grill (65 N Beach Rd, 33004; 954 923 4148; www.daniabeachgrill.com; 11h-18h diariam), logo à saída do parque, tem uma série de saladas, sanduíches e hambúrgueres.

Banho de sol na praia do John U. Lloyd Beach State Park

Fort Lauderdale e Arredores | 83

Acima A Catch Gallery, IGFA Fishing Hall of Fame and Museum **Abaixo** Sword Dance, de Kent Ullberg, diante do IGFA

④ IGFA Fishing Hall of Fame and Museum

Tudo sobre pescaria – e um lago com aligátor

A pesca é uma atividade importante no sul da Flórida. O museu da International Game Fish Association apresenta o esporte em detalhe. Destaca a história da pesca e a conservação do pescado por meio de mostras interativas e conta com um Salão da Fama, onde os maiores pescadores esportivos do mundo são admitidos todo ano. Há modelos dos maiores peixes capturados na história. Os jogos de pescaria de realidade virtual são muito divertidos: você pega a vara e iça um peixe enorme na tela. As crianças mais novas gostam da Wetlands Walk, passarela de madeira que serpenteia por ciprestes-dos-pântanos, mangues e brejos, habitat de aves limícolas, tartarugas, peixes exóticos e o mais emocionante: os aligatores. Não perca a sala da descoberta do museu, onde peças e atividades esperam as crianças, depois vá ao enorme **Bass Pro Shops Outdoor World**, ao lado, onde os peixes zanzam por um aquário colossal.

Para relaxar
Do outro lado da I-95 (saída 22), saindo do IGFA Fishing Hall of Fame, **Boomers** (1700 NW 1st St, Dania Beach, 33004; 954 921 1411; www.boomersparks.com/site/dania) é um parque de diversões à antiga, com kart, minigolfe, arma a laser e um enorme fliperama.

Informações

🌐 **Mapa** 10 H2
Endereço 300 Gulf Stream Way, Dania Beach, 33004; 954 922 4212; www.igfa.org. Bass Pro Shops Outdoor World: 200 Gulf Stream Way, Dania Beach, 33004; 800 227 7776; www.basspro.com

🚗 **Trem** Tri-Rail para a estação Fort Lauderdale Airport; depois caminhe até o museu

ℹ️ **Informação turística** Dania Beach Chamber of Commerce, 102 W Dania Beach Blvd, Dania Beach, 33004; 954 926 2323; www.daniabeachchamber.org

🕙 **Aberto** 10h-18h seg-sáb e 12h-18h dom

💲 **Preço** $30-40; até 3 anos, grátis

👫 **Idade** A partir de 5 anos

⏱️ **Duração** 1-2 horas

🍴 **Comida e bebida**
LANCHE Jaxson's Ice Cream Parlor (128 S Federal Highway, US-1, Dania Beach, 33004; 954 923 4445; www.jaxsonsicecream.com) é uma sorveteria antiga que também serve hambúrguer, cachorro-quente e sanduíches.
REFEIÇÃO Islamorada Fish Company (220 Gulf Stream Way, Dania Beach, 33004; 954 927 7737; restaurants.basspro.com/fishcompany/DaniaBeach), ao lado do IGFA Fishing Hall of Fame, tem pratos de frutos do mar.

CRIANÇADA!

Fique de olho 
No IGFA Fishing Hall of Fame and Museum, veja se sabe responder a estas perguntas:
1 O que os cavalos têm a ver com a pesca? (Dica: vá à Legacy Gallery.)
2 Quais são os quatro tipos de zonas úmidas da Flórida? (Dica: vá à Wetlands Walk.)
3 Na Tackle Gallery, quantas varas de pescar estão penduradas no teto?

Respostas no fim do quadro.

AQUELE QUE NÃO CONSEGUIU ESCAPAR

O maior peixe já pescado foi um grande tubarão-branco fisgado ao sul da Austrália em 1959. Pesava surpreendentes 1.208kg – tanto quanto um carro pequeno! Como hoje é proibido pescar esses tubarões, talvez nunca se quebre o recorde.

Protejam as tartarugas!

No verão, as praias do sul da Flórida tornam-se um dos maiores lugares de desova das tartarugas-cabeçudas do mundo. Os locais dos ninhos cheios de ovos e cobertos de areia são marcados com fita amarela para que as pessoas fiquem longe deles. Os guias do U. Lloyd Beach State Park conduzem caminhadas de observação dos ninhos das tartarugas-cabeçudas às quartas e sextas-feiras em junho e julho.

Quantos ninhos você consegue contar na praia do parque? Lembre-se de não se aproximar deles e nunca pisá-los!

Respostas: 1 A crina do cavalo era usada para fazer linha de pescar. **2** Pântanos, brejos de água doce, charcos salgados e mangues. **3** 117.

Piquenique até $25; Lanche $25-50; Refeição $50-80; Para a família mais de $80 (para quatro pessoas)

84 | Costas do Ouro e do Tesouro

A área da piscina tropical no Seminole Indian Hard Rock Hotel and Casino

5 Seminole Indian Hard Rock Hotel and Casino

Os indígenas americanos da Flórida e um Hard Rock Cafe

Para ter uma perspectiva diferente da história e da cultura da Flórida, visite o Seminole Hard Rock Hotel and Casino, em Hollywood. Em 1979, a tribo seminole tornou-se a primeira dos EUA a usar jogos de azar como fonte de renda, e em 2004 comprou a franquia do Hard Rock Cafe. Hoje, as receitas de milhões do conjunto financiam assistência médica, educação, atendimento completo a idosos e centros comunitários modernos.

Vá à **Seminole Okalee Indian Village**, no lado norte do conjunto, para comprar recordações na loja de artesanato dos seminoles. Não havendo apresentações especiais na vila, é provável que as crianças maiores prefiram ir aos restaurantes e às lojas do complexo hoteleiro. Entre eles está o próprio **Hard Rock Cafe**, o Renegade Barbeque Company – com o churrasco defumado com carvalho – e o Wetzel's Pretzels. A Brats, de confecção infantil, e a Seminole Store estão entre as lojas.

Se tiver tempo, veja um dos vários shows do Hard Rock Live ou aproveite para mergulhar na piscina em forma de laguna.

Para relaxar

A curta distância de carro, o **Topeekeegee Yugnee Park** *(3300 N Park Rd, 33021)* tem áreas de piquenique, quadras de basquete, playgrounds e um circuito calçado de 3km para caminhar, correr, patinar e pedalar. No verão, visite o Castaway Island Water Park, localizado dentro do parque.

A grande variedade de chapéus de caubói na Grif's Western, em Davie

6 Davie

Cowboys, arte para crianças e uma viagem às estrelas

A 32km do litoral, esse subúrbio de Fort Lauderdale é um local inesperado para atrações familiares interessantes. Estranhamente, Davie parece mais um posto rural avançado que uma cidade típica da Flórida, herança dos colonizadores vindos do Oeste no começo do século XX. As crianças vão adorar assistir ao rodeio da cidade, realizado intermitentemente de fevereiro a novembro. Há até um rodeio para crianças em junho. Os fãs do Velho Oeste devem visitar a **Grif's Western**, principal loja de botas, chapéus e selas de vaqueiro no estado. Entre no **Old Davie School Historical Museum**, um prédio escolar de 1918 restaurado, com mostras que dão vida à história dos pioneiros da Flórida. As crianças menores aproveitam mais o **Young at Art Children's Museum**, que explora a história da arte por meio de cinco temas especiais. Por fim, não deixe de ir ao **Buehler**

Informações

- 🌐 **Mapa** 10 H2
  Endereço 1 Seminole Way, 33314; 954 315 9112; *www.seminolehardrockhollywood.com*
- 🚗 **Carro** Alugue um carro no aeroporto de Fort Lauderdale
- 🕐 **Aberto** Seminole Okalee Indian Village: 9h30-17h30 qua-dom. Hard Rock Cafe: 11h-24h dom-qui e 11h-2h sex-sáb
- 💲 **Preço** Seminole Okalee Indian Village: $40-48; até 4 anos, grátis
- 👫 **Idade** A partir de 5 anos
- ⏱ **Duração** 2-3 horas
- 🍴 **Comida e bebida** LANCHE Ben & Jerry's (5725 Seminole Way, 33314; 954 321 5144; scoopshops.benjerry.com/scoopshops/hardrockhollywood) serve sabores incomuns de sorvete. REFEIÇÃO Johnny Rockets (5740 Seminole Way, 33314; 954 316 1915 www.johnny-rockets.com) oferece hambúrgueres suculentos, milk shakes batidos à mão e torta de maçã recém-assada em ambiente estilo anos 1950. Também conta com cardápio infantil.

Informações

- 🌐 **Mapa** 10 H2
  Endereço Grif's Western: 6211 Orange Drive, 33314; 954 587 9000; *grifswestern.com*. Old Davie School Historical Museum: 6650 Griffin Rd, 33314; 954 797 1044; *odshm.ch2v.com*. Young at Art Children's Museum: 751 SW 121 Ave, 33325; 954 424 0085; *www.youngatartmuseum.org*. Buehler Planetarium & Observatory: 3501 Davie Rd, Broward College campus, 33314; 954 201 6681; *www.iloveplanets.com*
- 🚗 **Carro** Alugue um carro no aeroporto de Fort Lauderdale
- 🕐 **Aberto** Grif's Western: 10h-21h seg-sáb e 11h-17h dom. Old Davie School Historical Museum: 9h-17h seg-sex e 10h-16h sáb. Young at Art Children's Museum: 10h-17h seg-qui (até 18h sex-sáb), 11h-18h dom. Buehler Planetarium: 8h-22h qua, sex e sáb (avistamentos); veja no site o horário das exibições.
- 💲 **Preços** Old Davie School Historical Museum: $24-34. Young at Art Children's Museum: $50-62; até 1 ano, grátis. Buehler Planetarium: grátis nas noites de avistamento; exibições $4-6
- 👫 **Idade** A partir de 5 anos
- ⏱ **Duração** Um dia
- 🍴 **Comida e bebida** LANCHE La Spada's Original Hoagies (2645 S University Drive, 33328; 954 476 1099; www.laspadashoagies.com) oferece os melhores sanduíches do sul da Flórida. REFEIÇÃO Pizza Loft (3514 S University Dr, 33328; 954 916 8880; www.thepizzaloft.com) é uma pizzaria para famílias.
- 🎉 **Festival** O Bergeron Rodeo Grounds exibe de 6 a 8 rodeios (davieprorodeo.com; fev e mar).

Preços para família de 4 pessoas

Planetarium & Observatory, onde as exibições são seguidas de observação de estrelas. Em noite clara, Júpiter e até os anéis de Saturno podem estar visíveis.

Para relaxar

Corra para o **Tree Tops Park** (*3900 SW 100th Ave, 33328; 954 357 5130; www.broward.org/Parks*), com playgrounds, trilhas e passeios a cavalo com guia.

⑦ Flamingo Gardens

O lar dos flamingos

Esse jardim botânico repleto de plantas e árvores subtropicais é uma reserva tranquila que atrai borboletas e beija-flores no inverno. Os jardins foram feitos pensando na família – as crianças são estimuladas a tocar e cheirar ervas e plantas no Fragrance Garden. Inevitavelmente, elas vão perguntar: "onde estão os flamingos?" Não se preocupe: o Everglades Wildlife Sanctuary, no próprio local, é o habitat de 83 espécies de aves e animais nativos da Flórida, como aligatores, panteras, gatos-do-mato, lontras, águias e... flamingos! Cerca de 250 aves, entre elas muitas limícolas, estão dentro do enorme Aviário de Voo Livre. Para mudar o ritmo, visite o Wray Home Museum, restaurado à aparência que tinha nos anos 1930, quando era a casa de Floyd e Jane Wray, fundadores do jardim botânico.

Se chover...

Vá ao **Old Davie School Historical Museum** (p. 84), localizado a 10km a leste dos Flamingo Gardens. O museu expõe objetos e fotografias que contam a história da jornada dos pioneiros pelos Everglades.

Visitantes fazem passeio em reboque nos Flamingo Gardens, em Davie

Um bando de aves limícolas nos Flamingo Gardens, em Davie

Informações

- **Mapa** 10 G2
- **Endereço** 3750 S Flamingo Rd, (entre Griffin Rd e I-595), Davie, 33330; 954 473 2955; www.flamingogardens.org
- **Carro** Alugue um carro no aeroporto de Fort Lauderdale
- **Aberto** 9h30-17h diariam; jun-out: fechado seg
- **Preço** $56-72; até 3 anos, grátis
- **Passeios guiados** No Wray Home Museum, os passeios guiados são realizados 10h-16h diariam. Os passeios narrados em reboque pelos jardins saem na hora cheia 11h-16h diariam.
- **Idade** A partir de 5 anos
- **Atividades** Live Wildlife Encounter Shows (se o tempo permitir) 12h30, 13h30 e 14h30 diariam
- **Duração** 2-3 horas
- **Comida e bebida** LANCHE Publix Countryside Shops (*5630 S Flamingo Rd, Cooper City, 33330; 954 434 2803; www.publix.com*) é o supermercado grande mais próximo dos Flamingo Gardens. REFEIÇÃO Marola's Trattoria (*5822 S Flamingo Rd, Cooper City, 33330; 954 434 3420; marolas.com*), restaurante italiano familiar, serve saladas, massas e pizzas.

Piquenique até $25; **Lanche** $25-50; **Refeição** $50-80; **Para a família** mais de $80 (para quatro pessoas)

CRIANÇADA!

Conte as aves

Quantas destas aves você vê nos Flamingo Gardens? 
1. Águia-careca
2. Pavão
3. Flamingo
4. Garça
5. Íbis-branco

Montando um chucro

O mais famoso número de um rodeio (e dos mais perigosos) é a montaria em animal chucro, em que homens e mulheres tentam ficar o maior tempo possível no lombo de um cavalo ou touro selvagem. A maioria acaba caindo. Os cavaleiros ganham ponto pelo tempo de permanência: têm de ficar montados pelo menos 8 segundos para pontuar – e muito mais difícil do que parece!

HOMENZINHOS VERDES

Nosso Sistema Solar tem oito planetas. Você viu planetas no Buehler Planetarium & Observatory? Acha que há seres morando neles? Como será que eles são? Desenhe o alienígena que você imaginou.

Gincana!

O Old Davie School Historical Museum está lotado de todo tipo de objeto estranho, fotos antigas e mapas históricos. Veja se você consegue encontrar estas peças:
1. Um aligátor empalhado
2. A Cabana do Pioneiro
3. A velha bomba-d'água do poço
4. Viele House
5. Um tinteiro (dica: procure na sala de aula antiga)

Costas do Ouro e do Tesouro

Borboleta em folhagem no Butterfly World, em Coconut Creek

⑧ Butterfly World
Aves, borboletas e insetos

Poucos lugares cativam tanto quanto esse parque natural no Tradewinds Park, onde centenas de borboletas de cores vivas voam em estufas tropicais e pássaros exóticos se aninham em palmeiras. Dentro do Tropical Rain Forest Aviary, borboletas azuis, alaranjadas e amarelas pousam suavemente nas mãos e nos ombros das crianças, que também adoram o Lorikeet Encounter, onde papagaios multicoloridos comem em copos nas mãos dos visitantes.

A Tinalandia Suspension Bridge (ponte pênsil), que balança quando as crianças correm por ela, é outro favorito, e as principais atrações dentro do florido Jewels of the Sky Aviary são os beija-flores sem penas, que bebem o néctar das flores. Não perca o Bug Zoo, onde grandes insetos aquáticos, aranhas assustadoras e vespas ameaçadoras arrancam suspiros de terror/prazer.

Para relaxar
As crianças podem correr pelo **Tradewinds Park** (www.broward.org/Parks/TradewindsPark), com playgrounds, áreas de piquenique e lago piscoso. Passeios de pônei e num trem a vapor em miniatura também estão disponíveis.

⑨ Boca Raton
Fantasia mediterrânea

Essa cidade gostosa começou a crescer na febre imobiliária da Flórida dos anos 1920, quando o famoso arquiteto Addison Mizner construiu um prédio rosa superchique chamado Boca Raton Resort & Club. Talvez as crianças vejam do carro essa fortaleza. Mizner inspirou-se na arquitetura do Revivalismo Mediterrâneo, que ainda predomina no Centro e dá a Boca Raton um ar europeu.

As crianças menores vão achar instigante o **Boca Raton Children's Museum**. Instalado num chalé de madeira de 1913 – moradia simples dos pioneiros da Flórida –, tem muitas mostras interativas que mantêm as crianças ocupadas durante horas. A mostra KidsCents Bank apresenta o funcionamento de um banco, com guichês e cofres em funcionamento, e o Imogene's Closet – mos-

Mirante elevado no Gumbo Limbo Nature Center, em Boca Raton

tra de roupas infantis e bonecas da época dos pioneiros – dá ideia da história de Boca Raton. Mais perto do mar, caminhe pelo **Gumbo Limbo Nature Center**, onde passarelas de madeira serpenteiam por uma floresta tropical e um mangue. Veja águias-pescadoras, pelicanos marrons e um manati ocasional vagando nas águas quentes.

Para relaxar
Há muitas praias em Boca Raton, mas em geral é caro estacionar. O **Red Reef Park**, perto do Gumbo Limbo Nature Center, na Highway-A1A, é bom para nadar, banho de sol e mergulhar. Perto, a **Delray Beach** é uma opção mais barata.

Informações

- **Mapa** 10 H1
- **Endereço** Tradewinds Park, 3600 W Sample Rd, Coconut Creek, 33073; 954 977 4400; www.butterflyworld.com
- **Carro** Alugue um carro no aeroporto de Fort Lauderdale.
- **Aberto** 9h-17h seg-sáb e 11h-17h dom
- **Preço** $90-100; até 2 anos, grátis
- **Idade** Livre
- **Atividades** Baixe o livro para colorir em www.butterflyworld.com FlyingColorsBook.pdf e saiba mais sobre a diversidade de borboletas.
- **Duração** 2 horas
- **Comida e bebida** LANCHE The Lakeside Café (no local) é o melhor lugar para sanduíches, saladas, bebidas geladas e café. REFEIÇÃO Lime Fresh Mexican Grill (Promenade at Coconut Creek, 4425 Lyons Rd, 33073; 954 586 2999; www.limefreshmexicangrill.com), em rápida viagem de carro, conta com cardápio infantil e ótimos tacos.

Informações

- **Mapa** 10 H1
- **Endereço** Boca Raton Children's Museum: 498 Crawford Blvd, 33432; 561 368 6878; www.cmboca.org. Gumbo Limbo Nature Center: 1801 N Ocean Blvd, 33432; 561 338 1473; www.gumbolimbo.org
- **Carro** Alugue um carro no aeroporto de Fort Lauderdale
- **Informação turística** Boca Raton Chamber of Commerce, 800 N Dixie Hwy, 33432; 561 395 4433; www.bocaratonchamber.com
- **Aberto** Boca Raton Children's Museum: 12h-16h ter-sáb. Gumbo Limbo Nature Center: 9h-16h seg-sáb, 12h-16h dom
- **Preços** Boca Raton Children's Museum: $20-30; até 1 ano, grátis. Gumbo Limbo Nature Center: grátis; doação de $5 por pessoa
- **Passeios guiados** Gumbo Limbo Nature Center faz passeios guiados para ver as tartarugas pondo ovos (mai-jul) e a eclosão deles (jul-ago)
- **Idade** A partir de 5 anos
- **Duração** Um dia
- **Comida e bebida** PIQUENIQUE 4th Generation Organic Market (75 SE 3rd St, 33432; 561 338 9920; www.4thgenerationmarket.com) tem saladas, sanduíches, wraps e sobremesas. Faça piquenique no Red Reef Park. REFEIÇÃO Tom Sawyer Restaurant & Pastry Loja (1759 NW 2nd Ave, 33432; 561 368 4634; www.tomsawyerrestaurant.com; 7h-14h diariam) é uma lanchonete de estilo antigo com excelente café da manhã. Também serve sopas, saladas e frutos do mar.

Preços para família de 4 pessoas

Fort Lauderdale e Arredores | 87

O quarto em estilo japonês de um escolar no Morikami Museum, em Delray Beach

⑩ Morikami Museum and Japanese Gardens
Um dia no Extremo Oriente

O sul da Flórida é um lugar inesperado para uma filial do Japão clássico, mas esse museu e seu terreno com lindo paisagismo dão aos visitantes o autêntico sabor do Extremo Oriente. Veja seis belos jardins japoneses, um santuário xintoísta, uma casa de chá e um museu – legado de uma colônia agrícola japonesa instalada em Boca Raton no início do século XX.

A seção principal do museu exibe arte japonesa, mas as crianças vão achar chato; leve-as à casa Yamato-kan, onde a exibição *O Japão pelos olhos de uma criança* mostra às crianças menores um pouco da vida moderna japonesa. Conheça uma sala de aula japonesa, uma rua comercial e uma casa típica, com tatames (esteiras de palha de arroz), banheira enorme e banheiro high-tech. Há também uma réplica de estação de trem com parte de um trem-bala. Os jardins, com pontes em zigue-zague, cascatas ocultas, jardins de pedra zen e muitos bonsais, são ideais para passear.

Para relaxar
O museu e os jardins fazem parte do grande **Morikami Park**, espaço público com o lago Biwa e o Saki Pavilion. Os visitantes podem fazer piquenique aí, e há também um playground e trilha educativa.

Informações
- 🗺️ **Mapa** 8 H6
- 📍 **Endereço** 4000 Morikami Park Rd, Delray Beach, 33446; 561 495 0233; www.morikami.org
- 🚗 **Carro** Alugue um carro no aeroporto de West Palm Beach
- 🕐 **Aberto** 10h-17h ter-dom
- 💲 **Preço** $42-52; até 5 anos, grátis
- 👥 **Idade** Livre
- ⏱️ **Duração** No mínimo 2-3 horas
- 🍽️ **Comida e bebida** LANCHE Cornell Café (no local; 11h-15h ter-dom) é um local ao ar livre que vende lanches asiáticos, bebidas, pratos leves e sobremesas. REFEIÇÃO Henry's (16850 Jog Rd, 33446; 561 638 1949; henrysof bocaraton.com) oferece culinária americana contemporânea e europeia junto ao jardim.
- 🎉 **Festa** Hatsume Fair, festa da primavera (mar)

Esculturas de pedra e canteiros de flores nos Japanese Gardens, em Delray Beach

---

CRIANÇADA!

Borboleta, borboleta por todo canto
Há cerca de 50 espécies de borboletas no Butterfly World. Quantos tipos você consegue ver? Se possível, tente tirar fotos de borboletas. Depois você pode tentar desenhá-las e ir a www.butterflyworld.com para descobrir o nome delas.

Aprenda japonês
Tente aprender estas palavras em japonês.
- **Obrigado:** Arigatô
- **Sim:** Hai
- **Olá:** Kon'nichiwá
- **Até logo:** Sayo^nará
- **Demais!:** Sugoi!

BOCA DO RATO
O nome Boca Raton vem de palavras em espanhol. *Boca* significa "boca" mesmo, e *raton*, "rato". Então, quando visitar Boca Raton, você estará entrando na boca do rato!

Borboletas x mariposas
Estes enunciados estão certos ou errados?
1. As borboletas adoram manteiga. As mariposas adoram leite.
2. A maioria das borboletas tem antenas arredondadas na ponta. As antenas das mariposas são pontudas ou com pelinhos.
3. As borboletas vivem bem mais tempo que as mariposas.
4. As borboletas voam mais de dia, e a mariposas, mais à noite.

Respostas: 1 Errado. 2 Certo. 3 Errado. 4 Certo.

Piquenique até $25; **Lanche** $25-50; **Refeição** $50-80; **Para a família** mais de $80 (para quatro pessoas)

⑪ Palm Beach e Arredores
Fique junto aos megarricos dos EUA

Um dos lugares mais ricos dos Estados Unidos, Palm Beach é pontilhada de mansões oníricas, jardins impecáveis e ruas comerciais chiques. A cidade foi fundada nos anos 1890, quando Henry Flagler levou sua ferrovia para o Sul e construiu dois hotéis de luxo. Na década de 1920, Addison Mizner fez casas e praças de estilo mediterrâneo, dando à cidade um refinado ar europeu. Desde então ela atrai magnatas, estrelas dos esportes e até a realeza.

A impressionante fachada do Breakers

Destaques

① **Lake Trail** Pedale ou ande por esse caminho arborizado de 5km que margeia o lago Worth para ver o panorama e admirar as mansões de Palm Beach.

② **Green's Pharmacy** Aberta desde 1937, essa lanchonete à antiga é famosa pelo café da manhã, hambúrguer e ice cream soda. Compre na drogaria todo o material de praia, brinquedos e doces.

③ **The Breakers** Fundado por Henry Flagler em 1896, esse hotel é fascinante para conhecer em visita guiada. O prédio atual, italianizado, data de 1926.

④ **Episcopal Church of Bethesda-by-the-Sea** Essa igreja neogótica foi construída em 1926. Passeie pelo exuberante Cluett Memorial Garden, em meio a claustros, gazebos e um laguinho com carpas.

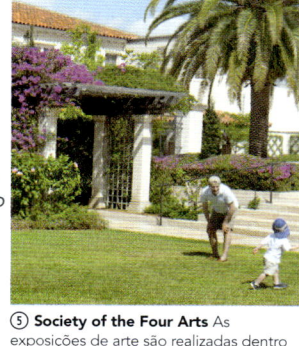

⑤ **Society of the Four Arts** As exposições de arte são realizadas dentro desse prédio italianizado, e o terreno, com lindo paisagismo, contém uma série de canteiros botânicos e algumas esculturas modernas elegantes.

⑥ **Norton Museum of Art** Esse museu exibe várias obras-primas de grandes artistas como Picasso e Gauguin, além da arte moderna americana de Jackson Pollock, Georgia O'Keeffe e do escultor Dale Chihuly.

Para relaxar

Fique um pouco na **praia** ampla e limpa junto ao Ocean Boulevard. Mais adiante, os pequenos vão gostar de brincar no **Playmobil FunPark** (8031 N Military Trail, 33410; 561 691 9880; store.playmobilusa.com).

Comida e bebida

Piquenique: até $25; Lanche: $25-50; Refeição: $50-80; Para a família: mais de $80 (para quatro pessoas)

PIQUENIQUE Publix on Palm Beach (135 Bradley Pl, 33480; 561 655 4120; www.publix.com) é um ótimo lugar para pegar coisas gostosas para um piquenique na praia ou no Cluett Memorial Garden.

Refeições no pátio charmoso da Pizza Al Fresco

LANCHE Sprinkles Ice Cream & Sandwich (279 Royal Poinciana Way, 33480; 561 659 1140; 9h-22h dom-qui, 9h-23h sex-sáb) oferece sorvetes deliciosos de vários sabores.

REFEIÇÃO Pizza Al Fresco (14 Via Mizner, 33480; 561 832 0032; www.pizzaalfresco.com) tem mesas no pátio e serve pizzas e massas de forno a lenha.

PARA A FAMÍLIA Charley's Crab (456 S Ocean Blvd, 33480; 561 659 1500; www.muer.com) oferece frutos do mar na praia. Prove o caranguejo-rei do Alasca ou o filé mignon.

Preços para família de 4 pessoas

Palm Beach e Arredores | 89

Compras
Os adolescentes gostam de ver vitrines na **Worth Avenue** *(www.worth-avenue.com)*, no centro de Palm Beach, lotada de lojas de grife e galerias de arte. Tente lojas de descontos de classe como a **Church Mouse** *(378 S County Rd, 33480; 561 659 2154)* se estiver à procura de artigos mais acessíveis.

Saiba mais
ILM Veja em *www.pbpulse.com* informações sobre eventos, restaurantes, lojas, arte e cultura.

Próxima parada...
POLO E NATAÇÃO O polo é famoso na região de Palm Beach. Para torneios divertidos no fim de semana (jan-abr), vá ao **International Polo Club of Palm Beach** *(3667 120th Ave S, Wellington, 33414; 561 282 5290; www.internationalpoloclub.com)*. A **Peanut Island** *(www.pbcgov.com/parks/peanutisland)*, no meio do lago Worth, tem um parque rural bom para nadar e mergulhar. É o local do bunker de John F. Kennedy na Guerra Fria. O parque tem camping e áreas de piquenique com grelhas.

Partida de polo no International Polo Club of Palm Beach

Informações

Mapa 8 H5
Endereço Green's Pharmacy: 151 North County Rd, 33480; 561 832 4443. The Breakers: 1 South County Rd, 33480; 888 273 2537; www.thebreakers.com. Episcopal Church of Bethesda-by-the-Sea: 141 South County Rd, 33480; 561 655 4554; www.bbts.org. Society of the Four Arts: 2 Four Arts Plaza, 33480; 561 204 5687; www.fourarts.org. Norton Museum of Art: 1451 S Olive Ave, West Palm Beach, 33401; 561 832 5196; www.norton.org

Ônibus Ônibus da Palm Tran 44 (www.pbcgov.com/palmtran) do aeroporto ao centro de West Palm Beach. Ônibus 41 da Palm Tran (seg-sáb) do centro de Palm Beach à estação Tri-Rail de West Palm Beach (www.tri-rail.com).
Carro Estacionamento com parquímetro na orla de Palm Beach.

Informação turística 1555 Palm Beach Lakes Blvd, Suite 800, West Palm Beach, 33401; 800 544 7256; www.palmbeachfl.com

Aberto Green's Pharmacy: 7h-17h seg-sáb, 7h-15h dom. Episcopal Church of Bethesda-by-the-Sea: 8h-17h diariam. Society of the Four Arts: 10h-17h diariam. Norton Museum of Art: 10h-17h ter, qua, sex e sáb, 10h-21h qui e 11h-17h dom.

Preços Episcopal Church of Bethesda-by-the-Sea e Society of the Four Arts: grátis. Norton Museum of Art: $34-44; até 12 anos, grátis.

Passeios guiados Norton Museum of Art tem passeios no verão 14h sex-dom; veja no site. The Breakers oferece passeio histórico; ligue para reservar.

Atividades Conheça os jogos do site www.norton.org. Alugue bicicletas na Palm Beach Bicycle Trail Loja ($15 por hora, $29 para meio dia e $39 por 24h) e passeie ao redor do lago Worth.

Duração 1-2 dias

Bom para a família?
Palm Beach é uma cidade cara, mas não custa nada conhecer suas ruas e lojas imaculadas ou aproveitar suas praias incríveis.

CRIANÇADA!

Caça a esculturas
Tente encontrar estas esculturas no jardim de esculturas da Society of the Four Arts:
1 *Monumental apple* (1998), de Basket Leslie Ortiz
2 *Giraffes* (1959), de Luis Montoya
3 *Naja* (1979), de Diana Guest
4 *Allies* (1995), de Lawrence Holofcener

Fantasmas de Palm Beach
Diz-se que a prefeitura de Palm Beach é assombrada pelo ex-prefeito Paul Ilyinsky, parente da família real russa. Conta-se que seu fantasma cantarola o hino da Rússia imperial!

FARRAPOS AOS RICOS
O magnata e construtor de ferrovias Henry Flagler erigiu o hotel Breakers original de Palm Beach. Seu primeiro emprego, aos 14 anos, foi numa loja de cereais: ganhava $5 por mês mais quarto e comida. Quando morreu, em 1913, tinha $60 milhões ($1,3 bilhão em valores atuais).

Sonhe com um hotel
O hotel Breakers foi desenhado para se parecer com um palácio italiano grandioso, com duas torres e fachada de fortaleza. Tente desenhar um hotel maior e mais grandioso que o Breakers, usando ao menos quatro formas: retângulo, quadrado, triângulo e círculo – ou quaisquer outras.

⑫ Flagler Museum
Palácio digno de um príncipe comerciante

Ao viajar pela costa leste da Flórida, é impossível não ouvir falar de Henry Flagler, o homem que talvez mais se empenhou para desenvolver o estado que qualquer outro. Antes de a sua Ferrovia da Costa Leste chegar a Miami, em 1896, a maior parte da Flórida era virgem. Quando os trens chegaram a Key West, em 1912, a região já constituía um refúgio de inverno. A luxuosa casa de Flagler em Palm Beach, Whitehall, é hoje o Flagler Museum, monumento fascinante ao homem e seu legado.

Piano de cauda na Drawing Room

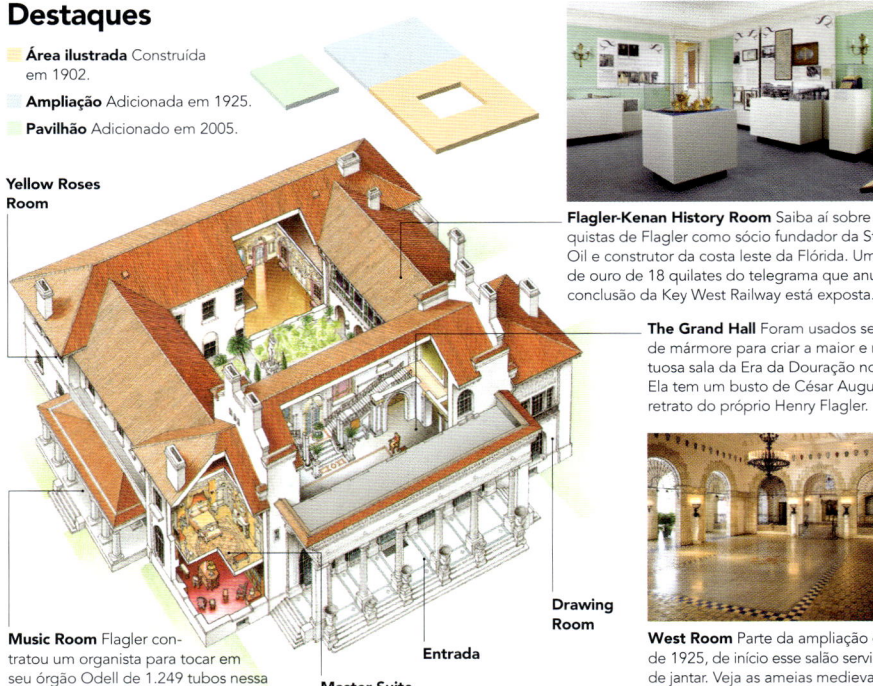

Destaques

- **Área ilustrada** Construída em 1902.
- **Ampliação** Adicionada em 1925.
- **Pavilhão** Adicionado em 2005.

Yellow Roses Room

Music Room Flagler contratou um organista para tocar em seu órgão Odell de 1.249 tubos nessa sala, a preferida da Sra. Flagler para festas.

Entrada

Master Suite

Drawing Room

Flagler-Kenan History Room Saiba aí sobre as conquistas de Flagler como sócio fundador da Standard Oil e construtor da costa leste da Flórida. Uma réplica de ouro de 18 quilates do telegrama que anunciou a conclusão da Key West Railway está exposta.

The Grand Hall Foram usados sete tipos de mármore para criar a maior e mais suntuosa sala da Era da Douração nos EUA. Ela tem um busto de César Augusto e um retrato do próprio Henry Flagler.

West Room Parte da ampliação do hotel de 1925, de início esse salão serviu de sala de jantar. Veja as ameias medievais que circundam as paredes, abaixo do teto.

Turistas em uma praia pública, Palm Beach

Para relaxar
O Flagler Museum fica no percurso do **Lake Trail** (p. 88), e a praia situa-se a curta viagem de carro, no South Ocean Boulevard.

Comida e bebida
Piquenique: até $25; Lanche: $25-50; Refeição: $50-80; Para a família: mais de $80 (para quatro pessoas)

PIQUENIQUE Amici Market *(155 North County Rd, 33480; 561 832 0201; www.myamicimarket.com)* é um mercado gourmet logo ao norte do museu. Piquenique na praia.

LANCHE Toojay's Original Gourmet Deli *(313 Royal Poinciana Way, 33480; 561 659 7232; www.toojays.com)* atrai com canja de galinha com talharim, sanduíches bem recheados, panqueca de tomate e quesadillas de legumes. Bom cardápio infantil.

REFEIÇÃO Palm Beach Grill *(340 Royal Poinciana Way, 33480; 561 835 1077; www.hillstone.com; só jantar),* perto do museu, serve frutos do mar excelentes. Experimente a torta de limão das Keys.

PARA A FAMÍLIA Buccan *(350 South County Road, 80304; 561 833 3450; buccanpalmbeach.com)* é para esbanjar. As porções de tapas são ótimas para dividir, e há muitas pizzas criativas no cardápio, além de pratos originais, como codorna grelhada com biscoito de jalapeño. Também está disponível uma extensa carta de vinhos.

Preços para família de 4 pessoas

Palm Beach e Arredores | 91

Informações

- **Mapa** 8 H5
- **Endereço** 1 Whitehall Way, Palm Beach, 33480; 561 655 2833; www.flaglermuseum.us
- **Ônibus** Ônibus 41 da Palm Tran liga o centro de Palm Beach à estação de Tri-Rail de West Palm Beach (seg-sáb).
- **Aberto** 10h-17h ter-sáb, 12h-17h dom
- **Preço** $46-72; até 5 anos, grátis (crianças 6-12: $3)
- **Passeios guiados** Gratuitos, realizados 11h-14h ter-sáb e 12h30 e 14h30 dom. Também há audioguias gratuitos.
- **Idade** A partir de 7 anos
- **Atividades** Pegue o *Tour & Activity Guide for Kids* de graça na entrada, feito para atrair e entreter as crianças enquanto visitam o museu. O guia traz perguntas sobre o acervo e itens para desenhar, e vem com lápis. Na Museum Store (a loja do museu), as crianças ganham uma moeda de 1 penny (centavo) de lembrança e duas de 25 para a Penny Stretching Machine.
- **Duração** 2 horas
- **Cadeira de rodas** Sim
- **Café** Café des Beaux-Arts (no local; Ação de Graças-Páscoa: 11h30-14h30 ter-sáb e 12h-15h dom) serve um lanche pronto, mais parecido com um chá da tarde caprichado, com sanduíches e bolos.
- **Banheiros** Fora do Café des Beaux-Arts e no primeiro andar, próximo da West Room

Bom para a família?
Embora não haja ingresso familiar, o preço da entrada é relativamente baixo. As crianças estão bem atendidas com o guia de atividades, monitores legais e muitos objetos raros e curiosos para ver.

Master Suite Henry Flagler e sua mulher dormiam nessa suíte, o quarto mais luxuoso da casa. A mobília é toda em estilo francês Luís XIV.

Drawing Room Flagler usou folhas finas de alumínio cobertas de laca para realçar os ornamentos de gesso dessa linda sala de estar.

Vagão nº 91, privativo de Henry Flagler ○
Flagler Kenan Pavilion tem o "palácio sobre rodas" de Flagler, com quarto de dormir, banheiro, aposentos de hóspedes e cozinha.

Lago de ninfeias nos jardins da Society of the Four Arts, Palm Beach

Saiba mais
INTERNET Leia sobre a casa e a vida de Henry Flagler no site oficial, www.flaglermuseum.us. Descubra mais sobre Flagler em www.keyshistory.org/flagler.html

Próxima parada…
A ERA DA DOURAÇÃO Suba a rua até os lindos jardins da **Society of the Four Arts** (p. 88) ou cruze a rua para visitar **The Breakers** (p. 88), o extravagante hotel erigido por Henry Flagler em 1896.

CRIANÇADA!

Você sabia?
Visite a Flagler-Kenan History Room e veja se consegue responder a estas perguntas:
1. Quando Henry Flagler nasceu?
2. Que empresa fez o telegrama de ouro original? (Dica: é um nome de mulher.)
3. A ferrovia de Flagler chegou a que cidade da Flórida em 1912?

Respostas no fim do quadro.

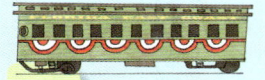

O VAGÃO SUMIDO DE FLAGLER
O vagão particular de Henry Flagler, de nº 91, nem sempre esteve no Flagler Museum. Em 1935 foi vendido a uma ferrovia da Geórgia; catorze anos depois, revendido. Quando foi redescoberto, em 1959, era usado por trabalhadores rurais na Virgínia. Foram necessários mais nove anos para restaurá-lo no museu.

Color it pretty
Você visitou a Yellow Roses Room? Papel de parede florido era moda no início dos anos 1900. Desenhe o padrão de papel de parede mais colorido que puder imaginar – tente usar ao menos três formas e três cores.

Casa de sonho
A mansão de Flagler tinha 75 cômodos, ente eles 22 banheiros. Se você projetasse uma mansão ou um palácio, quantos cômodos haveria? Que tipo de cômodo você incluiria? Desenhe uma planta da casa dos seus sonhos. Não deixe de mostrar onde fica a frente dela.

Respostas: 1 1830, **2** Tiffany **3** Key West.

Uma rara pantera-da-flórida no Palm Beach Zoo, West Palm Beach

⑬ Palm Beach Zoo
Pirâmides, fonte interativa e coisas selvagens

Esse parque de vida animal tem uma variedade interessante de áreas temáticas e muitos animais espetaculares, como águias, panteras, ursos-negros, lontras, tigres e aligatores. Não perca a incrível mostra Harriet W. & George D. Cornell Tropics of the Americas – uma recriação da floresta tropical das Américas Central e do Sul, onde onças e tamanduás-gigantes se alinham em volta de pirâmides maias. O zoo, com ambientes naturalistas e funcionários simpáticos e especializados, é bom sobretudo para famílias. Há muita coisa para escalar, e várias chances de alimentar

Informações

- 🌐 **Mapa** 8 H5
  Endereço 1301 Summit Blvd, West Palm Beach, 33405; 561 547 9453; www.palmbeachzoo.org
- 🚌 **Ônibus** Ônibus 45 da Palm Tran liga West Palm Beach e a estação Tri-Rail com o zoológico (só seg-sáb)
- 🕘 **Aberto** 9h-17h diariam
- 💲 **Preço** $64-76; até 3 anos, grátis
- 👫 **Idade** Livre
- 🏃 **Atividades** Veja o espetáculo de aves Wings over Water 11h seg-sex e 11h e 14h sáb-dom, e também o Wild Things Show 13h seg-sex e 12h sáb-dom
- ⏱ **Duração** No mínimo 2-3 horas
- ☕ **Comida e bebida** LANCHE A banca de concessionária do zoo *(no local; fecha às 16h)* tem bebidas geladas, sorvete, cachorro-quente e outros lanches. REFEIÇÃO Tropics Café *(no local; fecha 15h)* serve saladas, frango assado, massas e petiscos saudáveis para crianças, como passas, creme de maçã e barras de granola.

pelicanos. O show diário Wild Things tem uma jiboia-vermelha, cachorros cantantes e um ouriço pigmeu chamado Xena. Leve as roupas de banho das crianças – elas vão se refrescar nos jatos d'água da Interactive Play Fountain. Também adoram brincar no Wildlife Carousel e espiar a loja de presentes.

Se chover...
Se chover, vá ao **South Florida Science Museum** *(4801 Dreher Trail North, 33405; 561 832 1988; www.sfsm.org)*, localizado ao lado do zoológico. O museu conta com mais de 50 mostras interativas, um planetário, aquários e mostruários de história natural.

Uma apresentação no South Florida Science Museum, Palm Beach

⑭ Lion Country Safari
Jornada na savana africana

Reserva de vida animal, o Lion Country Safari recria muito bem as planícies africanas, com elefantes, girafas, chimpanzés, zebras, avestruzes e leões vagando soltos. Os visitantes atravessam o safári de carro por uma estrada de 6km para ver 900 animais selvagens – o que signi-

Informações

- 🌐 **Mapa** 8 G5
  Endereço 2003 Lion Country Safari Rd, Loxahatchee, 33470; 561 793 1084; lioncountrysafari.com
- 🚗 **Carro** Alugue um carro no aeroporto de Palm Beach.
- 🕘 **Aberto** 9h30-17h30 diariam
- 💲 **Preço** $96-110; até 3 anos, grátis. Estacionamento: $6 por veículo
- 🚩 **Para evitar fila** Reserve on-line e ganhe $2 de desconto por ingresso e estacionamento grátis
- 🌿 **Passeios guiados** Passeios VIP privativos; passeios com especialista; passeios com foto; veja detalhes no site
- 👫 **Idade** A partir de 3 anos
- 🏃 **Atividades** Passeios aquáticos no *Safari Queen*. A reserva realiza exposições sobre flamingos (14h diariam) e aligatores (15h diariam).
- ⏱ **Duração** Meio dia a um dia
- ☕ **Comida e bebida** LANCHE Safari Snacks *(no local)* oferece pizza, cachorro-quente, funnel cake e sorvete. REFEIÇÃO Sneaky Pete's Bar & Grill *(5088 Seminole Pratt Whitney Rd, Loxahatchee, 33470; 561 333 1179)* é uma lanchonete familiar perto do safári.

fica que não podem sair do veículo. Além das áreas africanas, há seções dedicadas aos pampas sul-americanos e à floresta indiana de Gir.

Os chimpanzés vivem num conjunto de cinco ilhas – tente avistar Little Mama, que nasceu na África por volta de 1938 e é a mais velha chimpanzé em cativeiro. Dizem que ela se apresentou com a trupe circense itinerante Ice Capades, e ainda adora usar xale!

Depois do safári, a família pode esticar as pernas no Safari World. Esse parque temático tem fontes in-

Antílopes descansam à sombra no Lion Country Safari, Loxahatchee

Preços para família de 4 pessoas

Passeio de caiaque no John D. MacArthur Beach State Park, perto de Juno Beach

terativas, roda-gigante e um zoológico de animais domésticos, além de passeios de camelo e alimentação de girafas.

Para relaxar
Leve roupas de banho para se refrescar no **Safari Splash**, dentro do Lion Country Safari. As crianças podem jogar uma rodada de minigolfe ou brincar num escorregador de água. Há pedalinhos no lago do parque.

⑮ Juno Beach: Loggerhead Marinelife Center
Proteção de tartarugas e alimentação de peixes

É agradável visitar a praia de Juno Beach, 21km ao norte de West Palm Beach, em qualquer época, mas essa cidadezinha litorânea é famosa pelo Loggerhead Marinelife Center. O polo de atração é o Sea Turtle Hospital, onde são tratadas tartarugas doentes e feridas. Veja o atendimento às tartarugas e sua alimentação, bem como sessões de fisioterapia, dependendo da hora do dia.

A sala de exposições do centro explica o ciclo de vida da tartaruga e o ecossistema costeiro da Flórida. Há cinco aquários pequenos com peixes, corais e anêmonas. Veja a apresentação de 30 minutos do Dr. Logger, que conversa com as crianças sobre a vida da tartaruga marinha, sua dieta, seus hábitos e as ameaças que ela enfrenta. Em Hatchling Tales, as crianças mais novas se divertem com histórias e atividades de temas marítimos e com o Kids' Story Time, semanal.

Informações
- **Mapa** 8 H5
- **Endereço** 14200 US-1, Juno Beach, 33408; 561 627 8280; marinelife.org
- **Carro** Alugue um carro no aeroporto de Palm Beach
- **Informação turística** Northern Palm Beach County Chamber of Commerce, 800 North US-1, Jupiter, 33477; 561 746 7111; npbchamber.com
- **Aberto** 10h-17h seg-sáb e 11h-17h dom
- **Preço** Grátis; passeios para ver tartarugas: $15 por pessoa
- **Passeios guiados** O centro faz visitas guiadas de 1 hora às 12h aos domingos
- **Idade** Livre
- **Atividades** Ache atividades e enigmas do Kid's Corner em www.marinelife.org. Alimentação de peixes: 15h ter, qui e sáb; de tartarugas: 12h ter e sex.
- **Duração** 1-2 horas; mais tempo para atividades
- **Comida e bebida** LANCHE Hurricane Café *(14050 US-1, 33408; 877 775 2559; www.hurricanecafe.com)* tem mesas fora e ótimas pedidas para crianças. REFEIÇÃO Captain Charlie's Reef Grill *(12846 US 1, 33408; 561 624 9524)* tem fama pelos frutos do mar.

Em junho e julho, há expedições para ver as tartarugas rastejando para a areia a fim de pôr seus ovos na escuridão. É essencial fazer reserva para essa atividade a partir de maio.

Para relaxar
Ao sul de Juno Beach, o **John D. MacArthur Beach State Park** *(10900 Jack Nicklaus Drive, 33408; 561 624 6950; www.macarthurbeach.org)* oferece atividades ao ar livre, como passeio educativo, bela praia com dunas e aluguel de caiaque.

CRIANÇADA!

Tartarugas mágicas
Quantas tartarugas você viu na Flórida? Escreva uma história curta sobre a tartaruga marinha mágica. Que poderes ela teria? Pode mudar de cor, voar, falar, viajar no tempo, fazer feitiço ou ficar invisível?

O que um nome diz?
Um bando de leões é uma alcateia, e uma alcateia pode ter até 40 leões. Existem muitos nomes coletivos curiosos como esse, bem diferentes do nome do bicho: panapaná, de borboletas; chibarrada, de cabritos; cáfila, de camelos; espichas, de sardinhas; e até a maloca, de vacas!

Magnata do zoo
Planeje seu zoo ou parque de safári: desenhe um mapa separando os animais por áreas, mas não se esqueça de fazer os caminhos para os visitantes!

No safári
No Lion Country Safari ou no Palm Beach Zoo:
1. Quantos animais você viu cujo nome começa com "A"?
2. Quanto animais havia com duas pernas?
3. Quanto animais você viu cujo nome começa com "L"?
4. Quantos répteis você viu?

Piquenique até $25; **Lanche** $25-50; **Refeição** $50-80; **Para a família** mais de $80 (para quatro pessoas)

⑯ Vero Beach e Arredores
Vamos caçar um tesouro!

Ao norte de Palm Beach, cidades, resorts e grandes mansões dão lugar à Costa do Tesouro, que é mais rústica e tem águas que deixam avistar manatis, grandes extensões de praia e cidades litorâneas como Vero Beach. O maior atrativo da região são os parques estaduais e as ilhas arenosas, mas há museus e atividades com animais para entreter a família.

Trial Scene, de Tom Otterness, Vero Beach Museum of Art

Destaques

① Sebastian Inlet State Park Suas incríveis praias agrestes atraem surfistas e banhistas, e o McLarty Treasure Museum propicia o entretenimento cultural.

② Mel Fisher's Treasure Museum Dedicado a Mel Fisher, caçador de tesouros atual, esse museu exibe o butim espanhol retirado da frota naufragada ao largo em 1715.

③ Environmental Learning Center Informe-se sobre mangues e a região Indian River Lagoon por meio de mostras interativas, passeios de barco e tanques cheios de vida marinha local.

④ Riverside Children's Theatre Veja peças e musicais apresentados por crianças para crianças – de The twits, de Roald Dahl, a The wiz e uma versão jazzística de O quebra-nozes.

⑤ Driftwood Resort Esse hotel bizarro – uma cabana de praia gigante na água – vale uma visita até para não hóspedes. O prédio foi construído em 1935 com troncos e tábuas trazidos pelo mar.

⑥ Vero Beach Museum of Art Veja a arte moderna em diversos meios, da incrível vidraria de Dale Chihuly às esculturas equestres de Deborah Butterfield.

⑦ Indian River Citrus Museum A cultura de frutas cítricas tem sido importante na vida da Flórida desde os anos 1860, e esse museu recupera as lutas e os sucessos dos pioneiros.

⑧ McKee Botanical Garden Esse jardim exuberante e florido tem uma grande mata subtropical entremeada por riachos, lagos e trilhas que datam da década de 1920.

Informações

🌐 **Mapa** 8 G2
Endereço Sebastian Inlet State Park: 9700 S State Rd A1A, Melbourne Beach, 32951; www.floridastateparks.org. Mel Fisher's Treasure Museum: 1322 US-1, Sebastian, 32958; www.melfisher.com. Environmental Learning Center: 255 Live Oak Dr, 32963; www.discoverelc.org. Riverside Children's Theatre: 3280 Riverside Park Dr, 32963; riversidetheatre.com. Driftwood Resort: 3150 Ocean Dr, 32963; www.thedriftwood.com. Vero Beach Museum of Art: 3001 Riverside Park Dr, 32963; www.verobeachmuseum.org. Indian River Citrus Museum: 2140 14th Ave, 32960; www.veroheritage.org/CitrusMuseum.html. McKee Botanical Garden: 350 US-1, 32962; mckeegarden.org

🚆 **Trem** Amtrak, em West Palm Beach. **Carro** Alugue um carro no aeroporto de Palm Beach.

ℹ️ **Informação turística** Indian River County Chamber of Commerce, 1216 21st St, 32960; 772 567 3491; www.indianriverchamber.com; 9h-17h seg-sex

🕐 **Aberto** Sebastian Inlet State Park: diariam (McLarty Treasure Museum: 10h-16h diariam). Mel Fisher's Treasure Museum: 10h-17h seg-sáb e 12h-17h dom; fechado set. Environmental Learning Center: 10h-16h ter-sex, 9h-12h sáb (até 16h no inverno) e 13h-16h dom. Riverside Children's Theatre: consulte espetáculos no site. Vero Beach Museum of Art: 10h-16h30 seg-sáb e 13h-16h30 dom. Indian River Citrus Museum: 10h-15h ter-sex. McKee Botanical Garden: 10h-17h ter-sáb e 12h-17h dom

💲 **Preços** Sebastian Inlet State Park: $8 por veículo, $2 por pedestre ou ciclista. Mel Fisher's Treasure Museum: $20-24. Environmental Learning Center: $20-30; até 12 anos, grátis. Riverside Children's Theatre: ingressos $40-50. Vero

Preços para famílias de 4 pessoas

Vero Beach e Arredores | 95

O tranquilo Treasure Shores Beach Park, Vero Beach

Parquinho para crianças no Humiston Park, Vero Beach

Para relaxar
A cerca de 16km ao norte de Vero Beach encontra-se o **Treasure Shores Beach Park** *(11200 Hwy-A1A, 32963)*, que também dispõe de playground para os pequenos. **Humiston Park** *(3000 Ocean Dr, 32963; 772 231 5790)*, mais perto do centro, também tem parquinho, mas a praia é menor e espremida por imóveis. Há salva-vidas das 9h às 17h no verão e das 10h às 15h no inverno.

Comida e bebida
Piquenique: até $25; Lanche: $25-50; Refeição: $50-80; Para a família: mais de $80 (para quatro pessoas)

PIQUENIQUE Publix at Vero Mall *(1255 US-1, 32960; 772 778 1984; www.publix.com)* oferece enorme variedade de alimentos, mercearia e padaria. A praia fica a curta distância de carro.
LANCHE The Barefoot Cafe *(2036 14th Ave, 32960; 772 770 1733; www.thebarefootcafe.com)* tem mesas, mas atende mais a pessoas que levam para viagem wraps, sopas e saladas saudáveis.

REFEIÇÃO The Lemon Tree *(3125 Ocean Dr, 32963; 772 231 0858; www.lemontreevero.com)* tem vista para o mar e é um lugar para um café da manhã ou almoço ce lanchonete. Tem cardápio infantil.
PARA A FAMÍLIA Ocean Grill *(1050 Sexton Plaza, 32963; 772 231 5409; www.ocean-grill.com; fechado dom no almoço)* é uma tradição situada na praia. Serve frutos do mar e tem ótimo cardápio infantil.

Decoração praiana no Barefoot Cafe, Vero Beach

Saiba mais
INTERNET Visite www.kidsrecyclingzone.com e www.naturerocks.org, sites divertidos com tema ambiental. Crianças maiores talvez prefiram 1715treasurefleet.com para ler sobre a frota do tesouro espanhola.

Próxima parada...
FORT PIERCE Siga 24km ao sul até Fort Pierce (p. 96) para aprender em um dia sobre a vida marinha da Flórida no Manatee Observation & Education Center e no Harbor Branch Ocean Discovery Center.

Bom para a família?
Ingressos baratos tornam a cidade acessível a todos. As praias oferecem muita diversão para crianças.

- Beach Museum of Art e Indian River Citrus Museum: grátis. McKee Botanical Garden: mai-out: $22-28; nov-abr: $28-38.
- **Passeios guiados** The Environmental Learning Center faz diariam o passeio Trek & Tracks
- **Idade** Livre
- **Atividades** Baixe de www.mckeegarden.org o McKee Botanical Garden's Children's Guide
- **Duração** 2 dias

CRIANÇADA!

Mesas, árvores e tikis
Você pode achar que o McKee Botanical Garden é só cheio de plantas e árvores, mas, se olhar bem, pode encontrar coisas especiais:
1. Em um lugar há uma mesa de madeira que é a maior mesa de mogno do mundo!
2. Tiki é a grande escultura de uma careta, em geral feita nas ilhas do Pacífico. Mas há uma que guarda uma área secreta com mesas: consegue achá-la?
3. Há uma árvore esquisita chamada "árvore-dragão". Tente descobrir por que ela se chama assim.
4. Os abacaxis comestíveis são verdes e amarelos. Nos canteiros existem abacaxis cor-de-rosa. Nem tente pegá-los!

BUSCA AO TESOURO
Pegue um papel e desenhe o seu mapa do tesouro. Ponha nomes assustadores como Vale do Sangue, Gruta da Caveira e Rio do Terror. Marque o tesouro com um símbolo especial e faça setas para mostrar como encontrá-lo.

O que o mar oculta
A frota do tesouro espanhola, que ia de Cuba à Espanha, em 1715, era composta de doze galeões cheios de prataria e muito ouro. Quando a frota passou pela Flórida, foi pega por um furacão terrível que afundou onze dos navios. Mais de mil marinheiros morreram afogados, e outros, de fome. Boa parte do tesouro não foi encontrada – os especialistas calculam que haja $550 milhões ocultos no leito do mar.

Costas do Ouro e do Tesouro

⑰ Fort Pierce
Acima da laguna e nas profundezas do mar

A maior parte de Fort Pierce é industrial, mas há atrações nas redondezas. O **Manatee Observation & Education Center**, de frente para a laguna do rio Indian, é o local preferido pela população de manatis (peixes-bois) para se alimentar. A melhor época para vê-los é de meados de novembro ao início de abril. Golfinhos e pelicanos são visitantes regulares. O centro contém um jardim de borboletas e mostras interativas que informam sobre manatis, borboletas, seus habitats etc.

A apenas 8km ao norte de Fort Pierce, o Harbor Branch Oceanographic Institute é um centro de pesquisas de alto-mar bem equipado, que pertence à Universidade Atlântica da Flórida. Visite o **Ocean Discovery Center** para saber do incrível trabalho realizado nos laboratórios submarinos com aquacultura de alimentos e exploração das profundezas. As peças interativas são educativas, mas divertidas para mais de 7 anos de idade. Há um aquário pequeno para os menores.

Para relaxar
No **Fort Pierce Inlet State Park** (905 Shorewinds Dr, 34949; 772 468 3985; www.floridastateparks.org), do outro lado da North Causeway (Hwy-A1A), há uma praia imaculada.

⑱ Hutchinson Island
Banheira na praia

A ilha é uma terra estreita de 20km de mangues, matagal e praias de areia idílicas. Tem apenas uma estrada, a Highway-A1A, que a corta de norte a sul. As melhores atrações estão no sul da ilha, depois da cidade de Stuart. **Bathtub Reef Park** é um destino procurado por famílias. Na maré baixa, uma série de recifes expostos perto da orla cria uma área de banho que lembra uma piscina, ideal para a garotada. A curta distância de carro ao norte, o **Elliott Museum**, em prédio ecológico, registra a história da região com peças e experimentos interativos. O museu tem também uma coleção de mais de 50 carros antigos.

Pescaria no litoral da Hutchinson Island

A orla rochosa do Fort Pierce Inlet State Park, Fort Pierce

Informações

🌐 **Mapa** 8 G3
Endereço Manatee Observation & Education Center: 480 N Indian River Dr, 34950; 772 466 1600; www.manateecenter.com. Ocean Discovery Center: 5600 US-1, 34946; 772 242 2417; www.fau.edu/hboi/OceanDiscoveryCenter.php

🚌 **Ônibus** Greyhound em Miami e Jacksonville. É melhor dirigir.

ℹ **Informação turística** St Lucie County Chamber of Commerce, 482 N Indian River Dr, 34950; 772 468 9196; www.stluciechamber.org

🕐 **Aberto** Manatee Observation & Education Center: veja no site. Ocean Discovery Center: 10h-17h seg-sex e 10h-14h sáb.

💲 **Preços** Manatee Observation & Education Center: $4-14; até 6 anos, grátis. Ocean Discovery Center: grátis

🚩 **Passeios guiados** Indian River Lagoon Wildlife Boat Tours no Manatee Observation & Education Center; ligue para 772 460 6445

👫 **Idade** Livre. Ocean Discovery Center: a partir de 7 anos

👨‍👩‍👧 **Atividades** Manatee Observation & Education Center tem passeios de caiaque para a família sáb jan-mai

⏱ **Duração** Meio dia a um dia

🍴 **Comida e bebida** LANCHE Uncle Carlo's Gelato (141 Melody Lane, 34950; 772 672 4401) tem sorvete, biscoito e panini. REFEIÇÃO 12A Buoy (22 Fisherman's Wharf, 34950; 772 672 4524) é uma cabana de peixes com deque do lado de fora.

Informações

🌐 **Mapa** 8 H3
Endereço Stuart 34996. Bathtub Reef Park: 1585 SE McArthur Blvd. Elliott Museum: 825 NE Ocean Blvd; 772 225 1961; www.elliottmuseumfl.org. Florida Oceanographic Coastal Center: 890 NE Ocean Blvd; 772 225 0505; www.floridaocean.org

🚗 **Carro** Alugue um carro no aeroporto de Palm Beach.

ℹ **Informação turística** Stuart/Martin County Chamber of Commerce, 1650 S Kanner Hwy, 34994; www.stuartmartinchamber.org

🕐 **Aberto** Elliot Museum: 10h-17h seg-dom. Florida Oceanographic Coastal Center: 10h-17h seg-sáb e 12h-16h dom

💲 **Preço** Florida Oceanographic Coastal Center: $20-40; até 3 anos, grátis

👫 **Idade** Livre

👨‍👩‍👧 **Atividades** O Florida Oceanographic Coastal Center oferece um pavilhão com atividades infantis, alimentação de arraias e, na laguna, alimentação de peixes.

⏱ **Duração** Meio dia a um dia

🍴 **Comida e bebida** LANCHE The Chef Shack (899 N E Ocean Blvd, 34996; 772 334 0820) serve sanduíche de garoupa e hambúrgueres. REFEIÇÃO Shuckers (9800 S Ocean Dr, Jensen Beach, 34957; 772 229 1224; islandbeachresort.net) tem massa e frutos do mar.

Preços para famílias de 4 pessoas

O **Florida Oceanographic Coastal Center**, defronte do museu, dá um enfoque prático para o aprendizado sobre a vida marinha da Flórida, com um tanque de arraias que podem ser tocadas, uma grande lagoa de pesca esportiva e uma trilha circular até a laguna do rio Indian.

Para relaxar
Diante do Elliott Museum, do outro lado do Ocean Boulevard, a **Stuart Beach** é uma praia tranquila com salva-vidas, acesso por ladeiras, estacionamento, lanchonete e banheiros.

⑲ Jupiter Island
Passeios e pedras espumantes

Faixa longa de pinheiros, areia e mato, a ilha Jupiter tem 27km de casas elegantes e praias imaculadas. A única via de norte a sul na ilha é a Beach Road, mas, sem vista para o mar na maior parte, não é pitoresca. Planeje várias paradas.

O lado norte da ilha é protegido pelo **Hobe Sound National Wildlife Refuge**, importante local de desova de tartarugas. Melhor conhecer em um passeio guiado. Em outro momento, percorra o caminho da praia, de 4km, até o lago Peck, procurando gaios-azuis, cágados e cobras pequenas. O pequeno centro ambiental do refúgio, na US-1, tem algo para mostrar, como tanques com aligatores recém-nascidos, e há uma curta trilha que leva às margens da Indian River Lagoon.

No sul da ilha, a **Blowing Rocks Preserve** tem um afloramento de calcário que cobre a maior parte da praia – é divertido ver as ondas passando por baixo das pedras e espirrando pelo alto. O Hawley Education Center, do outro lado da rua, tem mostras sobre os habitats da ilha Jupiter e ainda mais trilhas que cortam os mangues fechados da laguna.

Para relaxar
Vá ao **Jonathan Dickinson State Park** (16450 SE Federal Hwy, Hobe Sound, 33455; 772 546 2771; www.floridastateparks.org), localizado ao sul de Stuart. Tem um bosque de pinheiros, mangues e charcos de rio do lado contrário da ilha Jupiter.

Informações

🌐 **Mapa** 8 H4
Endereço Hobe Sound National Wildlife Refuge: 13640 SE Federal Hwy, Hobe Sound, 33475; 772 546 6141; www.fws.gov. Blowing Rocks Preserve: 574 South Beach Rd, Hobe Sound, 33455; 561 744 6668; www.nature.org

🚗 **Carro** Alugue um carro no aeroporto de Palm Beach

ℹ️ **Informação turística** Northern Palm Beach County Chamber of Commerce, 800 US-1, 33477; 561 746 7111; npbchamber.com

🕐 **Aberto** Hobe Sound National Wildlife Refuge: aurora-pôr do sol diariam. Blowing Rocks Preserve: 9h-16h30 diariam.

💲 **Preços** Hobe Sound National Wildlife Refuge: $5 por carro por dia. Blowing Rocks Preserve: $8-18; até 12 anos, grátis

👫 **Idade** Livre

🚶 **Atividades** Hobe Sound National Wildlife Refuge (772 546 2067) faz passeios para ver tartarugas

⏱️ **Duração** Um dia

🍴 **Comida e bebida** LANCHE Harry & the Natives (11910 SE Federal Hwy, 33455; harryandthenatives.com) tem sanduíches de peixe e hambúrguer de aligator. REFEIÇÃO Flash Beach Grille (9126 SE Bridge Rd, 33455; flashcatering.com) serve massa e camarão.

CRIANÇADA!

Lanche do mar
1 Qual destes seres marinhos não é comido pelo homem?
a Moluscos
b Algas
c Coral
d Caranguejo
e Camarão

Resposta no fim do quadro.

Desenhe uma arraia
No Florida Oceanographic Coastal Center você pode alimentar três tipos de arraia: atlântica, gavião-do-mar e arraia-do-sul. Todas elas são um pouco diferentes – tente desenhar todas.

MANATI OU SEREIA?
Você viu manatis no Manatee Observation Center? Centenas de anos atrás, os marinheiros acreditavam que os manatis fossem mesmo sereias – metade mulher, metade peixe! E o manati nem peixe é, mas mamífero...

Encontre o peixe
Quantos peixes você vê no tanque do Florida Oceanographic Coastal Center? Tente achar estas criaturas marinhas:
1 Upside-down Jellyfish (cassiopeia)
2 Queen Angelfish (frade-anjo)
3 Porkfish (roncador-listado)
4 Cocoa Damsel (donzelinha)
5 Octopus (polvo)

Resposta: c Coral.

Visitantes passeiam de canoa em rio do Jonathan Dickinson State Park

Piquenique até $25; **Lanche** $25-50; **Refeição** $50-80; **Para a família** mais de $80 (para quatro pessoas)

Onde Ficar nas Costas do Ouro e do Tesouro

A região oferece grande variedade de hospedagem para a família, de motéis baratos a resorts de luxo na praia. É difícil achar campings perto da praia, mas os parques estaduais em geral têm boas opções para acampar. Há um amplo leque de apartamentos e aluguel de chalés à sua escolha.

AGÊNCIAS
Boca Valley Realty
www.bocavalleyrealty.com
Oferece muitas opções de hospedagem no norte da Flórida, como em Boca Raton e Miami.

Vacation Rentals
www.vacationrentals.com
O site lista mais de 13 mil imóveis para alugar nas férias, de residências e casas na praia a condomínios e apartamentos.

Boca Raton Mapa 8 H6

RESORT
Boca Beach Club
900 S Ocean Blvd, 33432; 561 447 3000; www.bocabeachclub.com
Esse lugar chique fica na praia e oferece muitas atividades, além do Camp Boca, exclusivo para crianças. Quartos e suítes elegantes, com muitas comodidades, mas sem cozinha. Há também a Sala da Família e aulas de tênis para 3 a 18 anos.
$$$

HOTEL
Ocean Lodge
531 N Ocean Blvd, 33432; 561 395 7772; www.oceanlodgeflorida.com
Junto à praia, esse hotel tem quartos impecáveis, quitinetes de granito e área de refeição, bem como TV de tela plana e churrasqueira. Há lavanderia automática no local.
$$

Fort Lauderdale Mapa 10 H1

RESORTS
Harbor Beach Marriott Resort & Spa
3030 Holiday Dr, 33316; 954 525 4000; www.marriottharborbeach.com
Imóvel luxuoso diante da praia, com suítes grandes e confortáveis, esse resort tem praia privada e um surf club gratuito para crianças com simulador havaiano, clube e dois Xbox 360. Entre as atividades, esportes de praia e pintura do rosto.
$$$

Lago Mar Resort & Club
1700 S Ocean Lane, 33316; 954 523 6511; www.lagomar.com
Esse vasto imóvel na praia tem 164 suítes com geladeira e micro-ondas. Com localização central e praia privada segura, oferece vôlei de praia, shuffleboard e tabuleiro de xadrez gigantesco a céu aberto.
$$$

Piscina com palmeiras no Birch Patio, Fort Lauderdale

HOTÉIS
Birch Patio
617 N Birch Rd, 33304; 954 563 9540; www.birchpatio.com
Esse hotel retrô, a 5 minutos a pé da praia, tem apartamentos espaçosos e eficientes. Estacionamento grátis, lavadora e secadora por moeda e duas churrasqueiras. Crianças até 12 anos não pagam.
$

Premiere Hotel
3110 Belmar St, 33304; 954 566 7676; www.premierehotel.com
Situado perto da praia, esse hotel tem quartos eficientes com duas camas e cozinha equipada, e também suítes. O imóvel é antigo, mas é tudo impecável.
$

Fort Pierce/Port St. Lucie Mapa 8 G3

RESORT
Club Med Sandpiper Bay
4500 SE Pine Valley St, Port St Lucie, 34952; 772 398 5100; www.clubmed.us
Esse resort completo é bem divertido para famílias, com o programa Baby Welcome, o Baby Club Med, quartos lindamente mobiliados e programação infantil na Kidz Village.
$$$

HOTEL
Holiday Inn Express
7151 Okeechobee Rd, Fort Pierce, 34945; 772 464 5000; www.hiexpress.com
Situado perto da Florida Turnpike e da I-95, e a 10-15 minutos de carro do centro de Fort Pierce, esse hotel aceita uma diária. Quartos modernos acomodam até quatro pessoas.
$

CAMPING
Savannas Campground
1400 E Midway Rd, Fort Pierce, 34982; 772 464 7855; www.stlucieco.gov/parks/savannas.htm.
Esse camping municipal, a 11km ao sul do centro de Fort Pierce, fica em um charco aterrado ao lado do rio Indian e oferece pontos rudimentares e outros com água e eletricidade.
$

Hutchinson Island Mapa 8 H3

RESORT
Hutchinson Island Marriott Beach Resort & Marina
555 NE Ocean Blvd, Stuart, 34996; 772 225 3700; www.marriott.com
Do outro lado da ponte de Stuart, esse resort tem quartos com sofás-camas basculantes para crianças e

Onde Ficar nas Costas do Ouro e do Tesouro | 99

cozinha bem-equipada. As atividades para a família são planejadas semanalmente.

📶 🍽 ⚽ ⓟ 🎾 $$

Juno Beach
Mapa 8 H5

HOTEL
Hampton Inn Jupiter
13801 US-1, 33408; 561 626 9090;
hamptoninn.hilton.com
Esse hotel conveniente para famílias, perto do Loggerhead Marinelife Center, oferece quartos "Two Queen Deluxe" para até cinco pessoas e equipados com micro-ondas. Café da manhã incluso. Lavanderia por moeda no local.

📶 🛗 ⚽ ⓟ $$

Palm Beach
Mapa 8 H5

RESORT
The Breakers
1 S County Rd, 33480; 888 273 2537; www.thebreakers.com
Opção fabulosa para famílias, esse resort tem um Family Entertainment Center completo, serviço de babá e vários acampamentos infantis. Todos os quartos são mobiliados com luxo, e os standard são suficientes para famílias com crianças pequenas.

📶 🍽 ⚽ ⓟ 🎾 $$$

HOTÉIS
Palm Beach Historic Inn
365 S County Rd, 33480; 561 832 4009; www.palmbeachhistoricinn.com
Essa charmosa pousada antiga dispõe de quartos limpos com cama de casal, acesso a internet de alta velocidade, HDTV, cama/berço extra e geladeira. Café da manhã incluso ou opcional, fora do prédio.

📶 ⚽ $$

The Chesterfield
Cocoanut Row, 33480; 561 659 5800; www.chesterfieldpb.com
Hotel histórico, com quartos luminosos e luxuosos que alojam dois adultos e duas crianças. Criança até 12 anos não paga estadia e refeições se hospedada com os pais.

📶 🍽 ⚽ ⓟ $$$

Vero Beach
Mapa 8 G2

RESORTS
Driftwood Resort
3150 Ocean Dr, 32963; 772 231 0550; www.thedriftwood.com
O local mais evocativo da Costa do Tesouro oferece quartos e casarões espaçosos. A família pode ficar com a suíte de dois quartos na ala Breakers. As crianças vão adorar as gincanas e o shuffleboard.

📶 ☕ ⚽ ⓟ 🎾 $

Disney's Vero Beach Resort
9250 Island Grove Terrace, 32963; 407 939 7828; www.disneybeach resorts.com/vero-beach-resort
Resort chique na praia, tem apartamentos elegantes para quatro pessoas, casarões e chalés com três quartos para até 12 pessoas. Há um tobogáua em espiral de 150 m, áreas para brincar na água, caça ao tesouro e fogueira com cantoria.

📶 🍽 ⚽ ⓟ 🎾 $$$

Vero Beach Hotel & Spa
3500 Ocean Dr, 32963; 772 231 5666; www.verobeachhotelandspa.com
Esse resort de luxo para famílias tem suítes de um, dois e três quartos, todos com cozinha. O programa Kimpton Kids provê babá, berços e cadeirões.

📶 🍽 ⚽ ⓟ 🎾 $$$

MOTEL
Comfort Suites Vero Beach
9050 Americana Way, 32963; 772 257 3400; www.comfortsuites.com
Esse motel excelente junto à I-95 fica a 19km da praia. Todos os quartos têm TV com tela plana, micro-ondas e geladeira. Há uma lavanderia automática e café da manhã incluso.

📶 ⓟ $

CAMPING
Sebastian Inlet State Park
9700 S State Rd A1A, Melbourne Beach, 32951; 321 984 4852;
www.floridastateparks.org
A área atraente para barracas e RVs fica a curta caminhada da praia. Todos os 51 pontos têm água e ligação elétrica. Há uma biblioteca de empréstimo de livros para crianças de 4 a 9 anos.

📶 $

West Palm Beach
Mapa 8 H5

MOTEL
Best Western Palm Beach Lakes Inn
1800 Palm Beach Lakes Blvd, 33401; 561 683 8810; www.bestwestern westpalm.com
Diante do Palm Beach Mall, que está a cerca de 15 minutos do centro, esse motel tem quartos simples ao redor de uma área central com piscina. Todos os quartos têm micro-ondas e geladeira, e pode-se pedir cama extra.

📶 ⓟ $

CAMPING
Lion Country Safari KOA Campground
2003 Lion Country Safari Rd, Loxahatchee, 33470; 561 793 9797;
www.lioncountrysafari.com
Esse camping junto ao Lion Country Safari tem pontos para barraca com água e eletricidade, churrasqueira e mesa de piquenique, além de cabanas, que dão mais conforto. Há armazém, playground e lavanderia, e muitos esportes à disposição.

📶 ⓟ $

Categorias de preço
As seguintes faixas de preço baseiam-se em uma diária na alta temporada para uma família de quatro pessoas, incluindo serviço e taxas adicionais.
$ até $150 $$ $150-300 $$$ mais de $300

Quarto de casal com vista para o mar no Breakers, Palm Beach

Legenda dos símbolos *na orelha da contracapa*

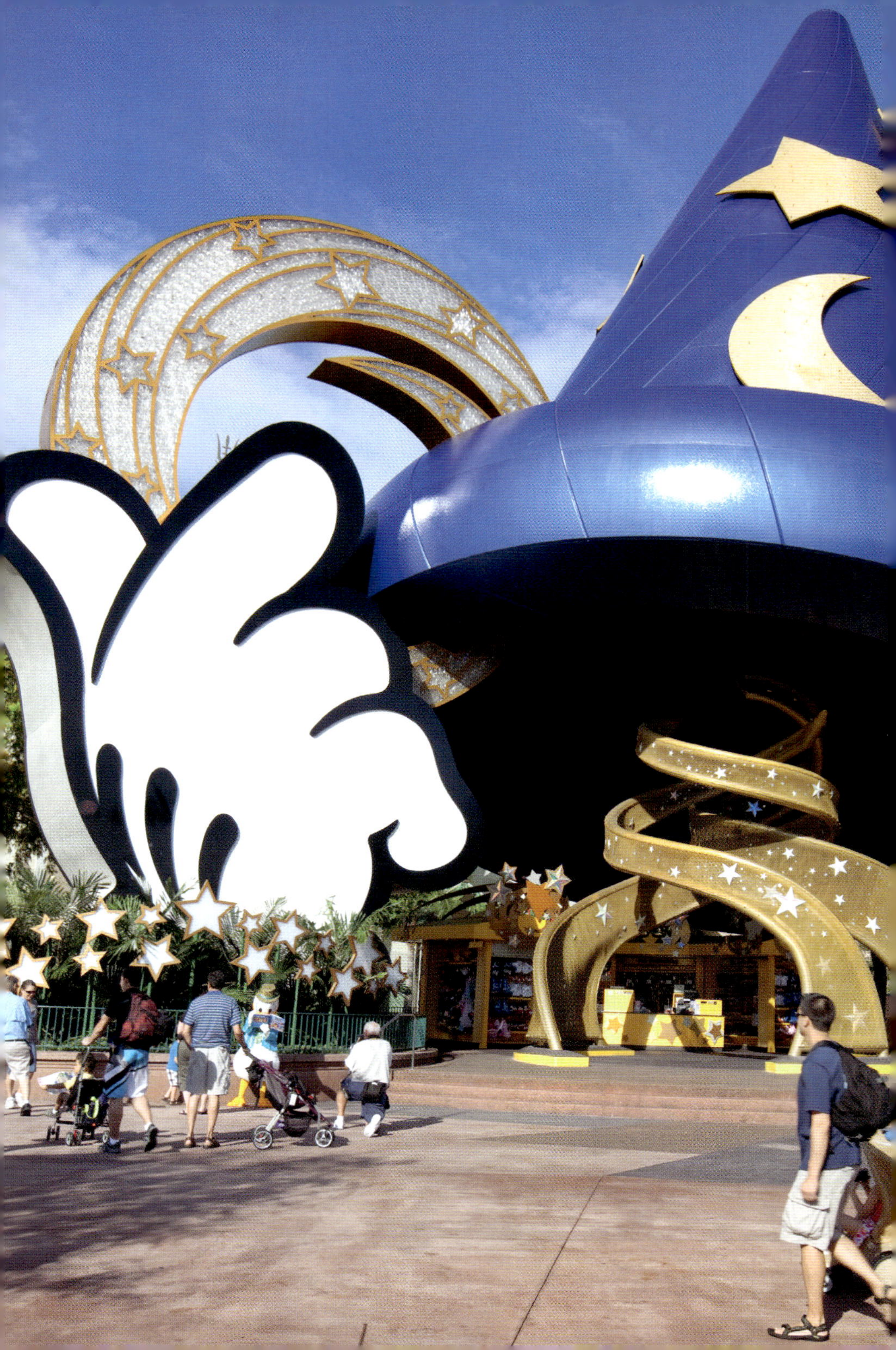

Orlando
e os Parques

Com mais de uma dúzia de parques temáticos, a Flórida central bem que se parece com uma grande montanha-russa, mas há também muitas belezas naturais e culturais para explorar. Orlando e seu subúrbio chique, Winter Park, têm museus, restaurantes de primeira classe, festejos e eventos esportivos que aumentam a alegria dos brinquedos vertiginosos e enaltecem a visita a essa região pitoresca.

Principais atrações

Walt Disney World® Resort
A visão de Walt Disney torna-se realidade em quatro parques temáticos famosos (pp. 106-17).

Universal Studios Florida® e Universal's Islands of Adventure®
Encontre os Simpsons™ ou visite a Hogwarts™ de Harry Potter™ nesses parques temáticos divertidos (pp. 118-21).

SeaWorld®, Aquatica e Discovery Cove®
Aplauda as orcas artistas no SeaWorld®, nade com golfinhos na Discovery Cove® e ande nos emocionantes brinquedos da Aquatica (pp. 122-3).

Wet 'n Wild®
Passe o dia se molhando nas instalações do primeiro – e ainda um dos melhores – parque aquático do país (pp. 124-5).

Orlando e Winter Park
Visite museus de arte e ciências, veja o campeonato de basquete e encante-se com os aligatores saltadores – combinação possível só em Orlando (pp. 127-31).

Legoland®
Nesse parque temático da Lego®, as crianças aprendem quantos blocos de Lego® são precisos para erigir a Estátua da Liberdade e como fazê-la em casa (pp. 132-5).

À esq. O chapéu de feiticeiro do Mickey nos Disney's Hollywood Studios®
Acima, à dir. Enorme girafa de Lego® na entrada da emocionante Imagination Zone, Legoland®

O melhor de
Orlando e dos Parques

As terras da fantasia, os animais selvagens, a história do cinema e a cultura mundial dos parques temáticos de Walt Disney® atraem milhões de visitantes desde 1971. Universal Studios Florida® amplia a aventura, festejando filmes e o mundo de Harry Potter™, junto às maravilhas aquáticas de SeaWorld® e Wet 'n Wild®. A cidade de Orlando e seu subúrbio Winter Park têm museus históricos excelentes e locais de cultura e diversão.

O mundo maravilhoso de Disney

No **Magic Kingdom®** *(pp. 108-9)*, olhe para cima para ver as altas torres do castelo onde vivem Cinderela e a Fera da Bela, ou libere adrenalina nas montanhas-russas Space Mountain®, Splash Mountain® e Big Thunder Mountain®. Passeie com Ariel em Under the Sea: Journey of the Little Mermaid e num tapete voador em The Magic Carpets of Aladdin.

Soarin'™ faz os visitantes planarem sobre a paisagem da Califórnia no **Epcot®** *(pp. 110-1)*; Test Track deixa-os desenhar e testar veículos personalizados, e Mission: Space® vai além da atmosfera. World Showcase exibe a cultura de onze países em um círculo de 3,5km e conta com tocadores de *taiko* (tambor) no Japan Pavilion e com o grupo de gaita de foles Off Kilter no Canada Pavilion.

Visite os Muppets, bonecos vivos, e Indiana Jones™ nos **Disney's Hollywood Studios®** *(pp. 114-5)*. Os fãs de All Kermit vão adorar a Muppet*Vision 3D, e a excitação está à espera no Rock 'n' Roller Coaster® Starring Aerosmith. No **Disney's Animal Kingdom®** *(pp. 112-3)*, o Festival of the Lion King mistura música e teatro. Vá ver leões e gnus nos Kilimanjaro Safaris®.

À dir. Crianças brincam em dinossauros de Lego®, Legoland®
Abaixo Passeio nas Kali River Rapids, Disney's Animal Kingdom®

Acima *As curvas malucas e formas estranhas da Cat in the Hat's™ Seuss Landing, Universal Studios Florida®*

A magia do cinema

O Universal Orlando® Resort reserva diversão para toda a família. Antes um parque de cinema isolado, hoje tem os incríveis **Universal Studios Florida®** *(pp. 118-9)* e **Universal's Islands of Adventure®** *(pp. 120-1)*. Os brinquedos Men In Black™ e The Simpsons™ tornam realidade TV e cinema nos **Universal Studios Florida®**, e o show Shrek 4-D reapresenta o grande ogro verde. Nas **Universal's Islands of Adventure®** as crianças podem fazer feitiço a bordo da Harry Potter and the Forbidden Journey™ ou viajar a 65km/h na Incredible Hulk Coaster®.

Abutres culturais

A **International Drive** *(p. 126)*, rua agitada de restaurantes e hotéis em Orlando, conta com **Wonderworks** *(p. 126)*, que tem um terremoto simulado e um prédio de cabeça para baixo, e o fascinante **Ripley's Believe It or Not! Odditorium** *(p. 126)*. A grande atração do **centro de Orlando** *(p. 130)* é o **Amway Center** *(p. 130)*, com 20 mil assentos, sede da NBA, futebol americano de arena, concertos e circos. Confira os bons restaurantes e casas de música nas proximidades, e também o charmoso Lake Eola Park, com muito espaço para correr. Se o **centro de Orlando** tem o **Orlando Museum of Art** *(p. 130)* e o **Orlando Science Center** *(pp. 128-9)*, **Winter Park** *(p. 130)* é o lugar da melhor coleção de arte Tiffany do mundo, no **Morse Museum** *(p. 130)*, e de uma via principal bem informal cheia de lojas e restaurantes, chamada Park Avenue. O ponto alto de **Winter Park** é o **Scenic Boat Tour** *(p. 131)*, que entrecorta os pitorescos lagos e canais dessa região histórica, com vista de grandes mansões e da linda natureza.

Outras atrações

Enquanto o **Wet 'n Wild®** *(pp. 124-5)* exibe dos mais emocionantes brinquedos na água, como The Storm e Mach 5, aos grandes espetáculos com grandes animais marinhos, como One Ocean, com Shamu, a baleia, são as principais atrações do **Seaworld®** *(pp. 122-3)*. **Discovery Cove®** *(pp. 122-3)* oferece uma experiência descontraída como num resort e um contato próximo com golfinhos. As crianças podem andar pelas incríveis réplicas de cidades da Miniland USA, na **Legoland®** *(pp. 132-5)*, desenterrar tesouros egípcios na Lost Kingdom Adventure e dirigir um carro na Ford Jr. Driving School.

À esq. *A deslumbrante exposição da Tiffany Chapel no Morse Museum, Winter Park*

Orlando e os Parques

Orlando é a indiscutível capital mundial dos parques temáticos, com Walt Disney World® Resort, Universal Orlando® Resort, Legoland® e parques aquáticos que fazem dela uma terra de fantasia para a família. Mas a cidade tem bem mais para oferecer. A International Drive é abarrotada de atrações para crianças e bons restaurantes, e os fãs de esportes vão se deliciar com a arena de basquete do Amway Center. Com tantas atrações, é melhor alugar um carro para circular.

Vista panorâmica da mansão diante do lago, Winter Park

Locais de interesse

ATRAÇÕES
1. Walt Disney World® Resort
2. Universal Studios Florida®
3. Universal's Islands of Adventure®
4. SeaWorld®, Aquatica e Discovery Cove®
5. Wet 'n Wild®
6. International Drive
7. Gatorland
8. Orlando Science Center
9. Loch Haven Park
10. Centro de Orlando
11. Winter Park
12. Winter Park Scenic Boat Tours
13. Legoland®

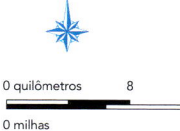

Crianças brincam com peça interativa no Orlando Science Center

Orlando e os Parques | 105

Veja atrações 8-12 em Orlando e Winter Park (p. 127)

O TriceraTop Spin, na DinoLand USA, Disney's Animal Kingdom®

Informações

Como chegar lá e aos arredores
Avião Desça no Orlando International Airport (www.orlando airports.net) ou Orlando Sanford International Airport (www.orlando sanfordairport.com). **Ônibus** Greyhound (1 800 231 2222; www.greyhound.com) tem estações por toda Orlando. Red Coach (1 877 733 0724; www.redcoachusa.com) tem terminais perto do Orlando International Airport. Megabus (1 877 462 6342; us.megabus.com) tem terminal no centro, perto da estação principal Lynx. Veja o transporte entre parques em Walt Disney World® (pp. 106-7). **Trem** Amtrak (1 800 872 7245; www.amtrak.com) tem estações em Orlando e Winter Park. **Carro** Redes como Avis (www.avis.com) e L&M (www.lm-carrental.net) estão no aeroporto e em vários locais de Orlando.

Informação turística Orlando Visitor Center, 8723 International Dr, Orlando, 32819; 407 363 5872; www.visitorlando.com

Supermercados Publix (www.publix.com) é o principal, com lojas por toda a região. A fina rede de alimentos orgânicos Whole Foods (www.wholefoods market.com) também tem filiais em Orlando e Winter Park. **Mercados** O Farmers' Market, no centro de Orlando, perto do lago Eola, oferece produtos agrícolas da estação, comidas étnicas e artesanato e arte locais todo dom.

Festivais Walt Disney World® Marathon (jan). Zora Neale Hurston Festival of the Arts; www.zorafestival.com (jan). Universal Studios Florida® Mardi Gras (meados fev-abr). Orlando International Fringe Theatre Festival; www.orlandofringe.org (mai). Epcot® International Flower & Garden Festival (mar-mai). Seaworld® Viva La Musica; www.tinyurl.com/SWViva (abr-mai). Disney® Star Wars™ Weekends (mai-jun). Universal® Summer Nights (jun-ago). Walt Disney World® Night of Joy (set). Mickey's Not-So-Scary Halloween Party (set-out). Universal® Halloween Spooktacular (out). Epcot® International Food & Wine Festival (set-nov). Legoland® Christmas Bricktacular (dez). Universal® Grinchmas (dez). Para saber dos festejos em todo o Walt Disney World®, entre em disneyworld.disney.go.com/special-events. Sobre as festas dos Universal Studios® e Islands of Adventure®, visite www.universalorlando.com/Events/Year-Round-Events.aspx

Farmácias Walgreens (www.walgreens.com) e CVS (www.cvs.com) são as duas maiores farmácias da região; algumas de suas filiais nas cidades abrem 24h

Banheiros Todas as atrações principais, shoppings e postos de gasolina têm banheiros públicos

Piratas de Lego® na entrada da Pirate's Cove, Legoland®

① Walt Disney World® Resort
A Casa do Rato

Walt Disney transformou Orlando de sonolenta cidade de gado e laranjas em ponto alto das férias familiares. Em quatro parques temáticos empolgantes, as atrações do resort baseiam-se nos animais das histórias inventadas há 80 anos e em personagens de filmes 3-D. Se o Magic Kingdom® e o Disney's Hollywood Studios® mexem com a imaginação, o Epcot® expõe a cultura mundial, e o Disney's Animal Kingdom® diverte com brinquedos de temática animal.

DinoLand USA, Disney's Animal Kingdom®

Destaques

① **Magic Kingdom®** Mergulhe de um monte de 16m de altura, veja como eram os piratas ou passeie pelo Castelo de Cinderela no mais famoso parque da Disney.

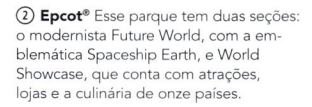

② **Epcot®** Esse parque tem duas seções: o modernista Future World, com a emblemática Spaceship Earth, e World Showcase, que conta com atrações, lojas e a culinária de onze países.

③ **Disney's Animal Kingdom®** Além de brinquedos emocionantes, shows, desfiles musicais e animais da África e da Ásia em recriações de seus habitats naturais, esse zoo ímpar tem ainda montanhas-russas estonteantes.

④ **Disney's Hollywood Studios®** Brinquedos velozes, shows de dublê e de palco emocionantes e espetáculos de cinema – dos *Muppets* à *Bela e a Fera* – atraem visitantes de todas as idades.

⑤ **Water Parks** Refresque-se num dos mais altos toboáguas do mundo na Blizzard Beach, resort de esqui cheio de neve. A laguna tropical Typhoon tem atrações molhadas para todos, como mostra a piscina de surfe com ondas de 2m.

Informações

Mapa 6 E6
Endereço 4600 N World Dr, Lake Buena Vista, 32830; 407 939 6244 ou 407 939 1289 (ingressos); disneyworld.disney.go.com

Ônibus Lynx 50, 56, 302 & 306 ($2 ida) do centro de Orlando ao Ticket and Transportation Center (TTC). Transporte gratuito do aeroporto para hóspedes do resort. Ônibus da Disney grátis entre os parques. **Táxi** Hidrotáxis do TTC a Magic Kingdom®, Epcot®, Downtown Disney® e resorts. **Trem** Monotrilhos do TTC a Magic Kingdom®, Epcot® e resorts. **Carro** Do Aeroporto Internacional de Orlando, pegue a saída sul (FL 417S – pedágio) para Osceola Pkwy West (Exit 3) e saídas para a Disney. Estacionamento $14/dia.

Aberto Parques abrem entre 9h e 11h e entre 17h e 1h. Horário varia por parque e temporada; veja detalhes no site. Todo dia um parque abre uma hora mais cedo e fecha duas horas mais tarde para hóspedes dos hotéis do Walt Disney World® Resort – Extra Magic Hours.

Preços $344-56 por parque; até 3 anos, grátis. Para vários parques, compre o Park-Hopper® ($140). Ingressos múltiplos vão de 2 dias ($590-680; até 3 anos, grátis) a 5, 7, 14 e 21 dias. Veja no site planos de férias nos hotéis Disney com desconto e outras ofertas de ingressos nos parques.

Para evitar fila Os parques estão mais cheios em meados fev, mea-

Preços para família de 4 pessoas

⑥ **Disney's Fort Wilderness Resort & Campground** Esse resort oferece das melhores opções de refeição para crianças. No Mickey's Backyard BBQ tem-se a chance de dançar com Mickey Mouse.

⑦ **Downtown Disney®** Música ao vivo no House of Blues, o emocionante show do Cirque du Soleil® *La Nouba*™ e videogames no DisneyQuest® Indoor Interactive Theme Park estão entre as maiores atrações desse complexo de diversão e compras.

⑧ **Winter Summerland Miniature Golf Course**™ Jogue minigolfe em dois campos com tema de Papai Noel: o ensolarado Sand Course e o invernal Snow Course.

A fachada colorida do restaurante Pizzafari, no Disney's Animal Kingdom®

Comida e bebida
Cada parque tem várias opções de alimentação, de carrinhos de petiscos a restaurantes e jantar com shows temáticos *(veja detalhes nas entradas específicas)*. Restaurantes de nome em todos os parques exigem um cartão de crédito em reservas; se a reserva não for cancelada ao menos 24 h antes, cobram-se $10 por pessoa. Com pré-pagamento total, só há restituição se o cancelamento for feito com grande antecedência.

Compras
Nas lojas dos parques você acha de brinquedos e confecções infantis a utensílios domésticos. Os adoráveis presentes com Jack Sparrow estão perto do brinquedo Pirates of the Caribbean® no Magic Kingdom®, e brinquedos com animais, no Animal Kingdom®.

Saiba mais
INTERNET Saiba a história do Walt Disney World® Resort em www.wdwmagic.com/walt-disney-world-history.htm, com a cronologia dos principais eventos do parque. As crianças menores gostam de www.disney.co.uk/disney-junior.

dos mar-fim abr, fim de semana Memorial Day (mai), meados jun--Labor Day (set), fim de semana Ação de Graças (nov) e semana de Natal-Ano-Novo. Ingressos Fastpass permitem reservar um horário para as 21 atrações do sistema inserindo o ingresso em uma máquina Fastpass na entrada do brinquedo.

Passeios guiados A visita Backstage Magic, de 7 horas, leva aos bastidores de três parques Disney – Epcot®, Disney's Hollywood Studios® e Magic Kingdom® – e mostra a organização de brinquedos, paisagismo e desfiles; ingressos incluem almoço na Wilderness Lodge.

Idade Os parques são mais indicados para crianças maiores de 7 anos. As mais novas gostam do Magic Kingdom® e de partes do Disney's Animal Kingdom® e dos Disney's Hollywood Studios®. Há restrições de idade e altura na maioria dos brinquedos.

Atividades Alguns resorts Disney têm programação infantil em centros de atividade com monitoria. Playgrounds, quadras de tênis e marina com aluguel de barcos.

Duração Um dia por parque

Cadeira de rodas Sim

Cafés Muitos pelos parques

Banheiros Muitos pelos parques

Bom para a família?
É caro, mas a Disney é a realização do sonho de toda criança e uma experiência inesquecível.

CRIANÇADA!

Fatos dos parques
1 Que hotel é atravessado pelo monotrilho do Walt Disney World®, no qual dá para ver as pessoas comendo?
2 O que havia no terreno em que o Walt Disney World® Resort foi construído?
3 Qual é a mais rápida montanha-russa do Disney World?

Respostas no fim do quadro.

Dispare para o céu!
Com 2.654m de extensão, a montanha-russa Expedition Everest®, no Disney's Animal Kingdom®, é o mais alto brinquedo da Disney, maior até que a Spaceship Earth (156m).

FELIZ ANIVERSÁRIO, MICKEY!
Oficialmente, o rato Mickey nasceu em 18 de novembro de 1928, embora tenha figurado em desenho em maio desse ano, com a voz do próprio Walt Disney.

Passeio no monotrilho
Existem 12 trens na rede de monotrilho do Walt Disney World®, com cerca de 345km de trilhos bem acima da Seven Seas Lagoon™ e do Epcot®. A curva em torno da laguna tem parada em três hotéis. Faça o círculo completo para ver se você sabe o nome de todos eles.

Respostas: 1 Disney's Contemporary Resort. **2** Um laranjal. **3** Rock 'n' Roller Coaster, nos Disney's Hollywood Studios®. **Passeio no monotrilho: 1** Disney's Contemporary Resort. **2** Disney's Grand Floridian Resort and Spa. **3** Disney's Polynesian Resort.

# Magic Kingdom®
Que comece o encantamento!

Um mundo cheio de romance de princesas e mágicos, e sustos em casas assombradas – com algumas montanhas-russas para testar os nervos –, o Magic Kingdom® é o mais popular parque da Disney. Dividido em seis áreas, está repleto de brinquedos e atrações que apresentam as mais queridas personagens de Walt Disney e uma versão animada do futuro.

Vendedor de balões na Main Street, USA®

Destaques

Entrada

① **Main Street, USA®** Faça compras, coma e veja desfiles deslumbrantes na Main Street. Pode-se fazer um passeio relaxante pelo parque num trem a vapor ou num trole puxado por cavalo.

② **Adventureland®** Mistura de selva tropical com prédios coloniais, essa área tem os sempre atraentes Pirates of the Caribbean® e o carrossel Magic Carpets of Aladdin.

③ **Fantasyland®** Entre as atrações dessa parte deliciosa está o Storybook Circus, com a Great Goofini Coaster.

④ **Frontierland®** Ande num trole de mina em fuga pelo Velho Oeste e depois pegue um veleiro para procurar o tesouro na Tom Sawyer Island.

⑤ **Splash Mountain®** Essa calha de toras atravessa pântanos e cavernas antes de desabar por 16m num lago.

⑥ **Liberty Square** Inspirada na era colonial, essa área tem a emocionante Haunted Mansion® e o Hall of Presidents, com fins educativos.

⑦ **Cinderella Castle** A mais fotografada atração da Disney abriga murais de vidro contando essa fábula. À noite, lindos espetáculos de fogos iluminam o castelo numa profusão de cores.

⑧ **Tomorrowland®** Das curvas fechadas e quedas abruptas da Space Mountain® ao humor de Monsters, Inc. Laugh Floor, essa área está repleta de atrações para todas as idades.

Informações

Mapa 6 E5
Endereço 1180 Seven Seas Drive, Lake Buena Vista, 32830; 407 939 6244; disneyworld.disney.go.com

Ônibus, hidrotáxi ou **monotrilho** do TTC e dos resorts (p. 106)

Aberto De 8h a 9h até 20h e 1h. Veja na página "Calendar" do parque as variações de horário por temporada e as Extra Magic Hours.

Preço p. 106

Para evitar fila Evite seg e qui, pois o parque fica mais cheio

Passeios guiados O passeio a pé de 4h30 das Keys ao Kingdom ($74 por pessoa) enfoca os bastidores do funcionamento do Magic Kingdom®, com uma visita aos lendários túneis subterrâneos. O passeio é para maiores de 16 anos.

Idade Livre

Espetáculos As crianças adoram Mickey's PhilharMagic, filme 3D de 12 min, e Country Bear Jamboree, peça musical com ursos dançarinos. Mike Wazowski, o monstro de um olho, faz as crianças darem risadas na comédia interativa Monsters, Inc. Laugh Floor; contate o escritório de Guest Relations (407 939 6244) para saber os horários.

Duração Meio dia a 2 dias

Cadeira de rodas Sim

Comida e bebida LANCHE The Lunching Pad (na Tomorrowland®) serve cachorros-quentes, batatinhas e bebidas. PARA A FAMÍLIA Cinderella's Royal Table (dentro do Cinderella Castle) oferece um jantar com as princesas da Disney e família, com

Preços para família de 4 pessoas

10 Melhores Atrações

1. **BUZZ LIGHTYEAR'S SPACE RANGER SPIN®**
Dispare um canhão a laser em alienígenas de um XP-37 Space Cruiser em parafuso nesse brinquedo da Tomorrowland®.

2. **SPLASH MOUNTAIN®**
Por si só um parque temático, o brinquedo aquático Frontierland® tem um trilho que percorre pântanos, cavernas e brejos.

3. **PIRATES OF THE CARIBBEAN®**
Ache o Capitão Jack Sparrow num passeio de barco na Adventureland®, encontre piratas e veja canhões dispararem antes de cair por uma cascata de 4 m de altura.

4. **HAUNTED MANSION®**
Percorra salas escuras e empoeiradas procurando – ou evitando – 999 fantasmas, espíritos e duendes na Liberty Square.

5. **STITCH'S GREAT ESCAPE!™**
Esse audiovisual um pouco assustador da Tomorrowland® recruta agentes da Federação Galática para guardar o ET Stitch.

6. **TOMORROWLAND® SPEEDWAY**
Dirija minicarros esporte a gás por um circuito de 610 m de extensão nesse brinquedo empolgante.

7. **ENCHANTED TIKI ROOM**
Centenas de pássaros Animatronic® – de papagaios cantores ao espirituoso Iago, de *Aladim*, e Zazu, de *Rei Leão* – encantam a plateia nesse espetáculo musical na Adventureland®.

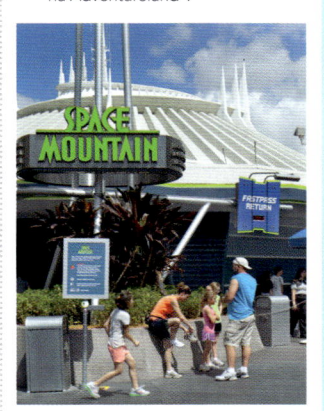

8. **SPACE MOUNTAIN®**
Suba num foguete para sair pelo espaço sideral e espiralar por um buraco negro nesse brinquedo radical da Tomorrowland®.

9. **BIG THUNDER MOUNTAIN RAILROAD®**
Passe a toda por uma mina do Velho Oeste, com rodopios e quedas radicais, à beira da estonteante montanha-russa da Frontierland®.

10. **TAPETE MÁGICO DE ALADIN**
Mexa nos controles de um tapete voador para passear no alto ou por baixo de uma garrafa do gênio na Adventureland®. Cuidado com os camelos que cospem!

🧡 opção de café da manhã, almoço e jantar.

🏷️ **Lojas** Compre suvenires Disney nas lojas da Main Street, USA®.

🚻 **Banheiros** Muitos por todo o parque – os menos cheios ficam perto da loja de presentes Pirates of the Caribbean®, próximo da Town Hall, na Main Street, USA®, e na Tomorrowland®.

Bom para a família?
Com desfiles festivos, brinquedos rápidos e fogos espetaculares, o passeio é um deleite para todos.

CRIANÇADA!

Tente achar estas figuras no Magic Kingdom®:
1. O irmão de Walt Disney, Roy, sentado ao lado da Minnie.
2. Um pianista alienígena.
3. Um papagaio cantor.

Respostas no fim do quadro.

Faça um feitiço
Vá ao Corpo de Bombeiros da Main Street e inscreva-se no jogo *Sorcerers of the Magic Kingdom*®, que percorre o parque com Merlim, o mago, para combater vilões, achar portais mágicos e pegar cartões de feitiços.

BEM-VINDOS AO ESPETÁCULO!
Acorde cedo para ver o show de boas-vindas do Magic Kingdom, diante da Main Street Station, 15 minutos antes de o parque abrir. Mickey e Pluto abrem o parque, com muita dança e cantoria.

Mocinhos e bandidos
Os estacionamentos do Magic Kingdom® levam o nome de heróis e vilões. Tente relacionar os nomes com os filmes em que eles aparecem:

1 Rapunzel   (a) Toy Story
2 Simba   (b) Enrolados
3 Hook   (c) Rei Leão
4 Zurg   (d) Peter Pan

Respostas: 1 Main Street, USA®. 2 Sonny Eclipse, Cosmic Ray's Starlight Café, na Tomorrowland®. 3 The Enchanted Tiki Room® e Pirates of the Caribbean®.
Mocinhos e bandidos: 1 (b), 2 (c), 3 (d), 4 (a).

Epcot®
De volta ao futuro

A Experimental Prototype Community of Tomorrow (Epcot®) era o bairro do futuro de Walt Disney, criado para aproximar as pessoas da tecnologia. Divirta-se conhecendo a história da ciência e da tecnologia nesses dois parques diferentes, mas interligados. O Future World leva os visitantes do fundo do mar aos confins do espaço, enquanto o World Showcase apresenta a cultura de onze países por meio da sua comida, arquitetura e música.

Diversão no veículo do Test Track

Destaques

① **The Seas with Nemo & Friends** Nessa homenagem aos mares do mundo, o brinquedo homônimo leva ao majestoso Caribean Coral Reef, aquário de água salgada de 22 milhões de litros que abriga 6 mil seres aquáticos.

② **The Land** Plane de parapente sobre as paisagens da Califórnia do simulador Soarin'™ e pegue o barco *Living with the Land* para cruzar uma floresta tropical virtual até estufas experimentais verdadeiras.

③ **Imagination!** Mexa-se para fazer o dragão cantar, opere a maior câmera digital do mundo e veja o Figment criar ilusões na Journey into Imagination.

④ **Innoventions** Saiba como a ciência influi no cotidiano nesse museu interativo de tecnologia do passado e do futuro. Projete uma montanha-russa e ande nela no Sum of All Thrills™, na Innoventions East.

⑤ **World Showcase** Esses pavilhões dedicados a países têm réplicas de modelos arquitetônicos do México, da Noruega, China, Alemanha, Itália, dos Estados Unidos, do Japão, do Marrocos, da França, do Reino Unido e do Canadá, com grande variedade de lojas e restaurantes étnicos.

⑥ **Universe of Energy** *Ellen's Energy Adventure*, estrelado por Ellen DeGeneres, é uma viagem de 45 minutos em filme – com dinossauros animatrônicos e poltronas que se mexem – pela história da produção e da procura de novas fontes de energia.

⑦ **Mission: SPACE®** Esse brinquedo de simulação de movimento zarpa para uma missão de treinamento realista de viagem no espaço, que leva ao Advanced Training Lab para testar habilidades em jogos espaciais e culmina com um pouso em Marte.

Entrada principal

Entrada da World Showcase

Monotrilho

Informações

🌐 **Mapa** 6 F6
Endereço 1510 North Ave of the Stars, Orlando, 32830; 407 824 4321; disneyworld.disney.go.com/parks/epcot

🚗 **Ônibus** De todos os locais da Disney. **Monotrilho** Do TTC ao Future World. **Táxi** Hidrotáxis partem dos vários resorts; veja no site. Epcot® tem duas entradas; estacione num resort e pegue o hidrotáxi para evitar filas.

🕐 **Aberto** Future World: 9h-21; World Showcase: 11h-21h. Veja na página "Calendar" as variações de horários por temporada e as Extra Magic Hours.

💲 **Preço** p. 106

👥 **Para evitar fila** O parque fica mais cheio ter e sex; mais

Preços para família de 4 pessoas

10 Melhores Atrações

1. **SPACESHIP EARTH**
Essa diversão é uma viagem pela história de 40 mil anos da comunicação, dos hieróglifos ao computador, e o interativo Project Tomorrow deixa os visitantes usar os jogos de realidade virtual.

2. **TEST TRACK**
Nesse brinquedo do Future World, as crianças experimentam vários erros antes de guiar o carro que desenharam numa pista de três andares a 105km/h.

3. **MISSION: SPACE®**
Esquive-se de meteoros, sinta o dobro da gravidade da Terra e treine para um pouso em Marte nesse simulador de movimento.

4. **SOARIN'™**
Paire sobre a Califórnia nesse simulador ultrarrealista do Land Pavilion, suspenso numa enorme sala de cinema cheia de atrações, sons e sensação de voo.

5. **THE SEAS WITH NEMO & FRIENDS**
Procure Nemo com Dory e Marlin no leito do mar a bordo do "clamobile", entre peixes e corais coloridos vivos nesse enorme tanque de água salgada do Seas Pavilion.

6. **ELLEN'S ENERGY ADVENTURE**
Ellen DeGeneres e Bill Nye, o Cara da Ciência, viajam no tempo, investigando a história da energia e levando os espectadores do Big Bang a imagens a laser do espaço.

7. **JOURNEY INTO IMAGINATION WITH FIGMENT**
Um dragão voador explora a visão, o olfato, a audição, o tato e a gustação nesse passeio bizarro pelos sentidos, no Imagination Pavilion.

8. **MAELSTROM**
Viaje num barco viking através de fiordes, pântanos e mares, combatendo duendes malignos e piratas saqueadores no Pavilhão da Noruega.

9. **TURTLE TALK WITH CRUSH**
Converse com Crush, a tartaruga surfista de *Procurando Nemo*, sobre as maravilhas do mar nesse espetáculo 3D ao vivo no Seas Pavilion.

10. **ILLUMINATIONS: REFLECTIONS OF EARTH**
Esse espetáculo noturno de som e luz usa fogos de artifício e raios laser incríveis para contar a história do mundo.

---

movimentado no Flower & Garden Festival (início mar-meados mai) e no Food & Wine Festival (final set-meados nov).

🚩 **Passeios guiados** Behind the Seeds é um passeio a pé de 1 h pelas estufas Living with the Land. Há vários passeios dentro do Seas Pavilion. Veja os preços no site. Para reservar, ligue para 407 939 8687.

👫 **Idade** A partir de 3 anos

🎭 **Espetáculos** Veja World Showcase Players no Pavilhão do Reino Unido, Circle of Life no Land Pavilion e Phineas & Ferb: Agent P's no World Showcase Adventure.

⏱ **Duração** No mínimo 6 horas

♿ **Cadeira de rodas** Sim

☕ **Comida e bebida** *LANCHE* Electric Umbrella Restaurante *(em Future World)* tem sanduíches de almôndega e cheeseburgers. *PARA A FAMÍLIA* Coral Reef Restaurante *(no Living Sea)* dispõe de frutos do mar frescos com vista para o recife de coral vivo.

🛍 **Lojas** Opções regionais no World Showcase, sobretudo Der Teddybar, no Pavilhão da Alemanha, e quimonos, hashis e doces no Pavilhão do Japão.

🚻 **Banheiros** Em todos os pavilhões e restaurantes. Fraldário entre o Pavilhão do México e Test Track.

Bom para a família?
É caro, mas a variedade de brinquedos e passeios informativos encanta crianças e adultos.

CRIANÇADA!

Ache as tagarelas!
No Epcot® existem três fontes falantes e uma lixeira falante. Veja se consegue encontrá-las.

Resposta no fim do quadro.

Está com sede?
Club Cool in Innoventions West é o lugar mais refrescante de Epcot®, pois dá amostras grátis de refrigerantes de todo o mundo. Experimente a soda limonada de Israel e o refrigerante de verdura japonês.

OLHA O PASSARINHO!
Uma surpresa está à sua espera no Pavilhão da Alemanha. Ponha-se no meio da praça e veja os cucos escondidos aparecerem em quase todos os prédios para badalar a hora.

Dê a volta ao mundo
1 Não deixe de pegar o World Showcase Passport, que pode ser carimbado em qualquer "país" que você visitar.
2 Ache o caminho no labirinto de cercas vivas do parque secreto atrás do Pavilhão do Reino Unido.
3 Não deixe de ver o espetáculo dos acrobatas diante do Pavilhão da China, os garçons malabaristas do Serveur Amusant™ defronte do Pavilhão da França e os percussionistas do Japão.

Resposta: Diante da Mouse Gear Shop, atrás das Innoventions West e na área entre o Future World e o World Showcase, junto à fonte mirim. A lixeira fica dentro do restaurante Electric Umbrella.

Disney's Animal Kingdom®
Explore as florestas do mundo

Disney inventou o termo "notazoo" para descrever o Animal Kingdom®, e ele sem dúvida é diferente de um zoo tradicional. Há tigres percorrendo ruínas, hipopótamos nadando delicadamente e majestosos gorilas-da-montanha, todos vivendo bem. Além disso, há brinquedos vertiginosos para os aventureiros e muito mais para divertir a todos.

Primeval Whirl®, na DinoLand USA

Destaques

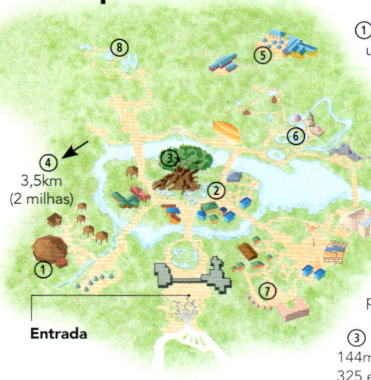

① **O Camp Minnie-Mickey** lembra um acampamento de verão. Aí você encontra Mickey e Minnie e curte o espetáculo *Festival of the Lion King*, ao vivo.

② **Discovery Island®** Pontes de madeira e túneis cavernosos levam a tartarugas enormes, lêmures, cangurus e outros bichos exóticos. Há também uma área envidraçada para ver lontras brincando.

③ **The Tree of Life** Essa construção de 144m de altura é decorada com cerca de 325 entalhes realistas de animais. Tem ainda o show *It's Tough to Be a Bug®*.

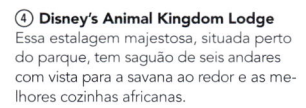

④ **Disney's Animal Kingdom Lodge** Essa estalagem majestosa, situada perto do parque, tem saguão de seis andares com vista para a savana ao redor e as melhores cozinhas africanas.

⑤ **Rafiki's Planet Watch** Acaricie cabras, ovelhas e lhamas na Affection Section, depois siga para o Habitat Habit! para ver o sagui-imperador sul-americano.

⑥ **Ásia** A seção da Ásia do parque eletriza com a montanha-russa Expedition Everest®, e é o palco de tigres, dragões-de-komodo e um espetáculo de pássaros.

⑦ **DinoLand, USA** Viaje no fundo do mar com *Finding Nemo – The Musical* e para o passado pré-histórico no carrossel TriceraTop Spin e na Primeval Whirl® – montanhas-russas com carros rodopiantes.

⑧ **Africa** Explore a savana africana na Kilimanjaro Safaris® Expedition, ande pela Pangani Forest Exploration Trail® até o habitat do gorila e depois pegue o trem a vapor Wildlife Express.

10 Melhores Atrações

1. **FESTIVAL OF THE LION KING**
Esse elaborado musical de 30 minutos, no Camp Minnie-Mickey, tem bonecos, dança e música, e às vezes convida crianças da plateia para dançar com eles.

2. **PANGANI FOREST EXPLORATION TRAIL®**
Faça essa trilha na África para ver enormes gorilas-machos, pássaros exóticos, suricatos e hipopótamos.

3. **KALI RIVER RAPIDS®**
Entre numa exuberante floresta com uma balsa que leva através de gêiseres fumegantes e cascatas nevoentas, no borbulhante rio Chakranadi, na seção Ásia, até cair 9m numa cascata e ficar todo ensopado e alegre (à esq.).

4. **THE AFFECTION SECTION**
Esse lugar do Animal Kingdom® é o único em que a criançada pode afagar e alimentar vários animais domésticos, como cabras, galinhas e ovelhas.

5. **FINDING NEMO – THE MUSICAL**
Veja artistas fantasiados do peixe colorido dar vida ao adorado desenho animado com música, bonecos e canções de Elton John, num espetáculo de 30 minutos na DinoLand, USA.

Preços para família de 4 pessoas

Walt Disney World® Resort | 113

Informações

- **Mapa** 6 E6
- **Endereço** 1375 E Buena Vista Drive, Lake Buena Vista, 32830; 407 824 4321; www.disneyworld.disney.go.com/parks/animal-kingdom
- **Ônibus** Lynx 301 do centro de Orlando. Ônibus da Disney do TTC aos hotéis do resort.
- **Aberto** De 8h e 9h a 17h e 20h. Veja na página "Calendar" as variações de horários por temporada e as Extra Magic Hours.
- **Preço** p. 106
- **Para evitar fila** Evite seg-qua, pois o parque fica mais cheio.
- **Passeios guiados** Backstage Safari ($288-98), visita de 3 h para ver a alimentação e os cuidados com os animais, a partir de 16 anos. Wild Africa Trek ($756-66), passeios para grupos pequenos verem de perto os animais na Pangani Forest. Reserve pelo 407 939 8687.
- **Idade** Livre
- **Duração** 6 horas-2 dias

- **Cadeira de rodas** Sim
- **Comida e bebida** REFEIÇÃO Tusker House Restaurante (em África) tem um bufê grande de comida africana modernizada. PARA A FAMÍLIA Sanaa (no Disney's Animal Kingdom Lodge) oferece uma mistura extraordinária de comida africana e indiana. Jante apreciando a vista dos animais em seu habitat.
- **Lojas** A loja de presentes Zawadi Marketplace (no Disney's Animal Kingdom Lodge) tem roupas, máscaras e brinquedos africanos. Mombasa Marketplace (em África) vende arte, vinhos, joias e instrumentos africanos.
- **Banheiros** Por todo o parque. Fraldário perto da Discovery Island

Bom para a família?
Com várias aventuras ao ar livre junto com espetáculos para os menores, o Animal Kingdom® tem diversão para todos.

6. **IT'S TOUGH TO BE A BUG!®**
Dentro da Tree of Life, veja como é ser um inseto: os personagens de Vida de inseto tornam esse filme 3D uma experiência arrepiante.

7. **KILIMANJARO SAFARIS®**
Suba num táxi das selvas para cruzar uma savana seca em África, a centímetros de zebras, girafas, rinocerontes e elefantes vivos.

8. **PRIMEVAL WHIRL®**
Gire e mergulhe em duas montanhas-russas que voltam à era dos dinossauros na DinoLand, USA.

9. **EXPEDITION EVEREST®**
Aos saltos, um Abominável Homem das Neves para o trem dessa montanha-russa de arrepiar ao passar por um monte traiçoeiro em Ásia. Depois, ela dá marcha à ré e desce a encosta a 80km/h.

10. **THE TREE OF LIFE**
Veja elefantes, iguanas, lêmures, cavalos-marinhos e serpentes entre os 325 animais esculpidos nessa estranha árvore feita pelo homem na Discovery Island® (abaixo).

CRIANÇADA!

Fatos sobre o gorila
1 Os gorilas são os maiores macacos existentes.
2 Os gorilas machos têm nas costas um tufo de pelos grisalhos. Vivem até 50 anos e chegam a pesar 230 kg.
3 Um grupo de gorilas é chamado de bando, mas eles não praticam nenhum crime!

De papo pro ar
Observe pelas janelas o habitat dos tigres da Ásia. Os morcegos indianos comem frutas, e suas asas chegam a 1,5m de envergadura.

O RUGIDO DO IÉTI
Como o pé-grande da América do Norte, o Abominável Homem das Neves, ou iéti, é um macaco gigante mítico que habitaria o Himalaia, perto do Nepal e do Tibete. O iéti que grita no Expedition Everest® é uma fera audio-animatrônica de 7,5m de altura e 9 mil quilos.

Mulher verde alta
À medida que você avança pela África, fique de olho para achar uma mulher de pernas de pau. Ela é bem alta, mas, como está coberta de folhagem, é muito difícil distingui-la. Seu nome é Divine, e ela fica no caminho entre a África e a Ásia, e às vezes no Oásis perto do Rainforest Café.

1 Walt Disney World® Resort (continua) ▶

Orlando e os Parques

Disney's Hollywood Studios®

A magia de Hollywood mistura-se à magia da Disney

De caçadores de tesouro aventureiros a espaçonautas intrépidos e monstros amistosos, as atrações dos Hollywood Studios® mergulham os visitantes na história de Hollywood ao estilo Disney. Inaugurado em 1989 para ser estúdio de cinema e de TV, o parque conta hoje com espetáculos e brinquedos baseados em filmes e programas famosos.

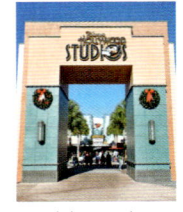

Portal de entrada do parque

Destaques

① **Hollywood Boulevard** As crianças adoram o desfile Pixar Pals Countdown to Fun!, com personagens de *Vida de inseto* e *Toy Story*, que começa no bulevar e leva ao Chapéu do Feiticeiro, ícone dos Disney's Hollywood Studios®.

② **Sunset Boulevard** Pegue um elevador desenfreado na Twilight Zone Tower of Terror™ ou zarpe na Rock 'n' Roller Coaster® Starring Aerosmith, para fechar o dia com um espetáculo de fogos de artifício.

③ **Echo Lake** A *American Idol® Experience* recria o programa de TV com novos cantores escolhidos pela plateia. O *Indiana Jones™ Epic Stunt Spectacular!* oferece uma pirotecnia sem igual.

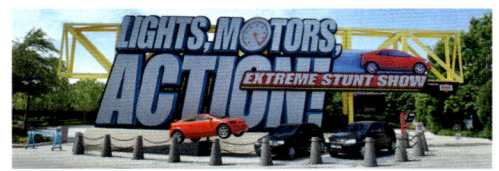

④ **Streets of America** Os cinéfilos vão gostar de *Lights, Motors, Action!® Extreme Stunt Show*, e *Honey, I Shrunk the Kids: Movie Set Adventure* fará as crianças brincarem e rastejarem como insetos.

⑤ **Star Tours®** A maior atração do parque, Star Tours® usa personagens e cenas dos filmes *Star Wars*™ e conduz os visitantes numa aventura intergaláctica com várias tramas no Backlot.

⑥ **Animation Courtyard** Encontre-se com personagens da Disney e da Pixar antes da exibição de Magic of Disney Animation. Os bonecos sobem ao palco na *Playhouse Disney Live on Stage!* e no show ao vivo *Voyage of the Little Mermaid*.

⑦ **Pixar Place** Entre num carro que rodopia em Toy Story Mania!® para praticar lançamento de tortas e argolas com personagens de *Toy Story* e militares verdes gigantes.

Informações

Mapa 6 F6
Endereço 351 South Studio Dr, Lake Buena Vista, 32830; 407 824 4321; disneyworld.disney.go.com/parks/hollywood-studios

Ônibus Lynx 303 parte do centro de Orlando para os Disney's Hollywood Studios®. Os ônibus da Disney partem do TTC.
Táxi Hidrotáxis saem dos resorts BoardWalk e Yacht Club e também dos resorts Swan e Dolphin.

Aberto 9h-22h diariam. Veja na página "Calendar" as variações de horário por temporada e as Extra Magic Hours.

Preço p. 106

Para evitar fila Os dias mais movimentados são dom e qua. Star Wars™ Weekends (mai-jun) e Natal são os períodos mais cheios.

Idade A partir de 4 anos

Shows Disney Channel Rocks (no Hollywood Boulevard) conta com música de Hanna Montana e outros favoritos. Fantasmic! (no Sunset Boulevard) mistura raios laser, água e fogos com dezenas de personagens da Disney.

Duração 3-8 horas
Cadeira de rodas Sim
Comida e bebida LANCHE Fairfax Fare (no Sunset Boulevard) tem saladas e cachorros-quentes especiais. REFEIÇÃO Sci-Fi Dine-In (no Backlot) passa ficção científica enquanto as famí-

Preços para família de 4 pessoas

10 Melhores Atrações

1. **STAR TOURS®**
   Entre no Starspeeder 1000 e passeie ao lado de C-3PO e R2-D2 de *Star Wars*™ num universo 3D.

2. **INDIANA JONES™ EPIC STUNT SPECTACULAR!**
   Em meio a explosões e fogo, dublês intrépidos apresentam cenas de *Caçadores da arca perdida* em um show de 30 minutos no Backlot.

3. **A BELA E A FERA AO VIVO NO PALCO**
   A magia e o romance do filme são recriados nesse show ao vivo para crianças, no Sunset Boulevard, com dança, música, cores vivas e personagens hilariantes.

4. **VOYAGE OF THE LITTLE MERMAID**
   Vivencie a terra de Ariel e seus amigos nesse show ao vivo de 15 minutos no Animation Courtyard, em que água, raios laser, música e bonecos fosforescentes recriam cenas do filme.

5. **TOY STORY MANIA!®**
   Situado no Pixar Place, esse brinquedo carnavalesco provém dos adorados filmes *Toy Story*. As crianças podem atirar dardos e ovos virtuais em alvos 3D, enquanto Woody, Buzz e Jessie dão dicas e as animam a prosseguir.

6. **LIGHTS, MOTORS, ACTION!® EXTREME STUNT SHOW®**
   Jet skis que saltam, carros que batem, dublês mergulhando e muita explosão e bolas de fogo marcam esse show de 33 minutos das Streets, que privilegia a velocidade.

7. **MUPPET*VISION 3D**
   Participe das criações de Jim Henson numa projeção de 127 minutos em várias telas enquanto Caco, Miss Piggy e Fozzie cantam, dançam e brincam dentro do cinema, nas Streets of America.

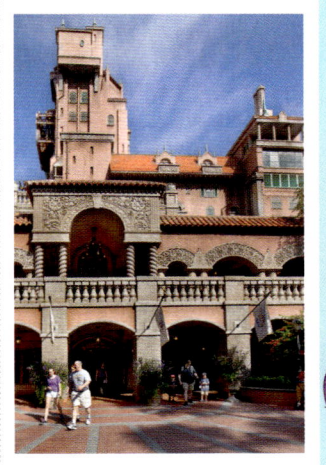

8. **THE TWILIGHT ZONE TOWER OF TERROR™**
   Pegue um elevador fora de controle no Hollywood Tower Hotel, onde os visitantes são levados a 152m de altura numa mistura atordoante de subida e quedas rápidas.

9. **A MAGIA DA ANIMAÇÃO DA DISNEY**
   Vá aos bastidores com animadores reais da Disney e descubra os truques de desenhos animados como *Mulan*, *Aladim* e *O rei Leão*, no Animation Courtyard.

10. **ROCK 'N' ROLLER COASTER® STARRING AEROSMITH**
    Balance nessa montanha-russa muito rápida e barulhenta no Sunset Boulevard, na qual os visitantes se sentam em uma limusine que vai de 0 a 96km/h em 2,8 segundos, de cabeça para baixo e no escuro.

lias sentam em mesas-carros para comer saladas e carnes.

Lojas Cada atração tem sua loja de lembranças. Tatooine Traders, da loja *Star Wars*™, é das mais procuradas.

Banheiros Por todo o parque

Bom para a família?
É um pouco caro, como todos os parques da Disney, mas, com brinquedos e shows para todos, é um excelente lugar para passar o dia.

CRIANÇADA!

Quiz de Hollywood
1 Quem escreveu primeiro *A pequena sereia*?
2 Em que livro se baseou o filme *O mágico de Oz*?
3 Qual é a profissão de Indiana Jones?

Respostas no fim do quadro.

Olha os modos
Não conte aos seus pais, mas no 50s Prime Time Cafe, no Hollywood Boulevard, os garçons observam se alguém põe o cotovelo na mesa ao comer – e podem até mandar seu pai e sua mãe sentarem no cantinho!

CHAPÉU GRANDÃO PARA UM RATINHO
O gigantesco Chapéu de Feiticeiro tem 130m de altura e pesa quase 142 mil quilos. Mickey precisaria ter 3,10m de altura para usá-lo – e um pescoço bem forte!

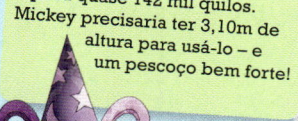

Piada oculta
Na entrada do Muppet*Vision 3D, onde a placa diz "Fechado – chave sob o tapete", olhe debaixo do tapete. Em Lights! Motors! Action!®, ache o guarda-chuva preso num poste e fique em pé no quadrado preto embaixo. Na seção Honey, I Shrunk the Kids, suba entre o escorregador do rolo de filme e a mangueira do jardim e ponha a mão no focinho do cachorro.

Respostas: 1 Hans Christian Andersen **2** *O maravilhoso mágico de Oz*, de L. Frank Baum. **3** Arqueólogo. **Piada oculta:** Há uma chave sob o tapete; chove em volta do guarda-chuva; o cachorro funga.

1 Walt Disney World® Resort (continua) ▶

Blizzard Beach
Parque aquático com neve

A estação de esqui transformada criativamente em parque de aventura do Walt Disney World® parece uma terra maravilhosa, com neve e repleta de brinquedos eletrizantes. Os tobogãs do Summit Plummet despencam 136m a 97km/h, e os escorregadores duplos rodopiantes Downhill Double Dipper têm 15m de altura e 61m de extensão. Experimente o passeio de balsa nas corredeiras Teamboat Springs, com cascatas de 366m, ou desça no trenó aquático as oito pistas das Toboggan Racers, no Mt. Gushmore. O campo de minigolfe **Winter Summerland** fica na entrada.

Se chover...
Se o tempo ameaçar mudar, vá ao **Coronado Springs Resort** (disneyworld.disney.go.com/resorts/coronado-springs-resort). Há muitas opções de comida, como o Pepper Market, com bufê de café da manhã e almoço, e o restaurante de serviço rápido Café Rix, que serve saladas, panini e comidas recém-saídas do forno.

Informações
- **Mapa** 6 E6
- **Endereço** 1524 W Buena Vista Dr, Lake Buena Vista, 32830; 407 824 4321; disneyworld.disney.go.com/parks/blizzard-beach
- **Ônibus** Da Disney, saindo do TTC e dos hotéis do resort.
- **Aberto** Horário varia com a temporada; veja os detalhes no site.
- **Preço** $180-220; até 3 anos, grátis. Passe combinado anual Park Hopper para Blizzard Beach e Typhoon Lagoon, $360-370; até 3 anos, grátis. Winter Summerland: $44-54; até 3 anos, grátis
- **Para evitar fila** O parque fica menos cheio de meados fev a meados mar e de meados set a início nov.
- **Idade** A partir de 2 anos. Fralda de nadar obrigatória.
- **Duração** 2-6 horas
- **Cadeira de rodas** Sim
- **Comida e bebida** LANCHE Cooling Hut (perto da entrada) oferece pretzels, nachos, pãezinhos, sanduíche de atum e pipoca. REFEIÇÃO Lottawatta Lodge (reto da entrada) serve cachorro-quente com chili, wrap de frango, fritas, saladas e hambúrguer.
- **Banheiros** Por todo o parque

Preços para família de 4 pessoas

O emocionante tobogã de 27m de altura Slush Gusher, Blizzard Beach

Typhoon Lagoon
Dez jeitos de se molhar

Esse parque aquático da Disney tem de passeios suaves de balsa, para toda a família, a tobogãs malucos para os destemidos. O tema ilha tropical reflete-se nas palmeiras exuberantes e na praia de areia branca do parque. Os visitantes podem mergulhar com snorkel, entre tubarões mansos, no Shark Reef, e a Surf Pool, com ondas de 2m, atrai surfistas experientes. Os escorregadores do Crush'n' Gator, que lembram uma montanha-russa, deixam três pessoas mergulhar, e os das Gang Plank Falls levam quatro pessoas. Radicalize nos três passeios de balsa de Mayday Falls, nos canais sinuosos das Storm Slides ou na queda em alta velocidade de cinco andares do Humunga Kowabunga.

Se chover...
O negócio num parque aquático é se molhar, mas dá para fugir disso no **Downtown Disney®** (p. 117), que dispõe de lojas, restaurantes, o grande Lego® Imagination Center e um enorme cinema.

Informações
- **Mapa** 6 F6
- **Endereço** 1195 E Buena Vista Dr, Lake Buena Vista, 32830; 407 824 4321; disneyworld.disney.go.com/parks/typhoon-lagoon
- **Ônibus** Da Disney, saindo do TTC e dos hotéis do resort.
- **Aberto** Horário varia com a temporada; veja os detalhes no site.
- **Preço** $180-220; até 3 anos, grátis. Passe casado anual Park Hopper para Blizzard Beach e Typhoon Lagoon, $360-370; até 3 anos, grátis.
- **Para evitar fila** O parque é mais vazio de meados fev a meados mar e meados set a início nov.
- **Idade** A partir de 2 anos. Fralda de nadar obrigatória.
- **Duração** 2-6 horas
- **Cadeira de rodas** Sim
- **Comida e bebida** LANCHE Surf Doggie Hot Dog Cart (perto do lado raso da Surf Pool) serve cachorro-quente e coxa de peru. REFEIÇÃO Typhoon Tilly's (entre Shark Reef e Castaway Creek) tem camarão, peixe e saladas.
- **Banheiros** Por todo o parque

Disney's Fort Wilderness Resort & Campground
Hoop-Dee-Doo!

Mais que um resort-acampamento temático, o Disney's Fort Wilderness Resort & Campground (p. 137) oferece a oportunidade de caminhar, esquiar e passear de carruagem. A família pode se sentar à volta da fogueira e cantar com Tico e Teco

Mergulho com cilindro no Shark Reef, Typhoon Lagoon

Walt Disney World® Resort | 117

atrás do Meadow Trading Post. O excelente restaurante Artist Point satisfaz os entusiastas da boa mesa, e as crianças vão gostar das palhaçadas do espetáculo de jantar Hoop-Dee-Doo Musical Revue.

Para relaxar
Na área da praia, as crianças se divertem subindo e escorregando no **Creekside Meadow** e na **Bay Lake**.

Informações

🌐 **Mapa** 6 F6
  Endereço 901 Timberline Dr, Lake Buena Vista, 32830; 407 824 2900; disneyworld.disney.go.com/resorts/wilderness-lodge-resort
🚌 **Ônibus** Da Disney, saindo do TTC e dos hotéis do resort.
💲 **Preço** Hoop-Dee-Doo Musical Revue: $170-220
🚩 **Passeios guiados** 45 min por trilha ao redor do Fort Wilderness ($42 cavalo; $35 carruagem). O passeio Wilderness Back Trail Adventure leva 2 h em Segway pelo terreno ($90 por pessoa).
👫 **Idade** A partir de 3 anos
🏃 **Atividades** Alugue uma bicicleta ou um barco, ou passeie de pônei no Tri-Circle-D Ranch. Cub's Den tem monitoria para crianças de 3 a 12 das 16h30 às 24h.
⏱ **Duração** 1-3 horas
♿ **Cadeira de rodas** Sim
🍴 **Comida e bebida** LANCHE The Roaring Fork *(na Disney's Wilderness Lodge)* tem sanduíche, hambúrguer e omelete. PARA A FAMÍLIA Artist Point *(na Disney's Wilderness Lodge)* serve especialidades do Pacífico, como frutos do mar, contrafilé e carne de caça.
🚻 **Banheiros** Em vários locais

Downtown Disney®
Tudo aí é grande mesmo

Três áreas distintas compõem Downtown Disney®: West Side, Marketplace e Pleasure Island. Além de ótimas opções de alimentação, West Side é o lar do Cirque du Soleil® – La Nouba™, do parque temático de cinco andares DisneyQuest® Indoor Interactive e do AMC, de 24 salas. O Marketplace tem a maior loja de artigos Disney, uma loja da Harley-Davidson, um Lego® Imagination Center gigantesco e o Planet Hollywood®, de três andares. Para provar a cozinha internacional, vá à Pleasure Island, que tem Raglan Road Irish Pub e Paradiso 37.

Para relaxar
Faça uma viagem rápida pelo sistema de ônibus da Disney até a **Typhoon Lagoon** *(p. 116)*.

Diversidade de bonecos de pelúcia na loja World of Disney®, Downtown Disney®

Informações

🌐 **Mapa** 6 F6
  Endereço 1590 E Buena Vista Dr, Lake Buena Vista, 32830; 407 828 3800; disneyworld.disney.go.com/destinations/downtown-disney
🚌 **Ônibus** Da Disney, saindo do TTC e dos hotéis do resort.
🕐 **Aberto** Horário varia; veja o site.
💲 **Preço** Cirque du Soleil®-La Nouba™: $280-512; até 3 anos, grátis. DisneyQuest®: $152-176; até 3 anos, grátis. AMC Downtown Disney®: veja detalhes no site.
🏃 **Atividades** Brinque nos jogos de realidade virtual, como a travessia da selva e Buzz Lightyear's Astroblasters, e desenhe sua montanha-russa na DisneyQuest®.
  Splitsville *(em West Side)* mistura boliche e bilhar familiar com jantar. O passeio em balão The Characters in Flight ($60-70; até 3 anos, grátis) leva 29 passageiros 120m acima do Downtown Disney®
♿ **Cadeira de rodas** Sim
🍴 **Comida e bebida** LANCHE Earl of Sandwich *(1750 E Buena Vista Dr, 32830; 407 938 1762; www.earlofsandwichusa.com)* tem sopas, saladas e sanduíches. PARA A FAMÍLIA Fultons Crab House *(1670 Buena Vista Dr, 32830; 407 934 2628; www.fultonscrabhouse.com)* serve os melhores peixes frescos da cidade.
🚻 **Banheiros** Nos restaurantes, em algumas lojas e no Cirque du Soleil®

CRIANÇADA!

Tudo do topo
Do alto do Mt. Gushmore, na Blizzard Beach, tente localizar todos os quatro parques da Disney em direções diferentes.
Procure:
1 As torres do Cinderella Castle no Magic Kingdom®
2 Spaceship Earth®, a esfera gigantesca do Epcot®
3 A Twilight Zone Tower of Terror™, nos Disney's Hollywood Studios®
4 A Árvore da Vida no Disney's Animal Kingdom®

Cobra de blocos
A serpente-marinha de Lego® de 9m, no Downtown Disney® Marketplace, é feita de 170 mil blocos.

SURFE NO PARQUE
A Surf Pool, na Typhoon Lagoon, contém 10 milhões de litros de água – o equivalente a 44 milhões de xícaras! Se quiser surfar gostoso, fique na grande linha vermelha na piscina – é de lá que a onda vem.

Um em cima do outro
Perto do Wilderness Lodge Mercantile há um totem com vários personagens da Disney bem marcantes. Você sabe dizer quais são eles?

Resposta: O Urso Colmeria, na base, sustenta o Pato Donald, o Pateta está nos ombros do Donald. Acima do Pateta está o Mickey.

Piquenique até $25; **Lanche** $25-50; **Refeição** $50-80; **Para a família** mais de $80 (para quatro pessoas)

# ② Universal Studios Florida®
Rock 'n' roll e muitos alienígenas

Esse parque temático do Universal Orlando® Resort leva o cinema e a TV muito a sério, mas de um jeito bem divertido. Veja a história de Hollywood ganhar vida com filmes de terror clássicos, personagens de filmes diversos e de desenhos animados antigos que os jovens talvez nunca tenham visto. Os brinquedos, com múmias, terremotos e ogros animados, incorporam a última tecnologia em zonas temáticas.

Globo da Universal na entrada dos Universal Studios Florida®

Destaques

Hollywood Saiba mais sobre os astros do cinema e da TV, como Lucille Ball em *Lucy: a Tribute*, e encontre um ciborgue em *Terminator 2®: 3-D Battle across Time*.

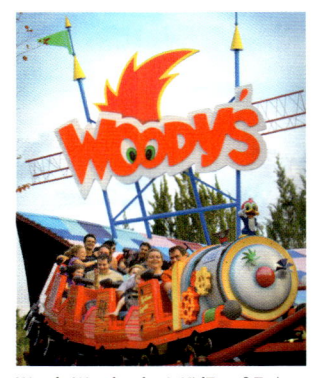

Woody Woodpecker's KidZone® Tudo o que as crianças pequenas esperam está aí, da Woody Woodpecker's Nuthouse Coaster® e da E.T. Adventure® ao playground Curious George Goes to Town, com prédios de desenho animado e muitas atividades para os menores.

Production Central *Shrek 4D* deixa os visitantes andarem num dragão, e *Despicable Me Minion Mayhem* realiza uma festa dançante. Mas o ponto alto é a montanha-russa Hollywood Rip Ride Rockit®, de dezessete andares.

New York Vivencie um tornado em *Twister... Ride it Out®*, escape de mortos-vivos em *Revenge of the Mummy®* ou dance nas ruas com a música de *The Blues Brothers® Show*.

San Francisco Filmes clássicos de terror de Hollywood, como *Frankenstein®*, *Dracula®* e *Wolfman®*, ganham vida na *Beetlejuice's Graveyard Revue™*, e os visitantes sentem medo mesmo em *Disaster!: a Major Motion Picture Ride... Starring You!* e no interativo *Fear Factor Live*.

World Expo Alienígenas espertos aguardam nas ruas de Nova York em *Men in Black™: Alien Attack™*, e Bart e sua turma matam o tempo em *Krustyland*, no simulador *The Simpsons Ride™*.

Informações

🌐 **Mapa** 6 F5
Endereço 6000 Universal Blvd, Orlando, 32819; 407 363 8000, ou 407 224 7840 (ingressos); www.universalorlando.com

🚌 **Ônibus** Lynx 40 ($2 ida) no centro de Orlando.
Carro Do Aeroporto Internacional de Orlando para a Interstate 4 East. Estacionamento: $15 por dia. Estacione no Loews Royal Pacific Resort para pegar hidrotáxi grátis para CityWalk®.

🕐 **Aberto** Parque abre em geral 9h-19h; horário de fechar varia; confira no site os horários por temporada. Universal CityWalk®: 11h-2h.

💲 **Preço** $352-62. Passe entre os dois parques por $492-502. Há pacotes para vários dias; veja detalhes no site.

👥 **Para evitar fila** O parque está mais cheio ter-sex. Evite a visita nos meses de mar-ago, out e fim nov-dez. Os hóspedes do hotel recebem o Express Pass grátis, que evita filas e dá acesso ilimitado a certas diversões.

🚩 **Passeios guiados** Passeios VIP a pé com Express Pass para diversões: $600; os dois parques: $740.

🎭 **Espetáculos** Crianças pequenas adoram o grande dinossauro roxo de *A Day in the Park with Barney™*, e as mais crescidas aproveitam *Fear Factor Live*. As famílias gostam do *Universal's Horror Make-Up Show*.

👫 **Idade** A partir dos 3 anos. Há restrições de altura e idade na maioria dos brinquedos.

⏱ **Duração** 1-2 dias

♿ **Cadeira de rodas** Sim

🚻 **Banheiros** Por todo o parque

Bom para a família?
Sonho de cinéfilos, esse parque torna realidade filmes de sucesso e oferece várias diversões, tanto para crianças como para adultos.

Preços para família de 4 pessoas

Para relaxar

Jogue um golfe com tema de ficção científica ou terror no campo CityWalk's® **Hollywood Drive-in**.

Comida e bebida

Piquenique: até $25; Lanche: $25-50; Refeição: $50-80; Para a família: mais de $80 (para quatro pessoas)

PIQUENIQUE Richter's Burger Co. (em San Francisco) faz cheeseburgers, saladas e sanduíches para viagem.
SNACK Kid Zone Pizza Company (em Woody Woodpecker's KidZone®) tem pizza, frango e saladas.
REFEIÇÃO International Food & Film Festival (em World Expo) tem pratos da Ásia, Itália e EUA.
PARA A FAMÍLIA The Kitchen (no Hard Rock Hotel) tem boa comida em clima rock 'n' roll.

Placa de restaurante no International Food & Film Festival

Compras

Tudo o que tenha a ver com filme e desenho animado se encontra na **Woody Woodpecker's KidZone®**, em lojas como **The Barney® Store**, **E.T.'s Toy Closet** e **Universal's Cartoon Store**. Lojas como a **Kwik-E-Mart**, dos Simpsons'™, têm artigos personalizados. Há também muito para comprar em **CityWalk®**.

10 Melhores Atrações

1. **THE SIMPSONS RIDE™**
   Há muitas surpresas e viradas nessa visita turbulenta ao carnaval de Krustyland com a família Simpson, em World Expo.

2. **MEN IN BLACK™: ALIEN ATTACK™**
   Junte-se aos famosos caçadores de ETs em sua sede subterrânea e depois ande pelas ruas de Nova York explodindo alienígenas foragidos – que podem revidar.

3. **TERMINATOR 2®: 3-D BATTLE ACROSS TIME**
   Ajude os robôs do Exterminador do Futuro nesse programa ao vivo que põe humanos contra ciborgues do futuro em Hollywood.

4. **DISASTER! A MAJOR MOTION PICTURE RIDE... STARRING YOU!**
   Escape do hipocentro de um terremoto nessa fuga simulada por túneis subterrâneos de San Francisco, onde caminhões e trens explodindo aumentam a empolgação da perseguição.

5. **REVENGE OF THE MUMMY®**
   A múmia desperta, junto com bolas de fogo, e ataca na escuridão total durante as voltas dessa montanha-russa em Nova York.

6. **SHREK 4-D**
   Ande num dragão que cospe fogo, desabe de uma cascata com Shrek, Fiona e o Burro e galope por uma floresta assombrada na hilariante aventura do simulador de movimento da Production Central.

7. **DESPICABLE ME MINION MAYHEM**
   Os travessos minions e outras personagens de Meu malvado favorito vão com os visitantes à casa de Gru nessa diversão da Production Central que acaba em festa.

8. **WOODY WOODPECKER'S NUTHOUSE COASTER®**
   Visite a Fábrica de Nozes do Pica-Pau num passeio maluco para crianças, com boas emoções, piadinhas e subidas e descidas leves.

9. **HOLLYWOOD RIP RIDE ROCKIT®**
   Escolha a música e prenda-se num carro high-tech na mais alta montanha-russa de Orlando, que sobe dezessete andares e cai a 105km/h.

10. **E.T. ADVENTURE®**
    Leve o E.T. de volta à casa dele nessa diversão meio filme, meio voo virtual em bicicleta, com um adeus personalizado dado pelo próprio E.T.

CRIANÇADA!

Visão aguçada

1 Procure atentamente na sala do tesouro da atração Revenge of the Mummy® uma estátua dourada do King Kong e muitas bananas. Esse prédio já foi um brinquedo com tema de macaco chamada Kongfrontation.
2 Escolha seus alvos no brinquedo Men In Black™: atire em Frank, o Pug, perto da espaçonave destruída, e acerte o alienígena que segura a cabeça de Steven Spielberg perto do chaveiro.

Dê um sorriso
Não se esqueça de pegar as fotos tiradas de você em Revenge of the Mummy®, Hollywood Rip Ride Rockit® e The Simpsons Ride™.

MONTANHA-RUSSA MUSICAL

Levou um ano para construir a montanha-russa Hollywood Rip Ride Rockit®, onde você escolhe uma de 30 músicas para a viagem. Mas escolha logo: você só tem 45 segundos até o carro sair!

Crie o seu parque de diversões

1 De que filmes você mais gosta? Você consegue planejar um parque baseado neles?
2 Que tipo de diversão e que personagens você poria no seu parque? Tente desenhar esses brinquedos e depois colori-los.

③ Universal's Islands of Adventure®
Onde os super-heróis se encontram

Quando o Wizarding World of Harry Potter™ foi inaugurado, em 2010, os fãs de Potter compraram em seis semanas o equivalente a um ano de vendas de varinhas da Ollivanders™, e elas continuam populares. Mas há muito mais no parque temático do Universal Orlando® Resort, como incrível pirotecnia, montanhas-russas mais rápidas e brinquedos para os pequenos inspirados em filmes de sucesso.

O Pharos Lighthouse, na entrada

Destaques

Wizarding World of Harry Potter™ Explore o Castelo de Hogwarts™, cavalgue um dragão bicéfalo e o ímpar Hippogriff™, divirta-se com uma partida de Quidditch™ ou compre na aldeia Hogsmeade™.

Lost Continent® Conheça lendas, mitos e heróis no show de dublês Eighth Voyage of Sindbad® e converse com a Fonte Mística, que responde esguichando água.

Marvel Super Hero Island® Encontre-se com seus super-heróis e vilões favoritos nas Amazing Adventures of Spider-Man® 3D, na montanha-russa Incredible Hulk e na Doctor Doom's Fearfall®.

Jurassic Park® Os dinossauros estão à espreita, da queda de catorze andares dentro da Jurassic Park River Adventure® à diversão de Pteranodon Flyers®, lá no

Toon Lagoon® As crianças adoram a aventura de descer num "tronco" em Dudley Do-Right's Ripsaw Falls® e a diversão aquática de Popeye and Bluto's Bilge-Rat Barges® e Me Ship, The Olive.

Seuss Landing™ Da casa de The Cat In The Hat™ aos rodopios do Caro-Seuss-el™ e passeios de One Fish Two Fish Red Fish Blue Fish™, esse é o lugar dos fãs do dr. Seuss. Não perca o High in the Sky Seuss Trolley Trem Ride!™

Se chover...
Blue Man Group, o exuberante espetáculo da **Universal CityWalk®**, é um bom escape em lugar coberto das montanhas-russas e das filas de Hogwarts™.

Comida e bebida
Piquenique: até $25; Lanche: $25-50; Refeição: $50-80; Para a família: mais de $80 (para quatro pessoas)

PIQUENIQUE Blondie's *(em Toon Lagoon®)* faz sanduíches enormes à escolha do freguês, com carne, verdura, queijos e molhos diversos.

LANCHE The Watering Hole *(em Jurassic Park®)* tem cachorro-quente, nachos, asas de galinha fritas e refrigerantes.

REFEIÇÃO Three Broomsticks™ *(em Wizarding World of Harry Potter™)* oferece pratos britânicos autênticos, como peixe com batata chips e torta de carne com batata.

PARA A FAMÍLIA Mythos Restaurant® *(em Lost Continent®)*, dentro de uma rocha, é um dos melhores restaurantes de Orlando. Serve ótimas sopas e petiscos, frutos do mar excelentes e sobremesas incríveis.

O premiado Mythos Restaurant®, no Lost Continent®

Compras
The Wizarding World of Harry Potter™ tem coisas legais, de Chocolate Frogs™, na **Honeydukes™**, a ioiôs barulhentos, na **Zonko's™ Joke Shop**. As crianças também gostam das lojas de Toon Lagoon®, Marvel Super Hero Island®, Seuss Landing™ e Jurassic Park®.

Saiba mais
INTERNET Veja mais informações em www.mugglenet.com e www.universalorlando.com/harrypotter

Preços para família de 4 pessoas

Universal's Islands of Adventure® | 121

10 Melhores Atrações

1. **INCREDIBLE HULK COASTER**
   Mergulhe e voe de cabeça para baixo nessa montanha-russa da Marvel Super Hero Island®.
2. **HARRY POTTER AND THE FORBIDDEN JOURNEY™**
   Voe em vassouras com a turma de Hogwarts no Wizarding World of Harry Potter™, uma incrível experiência em 3D que é uma das maiores atrações do parque.
3. **DRAGON CHALLENGE™**
   Escolha o dragão Chinese Fireball ou o Hungarian Horntail nessa montanha-russa dupla de cabeça para baixo do Wizarding World of Harry Potter™.
4. **POSEIDON'S FURY®**
   Viaje para um passado lendário com titãs, gigantes, paredões de água e fogo e um admirável espetáculo de ação ao vivo no Lost Continent®.
5. **AMAZING ADVENTURES OF SPIDER-MAN®**
   O Homem-Aranha e seus amigos participam dessa HQ em 3D na Marvel Super Hero Island®.
6. **POPEYE AND BLUTO'S BILGE-RAT BARGES®**
   Vá à Toon Lagoon® passear em balsas gigantes nas corredeiras e levar tiros de água dos espectadores.
7. **JURASSIC PARK RIVER ADVENTURE®**
   Ao passear num rio com lagunas calmas, o único modo de fugir de um tiranossauro e de velocirraptores é despencar 26m no escuro.
8. **THE HIGH IN THE SKY SEUSS TROLLEY TRAIN RIDE™**
   O trole que conta histórias na Seuss Landing™ passa sobre carrosséis e montanha-russas e até pelo Circus McGurkus Café.
9. **THE CAT IN THE HAT™** 
   Faça um passeio com Red Fish e Blue Fish e Things One and Two na casa do Cat, na Seuss Landing™.
10. **PTERANODON FLYERS®**
    Voe embaixo das asas de um pteranodonte que plana sobre o playground do Jurassic Park®.

Informações

- **Mapa** 6 F5
  Endereço 6000 Universal Blvd, Orlando, 32819; 407 224 4233 or 407 224 7840 (ingressos); www.universalorlando.com
- **Ônibus** Lynx 40 ($2 ida) do centro de Orlando aos Universal Studios®. Estacione no Loews Royal Pacific Resort e ganhe uma viagem grátis de hidrotáxi até o Universal CityWalk®. **Carro** Alugue um carro em Orlando.
- **Aberto** 9h-18h diariam; veja variações no site. Universal CityWalk®: 11h-2h diariam.
- **Preço** $350-500; ligue para consultar preços. Pacotes diários disponíveis; veja detalhes e descontos no site.
- **Para evitar fila** Os meses menos cheios são meados jan-fev, set e início nov. Os dias mais concorridos são seg-sex. Há o passe Universal Express, que evita filas; veja detalhes e descontos no site. O Unlimited Express Ticket permite não pegar fila ilimitadamente; veja detalhes no site.
- **Idade** A partir de 7 anos
- **Duração** 1-2 dias
- **Banheiros** Por todo o parque

Bom para a família?
É caro, mas agrada a todos os gostos, e os fãs de Harry Potter™ ficam emocionados ao ver os livros se tornarem realidade.

CRIANÇADA!

Onde você encontra estes personagens na Marvel Super Hero Island®?
1 Dr. Bruce Banner
2 Professor Xavier e Magneto
3 Peter Parker
4 O Quarteto Fantástico

Respostas no fim do quadro.

Guerra de água
O playground The Me Ship, The Olive tem canhões e mangueiras de água que podem ser disparados em quem passa nas Popeye and Bluto's Bilge-Rat Barges®. Alveje-os!

QUE MUNDO TORTO!
Há algo esquisito na Seuss Landing™ – veja as árvores, os prédios e as ruas e perceba que não há linhas retas em lugar nenhum!

Maravilhas do Wizarding World
1 Fique junto ao relógio Owlery quando bater a hora para ver um cuco com coruja.
2 Veja a cabeçona de javali pendurada no Hogshead Bar – pode ser que ela se mexa!
3 Quer ver uma mandrágora gritar? Dê uma espiada na Dogweed and Deathcap Shop.
4 Cuidado com os dedos quando estiver na Dervish and Banges™ – O livro monstruoso dos monstros fica numa gaiola por algum motivo!

Respostas: 1 Incredible Hulk Coaster. 2 Storm Force Accelatron®. 3 The Amazing Adventures of Spider-Man®. 4 Doctor Doom's Fearfall™.

④ SeaWorld®, Aquatica e Discovery Cove®
Momentos emocionantes

O parque SeaWorld® e seus irmãos Aquatica e Discovery Cove® ficam perto uns dos outros e dão à família a oportunidade de conhecer a vida marinha e se divertir. A garotada adora os engraçados pinguins e focas, os impressionantes tubarões e orcas e os brinquedos emocionantes do SeaWorld® e do Aquatica, enquanto o Discovery Cove®, um parque-resort, faz os visitantes mergulharem e interagirem com golfinhos.

A "baleia" Shamu, mascote do SeaWorld®

Destaques

Thrill Rides SeaWorld® oferece algumas das diversões mais molhadas e mais rápidas da cidade, como a altíssima Manta, a Kraken, de ponta-cabeça, e a Journey to Atlantis, mistura de montanha-russa com calha, enchendo o ar de gritos de prazer.

Shows Orcas saltitantes e golfinhos divertidos são as estrelas do SeaWorld®, em espetáculos como *One Ocean* e nas aventuras malucas do *Sea Lion and Otter Stadium*.

Os Animais Alimente golfinhos na Dolphin Cove, acaricie arraias na Stingray Lagoon e brinque com leões-marinhos na Pacific Point Preserve, no SeaWorld®.

Undersea Life O Manta Aquarium, no SeaWorld®, tem 3 mil animais, de cavalos-marinhos a polvos. Em Shark Encounter, veja milhares de tubarões pelo vidro.

Aquatica Esse parque aquático conta com enormes piscinas de surfe, labirintos subaquáticos e corredeiras, além do Loggerhead Lane, o rio mais calmo da cidade.

Discovery Cove® Nade com golfinhos, passeie embaixo d'água de capacete e conheça lontras e marmotas de perto.

SeaWorld® for Kids Shamu: Close Up dá às crianças a chance de encarar uma baleia assassina, e a Dolphin Nursery deixa ver filhotes recém-nascidos.

Informações

Mapa 6 F6
Endereço SeaWorld®: 7007 SeaWorld Dr, Orlando, 32821; 407 351 3600; www.seaworldorlando.com. Aquatica: 5800 Water Play Way, Orlando, 32821; 1 888 800 5447; www.aquaticabyseaworld.com. Discovery Cove®: 6000 Discovery Cove Way, Orlando, 32821; 1 877 557 7404; www.discoverycove.com

Carro Alugue um carro no Aeroporto de Orlando. Estacionamento: SeaWorld®, $14; Aquatica, $12; Discovery Cove®, grátis

Aberto SeaWorld®: 9h a 18h e 22h. Aquatica: 9h-18h. Discovery Cove®: 9h-17h30. Confirme nos sites.

Preços SeaWorld®: $310-20; até 2 anos, grátis. Aquatica: $185-95. Discovery Cove®: $800-$1.435 (com refeições; mais barato em set). Entrada ilimitada por 14 dias no SeaWorld®/Aquatica: $485-95. Some $120 ao Discovery Cove® para acesso ilimitado por 14 dias no SeaWorld® e Aquatica. Refeições diárias no SeaWorld®: $90-100.

Para evitar fila O passe Quick Queue dá acesso sem fila a Manta, Kraken, Journey To Atlantis e Wild Arctic ($60-100). Os parques ficam mais cheios no final mai-set e nov. Fica lotado qui-dom.

Passeios guiados Há o passeio de 90 minutos SeaWorld® Behind the Scenes e um passeio VIP de seis horas com almoço

Idade A partir de 2 anos. Há restrições de idade e altura na maioria dos brinquedos.

Duração 1-3 dias

Cadeira de rodas Sim

Banheiros Pelos parques. Mesas para trocar fraldas nos banheiros perto da entrada da frente do SeaWorld®.

Bom para a família?
Os três parques são caros, mas têm muitas opções, que garantem ótimos momentos para a família.

Preços para família de 4 pessoas

Para relaxar
Shamu's Happy Harbor é um bom lugar para as crianças gastarem energia, com muita sombra para os pais.

Comida e bebida
Piquenique: até $25; Lanche: $25-50; Refeição: $50-80; Para a família: mais de $80 (para quatro pessoas)

PIQUENIQUE Mango Joe's *(perto do Wild Arctic, SeaWorld®)* tem bons sanduíches de fajita, wraps e saladas para um piquenique no parque.
LANCHE Captain Pete's Island Eats *(na Dolphin Cove, SeaWorld®)* serve funnel cake e cachorro-quente em atmosfera ventilada.
REFEIÇÃO Seafire Inn *(no Waterfront, SeaWorld®)* tem frituras, massas e peixe com chips.
PARA A FAMÍLIA Sharks Underwater Grill *(no Shark Encounter, SeaWorld®)* serve frutos do mar excepcionais com vista para um aquário enorme com tubarões.

Compras
Nos parques, compre chapéus na **Emporium**, lembranças na **Coconut Bay Traders** e brinquedos na **Fins**.

Saiba mais
INTERNET Veja Shamu e os pinguins do SeaWorld® pelas câmeras em *www.tinyurl.com/7t2umlf*.

Visitantes comem frutos do mar no Sharks Underwater Grill, SeaWorld®

10 Melhores Atrações

1. **ONE OCEAN**
   Veja Shamu, a orca, num espetáculo cheio de música no SeaWorld® e, melhor ainda, sente-se na Soak Zone (Zona da Molhação).

2. **MANTA**
   Ande nessa montanha-russa em forma de arraia que passa pertinho de arraias e outros animais marinhos no SeaWorld®.

3. **JOURNEY TO ATLANTIS**
   Viaje pelas ruínas de uma cidade afundada nesse barco-montanha-russa no SeaWorld® e explore passagens escuras antes de mergulhar nas águas.

4. **KRAKEN**
   Esse brinquedo de alta velocidade que espirala e vira de ponta-cabeça leva os passageiros bem acima da Serpent's Lagoon, no SeaWorld®.

5. **ANTARCTICA – EMPIRE OF THE PENGUIN**
   Chegue perto dos pinguins e veja como é viver no gelo nesse passeio mágico no SeaWorld®, onde a aventura é sempre diferente.

6. **DOLPHIN COVE**
   Interaja com golfinhos-nariz-de-garrafa na hora da alimentação, nessa lagoa calma do SeaWorld®.

7. **SHAMU'S HAPPY HARBOR**
   As crianças menores adoram esse miniparque do SeaWorld®, que tem passeios de barco, xícaras giratórias, carrossel de polvo e a montanha-russa Shamu Express.

8. **DOLPHIN PLUNGE**
   Esse brinquedo eletrizante do Aquatica tem tubos lado a lado que deslizam pela casa subaquática de golfinhos pretos e brancos.

9. **TURTLE TREK**
   Acompanhe a viagem de uma tartaruga-marinha no primeiro cinema 3D com cúpula de 360 graus, cercado de aquários gigantes e milhares de peixes, no SeaWorld®.

10. **WALHALLA WAVE & HOOROO RUN**
    Nesses dois toboáguas interligados do Aquatica, os visitantes passam por um labirinto de túneis de seis andares, que os leva até a borda e depois dispara para o fundo.

CRIANÇADA!

Veja mais no SeaWorld®
1 Pare no Centro de Informação do SeaWorld® (à direita das catracas de entrada) para saber quando se pode ajudar a dar comida aos golfinhos, tubarões e orcas.
2 Vá ao Lakeside Patio para dançar o dia inteiro com Shamu na Shamu's Party Zone.
3 Suba a rotativa Sky Tower, de 122m de altura, para admirar a vista panorâmica de Orlando, Walt Disney World® Resort e Universal Orlando®.

Eventos "secretos"
Shamu & Equipe dão autógrafos no portão da frente do SeaWorld® de 9h a 12h, e piratas invadem o Sea Lion and Otter Stadium 30 minutos antes do espetáculo *Clyde and Seamore Take Pirate Island*.

ENGANE UM ADULTO!
Ceda aos seus pais o banco da frente da montanha-russa Journey to Atlantis, mas não conte que eles vão ficar bem molhados!

Giro espiralado
O tranquilo rio Loggerhead Lane do Aquatica tem um segredo emocionante: da ilha do meio, suba a torre e mergulhe nos Tassie's Twisters – uma série de tubos rapidíssimos que rodopiam para uma bacia gigantesca, voltando ao rio de forma estonteante.

124 | Orlando e os Parques

⑤ Wet'n Wild®
Um mundo aquático maravilhoso

Criado em 1977 pelo fundador do SeaWorld® e hoje pertencente à Universal Orlando®, o superconcorrido Wet'n Wild® intitula-se o maior parque aquático do mundo. A grande área infantil do parque e o tranquilo Lazy River contrastam com os brinquedos loucos de alta velocidade e o clima de correria para aproveitar ao máximo. Os vários passeios coletivos na água – mais que nos outros parques da região – dão a chance de se molhar em família.

Entrada do Wet'n Wild®

Destaques

① **The Surge e Disco H2O™** Suba no Surge, brinquedo de tubos com cinco andares e muitas curvas fechadas e bem inclinadas, ou vá ao vibrante Disco H2O™, brinquedo para várias pessoas formado por toboáguas fechados com luzes e música de discoteca.

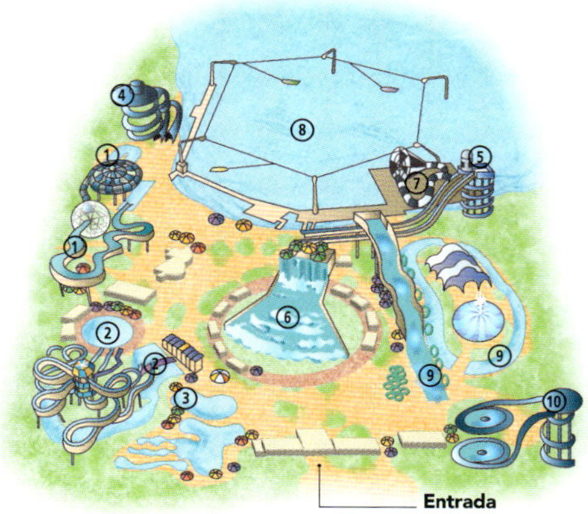

② **The Flyer e Mach 5** Pegue um tobogã para quatro pessoas no Flyer para viver uma aventura aquática em curvas estreitas e inclinadas, ou enfrente sozinho a jornada do Mach 5, um toboágua de 518m de altura que acaba com um mergulho excitante.

③ **Blastaway Beach** Grande playground aquático, fica ao redor de um castelo de areia de 18m de altura e tem piscinas, cascatas, tanques e toboagãs.

④ **The Black Hole™: The Next Generation** Pilote uma hidrocápsula para duas pessoas por um túnel escuro cheio de luzes pulsantes e sons arrepiantes.

⑤ **Bomb Bay** Procure a escotilha no chão da Bomb Bay, que tem 23m de altura e larga os passageiros num escorregador quase vertical, ou tente o trenó em queda livre do toboágua perto de Der Stuka.

⑥ **Surf Lagoon** Flutue na crista de ondas de 1m dessa gigantesca piscina de ondas, que tem uma cascata espetacular. A bela área de piquenique dá para a lagoa.

⑦ **Brain Wash™** Faça esse passeio estonteante em tubos que serpenteiam por um túnel com luzes loucas e vídeos estranhos e acabam numa queda vertical de 16m num enorme funil com cúpula, que cospe os passageiros por baixo.

Entrada

⑧ **Wakezone** Entregue-se a esportes aquáticos radicais como wakeskating, tubing para duas pessoas e esquiação de joelhos num lago enorme.

⑨ **Lazy River e Bubba Tub** Solte-se no Lazy River, que passa sinuosamente pela antiga Flórida, com cais e laranjais. Perto daí está o Bubba Tub, tobogã de seis andares e três mergulhos para a família.

⑩ **The Storm** Essa atração eletrizante leva os visitantes por um duto inundado para girar em alta velocidade ao redor de uma bacia imensa, antes da queda em alta pressão numa piscina.

Preços para família de 4 pessoas

Informações

- 🌐 **Mapa** 6 F5
  Endereço 6200 International Dr, 32819; 407 351 1800; www.wetnwildorlando.com
- 🚗 **Ônibus** Lynx 8 do centro de Orlando. **Carro** Alugue no aeroporto; estacionamento, $10.
- 🕘 **Aberto** 9h30-17h, ou mais tarde. Wakezone: mai-set: 12h-pôr do sol, mas horário varia; veja no site. O parque pode fechar com tempo ruim; ligue antes.
- 💲 **Preço** $184-94; até 3 anos, grátis. Meia entrada à tarde (horário varia com temporada). O passe Length-of-Stay ($196-206; até 3 anos, grátis) permite entradas ilimitadas por 14 dias consecutivos. Mais $44,95 para a Wakezone. Toalhas e armários disponíveis. Há bilhetes para vários dias de estacionamento; veja detalhes no site.
- 👥 **Para evitar fila** O parque é mais calmo às segundas-feiras. Compre o Express Pass para acesso mais rápido aos brinquedos.
- 👫 **Idade** A partir de 3 anos. Há restrição de altura mínima (122 cm) na maioria das atrações. Na Wakezone, a altura mínima é de 142 cm.
- ⏱ **Duração** Meio dia a 2 dias
- ♿ **Cadeira de rodas** Limitado
- 🚻 **Banheiros** Na entrada principal e em todos os restaurantes

Bom para a família?
Não é barato, mas, com atrações radicais e suaves, o Wet'n Wild garante um dia empolgante.

Se chover...

Siga 2km a nordeste até o **Festival Bay Mall** (5250 International Drive, Orlando, 32819; 407 351 7718; www.shopfestivalbaymall.com) para jogar o minigolfe coberto e cintilante no escuro. O shopping também tem cinema com vinte salas.

Comida e bebida

Piquenique: até $25; Lanche: $25-50; Refeição: $50-80; Para a família: mais de $80 (para quatro pessoas)

PIQUENIQUE Bubba's BBQ (na Surf Lagoon) tem frango e costela para comer na área de piquenique Sundeck, acima da Surf Lagoon.
LANCHE Carnival Treats (em The Flyer) atrai com funnel cake, algodão-doce e sorvete.
REFEIÇÃO Surf Grill (em The Surge) oferece cachorro-quente, hambúrguer Big Kahuna, salada com taco e bebidas para adultos.

PARA A FAMÍLIA Bonefish Grill (7830 West Sand Lake Rd, Orlando 32819; 407 355 7707; www.bonefishgrill.com) serve taco de camarão, peixe e chips e frutos do mar. O restaurante tem carta de vinhos.

Compras

A **Breakers Beach Shop** (no local) vende artigos esportivos, maiôs, filtro solar, óculos escuros e câmeras descartáveis.

Próxima parada...

ORANGE BLOSSOM BALLOONS
Decole num balão com a Orange Blossom Balloons (407 894 5040; www.orangeblossomballoons.com) para passear por cima dos parques temáticos, dos laranjais e da paisagem intacta de Orlando na aurora. Os voos saem de vários pontos da área da Disney.

Listrada de cor de laranja, a banca Carnival Treats, perto do Flyer, Wet'n Wild

CRIANÇADA!

Jogos para disputar na piscina

1 Marco Polo. Esse jogo antigo começa com uma pessoa chamada de "It", que deve jogar de olhos fechados. Quando "It" diz "Marco", os jogadores devem responder "Polo", e ela tenta descobri-los. Se "It" marcar um jogador, ele se torna "It", e assim por diante. Quando "It" diz "Fish out of water!" ("Peixe fora da água!"), todos fora da piscina tornam-se "It".
2 Revezamento de camiseta. Vista uma camiseta bem larga e atravesse a piscina a nado. Então, tire a camiseta e passea-a à próxima pessoa, que deve vesti-la, nadar e passá-la à pessoa seguinte. Não é fácil!

CHEGA DE CARTEIRAS MOLHADAS!

Sua carteira não vai se molhar: ao comprar o ingresso, você recebe uma bolsa de pulso que pode ser usada nas lojas de lembranças e nos restaurantes do Wet 'n Wild.

Rodízio de escorregador

O playground Sandcastle, de 18m de altura, tem dezessete escorregadores diferentes por dentro. Você consegue experimentar todos eles?

# ⑥ International Drive

Cuidado com prédios tortos

Com os Universal Studios Florida® de um lado e o SeaWorld® do outro, a I-Drive tem grandes atrações para crianças. Não perca o prédio de cabeça para baixo do **Wonderworks** e sua exposição científica, como a recriação do terremoto de San Francisco de 1989. **Monkey Joe's** tem brincadeiras de uma parede à outra para a faixa de 4 a 12 anos e uma sala de estar para adultos. O prédio bem inclinado do **Ripley's Believe It or Not! Odditorium** tem o maior acervo do mundo de coisas bizarras, como cabeças encolhidas, fósseis, estátuas de cera e um homem de quatro olhos. Faça um intervalo vendo os patos passarem pelo **Peabody Hotel** às 11h e às 17h.

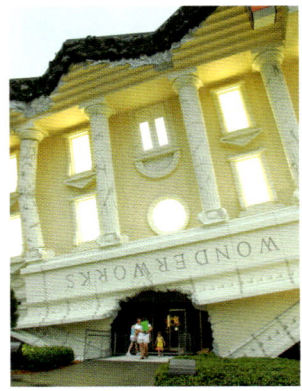

O prédio esquisito que abriga o Wonderworks, International Drive

Para relaxar

Vá ao **Fun Spot Action Park** *(5551 Del Verde Way, 32819; 407 363 3867; www.funspot.tutengraphics.com)* pelos karts, carros bate-bate, rodas-gigantes e tilt-a-whirls. Ou experimente o parque aquático de 14 tobogãs no **Coco Key Resort** *(7400 International Drive, 32819; 407 351 2626; www.cocokeyorlando.com)*.

Informações

- **Mapa** 6 F5
- **Endereço** Wonderworks: 9067 International Drive, 32819; 407 351 8800; *www.wonderworksonline.com*. Monkey Joe's: 9101 International Drive, 32819; 407 352 8484; *www.monkeyjoes.com*. Ripley's Believe It or Not! Odditorium: 8201 International Drive, 32819; 407 345 0501; *www.ripleys.com/orlando*. Peabody Hotel: 9801 International Drive, 32819; 407 352 4000; *www.peabodyorlando.com*
- **Carro** Alugue no aeroporto.
- **Aberto** Todas as atrações diariam; horário variado.
- **Preço** Wonderworks: $90-100; até 4 anos, grátis. Monkey Joe's: $27-37; até 3 anos, grátis. Ripley's Believe It or Not! Odditorium: $66-76; até 4 anos, grátis
- **Para evitar fila** I-Drive é mais tranquila nos dias úteis.
- **Idade** A partir de 4 anos
- **Duração** 2-8 horas
- **Comida e bebida** LANCHE McDonald's *(6875 West Sand Lake Rd, 32819; tinyurl.com/btarxwk)* na I-Drive tem diversão infantil e aquário. PARA A FAMÍLIA Benihana *(12690 International Drive, 32821; benihana.com)* encanta as crianças com o preparo de comida japonesa na mesa.

⑦ Gatorland

Bichos dentados

Aberta em 1949, a Gatorland oferece diversão no estilo antigo da Flórida. Passe pela boca gigante de um aligátor para ver cobras, lagartos, cervos-da-flórida e aranhas antes de ir à Alligator Island, que abriga centenas de aligatores e vários crocodilos-do-nilo. As crianças gostam do Swamp Walk, do lado sul do parque, que dá a chance de caminhar por um pântano de coníferas intacto em busca de aligatores. O trem Gatorland Express atravessa o parque e para na arena Gator Wrestling, onde caubóis genuínos pegam aligatores com a mão e sobem no lombo deles. Mas o melhor momento é o Gator Jumparoo Show, em que os maiores aligatores do mundo pulam de 1m a 1,5m fora do lago para abocanhar a comida na mão do adestrador.

Para relaxar

Molhe-se com jatos em formas estranhas de animais, numa árvore de baldes para crianças e em fontes em forma de pássaro no **Gator Gully Splash Park** *(no local)*.

Informações

- **Mapa** 6 F6
- **Endereço** 14501 South Orange Blossom Trail, 32837; 800 393 5297; *www.gatorland.com*
- **Ônibus** Lynx 4 no terminal do centro de Orlando. **Carro** Interstate 4, saída #72 para Beachline Expressway leste. Saída State Rd 441
- **Aberto** 10h-17h diariam
- **Preço** $84-94; até 3 anos, grátis
- **Para evitar fila** Primavera e outono são as melhores épocas.
- **Passeios guiados** O programa Trainer for a Day (2 h) ensina crianças a partir de 12 anos a pegar cobras, aligatores e outros répteis.
- **Idade** A partir de 4 anos
- **Duração** 2-6 horas
- **Cadeira de rodas** Sim
- **Comida e bebida** LANCHE Gatorland Snack Bar *(entrada da frente)* serve cachorro-quente e sorvete. REFEIÇÃO Pearl's Smokehouse *(última parada do trem Gatorland Express)* tem pizza, salada e rabo de aligátor bem frito.
- **Loja** A loja de suvenires Gatorland *(no local)* vende brinquedos, livros e acessórios temáticos.
- **Banheiros** Na loja de suvenires, no restaurante e no portão da frente

Adestrador domina um aligátor, Gatorland

… | 127

Orlando, Winter Park e Arredores

Diversão, jardins e a promessa de um inverno quente têm atraído visitantes a Orlando desde os anos 1880. A cerca de uma hora de carro tanto da costa leste como da oeste, a cidade geralmente escapa do pior na época dos furacões e se beneficia de temperatura agradável no inverno. Na periferia da Grande Orlando, o Winter Park deve seu poder de atração a ótimos museus, cafés e cursos d'água com bela paisagem.

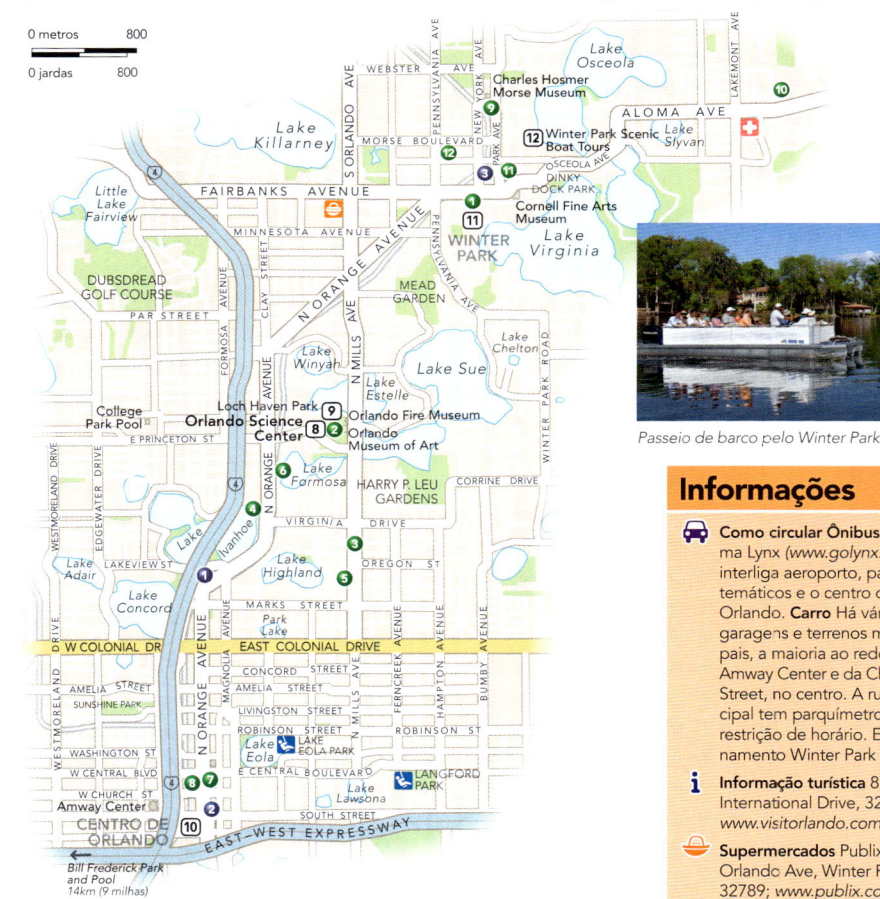

Passeio de barco pelo Winter Park

Informações

Como circular Ônibus O sistema Lynx (www.golynx.com) interliga aeroporto, parques temáticos e o centro de Orlando. **Carro** Há várias garagens e terrenos municipais, a maioria ao redor do Amway Center e da Church Street, no centro. A rua principal tem parquímetros ou restrição de horário. Estacionamento Winter Park é grátis.

Informação turística 8723 International Drive, 32819; www.visitorlando.com

Supermercados Publix, 741 S Orlando Ave, Winter Park, 32789; www.publix.com
Mercados Downtown Orlando Farmers' Market, www.orlandofarmersmarket.com; 10h-16h dom. Winter Park Farmers' Market, www.cityofwinterpark.org; 7h-13h sáb

Farmácia Walgreens, 1920 Aloma Ave, 32792; 407 628 1899, www.walgreens.com

Playgrounds mais próximos Lake Eola Park, 195 N Rosalind Ave, 32801, 7h-22h diariam. Langford Park, 1808 E Central Blvd, 32803; 5h-pôr do sol diariam

Locais de interesse

ATRAÇÕES
- ⑧ Orlando Science Center
- ⑨ Loch Haven Park
- ⑩ Downtown Orlando
- ⑪ Winter Park
- ⑫ Winter Park Scenic Boat Tours

COMIDA E BEBIDA
1. Ethos Vegan Kitchen
2. Subway
3. Hawkers Asian Street Fare
4. Gargi's Lakeside
5. Tako Cheena
6. White Wolf Café
7. Pine 22
8. The Rusty Spoon
9. Panera Bread
10. Tibby's New Orleans Kitchen
11. Power House Café
12. Armando's

HOSPEDAGEM
1. Doubletree by Hilton Orlando Downtown
2. Grand Bohemian
3. Park Plaza Hotel

⑧ Orlando Science Center
Explore o passado e o futuro

Atravessar a passarela de vidro do estacionamento para a rotunda do Science Center, que lembra uma espaçonave, é como entrar em outro mundo. Crianças com sede de ciência e adultos curiosos gostam dos aparelhos interativos, programas ao vivo e filmes em telas colossais. Aprendizado participativo e truques fazem as crianças saber as maravilhas da ciência. Já as mostras de astronomia e um observatório exibem a enormidade do universo.

Fachada do Orlando Science Center

Destaques

- **Piso 4** DinoDigs, Our Planet, Our Universe, Science Stations
- **Piso 3** SimMan, Careers for Life
- **Piso 2** Science Park, All Aboard, Darden Adventure Theater, The Science Store
- **Piso 1** NatureWorks, KidsTown, Dr. Phillips CineDome

① **NatureWorks** A mostra de habitats de animais e ecossistemas diversos começa com a exposição de habitats naturais de peixes e aligatores da Flórida.

② **DinoDigs** Desenterre fósseis no Dig Pit, olhe no olho de um triceratope e veja réplicas em tamanho real de um tiranossauro e um esqueleto de plessiossauro de 12m.

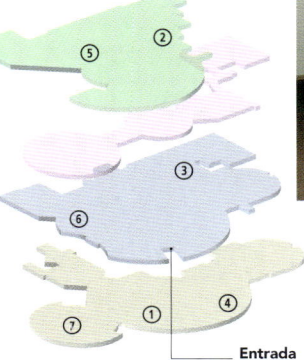

③ **Science Park** As crianças podem mexer em carros elétricos, uma bobina de Tesla gigante e canhões de ar.

④ **KidsTown** Os pequenos conduzem barcos numa cascata de vários níveis, trabalham em fábrica de suco de laranja e consertam carros no Super Service Center.

⑤ **Our Planet, Our Universe** Explore as estrelas e aprenda como os planetas se formaram, o que acontece quando galáxias se chocam e por que o céu é azul.

⑥ **All Aboard** Nessa galeria, podem brincar de mecânico num minitrem a vapor, viajar pelo mundo num biplano de madeira e decolar num miniônibus espacial.

⑦ **Dr. Phillips CineDome** Veja filmes sobre o fundo do mar e o Grand Canyon nessa tela espetacularmente grande.

Cisnes nas margens gramadas do Lake Eola Park, ao sul do Orlando Science Center

Para relaxar

As crianças podem gastar energia catando laranjas de plástico e enchendo engradados com as mãos na fábrica de suco da KidsTown. O **Lake Eola Park**, a 5km ao sul, oferece espaço para brincar, pista de corrida em volta do lago e barcos.

Preços para família de 4 pessoas

Comida e bebida
Piquenique: até $25; Lanche: $25-50; Refeição: $50-80; Para a família: mais de $80 (para quatro pessoas)

PIQUENIQUE Ethos Vegan Kitchen *(601-B S New York Ave, 32804; 407 228 3898; www.ethosvegankitchen.com)* tem sanduíches sem carne e saladas para um piquenique no **Loch Haven Park** *(p. 130).*
LANCHE Subway *(Piso 1)* serve sanduíches, saladas e tem também cardápio infantil.
REFEIÇÃO Hawkers Asian Street Fare *(1103 Mills Ave, 32803; 407 237 0606)* oferece um cardápio de comidas de rua da China, do Vietnã, da Malásia e de Cingapura em pratinhos para dividir por todos.

Orlando, Winter Park e Arredores | 129

Informações

- **Mapa** 6 F5
- **Endereço** 777 E Princeton St, Orlando, 32803; 407 514 2000; www.osc.org
- **Ônibus** Lynx 125 no centro de Orlando. **Carro** Alugue um carro no centro de Orlando e pegue a Interstate 4, saída 85. Estacionamento: $5.
- **Aberto** 10h-17h seg-ter e qui-sáb. Horário variado; veja no site. Crosby Observatory: sáb.
- **Preço** $58-68. $125-35 para título familiar anual
- **Para evitar fila** Faça a visita em dias úteis no verão para evitar aglomerações.
- **Passeios guiados** O programa Overnight Adventures ($160-170) tem oficinas, filmes em Imax®, acesso ao Crosby Observatory, refeições e pernoite no Science Center.
- **Idade** A partir de 3 anos
- **Atividades** Oficinas interativas para fazer os pequenos explorarem a vida marinha, os cinco sentidos e muito mais.
- **Duração** 1-3 horas
- **Café** Subway (p. 128)
- **Loja** The Science Store (Piso 2) vende quebra-cabeças, kits científicos e brinquedos.
- **Banheiros** Em todos os pisos, perto do elevador

Bom para a família?
De dinossauros a exploração espacial, esse museu conta com grande variedade de mostras e atividades para toda a família.

CRIANÇADA!

Adivinhe o animal
Todos estes animais vivem na mostra Florida's Habitats. Você consegue adivinhar quais são eles?

1 Esse animal cresce de apenas 25 cm para 4m de comprimento.
2 Esse animal anfíbio dança rumba.
3 Esses répteis têm desenhos diferentes no casco.

Respostas no fim do quadro.

REGISTROS FÓSSEIS
Fósseis são restos de organismos (de bactérias a dinossauros e árvores) que morreram há milhares de anos e foram preservados em formações rochosas. Os paleontólogos estudam os fósseis para conhecê-los e tentar relacionar espécies extintas às atuais.

Marque o seu recorde no Science Center
1 Fique em pé durante a simulação de um terremoto de 5,6 na escala Richter.
2 Voe num simulador de caça a jato sem cair.
3 Converse no meio de um furacão de 112km/h.
4 Projete um carro de madeira movido a gravidade e concorra com os outros numa pista de pinho de 21 metros.

Respostas: 1 Alligator. 2 Perereca-cubana. 3 Tartarugas.

Science Live! Aspirantes a cientistas gostam de conduzir experiências no Dr. Dare's Lab e ver imagens da Terra, da Lua e de Marte projetadas no globo de Science on a Sphere, pendurado acima da plateia.

Crosby Observatory A cúpula prateada no alto do Orlando Science Center oculta um telescópio especial que deixa ver os anéis de Saturno, as luas de Júpiter e estrelas distantes.

PARA A FAMÍLIA Gargi's Lakeside (1414 N Orange Ave, Orlando, 32804; 407 894 7907; www.gargislakeside.com) é um lugar atraente pela comida italiana autêntica. Situado em um lindo parque, tem vista para o pitoresco lago Ivanhoe e parquinho para as crianças.

Próxima parada...
Dirija-se ao **Orlando Museum of Art** (p. 130), no amplo Loch Haven Park, perto do Orlando Science Center, onde a cerâmica asteca divide o espaço com arte contemporânea americana, esculturas de vidro de Dale Chihuly, artesanato africano e fascinantes exposições rotativas.

Subway no piso 1 do Orlando Science Center

⑨ Loch Haven Park
Arte no verde

Esse parque extenso é um polo cultural, sede do Orlando Science Center (pp. 128-9) e de vários teatros e museus. O **Orlando Shakespeare Theater** apresenta peças do autor britânico e modernas, além de teatro infantil e produções do Festival Internacional de Teatro Alternativo de Orlando. Do outro lado do estacionamento, o **Orlando Museum of Art** exibe arte contemporânea americana, obras de vidro de Dale Chihuly e grandes coleções de peças artesanais africanas. Atrás do Shakespeare Theater está o pequeno **Orlando Fire Museum**, com carros de bombeiros reconstruídos e bombas-d'água de 1911.

Para relaxar
Relaxe na **piscina do College Park** (2411 Elizabeth Ave, 32804; 407 246 2764), a poucos minutos de distância do Loch Haven Park.

Informações
- **Mapa** 6 F5
- **Endereço** Orlando Shakespeare Theater: 812 E Rollins St, 32803; orlandoshakes.org. Orlando Museum of Art: 2416 North Mills Ave, 32803; www.omart.org. Orlando Fire Museum: 819 E Rollins Rd, 32803; www.cityoforlando.net/fire/Museum.html
- **Ônibus** Lynx 102 no Winter Park **Carro** Alugue um no aeroporto.
- **Aberto** Orlando Shakespeare Theater e Orlando Museum of Art: fechado seg. Orlando Fire Museum: sex-sáb
- **Preço** Orlando Shakespeare Theater: preços variam com evento; veja no site. Orlando Museum of Art: $26-36; até 3 anos, grátis
- **Para evitar fila** Evite ir durante o Festival Internacional de Teatro Alternativo, em maio.
- **Passeios guiados** Visitas grátis ao Orlando Museum of Art com monitores às 13h30 qui
- **Idade** A partir de 4 anos
- **Duração** 2-8 horas
- **Comida e bebida** LANCHE Tako Cheena (932 N Mills Ave, 32803; 321 236 7457) tem tacos com recheios diferentes. REFEIÇÃO White Wolf Café (1829 N Orange Ave, 32804; 407 895 9911; whitewolfcafe.com) serve massas, carnes e frutos de mar.
- **Banheiros** Em todas as atrações

Passeio ao lado de um gramado exuberante nos Harry P. Leu Gardens, Centro

⑩ Centro de Orlando
Basquete, ótima comida e belos jardins

O coração de Orlando é a esquina da Church Street com a Orange Avenue – cheio de casas noturnas, restaurantes e bares. Visite o **Amway Center** para ver concertos e circos e assistir ao time do Orlando Magic, da NBA. Mas há mais que basquete no centro de Orlando. Os restaurantes da Church Street servem os melhores pratos da cidade, e o lago Eola tem uma fonte marcante e uma pista para caminhada de mais de 1,6km. O **Orlando History Center** abriga exposições sobre o passado, o presente e o futuro de Orlando. Perto dele estão os vastos **Harry P. Leu Gardens**, com rosas, azaleias, bambuzais e muito mais.

Para relaxar
Dubsdread (www.historicaldubsdread.com) recebe garotos de 17 anos dispostos a jogar golfe.

Informações
- **Mapa** 6 F5
- **Endereço** Amway Center: 400 W Church St, 32801; 407 440 7000; www.amwaycenter.com. Orlando History Center: 65 E Central Blvd, 32801; 407 836 8500; thehistorycenter.org. Harry P. Leu Gardens: 1920 N Forest Ave, 32803; 407 246 2620; www.leugardens.org
- **Ônibus** Lynx 102 no Winter Park
- **Aberto** Amway Center: veja eventos no site. Orlando History Center & Harry P. Leu Gardens: diariam.
- **Preços** Amway Center: veja no site. Orlando History Center: $30-40; até 4 anos, grátis. Harry P. Leu Gardens: $18-28; até 5 anos, grátis
- **Idade** A partir de 2 anos
- **Duração** Um dia
- **Comida e bebida** LANCHE Pine 22 (22 E Pine St, 32801; 407 574 2160; pine22.com) tem hambúrgueres à escolha com 300 combinações possíveis. REFEIÇÃO The Rusty Spoon (55 W Church St, 32801; 407 401 8811; www.therustyspoon.com) usa produtos orgânicos de agricultores da região em pratos de culinárias diversas, servidos em ambiente informal e chique.

⑪ Winter Park
Arte e cultura no subúrbio

O Winter Park tornou-se refúgio de subúrbio para os ricos no início dos anos 1900, e hoje, seus museus, lojas finas e ótimos restaurantes conservam o ar de sofisticação.

No lado norte do belo trecho verde de 1,6km chamado Park Avenue está **Charles Hosmer Morse Museum of American Art**, que contém o maior acervo de arte, vitrais, joias e móveis feitos por Louis Comfort Tiffany (1848-1933). No lado sul da Park Avenue

Elegantes abajures Tiffany no Morse Museum, Winter Park

Preços para família de 4 pessoas

encontra-se o Rollins College, a mais antiga universidade do Sudeste, que abriga o **Cornell Fine Arts Museum**. O museu é dotado de um acervo estelar de arte dos Estados Unidos e da Europa.

Para relaxar
Perto do Rollins College está o **Dinky Dock**, parque público com churrasqueiras e mesas para piquenique e uma praia de areia onde também se pode nadar.

Informações

- **Mapa** 6 F5
  Endereço Morse Museum: 445 N Park Ave, 32789; 407 645 5311; www.morsemuseum.org. Cornell Fine Arts Museum: 1000 Holt Ave, 32789; 407 646 2526; www.rollins.edu/cfam
- **Trem** Amtrak, no centro de Orlando. **Ônibus** Lynx 102, no centro de Orlando
- **Informação turística** Winter Park Welcome Center & Chamber of Commerce, 151 West Lyman Ave, 32789; 407 644 8281
- **Aberto** Morse Museum e Cornell Fine Arts Museum: fechado seg
- **Preço** Morse Museum: $10-20; até 12 anos, grátis. Cornell Fine Arts Museum: $20-30
- **Para evitar fila** Evite ir durante as duas festividades anuais de artes, em mar e out.
- **Passeios guiados** O Morse Museum tem visitas com monitores no horário comercial.
- **Idade** A partir de 5 anos
- **Duração** 3-8 horas
- **Comida e bebida** LANCHE Panera Bread (329 N Park Ave, 32789; www.panerabread.com) oferece bagels, sanduíches e menu infantil. REFEIÇÃO Tibby's New Orleans Kitchen (2203 Aloma Ave, 32792; tibbysneworleanskitchen.com) tem o autêntico gumbo de Nova Orleans e sanduíches po-boy.

12 Winter Park Scenic Boat Tours
Por trás da paisagem e das casas do Winter Park

A Scenic Boat Tour passa por uma série de lagos magníficos, pontilhados de algumas das melhores casas da Flórida. Os exuberantes canais que ligam os lagos Osceola, Virgínia e Maitland foram reformados nos anos 1930 especialmente para o tu-

Passeio de barco por canal pitoresco no Winter Park

rismo, e os pontões – barcos de fundo chato – navegam por lá desde sempre. As mansões construídas por Goodyear e Walgreen, o campus do Rollins College e a casa do consagrado arquiteto americano James Gamble Rogers II são vistos no passeio. Palmeiras, bambuzais, papiros e vinhedos floridos muito antigos adornam os canais, propiciando uma pausa refrescante do sol intenso, mas não deixe de levar filtro solar e chapéus. As crianças podem ver garças-reais, anhingas ao sol, tartarugas e até um raro aligátor.

Para relaxar
Siga 18km a sudoeste até o **Bill Frederick Park and Pool** (3401 S Hiawassee Rd, 32835; 407 246 4486), em Turkey Lake, para alugar barcos, pescar achigãs e brincar num parquinho de madeira com um labirinto de túneis e balanços.

Informações

- **Mapa** 6 F5
  Endereço 312 E Morse Blvd, 32789; 407 644 4056; scenicboattours.com
- **Carro** Alugue no aeroporto.
- **Aberto** 10h-16h diariam. Passeios saem a toda hora.
- **Preço** $36-48; até 2 anos, grátis
- **Para evitar fila** Vá cedo ou em passeios mais à tarde (sem reserva), quando sol não está a pino.
- **Idade** A partir de 2 anos
- **Duração** 1 hora
- **Comida e bebida** LANCHE Power House Café (111 E Lyman Ave, 32789; 407 645 3616; www.powerhousecafe.com) serve sucos saudáveis, vitaminas e lanches do Oriente Médio. PARA A FAMÍLIA Armando's (463 W New England Ave, 32789; 407 951 8930) tem comida napolitana tradicional.
- **Banheiros** Na casa flutuante

CRIANÇADA!

O nome diz tudo
"Orlando" significa "terra famosa", mas ninguém sabe com certeza por que a cidade se chama assim. Alguns dizem que é por causa de um personagem de Shakespeare em *Como lhe aprouver;* outros, por causa de um soldado das Guerras Seminoles, Orlando Reeves, que está enterrado no lado sul do lago Eola. Encontre o monumento dedicado a ele para saber a história inteira.

LÁ VEM O TREM
Ouça o apito do trem enquanto estiver caminhando pela Park Avenue, no Winter Park – tanto os trens de carga como os de passageiros passam pelo meio do parque!

Contando cisnes
Você vai ver muitos cisnes negros e também os brancos no lago Eola. Se for primavera ou início do verão, também se veem bolinhas de penas cinzentas boiando – são os filhotes de cisne. E os cisnes gigantes que estão no Amphitheater são pedalinhos para alugar.

Tesouros de Tiffany
Quando visitar o Morse Museum, você vai perceber que muitas das luminárias Tiffany têm desenhos inspirados na natureza. Encontre abajures com desenhos que retratem:
1 Uma glicínia
2 Uma libélula e água
3 Uma ninfeia
4 Uma teia de aranha

Piquenique até $25; Lanche $25-50; Refeição $50-80; Para a família mais de $80 (para quatro pessoas)

⑬ Legoland®
Não é só mais um tijolo na parede

Construída em parte do local em que ficavam os Cypress Gardens (o mais antigo parque temático da Flórida), a Legoland® conquistou o imaginário de todos. Com 20 hectares de atrações, entre elas um trecho do parque original, a Legoland® Florida é o maior de cinco parques do gênero no mundo. Homenagem aos populares bloquinhos de montagem dinamarqueses, esse parque espetacular está cheio de montanhas-russas, brinquedos e apresentações que instigam e divertem. As construções, inventivas e quase sempre bem-humoradas, fazem os adultos sorrirem, e as crianças se espantarem ao ver cidades inteiras de Lego®.

Modelos de Batman e Robin de Lego®, Imagination Zone

Destaques

① **The Beginning** Essa área pitoresca bem na entrada apresenta a Island in the Sky, plataforma rotativa de 46m com vista panorâmica do parque.

② **Fun Town** Passe por serpentes enormes e pela Island in the Sky para entrar nessa área, que tem o Wells Fargo 4D Theater, de 700 lugares. Veja na Factory Tour os blocos de Lego® se transformarem em tijolos de construção. Os menores adoram subir no Grand Carousel, de dois andares.

③ **Duplo® Village** Há playgrounds, aviões e caminhões para crianças pequenas com grande imaginação nessa área divertida. Não perca a Duplo® Farm, com animais, carros de bombeiro e carros dirigíveis.

④ **Lego® Kingdoms** Nesse castelo medieval, há princesinhas, duelos de cavaleiros e batalhas de sábios. Pegue a montanha-russa Dragon para cruzar o castelo de Legoland® antes de ir à Royal Joust para curtir os cavalos de Lego®.

⑤ **Land of Adventure** Contorne feras selvagens de blocos no Safari Trek ou encare as divertidas pistas de madeira do Coastersaurus, que zunem ao lado de dinossauros de Lego®. Atire em esqueletos cintilantes e piratas para ganhar pontos na Lost Kingdom Adventure.

⑥ **Miniland USA** Encante-se com réplicas em miniatura de Lego® de cidades americanas em sete áreas temáticas. Procure astros do cinema em Los Angeles, em California, e músicos de rua na Times Square, em New York, e veja o ônibus espacial soltar fumaça e roncar no Kennedy Space Center. Depois veja a batalha de galeões em Pirate's Shores.

Preços para família de 4 pessoas

Legoland® | 133

⑦ **Lego® City** Os pequenos podem aprender a dirigir na Ford Jr. Driving School, pilotar um barco na direção certa (espera-se) na Boating School e ir pelos ares na Flying School, montanha-russa emocionante. A Rescue Academy faz toda a família dirigir e combater o fogo num carro de bombeiros movido a músculos.

⑧ **Lego® Technic™** Cheia de brinquedos eletrizantes em terra, na água e no ar, essa área é a mais radical de todas do parque. Suba nas lanchas movidas a vento da Aquazone Wave Racer para se esquivar de jorros de água ou pedale para o céu na Technicycle.

⑨ **Imagination Zone** Engenheiros mirins podem construir e programar robôs em Lego® Mindstormns® ou fazer e correr com carros de blocos em Build & Test. Na área Lego® Hero Factory, as crianças desenham heróis para combater o mal.

⑩ **Cypress Gardens** Abertos em 1936, os Cypress Gardens foram o primeiro parque temático da Flórida. Embora reduzidos a uma fatia de 16 hectares da Legoland®, ainda são ótimos para relaxar, explorar e se maravilhar com a beleza natural da Flórida. Árvores e plantas tropicais margeiam os caminhos, e há cascatas e canteiros de flores a cada esquina.

⑪ **Legoland® Water Park** Os pequenos adoram o Duplo® Splash Safari, com escorregadores curtos e criaturas Duplo® interativas. Os maiores podem ficar com escorregadores de 114m nas Twin Chasers ou o playground de 1.135 litros com banho de balde em Joker Soaker.

CRIANÇADA!

Olho vivo
Pode levar horas para encontrar tudo o que está oculto na Miniland USA, mas aqui estão algumas coisas interessantes para ficar de olho:
1 Gatos. Ache gatos pulando aros em chamas em Key West e a senhora com gatinhos no telhado em California.
2 Piratas. Há uma grande batalha marítima em Pirate's Shores, e também uma versão de Las Vegas em Treasure Island Hotel.
3 Uma galinha enorme e homens levantando pesos em Miami Beach.
4 Pessoas que viram bebês na Fountain of Youth, em St. Augustine.
5 Pinguins e papagaios no Central Park, em New York.

Pontos de honra
Mire na naja no brinquedo Lost Kingdom, em Land of Adventure, e continue atirando para juntar um montão de pontos extras!

VELHA, VELHA ÁRVORE
Os visitantes desavisados ficam assombrados com a enorme figueira-de-bengala – tronco e raízes gigantes crescem aí desde 1939. Procure os "joelhos nodosos" da árvore para dar uma risadinha.

Legomania
1 Crianças de todo o mundo gastam 5 bilhões de horas brincando com os blocos de Lego®.
2 Mais de 400 bilhões de blocos de Lego® foram produzidos desde 1949. Com um em cima do outro, seria suficiente para ligar a Terra e a Lua dez vezes!
3 Os blocos de Lego® vendidos em um ano conseguem dar a volta na Terra cinco vezes.

⑬ Legoland® (continua) ▶

Legoland® (continuação)

Fachada da pousada onde fica o premiado Chalet Suzanne Restaurant, Lake Wales

Para relaxar
Corra pela Legoland® ou vá ao **Rotary Park** *(300-398 6th St NE, Winter Haven, 33881)* para queimar energia. O parque tem pista de skate, quadra de vôlei de areia e pistas para caminhada.

Comida e bebida
Piquenique: até $25; Lanche: $25-50; Refeição: $50-80; Para a família: mais de $80 (para quatro pessoas)

PIQUENIQUE Castle Burger *(nos Lego® Kingdoms)* serve hambúrguer e fritas. Piquenique à sombra na Land of Adventure, junto à Safari Trek.

Frente da Cap'n Blackbeard's Burgers, Pirate's Cove

LANCHE Granny's Apple Fries Stand *(na Fun Town)* serve maçã do amor frita coberta de açúcar e canela, acompanhada de creme.
O City Stage Snack Bar serve cachorro-quente e batatas chips.
REFEIÇÃO The Market Restaurant *(em The Beginning)* serve café e pães de manhã e galinha assada e pratos asiáticos mais tarde.

Preços para família de 4 pessoas

Cap'n Blackbeard's Burgers *(na Pirate's Cove)* oferece hambúrguer, cheeseburger e batatas chips.
PARA A FAMÍLIA Chalet Suzanne *(3800 Chalet Suzanne Dr, Lake Wales, 33859; 863 676 6011; www.chaletsuzanne.com; fechado seg)*, marco da velha Flórida, é uma pousada com salão de refeições famoso. Prove a Romaine soup, prato que já foi servido no ônibus espacial. O cardápio tem sopas feitas na hora, sanduíches e bifes deliciosos, além de torta de creme de chocolate e crème brûlée de sobremesa. Conta também com boa carta de vinhos.

Compras
Encontre de tudo na **Big Shop** *(perto da entrada)*, de conjuntos e exclusividades da Lego® a camisetas e lembranças. Vá aos **Lego® Studios** *(na Fun Town)* para pegar os brinquedos Lego® de Star Wars™, Harry Potter™ e SpongeBob SquarePants

Conjuntos Star Wars™ da Lego® nas prateleiras dos Lego® Studios, Fun Town

Informações

Mapa 7 D1
Endereço One Legoland Way, Winter Haven, 33884; 877 350 5346; *Florida.legoland.com*

Ônibus Especiais (8200 Vineland Rd, Orlando, 32821; *Florida.legoland.com/en/buy-tickets/shuttle*; $5 por pessoa) saem do shopping Orlando Premium Outlets às 9h e voltam quando o parque fecha diariam.
Carro Alugue no Aeroporto de Orlando. Estacionamento: $12; preferencial: $20.

Aberto Estacionamentos em geral abrem de 10h a 19h-20h. Fechado ter e qua o ano inteiro, exceto jun-ago. Veja detalhes em *Florida.legoland.com/en/Plan/hours*.

Preço $256-72; até 3 anos, grátis. Taxa adicional de $28-36 para o Water Park. Compre o Annual Pass ($576-636; até 3 anos, grátis) para estacionamento grátis e descontos. Acréscimo do segundo dia disponível no parque por $15. Às vezes há cupons de desconto para lanchonetes, caixas da Lego® e sócios da AAA (Automobile Association of America). Há armários para alugar em The Beginning e dentro do Legoland® Water Park.

Idade A partir de 2 anos
Espetáculo Big Test Live (na Lego® City) conta com o City Volunteer Fire Department em incrível show cheio de música e dança. Espetáculos às 11h, 12h45, 14h15 e 16h.
Duração 1-2 dias
Cadeira de rodas Sim
Cafés Muitos pelo parque
Lojas Muitas pelo parque
Banheiros Muitos por todo o parque. O Baby Care Center na Duplo® Village dispõe de fraldário, cadeirões e aquecedores de mamadeira.

Bom para a família?
A mistura de atrações educativas e de lazer e os belos jardins tornam a Legoland® um destino maravilhoso para a família.

Lego®. Há também baldes com peças separadas para construtores imaginosos em **Pick a Brick** (na Factory Tour).

Saiba mais
INTERNET Lego® Club tem vídeos do "mestre construtor", manuais, histórias em quadrinhos e revista grátis com cupons de desconto em brinquedos e ingressos do parque. Mais informações em club.lego.com/en-us/LegoMagazine/default.aspx.

Se chover...
Se o bom tempo ameaçar virar, vá ao **Best Western Park View Hotel** (5651 Cypress Gardens Blvd, Winter Haven; 33884; 863 324 5950; www.parkviewhotelwinterhaven.com), do outro lado da rua da Legoland®. O hotel tem salas de estar, um restaurante e um bar ao lado da piscina.

Próxima parada...
DOS PRETTY GARDENS A UM RANCHO Siga 13km a sudeste da Legoland® até os **Bok Tower Gardens** (1151 Tower Blvd, Lake Wales, 33853; 863 676 1408; boktower

A impressionante Singing Tower, art déco e neogótica, Bok Tower Gardens

gardens.org), enorme jardim botânico e santuário de aves. Com o nome de Edward W. Bok, editor influente, os jardins ostentam a Singing Tower, famosa pelo concerto de carrilhão de 45 minutos às 13h e às 15h, diariamente. Pontilhado de camélias, magnólias e azaleias, esse jardim arborizado é ótimo para a família: tem áreas de piquenique com tanques de areia e brinquedos, bancos, túnel coberto por parreiras e até um jardim secreto.

Outra opção é o **Westgate River Ranch** (3200 River Ranch Blvd, Frostproof, 33867; 863 692 1321; wgriverranch.com), 53km a sudeste da Legoland®, perto de Lake Wales, realiza um rodeio nos sábados à noite, com cavalo chucro, montaria em touro, palhaços e caubóis de verdade. As crianças gostam de acariciar e alimentar animais como ovelhas, bezerros e filhotes de cabra. Também há passeios de pônei.

10 Melhores Atrações

1. **LOST KINGDOM ADVENTURE**
Pegue uma pistola a laser para atirar em alvos do Egito antigo nesse brinquedo assustador da Land of Adventure.

2. **COASTERSAURUS**
Suba nessa montanha-russa de madeira antiga e ruidosa para atravessar uma terra cheia de dinossauros, na Land of Adventure.

3. **BATTLE FOR BRICKBEARD'S BOUNTY**
Veja essa empolgante batalha de água ao vivo com piratas que esquiam no lago Eloise, na Pirate's Cove. Se quiser se molhar, sente-se nas cinco primeiras filas.

4. **AQUAZONE WAVE RACERS**
Os ousados conseguem controlar a velocidade do seu jet ski começando devagar e depois girando numa altura estonteante, com muita água, nesse brinquedo da Lego® Technic™.

5. **MERLIN'S CHALLENGE**
Combata um Merlim de Lego® enquanto o trem de madeira gira por uma montanha-russa em círculos loucos e mágicos nos Lego® Kingdoms.

6. **SPLASH OUT**
Suba ao mais alto ponto do parque e depois despenque por um dos três tobogãs de 18m na piscina abaixo, no Legoland® Water Park.

7. **FLYING SCHOOL**
Suba numa montanha-russa suspensa e vá bem acima da Lego® City nesse percurso sinuoso com rodopios e mergulhos.

8. **BUILD-A-RAFT RIVER**
Desenhe e construa um barco único e lance-o no rio lento de 305 m no Legoland® Water Park.

9. **WELLS FARGO 4D THEATER**
Faça um passeio maluco e tente se desviar de vento, chuva e neve nesse cinema espantoso da Fun Town, que projeta três filmes em 4D.

10. **TEST TRACK**
Ande num carro Technic™ de tamanho natural pelos trilhos sinuosos de uma montanha-russa cheia de curvas e loopings fechados no Lego® Technic™.

Onde Ficar em Orlando e nos Parques

Orlando e os parques temáticos têm acomodações para todos os gostos. As opções vão de uma barraca sob as estrelas a uma suíte familiar de luxo numa torre. A maioria dos lugares oferece piscina, diversão e muito mais. Os quartos variam dos simples a suítes com temas infantis.

AGÊNCIA
All-Star Vacation Homes
www.allstarvacationhomes.com
Esse site põe turistas em contato com proprietários de imóveis que vão de apartamentos de um quarto a casas de nove quartos para alugar nas férias.

Centro de Orlando e Winter Park   Mapa 6 F5
HOTÉIS
Doubletree by Hilton Orlando Downtown
60 S Ivanhoe Blvd, 32804; 407 425 4455; doubletree1.hilton.com
De frente para o lago Ivanhoe, logo ao norte do centro de Orlando, esse hotel Hilton oferece piscina aquecida na cobertura, hidromassagem para adultos, atividades infantis e restaurante com cardápio infantil. Transporte grátis para os restaurantes do centro.
$

Grand Bohemian
325 S Orange Ave, 32801; 407 313 9000; www.grandbohemianhotel.com
Único hotel AAA Four-Diamond do centro, esse prédio esplêndido abriga uma grande coleção de arte. Tem spa, academia de ginástica e piscina descoberta aquecida.
$$

Park Plaza Hotel
307 S Park Ave, Winter Park, 32789; 407 647 1072; parkplazahotel.com
Com vista para o verde do Central Park, esse hotel charmoso tem grades de ferro fundido nas sacadas com floreiras. O serviço de manobrista gratuito garante rapidez de acesso às atrações. Dê uma olhada nas lojas da Park Avenue e vá aos museus próximos.
$$$

Legoland®   Mapa 7 D1
HOTÉIS
Park View Hotel
5651 Cypress Gardens Blvd, Winter Haven, 33884; 863 324 5950; www.westernparkviewhotel.com
A poucas quadras da Legoland®, esse hotel oferece quartos e suítes para a família. Há uma sala de ginástica e salão de jogos infantis no local, além de transporte gratuito de ida e volta para a Legoland®.
$

Lake Roy Beach Inn
1823 Cypress Gardens Blvd, Winter Haven 32884; 863 324 6320; www.lakeroybeachinn.com
Situada perto de catorze lagos e canais interligados, essa pousada oferece quartos, quitinetes e suítes de três quartos que recebem até oito pessoas, com cozinha completa e varanda ou sacada com cortina, de frente para o lago Roy.
$-$$

SeaWorld®   Mapa 6 F5
RESORTS
Floridays Resort Orlando
12562 International Dr, 32821; 407 238 7700; www.floridaysresortorlando.com
A apenas 10km do SeaWorld® e próximo de um shopping com lojas de fábrica, esse resort luminoso de estilo mediterrâneo oferece suíte com dois ou três dormitórios, sala de jantar, cozinha completa e entrega de produtos no quarto, para fugir dos restaurantes.
$$

HOTÉIS
Fairfield Inn & Suites Orlando at SeaWorld®
10815 International Dr, 32821; 407 354 1139; www.marriott.com
A cômoda distância a pé da montanha-russa Kraken e do Aquatica, esse hotel de 200 quartos tem salão de jogos, academia de ginástica, transporte para o SeaWorld® e os Universal Studios Florida® e espetáculo noturno de fogos de artifício. Na recepção, são distribuídos gratuitamente braceletes "quick pass" para o SeaWorld®.
$$

Marriott Harbour Lake
7102 Grand Horizons Blvd, 32821; 407 465 6100; www.marriott.com
A poucos minutos do SeaWorld®, esse hotel dispõe de quartos com aparelho de DVD e serviço de lavanderia, além de suítes com cozinha completa. Há minigolfe, piscina com escorregador, s'mores (marshmallows tostados com biscoitos de chocolate) no espaço da fogueira, navio pirata na piscina e acampamento infantil com tema de pirata.
$$

Suíte familiar toda mobiliada no Floridays Resort Orlando

Hospedagem em Orlando e nos Parques | 137

Universal Orlando® & Wet 'n Wild®
Mapa 6 F5

HOTÉIS
The Enclave Suites
6165 Carrier Dr, 32819; 407 351 1155; www.enclavesuites.com
Defronte dos Universal Studios Florida®, esse hotel tem suítes com quartos separados com temas de Scooby Doo e Pica-Pau e beliches. Veja da sacada os fogos da Universal.

$

Coco Key
7400 International Dr, 32819; 407 351 2626; www.cocokeyorlando.com
Perto dos Universal Studios Florida®, esse hotel tem um parque aquático com cartorze escorregadores e quatro piscinas, além da Minnow Lagoon, à sombra, um bar na piscina e quartos espaçosos.

$-$$

Holiday Inn Kessler Castle
8629 International Dr, 32819; 407 345 1511; www.thecastleorlando.com
Beliches, TV e Xbox individuais e filmes "dive-in" (na piscina) ao ar livre fazem desse hotel com tema de castelo um deleite. Atravesse o quintal até o TuTu Tango, um dos melhores restaurantes informais da região. Estacionamento gratuito.

$-$$

Hard Rock Hotel
5800 Universal Blvd, 32819; 407 490 1272; www.hardrockhotelorlando.com
No terreno da Universal, esse hotel conta com piscina com sistema de som submerso e atividades infantis monitoradas no Camp Lil' Rock. Algumas suítes têm quartos infantis. Hidrotáxi e ônibus gratuitos para os parques.

$$$

Walt Disney World® Resort

RESORTS
Hyatt Regency Grand Cypress
Mapa 6 F5
1 Grand Cypress Blvd, 32836; 407 239 1234; grandcypress.hyatt.com
Esse resort tem de quartos comuns a enormes suítes VIP. Conta com campo de golfe, lago para esportes aquáticos e vasta piscina com escorregadores e cascatas. Há também programação infantil.

$$

O Hard Rock Hotel Orlando, com vista para a piscina

Disney's Art of Animation Resort
Mapa 6 E6
1850 Century Dr, Lake Buena Vista, 32830; disneyworld.disney.go.com
Nas suítes familiares para seis pessoas, escolha o tema dos filmes *Nemo*, *Carros* ou *Rei Leão*. Playgrounds, pista de corrida, entrega de pizza e filmes da Disney grátis são atrativos desse resort.

$$-$$$

Marriott Orlando World Center Resort
Mapa 6 F5
8701 World Center Dr, 32821; 407 239 4200; www.marriott.com
O maior Marriott do mundo, perto do Walt Disney World® Resort, tem 2 mil quartos e suítes, seis piscinas, escorregadores, sala de jogos e campo de golfe. Há programas de artes e artesanato e gincana para as crianças.

$$-$$$

Swan and Dolphin Resort
Mapa 6 E6
1500 Epcot Resorts Blvd, Lake Buena Vista, 32830; 407 934 3000 (Swan) & 407 934 4000 (Dolphin); www.swandolphin.com
Localizados no Walt Disney World® Resort, esses hotéis contíguos oferecem uma enorme piscina-gruta, com praia de areia branca e cascatas. O clube Camp Dolphin oferece programas para crianças de 4 a 12 anos.

$$-$$$

Disney's Animal Kingdom Lodge
Mapa 6 E6
2901 Osceola Pkwy, Lake Buena Vista, 32830; disneyworld.disney.go.com
Esse resort colossal da Disney, com belo projeto, tem como paisagem animais selvagens pastando na extensa savana. Muitos dos quartos

têm beliche. Café da manhã simples grátis, lanche ao meio-dia e vinho e queijo à noite.

$$$

HOTÉIS
Ramada Maingate West
Mapa 6 F6
7491 West Hwy 192, Kissimmee, 34747; 407 396 6000; www.ramadamaingatewest.com
As crianças ganham um saco de doces quando chegam ao hotel. Entre as atrações, piscina coberta com cascata e caraoquê toda noite. Algumas suítes têm quartos temáticos separados com beliche. Transporte grátis para os parques Universal e Disney.

$

Best Western Lake Buena Vista
Mapa 6 F5
2000 Hotel Plaza Blvd, Lake Buena Vista, 32830; 407 828 2424; www.bestwestern.com
Esse hotel está a curta distância a pé dos restaurantes e lojas de Downtown Disney® e dos transportes da Disney. Os quartos acima do 6º andar dão uma excelente visão dos fogos de artifício do Epcot®.

$$

Nickelodeon Hotel
Mapa 6 F5
14500 Continental Gateway, Orlando, 32821; 407 387 5437; www.nickhotel.com
Hotel temático da Nickelodeon Network, com Jimmy Neutron e Bob Esponja a cada esquina e um espantoso parque aquático, além de suítes infantis com beliches.

$$

CAMPING
Disney's Fort Wilderness Resort & Campground
Mapa 6 F6
4510 N Fort Wilderness Trail, Lake Buena Vista, 32830; 407 939 7429; disneyworld.disney.go.com
Leve barraca, entre com um RV ou alugue uma cabana rústica mas confortável para ficar nesse bosque, a minutos dos parques Disney. Entre as atrações, passeios a cavalo e marshmallow na brasa à noite.

$-$$$

Categorias de preço
As seguintes faixas de preço baseiam-se em uma diária na alta temporada para uma família de quatro pessoas, incluindo serviço e taxas adicionais.
$ até $150 **$$** $150-300 **$$$** mais de $300

Legenda dos símbolos *na orelha da contracapa*

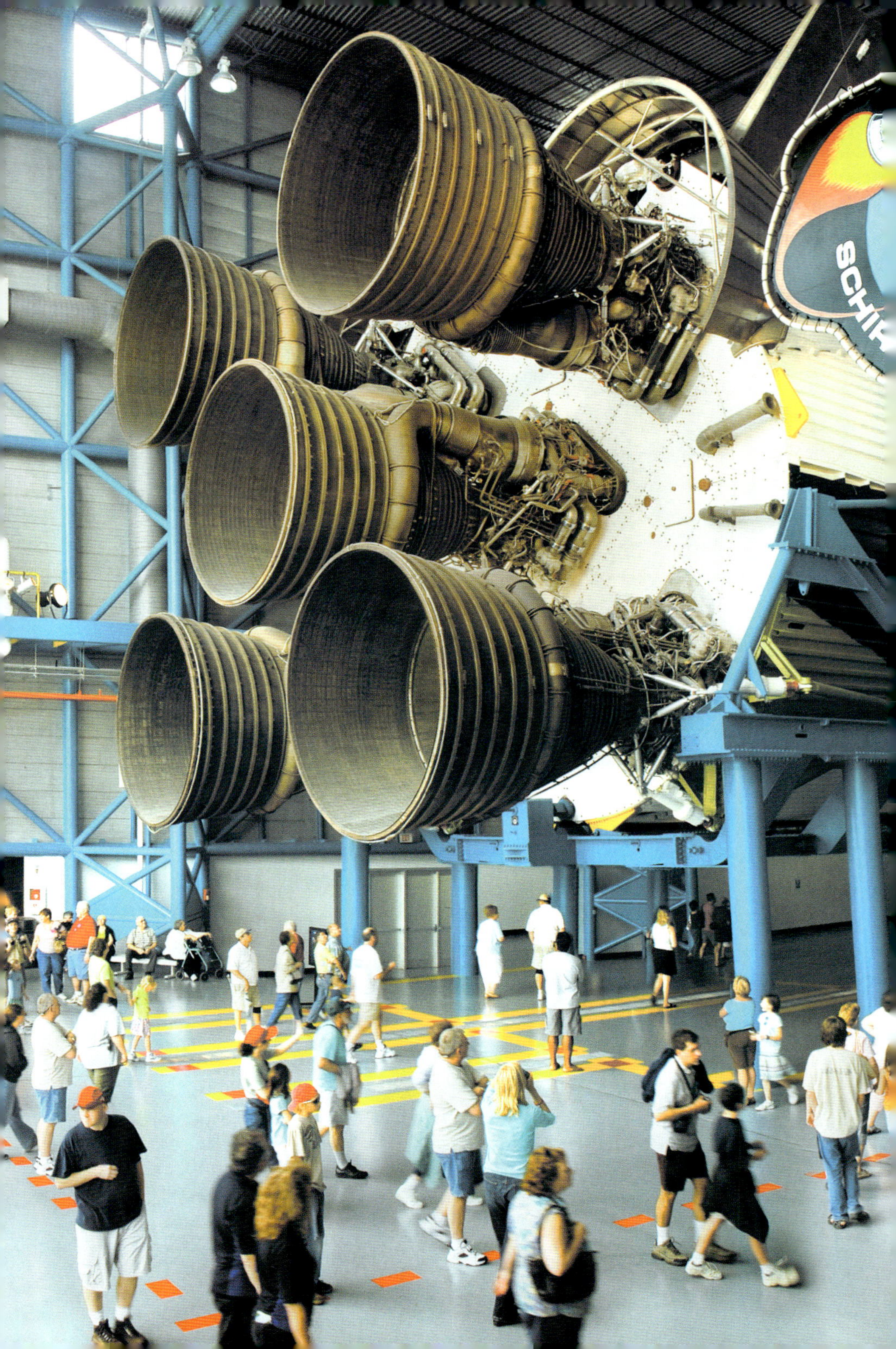

Costa Espacial

Essa parte da Flórida foi o primeiro território da América do Norte explorado por espanhóis – e de onde partiu a primeira viagem tripulada à Lua. Hoje, o destaque é o moderníssimo Kennedy Space Center, de onde a Nasa lança todos os seus programas desde 1963. Os visitantes podem ver os ônibus espaciais que orbitaram no espaço e encontrar os astronautas que os pilotaram.

Principais atrações

Kennedy Space Center
Torne-se um astronauta para vivenciar a sensação de uma viagem no espaço sideral nesse centro espacial, o único do gênero (pp. 144-7).

Merritt Island National Wildlife Refuge
Volte no tempo para a primeira região da Flórida a ser habitada e onde ainda hoje vivem animais nativos (pp. 148-9).

Canaveral National Seashore
Aqueça-se ao sol em praias de areia branca macia frequentadas por tartarugas marinhas migrantes (p. 148).

Brevard Zoo
Veja animais da Flórida e de terras tão distantes como a África e a Austrália nesse enorme jardim zoológico (p. 151).

Cocoa Beach e Píer
Descanse nesse famoso balneário com uma praia de areia branca e um píer com restaurantes e lojas de lembranças (p. 150).

Brevard Museum of History and Natural Science
Explore essa preciosidade de museu que tem exposições de praticamente tudo, da cultura nativa americana de 7 mil anos de idade a astronautas (p. 151).

À esq. O espetacular foguete Saturno V exposto no Apollo/Saturn V Center, Kennedy Space Center
Acima, à dir. Pesca na Playalinda Beach, Merritt Island National Wildlife Refuge

… Costa Espacial

O Melhor da
Costa Espacial

Com praias situadas muito perto dos maiores parques temáticos de Orlando, a Costa Espacial é um ótimo destino para famílias que querem praia e sol – a animada Cocoa Beach é perfeita para surfar e nadar. No Kennedy Space Center, é emocionante ver os ônibus espaciais que viajaram ao espaço e aprender a história dos astros. Para mudar o ritmo, visite as tranquilas reservas animais da região, com ricas fauna e flora.

Cada vez mais alto

A maior atração para quem gosta de mirar o céu é o **Kennedy Space Center** *(pp. 144-7)*. Desde seus primórdios, em 1963, ele é o coração do programa espacial dos EUA. Com a suspensão do programa orbital, não há muitas oportunidades para ver um foguete decolar, mas as exposições interativas e os passeios em simuladores na Shuttle Launch Experience, no Apollo/Saturn V Center e no United States Astronaut Hall of Fame® compensam essa falta. Na Apollo Treasures Gallery, dentro do centro, veja itens raros das missões lunares, como o macacão espacial que Alan Shepard, comandante da *Apollo 14*, usou na Lua. Os admiradores

À dir. *Deslizando em prancha perto do píer, Cocoa Beach*
Abaixo *Apresentação de simulação para visitantes da Shuttle Launch Experience, Kennedy Space Center*

Acima *Passeio de caiaque, com girafas na recriação de seu habitat natural, no Brevard Zoo, Melbourne* **À dir.** *Colhereiros-americanos no Merritt Island National Wildlife Refuge*

da aeronáutica talvez queiram ver em março o Tico Air Show, no **Valiant Air Command Warbird & Vintage Museum** (p. 147), em Titusville, no qual jatos clássicos e velhos biplanos são apresentados em voo.

Diversão no sol

As praias em volta de Cocoa, Titusville e Melbourne são um chamariz natural para as famílias. Algumas, como **Cocoa Beach** (p. 150), têm uma série de hotéis balneários, restaurantes e bares e atraem os amantes do sol e fanáticos por surfe. Por outro lado, **Playalinda Beach** (p. 148), no **Canaveral National Seashore** (p. 148), é protegida contra a exploração imobiliária pelo Departamento de Parques. Os visitantes podem usufruir uma natureza imaculada junto a foguetes de alta tecnologia apontados para as estrelas.

O lado selvagem da Flórida

Entre o **Canaveral National Seashore** e o **Merritt Island National Wildlife Refuge** (pp. 148-9), existe na Flórida um vasto território agreste e inexplorado. Há pântanos com pinheiros, pradarias planas batidas pelo vento e fontes cristalinas, além de serras magníficas com matas de carvalho, que abrigam uma diversidade de plantas e animais, como tartarugas, manatis e aligatores. Misturando tudo isso ao habitat Wild Florida, no **Brevard Zoo** (p. 151), as famílias não precisam ir muito longe para ver centenas de animais nativos.

Em uma semana

Comece pelo **Kennedy Space Center**. Veja primeiro a Shuttle Launch Experience e faça um passeio guiado antes de pegar um filme em Imax®. No dia seguinte, visite o United States Astronaut Hall of Fame, no próprio centro. Após o almoço, vá de roupa de banho à **Playalinda Beach** para passar uma tarde tranquila ao sol. No terceiro dia, siga o **Black Point Wildlife Drive** (p. 148), no **Merritt Island National Wildlife Refuge**, faça um piquenique sob os ciprestes e caminhe perto da laguna com um guia do Visitor Center, de graça. A seguir, vá ao **Brevard Zoo** para a garotada dar comida às girafas no habitat Expedition Africa. Um bom modo de fechar o dia é jantar cedo no píer de **Cocoa Beach**. No dia seguinte, veja o sol nascer na praia de 38km do **Canaveral National Seashore**. Dê um pulo ao **Brevard Museum of History and Natural Science** (p. 151) para ver os habitantes pré-históricos da Flórida e correr pelo **Imagination Center** (p. 151).

Costa Espacial

Com pântanos, planícies, praias e um clima entre temperado e subtropical, a Costa Espacial tem mais vida silvestre nativa que praticamente qualquer outro lugar dos EUA. Devido ao grande afluxo de turistas, as maiores rodovias são bem conservadas. Contudo, por estar próxima do Kennedy Space Center e de reservas, a região é pouco desenvolvida. Existe um sistema de transporte público bastante aceitável, sobretudo nas rotas de trólebus de Cocoa Beach, mas um carro é imprescindível para ir mais longe e a Orlando. A Interstate 95 é a principal rodovia para a viagem norte-sul, e a US Route 1, a estrada principal das áreas turísticas costeiras.

Pranchas de surfe vistosas expostas na Ron Jon Surf Shop, Cocoa Beach

Centro turístico do Merritt Island National Wildlife Refuge

Costa Espacial | 143

Rinocerontes-brancos na Expedition Africa, no Brevard Zoo, Melbourne

Crianças constroem castelo na Playalinda Beach, Canaveral National Seashore

Informações

🚗 **Como chegar lá e aos arredores**
Avião Vá ao Aeroporto Internacional de Daytona Beach *(700 Catalina Drive, Daytona Beach, 32114; 386 248 8069; www.flydaytonafirst.com)* e ao Aeroporto Internacional de Melbourne *(1, Air Terminal Parkway, Melbourne, 32901; 321 723 6227; www.mlbair.com)*. **Ônibus** Greyhound *(1 800 231 2222; www.greyhound.com)* é ideal para viagem interestadual, com estações em Daytona Beach, Titusville e Melbourne. O serviço local de ônibus da Space Coast Area Transit (Scat) *(401 S Varr Ave, Cocoa, 32922; 321 633 1878; www.ridescat.com)* conta com trólebus em Cocoa Beach. **Carro** Avis *(www.avis.com)* e Hertz *(www.hertz.com)* têm escritório nos aeroportos. Há táxis da AAA *(555 Challenger Rd, Cabo Canaveral, 32920; 321 868 8888; www.aaataxionline.com)* por todo o Brevard County.

ℹ **Informação turística** Vá ao centro turístico da Costa Espacial, na 430 Brevard Ave, Cocoa Village, 32922; 877 572 3224; www.space-coast.com

🛍 **Supermercados** Publix *(www.publix.com)* e Winn-Dixie *(www.winndixie.com)* são as maiores redes de supermercados, com lojas espalhadas por toda a região.

🎉 **Festivais** Ron Jon Easter Surfing Festival, Cocoa Beach; *www.eastersurffest.com* (meados abr). Beach Fest & Beach Sports Championships (Memorial Day, mai). Thunder on the Beach: Space Coast Super Boat Grand Prix; corrida de lanchas; *www.spacecoastsuperboat.com* (meados mai). NKF Pro-Am Surf Festival; torneio de surfe em prol da National Kidney Foundation; *www.nkfsurf.com* (Labor Day, set). Brevard Caribbean Festival; música ao vivo, boa comida e atividades familiares; *www.brevardcaribbeanfest.com* (Labor Day, set). Space Coast Art Festival; competição e exposição de arte, com atividades infantis; *www.spacecoastartfestival.com* (fim de semana de Ação de Graças, nov).

➕ **Farmácias** Publix, CVS *(www.cvs.com/pharmacy)* e Walgreens *(www.walgreens.com/pharmacy)* são as principais farmácias da região, com algumas lojas abertas 24h.

🚻 **Banheiros** Quase todas as principais atrações e os restaurantes, parques, shoppings e postos de gasolina têm banheiros.

Locais de interesse

ATRAÇÕES
1. Kennedy Space Center
2. Merritt Island National Wildlife Refuge
3. Cocoa Beach e Píer
4. Ron Jon Surf Shop, Cocoa Beach
5. Brevard Museum of History and Natural Science
6. Brevard Zoo

O mar visto de Turtle Mound, Canaveral National Seashore

① Kennedy Space Center
3-2-1, ignição!

Qualquer jovem cadete espacial sonha ser astronauta, e é no Kennedy Space Center que os sonhos se concretizam. Desde sua inauguração, em 1963, a sede da National Aeronautics and Space Administration (Nasa) lançou 135 missões de ônibus espaciais, 26 voos espaciais tripulados e incontáveis foguetes da base do Cabo Canaveral. O ponto alto do centro é a exposição permanente da Atlantis, que encerrou o programa orbital dos ônibus espaciais em 2011.

Módulo de comando exposto no Visitor Complex

Destaques

① **Astronaut Encounter** Nesse programa de 30 minutos, os visitantes encontram-se com veteranos lendários das equipes de astronautas da Nasa, que contam histórias e tiram dúvidas.

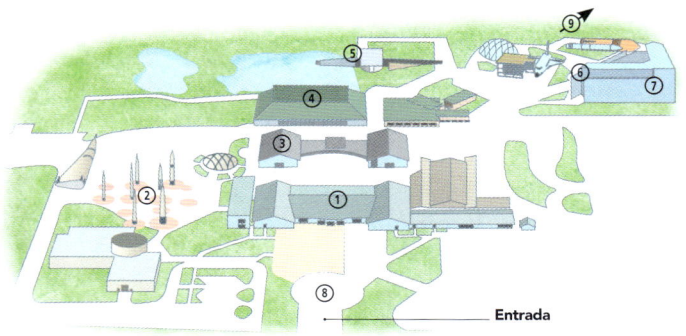

② **Rocket Garden** Oito foguetes antigos de cada etapa do Programa Espacial dos EUA apontam para o céu nessa área de exposição, com linda iluminação noturna. Ande entre foguetes reais e réplicas de cápsulas espaciais que ilustram a história dos voos do centro. Toque uma pedra lunar de 4 bilhões de anos, sente-se num módulo de comando ou suba em réplicas das cápsulas *Mercury*, *Gemini* e *Apollo* para sentir como eram apertadas.

Preços para família de 4 pessoas

③ **Exploration Space®: Explorers Wanted** Essa mostra de 3 mil metros quadrados tem teatro, experiências interativas e grandes apresentações multimídia que ajudam crianças e adultos a saber do futuro da exploração espacial. O espetáculo ao vivo Explorers Wanted é realizado duas vezes por hora, com crianças que aparecem como os Pioneers of Tomorrow (Pioneiros do Amanhã) explorando a ideia de viagens extraterrestres.

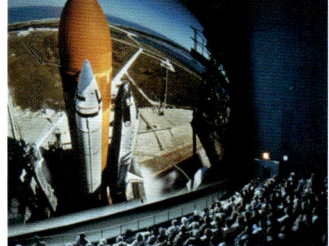

④ **Imax® Theater** Duas telas de cinema imensas, de 15 m, passam filmes com trechos captados por astronautas durante missões reais no espaço, com som e efeitos 3D tão realistas que a plateia se sente no espaço. Entre os filmes estão *Hubble 3D*, em que os espectadores "flutuam" com os astronautas que constroem o telescópio espacial Hubble, e *Space Station 3D*, sobre uma viagem com 25 astronautas e cosmonautas, do lançamento ao acoplamento na Estação Espacial Internacional.

Kennedy Space Center | 145

⑤ United States Astronaut Hall of Fame® Veja o maior acervo do mundo de objetos pessoais de astronautas, do macacão espacial de Gus Grissom, da Mercury, à bandeira hasteada no primeiro voo espacial tripulado dos EUA. No museu, Science on a Sphere é uma projeção tridimensional da Terra e dos planetas vistos do espaço.

⑥ Space Shuttle Plaza Essa mostra de $100 milhões apresenta o ônibus espacial Atlantis – nave orbital que foi ao espaço mais de 30 vezes, de 1985 a 2011. Esse exemplar é um dos três expostos no mundo. As portas de carga ficam abertas, e o braço robótico, estendido.

⑦ Shuttle Launch Experience® Entre no emocionante simulador de voo espacial para sentir a força da gravidade e a gravidade zero. Após a apresentação numa réplica de seis andares de uma torre de lançamento, começa a contagem regressiva, e sons, luzes e a sensação de ser lançado em órbita incendeiam a imaginação.

⑧ Visitor Complex Exhibits O Space Center's Visitor Complex tem mostras interativas fascinantes das maiores missões do Programa Espacial dos EUA. A instalação Early Space Exploration exibe figuras-chave dos primeiros programas espaciais, e a Mercury Mission Control Room deixa os visitantes verem os consoles com os quais as primeiras oito missões Mercury foram monitoradas.

⑨ Apollo/Saturn V Center Explore a reprodução da sala de controle da missão Apollo, maravilhe-se com o foguete *Saturn V*, de 112 m, e veja as roupas espaciais usadas pelos astronautas da *Apollo 14*, nessa homenagem ao Programa Espacial Apollo.

CRIANÇADA!

As espaçonaves têm nome! 
Ande pelo Apollo/Saturn V Center e descubra o número destas cápsulas Apollo, que às vezes têm um nome engraçado:

1 Gumdrop
2 Charlie Brown
3 Columbia
4 Kitty Hawk
5 Casper

Respostas no fim do quadro.

ABANDONADOS

O Programa Espacial dos EUA deixou na Lua seis módulos de aterrisagem, três carros lunares, seis bandeiras, dois pares de botas, um martelo e três bolas de golfe.

Primeiras e últimas palavras

Neil Armstrong foi o primeiro homem a andar na Lua, em 21 de julho de 1969. São famosas suas primeiras palavras na Lua: "Um passo pequeno para o homem, um salto gigante para a humanidade". Sabe quais foram as últimas palavras ditas na Lua? Eugene Cernan, último homem a pisar no satélite da Terra, a bordo da *Apollo 17*, disse em dezembro de 1971: "Vamos embora agora do mesmo modo que viemos, em paz e com esperança para toda a humanidade".

Respostas: 1 *Apollo 9*. 2 *Apollo 10*. 3 *Apollo 11*. 4 *Apollo 14*. 5 *Apollo 16*.

① Kennedy Space Center (continua) ▶

Kennedy Space Center (continuação)

Para relaxar

As crianças rastejam por túneis, sobem às pressas uma parede de pedra e comandam uma minilançadeira no **Children's Play Dome** (no local), área de lazer com temática espacial. Se pilotar foguetes não gastar energia suficiente, vá 13km ao norte para o **Rotary Riverfront Park** (4141 S Washington Ave, Titusville, 32780), que tem playground e píer de pesca no rio Indian.

Crianças exploram a área de lazer do Children's Play Dome

Comida e bebida

Piquenique: até $25; Lanche: $25-50; Refeição: $50-80; Para a família: mais de $80 (para quatro pessoas)

PIQUENIQUE Kloiber's Cobbler Eatery (337 S Washington Ave, Titusville, 32796; 321 383 0689) tem sanduíches e saladas, que podem ser comidos no Children's Play Dome.
LANCHE G-Force Grill (em Astronaut Encounter) serve cachorro-quente, coxa de peru e nachos.
REFEIÇÃO The Orbit Café (perto do cinema Imax®), o maior restaurante do Kennedy Space Center, tem pizza, churrasco e sanduíches. Compre a Souvenir Sipper Cup e encha grátis o copo de refrigerante o dia todo.
PARA A FAMÍLIA Lunch with an Astronaut (em Astronaut Encounter) dá aos visitantes a rara chance de conversar e comer com um astronauta de verdade. Faça reserva pelo 866 737 5235.

Encontro com veteranos do espaço em Lunch with an Astronaut

Compras

Mais de 3 mil artigos com a temática do espaço estão disponíveis na **Space Shop** (Nasa Central; www.thespaceshop.com; 9h-15h), como camisetas, medalhas comemorativas, Lego® de tema espacial e até uma réplica em tamanho natural do traje de voo.

Saiba mais

INTERNET Em Nasa Kids' Club (www.nasa.gov/audience/forkids/kidsclub/flash) há concursos e jogos com temas espaciais com Buzz Lightyear, para crianças menores, e notícias e fotos do espaço tiradas por astronautas, para as maiores. A National Geographic oferece um guia interativo do Sistema Solar em science.nationalgeographic.com/science/space/solar-system.

Próxima parada...
HISTÓRIA DO ESPAÇO

Para conhecer mais a história do espaço próximo, siga 21km a oeste, para o **US Space Walk of Fame**

Modelo de lançadeira no US Space Walk of Fame

Cronologia

1958	1965	1969	1981	1982	1986	1988
Lançado o primeiro satélite americano, *Explorer 1*		Neil Armstrong e Buzz Aldrin (*Apollo 11*) andam na Lua		Começa o programa de lançadeiras espaciais		Lançado o *Discovery*, primeiro ônibus espacial a ser lançado desde o desastre do *Challenger*
	Edward White é o primeiro americano a caminhar no espaço		*Columbia* é o primeiro ônibus espacial		O *Challenger* explode, matando a tripulação	

Preços para família de 4 pessoas

Kennedy Space Center | 147

Museum (4 Main St, Titusville, 32796; 321 264 0434), com mostras sobre Mercury, Gemini, Apollo e outros ônibus espaciais. Ou vá 19km a leste até o **Air Force Space and Missile Museum** (191 Museum Circle, Patrick Air Force Base, 32925; 321 853 9171) para ver itens restaurados das atividades espaciais da Força Aérea dos EUA. O **Valiant Air Command & Vintage Warbird Museum** (6600 Tico Rd, Titusville, 32780; 321 268 1941; www.vacwarbirds.org), 13km a oeste do Kennedy Space Center, é para os interessados em voos terrestres. O museu exibe aviões antigos e faz voos com eles.

Informações

- **Mapa** 6 H5
- **Endereço** State Rd 405, Kennedy Space Center, 32899; 1 866 737 5235; www.kennedyspacecenter.com
- **Carro** Alugue em Orlando.
- **Aberto** 9h-18h diariam, fechado em 25 dez e certos dias de lançamento. United States Astronaut Hall of Fame®: 12h-18h diariam. Horário varia; veja no site.
- **Preços** $182-252; até 3 anos, grátis. Passe anual ilimitado: $212-232; até 3 anos, grátis. United States Astronaut Hall of Fame®: $100-108; até 3 anos, grátis
- **Para evitar fila** Reserve pela internet e evite ir nos feriados, nas férias da primavera em maio e no fim do outono. Vá à Shuttle Launch Experience de manhã, já que à tarde as filas costumam ser maiores.
- **Passeios guiados** O centro realiza os KSC Up-Close Tours ($88-100 cada um; até 3 anos, grátis), incluindo o Launch Pad Tour, em que os visitantes veem de perto a Launch Pad 39-A; o Launch Control Center Tour, que leva os visitantes para um passeio na Firing Room 4, de onde foram controlados todos os lançamentos desde 2006; e o Vehicle Assembly Building Tour, que deixa ver de perto a área em que os ônibus espaciais eram reunidos para o lançamento por meio de enormes pontes rolantes. No Cabo Canaveral: Then & Now Tour ($88-100; até 3 anos, grátis), os visitantes revivem o lançamento do primeiro satélite dos EUA e veem os locais de lançamento dos programas Mercury, Gemini e Apollo. O passeio gratuito Rocket Garden (10h30 e 16h diariam) mostra aos visitantes os foguetes que ajudam a levar os astronautas ao espaço.
- **Idade** A partir de 6 anos
- **Atividades** As crianças podem ir ao simulador de veículo em Marte e a um simulador de forças gravitacionais mais ameno no US Astronaut Hall of Fame®.
- **Duração** 4-8 horas
- **Cadeira de rodas** Sim
- **Banheiros** No Visitor Complex, no Imax® Theater e em todos os restaurantes

Bom para a família?
Crianças e a maioria dos adultos ficam fascinadas com o programa espacial. O preço único é baixo para uma experiência de um dia.

CRIANÇADA!

Conquiste as insígnias
Veja os emblemas das missões expostos na Space Shop e tente encontrar:
1. Um vagão coberto
2. A Estátua da Liberdade
3. Cavalos alados
4. "Friendship 7"
5. Um veleiro de madeira

Respostas no fim do quadro.

ROCHAS LUNARES
As pedras lunares que estão expostas no Apollo/Saturn V Center foram trazidas pelos astronautas das missões Apollo – mas não eram o único motivo da viagem à Lua – e foram coletadas com as mesmas ferramentas usadas na Terra, como martelo, ancinhos, pás e tenazes.

O espaço em números
1. Se você pesa 45,4 kg na Terra, pesaria 7,7 kg na Lua e 107 kg em Júpiter.
2. Na hora do lançamento, um foguete dispara a 28.164km/h.
3. As portas do Prédio de Montagem de Veículos, de 160m de altura, demoram 45 minutos para se abrir.
4. O som do lançamento de um ônibus espacial equivale ao de 8 milhões de aparelhos de som.
5. Se fosse possível pegar um ônibus espacial para ir do Kennedy Space Center até Orlando, a viagem demoraria 9 segundos.

Respostas: 1 Gemini 5. **2** STS-51J Ônibus espacial Atlantis. **3** Apollo 13. **4** Mercury 6. **5** STS-49 Ônibus espacial Endeavour.

1990 Lançado o Telescópio Espacial Hubble

2003 Ônibus espacial Columbia explode na reentrada e mata a tripulação

2008 A sonda Phoenix, da Nasa, descobre água de gelo em Marte

2012 Veículo da Nasa Curiosity pousa em Marte

2014 Nasa planeja lançamento da nave tripulada Orion

| Costa Espacial

② Merritt Island National Wildlife Refuge
O lugar mais selvagem da Flórida

Com dunas costeiras e brejos pantanosos, a região da Merritt Island é um parque temático construído pela natureza. Instituída em 1963, a reserva ocupa o dobro da área de Orlando. Tem mais de 1.500 espécies de plantas, mamíferos e répteis, entre elas animais ameaçados de extinção que não existem em outro lugar. Muitas aves migratórias aparecem de outubro a abril, e diversas aves grandes, como garças e pelicanos, vivem ali o ano todo.

Manatis (peixes-bois) na Observation Area

Destaques

④ **Black Point Wildlife Drive** Siga de carro o caminho de 4km ou pegue a pé uma das trilhas para ver mais de 50 espécies de pássaros. A trilha de ligação Cruickshank (8km) passa através do charco e volta para a estrada.

⑤ **Indian River Lagoon** As margens desses cursos d'água, lar de tribos indígenas por milhares de anos, têm os melhores pontos para ver manatis e golfinhos-nariz-de-garrafa na invernada.

⑥ **Manatee Observation Area** Esse deque do lado nordeste do Haulover Canal deixa ver de perto os ameaçados manatis. No inverno, quando cai a temperatura do mar, veem-se várias centenas deles.

⑦ **Canaveral National Seashore** Praias de areia branca, floresta tropical, lagunas e mata de dossel compõem esse trecho preservado de litoral de 39km.

① **Playalinda Beach** Essa praia protegida, de areia branca fofa e limpa e vistas panorâmicas, é uma das melhores da Flórida, sem a presença de hotéis.

② **Tourist Information Center** Veja mostras e apresentações interativas sobre a vida na reserva e suba na torre de observação para apreciar lindas vistas.

③ **Oak Hammock and Palm Hammock Foot Trails** A curta trilha Oak Hammock tem placas educativas que explicam a ecologia da área. A trilha Palm Hammock é um circuito de 4km por uma floresta frondosa, com áreas perfeitas para avistar aves canoras.

Preços para família de 4 pessoas

Informações

🌐 **Mapa** 6 H5
Endereço SR-402, Titusville, 32782; 321 861 0667; www.fws.gov/merrittisland

🚗 **Carro** Alugue em New Smyrna Beach ou Orlando. O refúgio começa do lado leste da Max Brewer Causeway (ponte).

🕐 **Aberto** Refúgio: aurora-pôr do sol diariam. Tourist Information Center: em geral 10h-16h30. Horário varia com a temporada; veja no site. Playalinda Beach: 6h-18h diariam (salva-vidas 30 mai-1 set: 10h-17h). Estradas, trilhas e rampas de barco abertas diariam aurora-pôr do sol.

💲 **Preço** Entrada no parque e licenças de pesca grátis. Black Point Wildlife Drive e atracação de barco: $5

🚩 **Passeios guiados** De carro, a habitats de aves (321 861 5601). Passeios a pé gratuitos saem do Tourist Information Center.

👫 **Idade** A partir de 9 anos (a pé por trilhas); passeios de carro para crianças pequenas. Vá à ponta sul da Playalinda Beach, pois a do norte é ponto extraoficial de nudismo.

👪 **Atividades** O Visitor Center faz oficinas de artesanato infantis

⏱ **Duração** 1-8 horas

☕ **Café** Não

🚻 **Banheiros** No Visitor Center, na parada da trilha Cruickshank e nos estacionamentos da Playalinda Beach

Bom para a família?
Com acesso livre a uma das últimas regiões agrestes da América do Norte, Merritt Island é ótima para quem gosta de ar livre.

Merritt Island National Wildlife Refuge | 149

Vista do topo do Turtle Mound, Canaveral National Seashore

Para relaxar
Merritt Island é uma área natural – assim, não é bem-visto correr e fazer barulho, porque perturba os animais. Vá ao **Jetty Park Fishing Pier**, no Cabo Canaveral, para fisgar e soltar peixes numas das melhores águas do estado, ou dê uma olhada no **Seminole Rest** e no **Turtle Mound**, no meio do Canaveral National Seashore. Esses sítios arqueológicos comprovam a presença de indígenas ali há 4 mil anos.

Comida e bebida
Piquenique: até $25; Lanche: $25-50; Refeição: $50-80; Para a família: mais de $80 (para quatro pessoas)

PIQUENIQUE Publix *(125 E Merritt Island Causeway, 32952; 321 452 0288)* tem suprimentos para piquenique. Leve o almoço ao Sendler Education Outpost Pavilion, perto da laguna do rio Indian. Há mesas de piquenique, água e banheiros.
LANCHE Taco City *(2955 S Atlantic Ave, Cocoa Beach, 32931; 321 784 1475; www.tacocity2.com)* tem clima informal e muita comida tex-mex para crianças pequenas.
REFEIÇÃO Grills Seafood Deck & Tiki Bar *(505 Glen Cheek Dr, Cabo Canaveral, 32920; 321 868 2226; www.grillsseafood.com)* oferece frutos do mar e mesas ao ar livre numa baía frequentada por golfinhos, a 32 km da Merritt Island.
PARA A FAMÍLIA The Fat Snook *(2464 S Atlantic Ave, Cocoa Beach, 32169; 321 784 1190; www.thefatsnook.com)* é um restaurante caribenho moderno que serve pratos interessantes, como bife selado com café e vieiras com polenta de banana. Ligue antes para reservar.

Compras
Faça sua escolha entre chapéus, bonés, camisetas, distintivos, broches e livros diversos na loja de lembranças do **Visitor Center**.

Saiba mais
INTERNET Veja em *www.floridabirdingtrail.com* uma lista de 500 locais da Flórida para ver pássaros.
FILME *O grande ano* (2011), sobre observação de pássaros raros e com Jack Black e Steve Martin, foi filmado em parte na Merritt Island.

Crianças brincam no mar perto do Pier, Cocoa Beach

Se chover...
Se ameaçar chover, siga 32km ao sul para a cidade de **Cocoa Beach** (p. 150), que tem muitos restaurantes e lojas.

Próxima parada...
BOTANICAL GARDEN
Siga 64km ao sul para o Jardim Botânico, no Florida Institute of Technology *(facilities.fit.edu/botanical_gardens.php)*. Esse jardim de 6 hectares contém mais de 300 espécies de samambaias, palmeiras e plantas tropicais.

CRIANÇADA!

Você espreita os pássaros...
É fácil avistar aves quando se sabe o que procurar e escutar: 
1 Cores vivas. As asas azuis do gaio nas árvores verdes e o bico rosa do colhereiro na água escura.
2 Cantos. O assobio agudo da águia-pescadora ou a risada "cu-cu-cu" do pica-pau-de-penacho-vermelho.
3 Sombras. As águias e os falcões em geral são silenciosos, mas são grandes e lançam sombras largas no chão.
4 Movimento. As aves limícolas, como a garça-cinza e a íbis-sagrada, ficam paradas em pé por muito tempo para pegar peixes. Tente vê-las em movimento.

CAÇA AO TESOURO
Pegue um kit GeoHunt e um GPS no Visitor Center e comece a caçada ao tesouro da Merritt Island, de carro e a pé. No caminho lhe pedirão que encontre locais históricos, aviste pássaros de todo tipo e anote qual é a extensão de cada trilha.

Não é de tartaruga
O Turtle Mound (Monte de Tartaruga), no Canaveral National Seashore, é um sambaqui (midden, em inglês) – grande monte de conchas de moluscos comidos pelos primeiros indígenas. Tem mais de 15m de altura e pode ser visto do mar a 11km de distância.

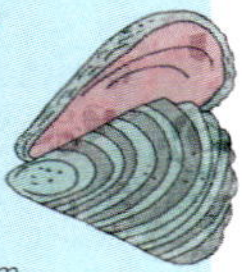

... e estes espreitam você
Os lagos de água doce atrás do Visitor Center têm hóspedes nada secretos: aligatores vivos que descansam nas margens lamacentas e se aquecem ao sol. Veja a luz refletida nos olhos deles. Se tiver sorte, vai ouvir a voz do aligátor – uma tosse baixa e bem grave.

150 | Costa Espacial

Turistas nas famosas areias brancas de Cocoa Beach

③ Cocoa Beach e o Píer

Comer, comprar e pescar em cima; banho de sol, embaixo

A cidade de Cocoa Beach ganhou fama pela proximidade do Kennedy Space Center *(pp. 144-7)*, mas era conhecida bem antes de se lançarem foguetes ali. Aninha-se numa pequena ilha de barreira margeada por laguna fértil e pelas águas quentes do oceano Atlântico. Vestígios de antigas aldeias de indígenas provam que Cocoa foi o lar deles por milhares de anos, e hoje as lojas, os restaurantes e o museu mantêm o espírito. A praia, de areia branca fofa, é banhada por um mar relativamente calmo e sempre atrai muitos turistas. Há muita atividade, de famílias construindo castelos de areia a surfistas e caçadores de tesouro com detector de metais. Um marco desde 1962, o **Píer** de madeira tem bares, restaurantes e lojas que vendem artesanato. Também há shows de música ao vivo e festivais na praia.

Se chover...

Vá à **Dinosaur Store** *(250 W Cocoa Beach Causeway, 32931; 321 783 7300; www.dinosaurstore.com)*, que tem grande variedade de dentes de dinossauro e réplicas, meteoritos e brinquedos. As crianças gostam das imitações de cabeças encolhidas e jogos eletrônicos.

④ Ron Jon Surf Shop, Cocoa Beach

Sempre aberta e divertida

Inaugurada em 1964, esse loja tradicional está aí há tanto tempo que se tornou um destino turístico em si. Tem de tudo para a família: trajes de banho, bermudas, toalhas e sandálias na curiosa loja de dois andares com estátuas havaianas na frente. A loja também tem uma enorme gama de lembranças cafonas, como colantes da Ron Jon, estátuas de Tiki, chaveiros e tudo o que se pode imaginar com a palavra "Flórida" escrita. Surfistas de verdade também compram ali, e a variedade de pranchas e suprimentos é de primeira. Antes de ir à loja, procure cupons de desconto no saguão do hotel.

Visite o **Cocoa Beach Surf Museum** *(www.cocoabeachsurfmuseum.org)*, situado ao norte do prédio principal da loja. Passa filmes e tem mostras sobre a história do surfe e seus heróis.

Para relaxar

O **Alan Shephard Park** *(202 E Cocoa Beach Causeway, 32931; 321 868 3258)*, a duas quadras de distância, oferece muitas oportunidades para mexer o corpo. Há também um acesso à praia de areia branca e a banheiros.

Informações

- **Mapa** 6 H6
  Endereço Píer: 401 Meade Ave, Cocoa Beach, 32931; 321 783 7549; cocoabeachpier.com/cbp
- **Carro** Alugue no Aeroporto Internacional de Orlando
- **Preço** Píer: estacionamento $10; veja detalhes no site
- **Para evitar fila** Evite as férias de primavera em mar e os festivais de surfe em abr e set, que atraem multidões. No 4 de Julho, a queima de fogos é espetacular e faz o aperto valer a pena.
- **Passeios guiados** Wildside Tours (www.wildsidetours.com) faz excursão de barco de Cocoa Beach à laguna do rio Banana para ver manatis e aves
- **Idade** Livre
- **Duração** 2 dias
- **Comida e bebida**
  PIQUENIQUE Cocoa Beach Sunday Farmers' Market *(City Hall, 2 S Orlando Ave, 32931; 321 917 0721; www.cityofcocoabeach.com)* oferece produtos agrícolas e de padaria que podem ser comidos na praia. REFEIÇÃO Atlantic Ocean Grille *(no Píer; 321 783 7549)* oferece peixes recém-pescados e vista espetacular acima do mar.

Preços para família de 4 pessoas

Informações

- **Mapa** 6 H6
  Endereço 4151 North Atlantic Ave, Cocoa Beach, 32931; 321 799 8888; www.ronjons.com
- **Carro** Alugue no Aeroporto Internacional de Orlando
- **Aberto** 24h diariam. Cocoa Beach Surf Museum: 8h-20h diariam
- **Idade** A partir de 6 anos
- **Duração** 30 min-2 horas
- **Cadeira de rodas** Sim
- **Comida e bebida** LANCHE Simply Delicious Café & Bakery *(125 N Orlando Ave, 32931; 321 783 2012)* serve café da manhã, sanduíches e pães. REFEIÇÃO The Shark Pit *(4001 N Atlantic Ave, 32931; www.cocoabeachsurf.com/SharkPit)* tem tacos de peixe, pizza e cardápio infantil.
- **Banheiros** Nos dois andares

Grande variedade de artigos fascinantes na Ron Jon Surf Shop, Cocoa Beach

⑤ Brevard Museum of History and Natural Science

De mastodontes a mísseis

Esse museu encantador oferece uma visão do passado distante e do presente tecnológico da Flórida central – de fósseis pré-históricos a espaçonaves. Veja a remontagem das escavações arqueológicas do sítio mais antigo da região e de antigas aldeias indígenas para ter uma ideia da origem de Cocoa. Há também mostras do programa espacial e da pecuária ainda vibrante no município de Brevard. O acervo do museu está exposto junto com peças de coleções itinerantes.

Para relaxar
A casa na árvore com rampas do **Imagination Center** (no local) é uma brincadeira de muita energia. O parque do museu tem trilhas educativas com lugares à sombra para os visitantes se refrescarem.

Informações
- **Mapa** 6 H6
- **Endereço** 2201 Michigan Ave, Cocoa, 32926; 321 632 1830; nbbd.com/godo/BrevardMuseum
- **Carro** Alugue no Aeroporto Internacional de Orlando
- **Aberto** 10h-16h ter-sáb
- **Preço** $21-31; até 4 anos, grátis
- **Para evitar fila** A tarde é o período mais tranquilo
- **Passeios guiados** O museu realiza passeios guiados agendados por trilhas e exposições para grupos a partir de 15 anos
- **Idade** A partir de 6 anos
- **Atividades** Há atividades interativas no Imagination Center
- **Duração** 1-3 horas
- **Cadeira de rodas** Sim
- **Comida e bebida** REFEIÇÃO Jabbers (4360 Grissom Pkwy, Cocoa, 2926; 321 638 4130) tem comida cajun e sulista. PARA A FAMÍLIA Heidelberg Restaurante (7 N Orlando Ave, 32931; 321 783 4559) serve especialidades alemãs e ótimas sobremesas caseiras.
- **Banheiros** No saguão

Vencendo uma ponte de corda no Brevard Zoo, Melbourne

⑥ Brevard Zoo

Chegue perto de linces, patos selvagens e girafas

Como se a Flórida já não fosse selvagem, esse zoológico moderno e espaçoso apresenta ainda mais animais e habitats. Na área Wild Florida, veja animais nativos como aligatores, linces, reapodas, patos selvagens e gaviões. O zoo tem reprodução de selvas africanas, australianas e sul-americanas com animais exóticos. Suba na plataforma de 5 m de altura na Expedition Africa para encarar a girafa olho no olho.

Para relaxar
O percurso **Treetop Trek Chutes & Ladders** (no local) usa pontes de corda, corda bamba e tirolesas pelo zoo, em volta dele e 6m acima dele.

Informações
- **Mapa** 6 H6
- **Endereço** 8225 N Wickham Rd, Melbourne, 32940; 321 254 9453; www.brevardzoo.org
- **Carro** Alugue no Aeroporto Internacional de Orlando
- **Aberto** 9h30-17h diariam (última entrada 16h15)
- **Preço** $50-60; até 2 anos, grátis
- **Passeios guiados** Existem vários passeios guiados dentro do zoo e nos brejos interligados. Também há o passeio de bastidores Wild Encounter.
- **Idade** A partir de 2 anos
- **Atividades** Carinho em animais, parque aquático e passeio de trem
- **Duração** 1-3 horas
- **Cadeira de rodas** Sim
- **Comida e bebida** PIQUENIQUE Flamingo Café (no local) tem lanches que podem ser comidos nas mesas de piquenique fora do zoo. LANCHE Whale's Tail (no local) serve sanduíches, pizza e galinha.

CRIANÇADA!

Escute, carinha!
O esporte do surfe tem língua própria, uma mistura de palavras de muitos lugares, como o Havaí e a Califórnia. Veja se você escuta uma destas:
1. **Aloha**: olá, tchau e qual é?
2. **Bammerwee**: nem bom nem ruim, só tudo bem
3. **Da kine**: termo havaiano para "a melhor onda possível"
4. **Eat foam** (comer espuma): cair da prancha
5. **Gnarly**: coisa incrível, surpreendente; melhor que isso é gnar-max
6. **Jivel**: está tudo muito errado e nem um pouco gnarly
7. **Tubular**: legal demais
8. **Mahalo**: "obrigado" em havaiano

SÓ NA FLÓRIDA
Aligatores e manatis não são os únicos animais nativos da Flórida. Ao contrário da maioria dos seus compadres, os patos-selvagens de barriga preta vivem em árvores e até chaminés, e gritam "pe-tche-tche" ao voar. Você logo os reconhece pelo bico vermelho, pelas longas pernas rosadas e, claro, pela barriga preta.

O povo do pântano
No Brevard Museum of History and Natural Science, conheça o antigo povo do pântano (bog). Habitantes dos pântanos do Cabo Canaveral há mais de 8 mil anos, seus membros tinham ferramentas, roupas e casas 3.500 anos antes de haver pirâmides no Egito! Mais de 160 esqueletos mumificados foram descobertos nos pântanos em volta de Titusville, e é por isso que são chamados de "Bog people".

Piquenique até $25; **Lanche** $25-50; **Refeição** $50-80; **Para a família** mais de $80 (para quatro pessoas)

Onde Ficar na Costa Espacial

Com mais de 2.500 hotéis e motéis, os preços e locais nessa região vão de baixos e básicos a exorbitantes e ultraluxuosos. Enquanto a maioria dos locais alardeia a proximidade das praias, existem poucas preciosidades ocultas que oferecem uma experiência única ao ar livre.

AGÊNCIA
Cocoa Beach Best
www.cocoabeachbest.com
Situada no coração da Costa Espacial, essa agência oferece aluguel em prédios – de apartamentos eficientes de um quarto e suítes a casas com cinco quartos e piscina – com preços diários e semanais.

Cabo Canaveral Mapa 6 H6

RESORTS
Radisson Resort at the Port
8701 Astronaut Blvd, 32920; 321 784 0000; www.radisson.com
O resort mais próximo do porto Canaveral deixa ver de algumas sacadas os navios de cruzeiro que chegam. A área de lazer ao ar livre tem cascatas e banheira de água quente. Cada quarto conta com micro-ondas e geladeira, e o café da manhã é grátis. O Kennedy Space Center fica a 30 minutos de carro.
$$

Royal Mansions Resort
8600 Ridgewood Ave, 32920; 321 784 8484; www.royalmansions.com
Esse resort oferece aluguel em prédio de praia particular. Cada apartamento tem cozinha completa; fora, uma edícula com churrasqueiras, tanques de água quente, aluguel de bicicleta, além de passarela privada até a praia. Café da manhã incluso. Estadia mínima de duas diárias.
$$

Ron Jon Cape Caribe Resort
1000 Shorewood Dr, 32920; 321 784 4922; www.ronjonresort.com
Bem na praia de areia branca, esse resort tem parque aquático para fazer os hóspedes esquecerem da praia. O resort dispõe de minigolfe, quadras de tênis e basquete, centro juvenil e creche. Suítes em casa com ar-condicionado têm cozinha completa ou quitinete.
$$-$$$

Parque aquático com tema de piratas no International Palms Resort, Cocoa Beach

HOTÉIS
Residence Inn Cape Canaveral Cocoa Beach
8959 Astronaut Blvd, 32920; 321 323 1100; tinyurl.com/2tp7b3
Em meio a jardins com lindo paisagismo e paisagem de praia panorâmica, essas suítes no estilo de Key West têm café da manhã incluso, confraternização à noite e jantar leve de segunda a quarta.
$$

CAMPING
Jetty Park Campground
400 Jetty Rd, 32920; 321 783 7111; www.jettyparkbeachand campground.com
Camping estadual com 150 pontos, de "rustic" – barraca sob árvores – a "improved" – com eletricidade e água corrente. Pode-se pescar do píer ou na praia. Entre as comodidades, loja de iscas e equipamento, lavanderia e chuveiros.
$

Cocoa Beach Mapa 6 H6

RESORTS
Beach Island Resort
1125 S. Atlantic Ave, Cocoa Beach, 32931; 321 784 5720; www.beach islandresort.com
Esse resort para famílias tem quartos com uma ou duas camas, com cozinha completa e sala de jantar. A praia de areia branca fica a curta distância a pé. Há uma piscina e banheira de água quente no próprio resort.
$-$$

International Palms Resort
1300 N Atlantic Ave, 32931; 321 783 2271; www.internationalpalms.com
Grande resort de praia, o Palms oferece suítes e "family fun rooms" com beliches. Os jovens adoram a sala de jogos e o parque aquático de pirata. Para os adultos, há academia de ginástica e quadras de tênis e shuffleboard. Aluguel de prancha de surfe disponível.
$-$$

Discovery Beach Resort Mapa 6 H6
300 Barlow Ave, 32931; 321 868 7777; www.discoverybeachresort.com
As suítes de um, dois e três quartos do prédio têm vista para a praia – o que é ótimo para ver os grandes navios de cruzeiro passarem a caminho do porto Canaveral. Cozinha completa, banheira de água quente e sauna, quadras de tênis e basquete e sala de jogos eletrônicos deixam todos ocupados.
$$$

The Resort on Cocoa Beach
1600 N Atlantic Ave, 32931; 321 783 4000; www.theresorton cocoabeach.com
A poucos minutos do Kennedy Space Center, esse resort em prédio tem suítes de dois quartos com sacada e vista para o mar. Além de sala de ginástica, conta com quadras de shuffleboard e vôlei de praia e passa filmes próprios para a família. As crianças brincam na praia privada ou na sala de jogos.
$$$

HOTÉIS
Four Points Cocoa Beach
4001 N Atlantic Ave, 32931; 321 783 8717; www.starwoodhotels.com
Instalado no "maior complexo de surfe do mundo", esse hotel tem uma decoração viva de surfe que o

torna um pouco parecido com o cenário de Bob Esponja. Alguns quartos dão para a área de compras e diversão, que ostenta um enorme aquário de tubarões e peixes exóticos, bem como lojas e aluguel de apetrechos de praia.

🛜 🍽️ E ❄️ $

The Inn at Cocoa Beach
4300 Ocean Beach Blvd, 32931; 321 799 3460; www.theinnatcocoabeach.com
Muitos dos 50 quartos dessa pousada de estilo campestre francês dão tanto para a piscina como para o mar, e outros têm hidromassagem e sacada para o mar. Há muitas salas de ginástica, massagem e banho de vapor. O café da manhã é gratuito e à tarde são servidos queijos e vinho para os adultos.

🛜 ❄️ ☀️ $$$

MOTÉIS
Econo Lodge Space Center
Mapa 6 H6
3220 N Cocoa Blvd, 32926; 321 632 4561; www.econolodge.com/hotel-cocoa-florida-FL354
Esse motel barato que aceita animais tem 144 quartos limpos, café da manhã grátis e transporte para o Kennedy Space Center.

🛜 🛏️ E ❄️ $

Anthony's on the Beach
3499 S Atlantic Ave, 32931; 321 784 8829; www.anthonysonthebeach.com
Erigido em 1958, o Anthony's faz parte da velha vida praiana da Flórida. Os dezenove apartamentos eficientes têm cozinha completa e área de jantar. O motel fica perto da via principal e dá um pouco de tranquilidade numa região de trânsito pesado. A praia está em frente.

🛜 🍽️ 🍳 ☀️ $$

APARTAMENTOS E FLATS
Wakulla Suites
3550 N Atlantic Ave, 32931; 321 783 2230; wakullasuites.com
Pertencente a uma família desde 1972, esse imóvel com suítes de dois quartos oferece pátio tropical e praia no quintal com redes de vôlei. Há uma sala de jogos eletrônicos e bar de lanches no saguão. Há aluguel de cadeira de praia e caiaque.

🛜 🍽️ 🍳 E ❄️ $$

Beach Place Guesthouses
1445 S Atlantic Ave, 32931; 321 783 4045; beachplaceguesthouses.com
Esse conjunto de dezesseis edículas localiza-se em bairro residencial tranquilo bem perto da praia. O imóvel tem três deques com vista para o mar, redes de dormir, salas de estar enormes e um jardim para relaxar.

🛜 🍽️ ☀️ ❄️ 🍳 $$$

Melbourne Beach
Mapa 8 G1

RESORT
Seashell Suites Resort
8795 S Hwy A1A, 32951; 321 409 0500; www.seashellsuites.com
Combinação interessante de resort de luxo com ambiente familiar, o Melbourne foi feito com materiais atóxicos e ecológicos. Retiro isolado, oferece suítes com dois quartos de dormir, área de tijolos para banho de sol e praia particular.

🛜 🍽️ ❄️ $$

BED & BREAKFAST
Port d'Hiver Bed and Breakfast
201 Ocean Ave, 32951; 321 722 2727; www.portdhiver.com
Esse B&B tem ar de hotel-butique. Cada um dos onze quartos e suítes tem decoração própria. Serviço de quarto disponível no café da manhã. São servidas entradas no final da tarde.

🛜 🍽️ E ❄️ $$-$$$

Titusville
Mapa 6 G5

HOTÉIS
Days Inn Kennedy Space Center
3755 Cheney Hwy, 32780; 321 269 4480; tinyurl.com/7qxxnph
Situado mais perto do Brevard Zoo que do Kennedy Space Center, esse hotel, que aceita animais de estimação, tem serviço de lavanderia e de recepção 24 horas.

🛜 🍽️ 🍳 ❄️ $

Holiday Inn Titusville-Kennedy Space Center
4715 Helen Hauser Blvd, 32780; 321 383 0200; tinyurl.com/6ln6q4c
Até quatro crianças de até 12 anos comem de graça no restaurante Bapa's Bistro, no local, pelo programa Kids Eat Free. Além disso, todo quarto tem frigobar e micro-ondas. Há também academia de ginástica e berços à disposição.

🛜 🍽️ 🛏️ 🍳 ❄️ $

CAMPING
Manatee Hammock Camp Grounds
7275 South US Hwy 1, 32780; 321 264 5083; tinyurl.com/qn7wqm
Há ótimas oportunidades para ver animais no extenso terreno ao redor de 35 pontos de acampamento, com água e eletricidade, chuveiro de água quente e lavanderia. Estadia mínima de duas diárias.

🛜 ❄️ $

Categorias de preço
As seguintes faixas de preço baseiam-se em uma diária na alta temporada para uma família de quatro pessoas, incluindo serviço e taxas adicionais.
$ até $150 **$$** $150-300 **$$$** mais de $300

Suíte espaçosa e elegante no Port d'Hiver Bed and Breakfast, Melbourne Beach

Legenda dos símbolos *na orelha da contracapa*

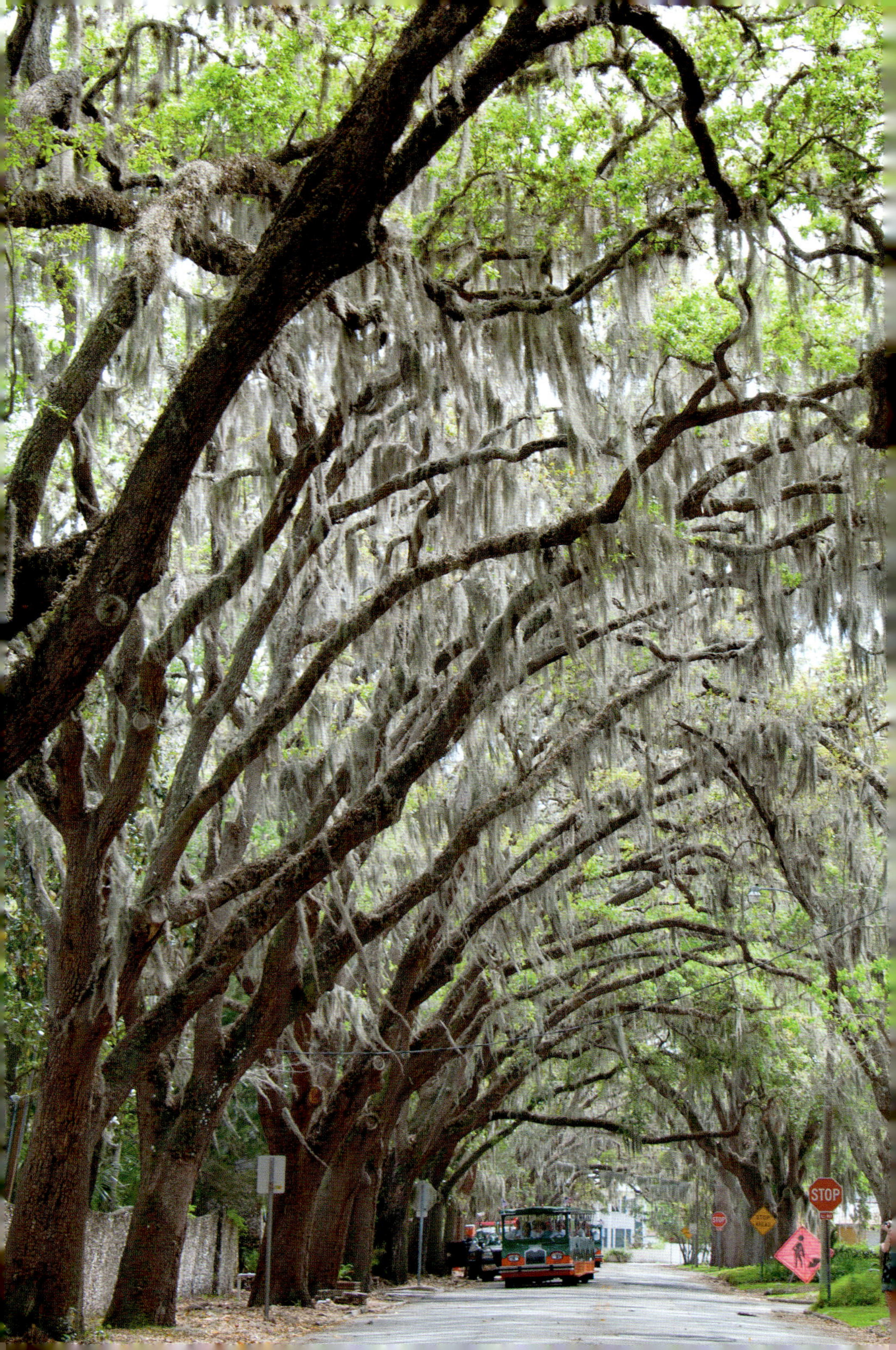
STOP

Nordeste

A Primeira Costa atrai visitantes há séculos – o primeiro europeu que desembarcou ali foi o explorador espanhol Juan Ponce de León, em 1513. Em 1562, Pedro Menéndez criou a colônia espanhola de San Agustín. Bem antes da febre turística dos anos 1920 em Miami, o ótimo tempo e as praias incríveis tornaram o Nordeste um polo de visitantes. Os turistas de hoje contam com uma série de novas atrações familiares.

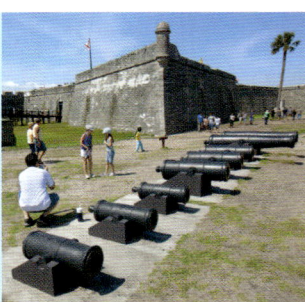

Principais atrações

Fernandina Beach
Dos cais da frota pesqueira às casas da era vitoriana, a histórica Fernandina Beach é um ótimo lugar para caminhar, comprar e conhecer restaurantes (p. 166).

Talbot Islands State Parks
Atravesse uma floresta marítima até a praia, investigue o passado de uma fazenda histórica e aprenda a remar nos parques de Talbot Islands nas Amelia Islands (pp. 164-5).

Jacksonville Zoo and Gardens
Acaricie arraias, alimente girafas, ruja com as onças, monte num tigre no carrossel de animais e veja os bichos em seu habitat natural nesse zoológico premiado que tem mais de 1.500 moradores (pp. 162-3).

St. Augustine
Percorra essa fascinante "Cidade Antiga", fundada em 1565, com um bairro histórico que deixa vislumbrar o passado (pp. 168-9).

Museum of Arts and Sciences (MOAS)
Com planetário, fósseis da Era do Gelo, ursos de pelúcia antigos e um centro infantil interativo, esse museu de Daytona Beach é sempre uma grande atração para as famílias (pp. 176-7).

À esq. Rua coberta de árvores na cidade histórica de St. Augustine
Acima, à dir. Fileira de canhões espanhóis no amplo Castillo de San Marcos, do século XVII, St. Augustine

O Melhor do Nordeste

Enquanto a Flórida central tem parques temáticos famosos, e o sul da Flórida, muito charme, o nordeste exibe a beleza natural do estado. A região é dotada não só de muitos quilômetros de praias de areia fina, mas também de parques bem diferentes em que a família pode nadar, catar conchas, caminhar, pescar e remar. Além disso, várias atrações, locais históricos e museus para crianças entretêm a família toda.

Parques em profusão

O nordeste da Flórida ostenta uma quantidade incomum de atrações – não há parques massificados. Comece o passeio na Boneyard Beach do **Big Talbot Island State Park** *(p. 164)*. Seus enormes esqueletos de carvalhos e cedros batidos pelo vento criam uma paisagem ímpar. Vá mais ao sul para ver bandos de bisões e gado Florida Cracker no **Paynes Prairie Preserve State Park** *(p.180)*, perto de Ocala. Relaxe no **Blue Spring State Park** *(p. 178)*, perto de Orange City, onde os manatis gostam de passar o inverno. Complete o passeio descendo 236 degraus para chegar à minifloresta tropical no fundo da dolina chamada **Devil's Millhopper Geological State Park** *(p. 181)*, perto de Gainesville.

Encontros históricos

Veja atores experimentados dar vida à história da Flórida em locais históricos da região. No **Fort Clinch State Park** *(p. 166)*, em **Fernandina**

À esq. Explorando com snorkel as águas límpidas do Blue Spring State Park, na Ocala National Forest **Abaixo** *Famílias passam zunindo na Adventure Landing, Jacksonville Beach*

Acima Enormes mandíbulas fossilizadas de tubarões no Florida Museum of Natural History, Universidade da Flórida, Gainesville
À dir. Leoa se aquece ao sol na ala Africa Loop, Jacksonville Zoo and Gardens, Jacksonville

Beach (p. 166), soldados recriam a vida no forte durante a Guerra de Secessão. Mas **St. Augustine** (pp. 168-9) oferece a melhor oportunidade de ver como era a vida nos anos 1740. Há vários lugares na Cidade Velha em que diariamente se veem atores com roupas de época; a cidade também promove eventos de porte regularmente. Dois dos eventos anuais mais populares são o **Sack of St. Augustine** (p. 14) – com mais de 60 bucaneiros, soldados espanhóis e cidadãos – e a British Night Watch, quando as famílias podem participar do desfile de guardas britânicos em marcha com velas e lanternas para guardar a cidade.

O lado científico

As crianças que têm uma queda pelas ciências costumam adorar os ótimos museus e centros de pesquisa do nordeste. Comece o passeio científico pelo **Museum of Science & History** (p. 160), em **Jacksonville** (pp. 160-1), e depois dedique um dia inteiro ao **Marineland Dolphin Adventure** (p. 172), ao sul de **St. Augustine**. Embora seus programas especiais possam ser caros, oferecem oportunidades raras, como a de ser adestrador de golfinhos por um dia. Os aficionados pelo espaço sideral não devem perder o planetário do **Museum of Arts and Sciences** (pp. 176-7), em **Daytona Beach** (pp. 174-5). Finalize a viagem no **Florida Museum of Natural History** (p. 180), em Gainesville – um dos cinco melhores museus de história natural dos EUA e o maior "Smithsonian do Sul".

Os três grandes

Acerte os três pontos altos do nordeste da Flórida indo a seus três centros urbanos. Comece por **Jacksonville**, que tem o atrativo do time local da Liga Nacional de Futebol Americano – os Jacksonville Jaguars –, além de onças vivas no premiado **Jacksonville Zoo and Gardens** (pp. 162-3). As crianças gostam das brincadeiras e dos equipamentos aquáticos da **Adventure Landing** (p. 160). A meia hora de carro, ao sul, estão **St. Augustine** e seus muitos locais históricos e restaurantes célebres. Salvas de canhão no **Castillo de San Marcos** (p. 170) e o passeio fantasma na **St. Augustine Lighthouse** (p. 172) agradam às crianças. Após um passeio por **St. Augustine**, desça a A1A até **Daytona Beach**, parando no **Washington Oaks Gardens State Park** (p. 173) para um piquenique antes de ir às famosas **praias públicas** (p. 174) e ao **Boardwalk** (p. 174). Não perca o **Museum of Arts and Sciences**, preciosidade oculta com uma incrível seção interativa para crianças.

Nordeste

Há paisagens das mais interessantes no nordeste da Flórida ao longo da SR A1A, que atravessa uma série de cidades litorâneas curiosas. Embora seja difícil competir com 193km de praias de areaia branca, vale a pena conhecer as outras atrações da região. Jacksonville e Daytona Beach oferecem um ambiente de cidade grande; Fernandina Beach é uma cidade pitoresca com ótimos parques estaduais; e St. Augustine exibe uma venerável herança espanhola. Jacksonville é o maior polo e transportes. Várias estradas leste-oeste levam ao litoral, e a I-75, ao interior.

Diversão nas fontes perto do Daytona Beach Boardwalk

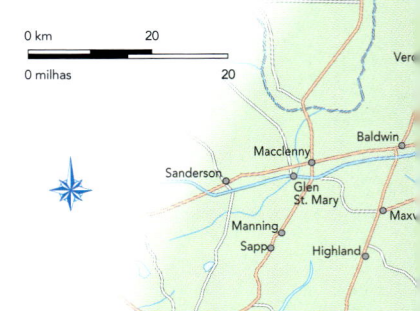

Informações

Como chegar lá e aos arredores
Air Jacksonville (www.jia.aero) e Daytona Beach (www.flydaytonafirst.com) têm aeroporto internacional. **Trem** Amtrak (www.amtrak.com) para em Jacksonville e tem duas linhas para o sul – uma pelo interior, por Gainesville e Ocala, e outra litorânea, com paradas em Palatka, Daytona, Deland e Sanford, que é o ponto final do Auto Train Amtrak. **Carro** Avis (www.avis.com) e Hertz (www.hertz.com) contam com escritório nos aeroportos.

Informação turística Vá ao posto de informação turística do Aeroporto Internacional de Jacksonville, perto da esteira de bagagens (904/798 9104 ou 800/733 2668), para obter informações sobre Jacksonville, Amelia Island/Fernandina Beach e St. Augustine.

Supermercados Publix (www.publix.com) e Winn-Dixie (www.winndixie.com) têm lojas por toda a região. **Mercados** O Jacksonville Farmers' Market (www.jaxfarmersmarket.com) vende produtos agrícolas frescos de mais de 200 agricultores, da aurora ao pôr do sol, diariam.

Festivais Daytona 500, Daytona Beach; www.daytonainternationalspeedway.com (fev). Hoggetowne Medieval Faire, Gainesville; www.gvlculturalaffairs.org (jan). Springing the Blues, Jacksonville Beach; www.springingtheblues.com (meados abr). Jacksonville Jazz Festival; www.visitjacksonville.com/jazzfestival (mai)

Horários de funcionamento O horário comercial em geral é das 9h-17h. Lojas abrem 10h. Lojas pequenas fecham 17h ou 19h; as maiores em geral até 21h, exceto dom, quando abrem 11h ou 12h e fecham 18h ou 19h. Bancos em geral abertos 8h-15h seg-sex, mas muitos ficam abertos mais tempo.

Farmácias Veja locais de farmácias 24h em toda a região no Publix, Walgreens (www.walgreens.com/pharmacy) ou CVS (www.cvs.com/pharmacy)

Banheiros Em quase todas as grandes atrações, restaurantes, shoppings e postos de gasolina

Nordeste | 159

Peças do Lightner Museum do Flagler College, St. Augustine

Esqueleto de mamute exposto no Florida Museum of Natural History

Locais de interesse

ATRAÇÕES
1. Jacksonville
2. Jacksonville Zoo and Gardens
3. Talbot Islands State Parks
4. Fernandina Beach
5. Fort Clinch State Park
6. Cumberland Island National Seashore
7. St. Augustine
8. Lightner Museum/Ponce de León Hotel
9. Castillo de San Marcos
10. Environmental Education Center
11. Anastasia Island
12. Marineland Dolphin Adventure
13. Washington Oaks Gardens State Park
14. Daytona Beach
15. Museum of Arts and Sciences (Moas)
16. Blue Spring State Park
17. Ocala National Forest
18. Ocala Thoroughbred Farm Country
19. Marjorie Kinnan Rawlings Historic State Park
20. Paynes Prairie Preserve State Park
21. Florida Museum of Natural History
22. Devil's Millhopper Geological State Park

① Jacksonville e Arredores
Uma cidade para todas as estações

Fundada em 1822, Jacksonville floresceu como porto e polo ferroviário no fim do século XIX. Maior cidade da Flórida, tem as maiores atrações culturais do nordeste – museus com esplêndidos programas infantis, grandes locais de concerto e um zoológico reconhecido. Com tempo ótimo na maior parte do ano, a cidade e suas praias oferecem também muitas atividades ao ar livre. Devido ao tamanho da cidade, é essencial alugar um carro para circular por ela.

Cummer Museum of Art and Gardens

Destaques

① Cummer Museum of Art and Gardens Brinque com tinta digital em telas gigantes, crie desenhos coloridos dançando e explore todas as formas de arte no programa Art Connections desse museu.

② Museum of Science and History (Mosh) A área de lazer educacional KidSpace, o moderníssimo planetário e uma programação de espetáculos fazem do Mosh uma grande atração para a família.

③ Jacksonville Landing Compre em lojas chiques, jante na área de alimentação internacional e veja eventos empolgantes nessas instalações de entretenimento.

④ Museum of Contemporary Art (Moca) Cinco galerias cheias de arte moderna e contemporânea, além de diversão interativa no ArtExplorium Loft, estão à espera dos visitantes nesse museu impressionante.

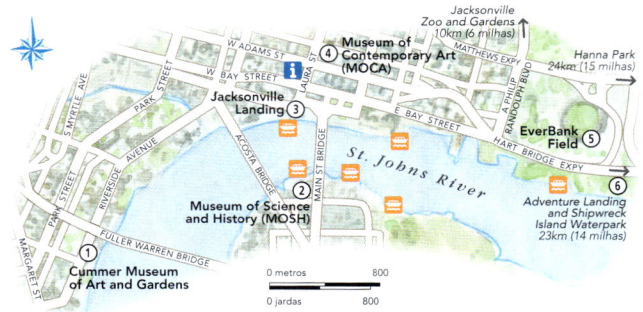

⑤ EverBank Field De grandes shows de música, concertos sinfônicos e festas ao ar livre a jogos de futebol com os Jacksonville Jaguars, esse estádio de 76 mil lugares recebe os maiores eventos de Jacksonville.

⑥ Adventure Landing e Shipwreck Island Waterpark Esse parque temático tem tudo para agradar às crianças, como minigolfe, laser tag, karts e jogos eletrônicos, além de passeios na água no verão.

Informações

🌐 **Mapa** 4 G3
Endereço Cummer Museum of Art and Gardens: 829 Riverside Ave, 32204; 904 356 6857; www.cummer.org. Museum of Science and History (Mosh): 1025 Museum Circle, 32207; 904 396 7062; www.themosh.org. Jacksonville Landing: 2 W Independent Dr, 32202; 904 353 1188; www.jacksonvillelanding.com. Museum of Contemporary Art (Moca): Hemming Plaza, 333 N Laura St., 32202; 904 366 6911; www.mocajacksonville.org. EverBank Field: 300 A Philip Randolph Blvd, 32202; 904 630 3900; www.jaxevents.com/tickets. Adventure Landing: 1944 Beach Blvd, Jacksonville Beach, 32250; 904 246 4386; www.adventurelanding.com

🚌 **Ônibus** da Jacksonville Transportation Authority (JTA) e especiais percorrem a cidade e as praias (www.jtafla.com). **Carro** Alugue no Aeroporto de Jacksonville.

ℹ️ **Informação turística** 208 N Laura St, Ste 102, 32202; 904 798 9111; www.visitjacksonville.com

🕐 **Aberto** Cummer Museum of Art and Gardens e Museum of Contemporary Art (Moca): fechado seg. EverBank Field: programação pelo 904 630 3900 ou no site. Todas as outras atrações diariam.

💲 **Preços** Cummer Museum of Art and Gardens: $32-42; até 5 anos, grátis. Museum of Science and History (Mosh): $40-46; até 3 anos, grátis ($5 livre sex). Jacksonville Landing: grátis. Museum of Contemporary Art (Moca): $26-32; até 2 anos, grátis; grátis para a família dom. EverBank Field: preços variados. Adventure Landing e Shipwreck Island Waterpark: atrações com preço próprio. Waterpark (sazonal): $27,99

Preços para família de 4 pessoas

Mesas de piquenique no Kathryn Abbey Hanna Park

Para relaxar
Siga 24km a leste para o **Kathryn Abbey Hanna Park** (www.tinyurl.com/kahpark), em Atlantic Beach, que oferece natação, surfe, ciclismo e lago com playground aquático para crianças pequenas. Para as maiores, há canoas e caiaques.

Comida e bebida
Piquenique: até $25; Lanche: $25-50; Refeição: $50-80; Para a família: mais de $80 (para quatro pessoas)

PIQUENIQUE Publix at Riverside (2033 Riverside Ave, 32204; 904 381 8610; www.publix.com), a poucos minutos do centro, tem boa mercearia. Faça piquenique no Memorial Park, cruzando a Riverside Avenue.
LANCHE Cool Moose Cafe and Bistro (2708 Park St, 32204, 904 381 4242; www.coolmoosecafe.net), perto das atrações do centro, tem biscoitos e pães frescos.
REFEIÇÃO O restaurante simples **Singleton's Seafood Shack** (4728 Ocean St, Mayport, 32233; 904 246 4442) serve pratos gostosos de frutos do mar. Elogiado pelo New York Times, aparece em Diners, Drive-Ins and Dives.
PARA A FAMÍLIA Cheesecake Factory (St. Johns Town Center™, 4663 River City Dr, 32246, www.stjohnstowncenter.com) tem não só cheesecakes saborosos, mas também sanduíches, pizza, massas, saladas e carnes.

Compras
Passe na **Peterbrooke Chocolatier** (2024 San Marco Blvd, 32207; 904 398 2488 www.peterbrooke.com) para comprar chocolates gourmet e visitar sua fábrica, logo adiante na mesma rua. O **St. Johns Town Center™**, local de compras e diversão, contém muitas lojas de artigos infantis. As crianças menores gostam do trenzinho e do lago com carpas.

Saiba mais
INTERNET Em 1864, um navio de carga da União chamado Maple Leaf foi afundado por um torpedo dos confederados no rio St. Johns, onde ficou até 1989. Veja em www.themosh.org/curator.html o que os mergulhadores conseguiram resgatar mais de cem anos depois.

Caminhada na tranquila American Beach, Amelia Island State Park

Próxima parada...
PONTE PARA AS ILHAS
A **Broward Bridge**, sobre o rio St. Johns, é a porta de entrada da **Amelia Island** (www.ameliaisland.com) e de **Fernandina Beach** (p. 166). Essa ponte impressionante é mais conhecida pelos moradores como Dames Point Bridge, e "ponte-gravatinha" pelas crianças.

CRIANÇADA!

Um rio que corre para o norte!
1 O rio St. Johns é incomum porque, como o Nilo, no Egito, é um dos poucos que fluem do sul para o norte.
2 O rio tem mais de 3km de largura entre Palatka e Jacksonville. 
3 Desce só 10m da nascente para o mar e é um dos mais lentos do mundo.

Dentes de tubarão
Talvez você não encontre um dente de tubarão tão grande quanto o de uma loja, mas pode ter sorte. Procure na faixa de conchinhas ao longo da beira-mar uma coisa pequena, preta e brilhante.

É MESMO A MAIOR?
Diz-se que Jacksonville é a "maior cidade dos EUA" em área. Mas isso não é muito preciso – é a maior dos 48 estados contíguos (que fazem limite com outro). Na verdade, Yakutat, no Alasca, é a maior cidade, com 15.223km² de área terrestre.

Economia de dinheiro na areia da praia
As praias largas de Jacksonville têm mais de 50 tipos de conchas típicas que é divertido catar e guardar, com nomes como "lightning whelks", "olives", "angel wings", "baby's ear moonsnails" e as mais conhecidas vieiras. O melhor momento para achá-las é na maré baixa, sobretudo no fim do outono, depois de tempestades.

---

para hóspedes acima de 1,05m de altura, $22,99 abaixo de 1,05m; até 3 anos grátis.
- **Para evitar fila** A maioria das praias e atrações raramente lota, exceto sáb e dom no verão
- **Idade** A partir de 4 anos
- **Duração** 2-3 horas
- **Festivais** Springing the Blues in Jacksonville Beach (abr). Jacksonville Jazz Festival (mai).

Bom para a família?
A boa mistura de atrações familiares baratas torna a cidade uma ótima opção para todos os bolsos.

② Jacksonville Zoo and Gardens
No meio da selva em safári a pé

Quando abriu, em 1914, o Jacksonville Zoo tinha apenas um veado-vermelho. Hoje, é um zoológico regional premiado, com mais de 1.500 animais – entre eles os feiosos dragões-de-komodo, os divertidos gorilas e bonobos, girafas, elefantes em seu enorme lago e pinguins. Caminhos de madeira com mirantes serpenteiam por esse enorme zoológico, o que faz os visitantes se sentirem em um "safári a pé".

Entrada da ala Range of the Jaguar

Destaques

Informações

🌐 **Mapa** 4 G3
Endereço 370 Zoo Pkwy, Jacksonville, 32218; 904 757 4463; www.jacksonvillezoo.org

🚗 **Ônibus** Ligue para Jacksonville Transportation Authority (JTA) Ride Request (904 598 8724). **Carro** Alugue em Jacksonville. Estacionamento grátis.

🕐 **Aberto** 9h-17h diariam.

💲 **Preços** $50-60; até 3 anos, grátis. Taxa adicional para a Stingray Bay ($1 por pessoa), passeios ilimitados de trem ($3 por pessoa) e no carrossel ($1 por pessoa). Os Value Tickets incluem entrada, Butterfly Hollow, Stingray Bay e passeios ilimitados no trem e no carrossel ($74-84; até 2 anos, grátis).

👪 **Para evitar fila** Compre ingressos on-line e chegue cedo para escapar de aglomerações

🚩 **Passeios guiados** Há vários passeios a fazer. Veja detalhes no site.

👫 **Idade** A partir de 2 anos

⏱ **Duração** 4-6 horas

♿ **Cadeira de rodas** Sim

☕ **Café** Vários no zoológico (p. 163)

🛍 **Lojas** Muitas no zoológico (p. 163)

🚻 **Banheiros** Na Main Camp Safari Lodge, na entrada

Bom para a família?
Animais incríveis e passeios em carrossel e de trem, por preços razoáveis, fazem desse zoológico uma ótima pedida para todas as idades.

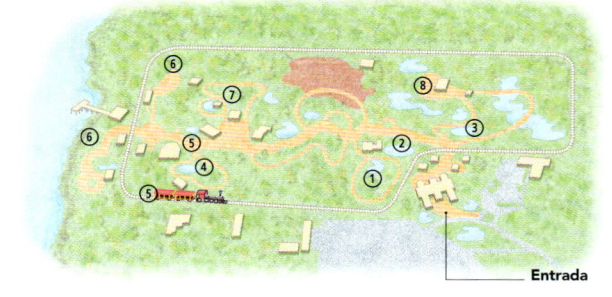

① **Wild Florida** A valiosa vida animal da Flórida é o foco dessa ala. Observe mais de duas dúzias de espécies de répteis e anfíbios na Reptile House.

② **River Valley Aviary** Veja nesse aviário a variedade de pássaros, de gaivotinhas-monjas a papagaios, e ainda o menor veado do mundo e o maior peixe de rio.

③ **Stingray Bay** Essa seção interativa deixa que os visitantes observem, toquem e deem comida às arraias.

④ **Play Park** As crianças podem se refrescar no enorme Splash Ground ou achar a saída do labirinto de sebe. Veja pinguins de perto na Tuxedo Coast.

⑤ **Carrossel e trem do zoo** O tradicional Wildlife Carousel, com belas figuras de animais, é o preferido das crianças. Não perca o passeio de trem pelo zoo.

⑥ **Ásia e Austrália** Se o dragão-de-komodo rouba a cena na Monsoon Asia, cangurus e wallabies encantam os visitantes na Australian Adventure.

⑦ **Range of the Jaguar** O famoso cercado da onça-pintada contém também uma réplica de templo maia, onde vivem jiboias e surucucus.

⑧ **Africa Loop** Ande por uma passarela para ver animais africanos, como pelicanos e zebras, na recriação de seu habitat natural. O African Reptile Building tem najas e mambas.

Preços para família de 4 pessoas

Jacksonville e Arredores | 163

Crianças alimentam girafa no mirante Giraffe Overlook

Se chover...
Vá a uma das muitas partes cobertas do zoológico. O **Discovery Center**, na área do Play Park, realiza programas educativos excelentes para crianças.

Comida e bebida
Piquenique: até $25; Lanche: $25-50; Refeição: $50-80; Para a família: mais de $80 (para quatro pessoas)

PIQUENIQUE Leve provisões de Jacksonville (p. 161) para um piquenique ao lado do estacionamento.
LANCHE A lanchonete **Main Camp Café** (na entrada) tem pipoca, sorvete e café.
REFEIÇÃO Palm Plaza Café (no Range of the Jaguar) tem tacos, nachos, burritos, sanduíches e saladas em seu cardápio do Sudoeste. O **Trout River Grille** (perto da Gardens of Trout River Plaza) atrai com sanduíches, cachorro-quente, pretzel e hambúrguer.
PARA A FAMÍLIA Junior's Seafood (9349 N Main St, 32218; 904 751 9180), um dos favoritos, restaurante e churrascaria limpíssimo, é famoso pela comida e pelo serviço eficiente. Há pratos de frutos do mar, hambúrguer, massas e carnes.

Main Camp Café, quiosque de alimentação na Main Camp Safari Lodge

Mombasa Gift Shop, uma das três lojas de lembranças no zoológico

Compras
Vá à **Mombasa Gift Shop** (no Main Camp), à **Village Market** (na Range of the Jaguar) ou à **The Kids' Shop** (perto da estação de trem) para comprar brinquedos, bugigangas, quebra-cabeças e outras coisas.

Saiba mais
INTERNET Veja jogos divertidos, desenhos para colorir e curiosidades sobre animais em *www.jacksonvillezoo.org/things/kidzone*.

Próxima parada...
HUGUENOT MEMORIAL PARK
Uma península em forma de ferradura, o Huguenot Memorial Park (10980 Heckscher Dr, 32226; 904 251 3335) atrai famílias, surfistas e windsurfistas. O parque, 24km a leste da cidade, é habitat de diversos animais e oferece a oportunidade de fazer surf, windsurfe e avistar pássaros. Embora fique lotado no verão, pode ser um passeio agradável no início da primavera ou no fim do outono. Verifique as tábuas das marés (*www.srh.weather.gov/jax/tides.shtml*) — as poças de maré rasas são ótimas para crianças. Pode-se entrar de carro na praia, mas é bem fácil ficar encalhado.

CRIANÇADA!

Desafio do pinguim
A Tuxedo Coast do zoológico é um lar para os pinguins-de-magalhães. Sabe as diferenças entre eles e outros pinguins? Descubra se as frases a seguir são verdadeiras ou falsas:
1. Eles vivem no litoral da Argentina e do Chile.
2. Ganharam o nome de um explorador famoso.
3. Só um dos pais mantém os ovos aquecidos até chocarem.
4. Eles só comem plantas.

Respostas no fim do quadro.

GUEPARDO CAMPEÃO
Se os quadrúpedes da Terra apostassem corrida, você deveria apostar no guepardo – são os maiores corredores do mundo, capazes de chegar à velocidade de 113km/h.

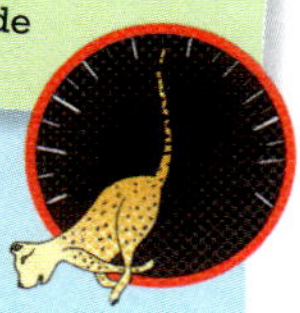

Como a onça se pinta
Os filhotes de onça não precisam criar pintas – já nascem com um monte delas no pelo amarelado. As marcas específicas da onça são chamadas de "rosetas" – anéis abertos com até quatro pintas escuras diferentes dentro deles. Algumas tribos indígenas dizem que as pintas são como estrelas e sóis, e que as rosetas lembram eclipses que engolem as estrelas.

Respostas: 1 Verdadeira. **2** Verdadeira. **3** Falsa. Os pais se revezam. **4** Falsa. Comem peixe, lula e crustáceos.

③ Talbot Islands State Parks
Pântanos, planaltos e rios às pampas

De 65km de praias no Atlântico a pântanos, rios e planaltos, essa notável série de parques estaduais oferece uma ótima chance de explorar um amplo leque de habitats naturais. A família tem grande variedade de aventuras ao ar livre para escolher, como pescar, passear de canoa ou caiaque, surfar e catar conchas. Não deixe de levar filtro solar, repelente de insetos, água e comida para piquenique – os parques não vendem nem comida nem bebida.

No St. Johns River Ferry, saindo de Jacksonville

Destaques

① **Yellow Bluff Fort Historic State Park** Caminhe e faça piquenique nesse parque pequeno e tranquilo, local da Guerra de Secessão que foi acampamento de soldados confederados e da União.

② **Fort George Island Cultural State Park** Entre as atrações estão o centro de visitantes Ribault Club e a Kingsley Plantation (p. 165) – a mais antiga casa-grande da Flórida.

③ **Little Talbot Island State Park** Famoso pela praia incrível, o parque tem locais para acampar perto do mar, com abrigos para piquenique e casas de banho.

④ **Pumpkin Hill Creek Preserve State Park** Vasta área de planalto com quilômetros de trilhas para caminhar e pedalar, esse parque também tem ótimos locais para sair de barco e caiaque.

⑤ **Big Talbot Island State Park** Com restos de carvalhos espalhados pela praia, a Boneyard Beach é a atração mais conhecida desse parque.

⑥ **George Crady Bridge Fishing Pier** Essa ponte de pedestres de mais de 1,5km sobre o canal Nassau atrai pescadores da Flórida.

⑦ **Amelia Island State Park** Nade numa linda praia, passeie pela floresta costeira, pesque no litoral e passeie de caiaque pelos riachos e brejos desse parque.

Se chover...
Vá ao centro de visitantes **Ribault Club** (www.nps.gov) para ver mostras sobre a ecologia e a cultura do nordeste da Flórida.

Comida e bebida
Piquenique: até $25; Lanche: $25-50; Refeição: $50-80; Para a família: mais de $80 (para quatro pessoas)

PIQUENIQUE Marché Burette Deli (6800 First Coast Hwy, Amelia Island, 32034; 904 491 4834; tinyurl.com/7bo7dl3) tem artigos de mercearia, sanduíches etc. Coma na praia do Amelia Island State Park.

LANCHE Long Island Outfitters (13030 Heckscher Dr, 32266; 904 251 0016; www.kayakamelia.com) vende bebidas e lanches saudáveis.

REFEIÇÃO Sliders Seaside Grill (1998 S Fletcher Dr, 32034; 904 277 6652; www.slidersseaside.com) serve pratos de frutos do mar e sobremesas gostosas. Há playground e tanque de areia para crianças, e bar tiki e música ao vivo para adultos.

Área de lazer para crianças na informal Sliders Seaside Grill

Preços para família de 4 pessoas

Informações

Mapa 4 H3
Endereço Yellow Bluff Fort: New Berlin Rd, 32226; 904 251 2320. Fort George Island: 11676 Palmetto Ave, 32226; 904 251 3537. Little Talbot Island, Big Talbot Island, Amelia Island & George Crady Bridge Fishing Pier: State Rd A1A/Heckscher Dr, 32226; 904 251 2320. Pumpkin Hill Creek Preserve: 13802 Pumpkin Hill Rd, 32226; 904 696 5980. Leia sobre todos os parques em www.floridastateparks.org

Carro Alugue um carro no Aeroporto Internacional de Jacksonville

Aberto Yellow Bluff Fort, Little Talbot Island, Big Talbot Island, Amelia Island e Pumpkin Hill Creek Preserve: 8h-pôr do sol diariam. Fort George Island: 8h-pôr do sol diariam. George Crady Bridge Fishing Pier: 24h diariam.

Preços Yellow Bluff Fort, Fort George Island e Pumpkin Hill Creek Preserve: grátis. Little Talbot Island e Amelia Island: $5 por veículo e $2 por pedestre e ciclista. Big Talbot Island: $3 por veículo. George Crady Bridge Fishing Pier: $2 por pessoa (ingresso para a Amelia Island inclui acesso ao píer).

Para evitar fila Raramente os parques lotam, exceto em fins de semana de férias, mas reserve camping e passeios bem antes

Passeios guiados Kelly Seahorse Ranch (904 491 5166) tem passeios guiados a cavalo na praia da Amelia Island. Kayak Amelia (904 251 0016) realiza passeios de caiaque e canoa.

Idade Livre nas praias; a partir de 5 anos nas mostras e passeios

Atividades Veja nos sites as atividades pelos parques

Duração 1-4 h em cada parque

Cadeira de rodas Limitado; ligue para 850 245 2157.

Banheiros Em todos os parques, exceto no Yellow Bluff Fort e no Pumpkin Hill Creek Preserve

Bom para a família?
Com uma incrível mistura de atividades ao ar livre, história e cultura, esses parques estaduais são uma ótima atração para famílias ativas.

PARA A FAMÍLIA Café 4750 (*4750 Amelia Island Pkwy, 32034; 904 277 1100; www.ritzcarltonhotel.com*), no Ritz-Carlton, na Amelia Island, oferece refeições no salão ou terraço e cardápio com influências rurais e litorâneas. Reserve antes.

Compras
Na **Island Outfitters** (*235 E Gulf Beach Dr, 32328; 850 927 2604; sgioutfitters.com*), na St. George's Island, há colares feitos à mão, camisetas, bolsas de praia e sandálias.

Próxima parada...
KINGSLEY PLANTATION Situada na ponta norte da Fort George Island, essa fazenda (www.nps.gov) leva o nome de Zephaniah Kingsley, proprietário de quatro vastas terras na região. Em 1814, ele e sua mulher, Anna Madgigine Jai, passaram a morar na ilha, e cem escravos trabalhavam na plantação. Percorra o terreno para ver as cabanas de escravos restauradas, a casa de "Ma'am Anna", um celeiro, a edícula com cozinha e a casa-grande, de tábuas de madeira.

CRIANÇADA!

Teste sua "memória aviária"
Veja se consegue avistar no parque os pássaros abaixo, com estas características:

1 Garajau-comum
Tem crista preta desgrenhada (uma coroa na cabeça) e bico preto de ponta amarela.

2 Gaivota
Procure um bico vermelho longo e pernas preto-avermelhadas ou pretas.

3 Garça-azul-grande
Tem muita pena na cabeça, no peito e nas asas, e bico amarelado.

BANDIDOS DE MÁSCARA PRETA
Se estiver acampado no nordeste da Flórida, talvez um guaxinim queira roubar sua comida. Não adianta só fechar o zíper. Em um estudo, os cientistas descobriram que os guaxinins precisam de apenas dez tentativas para vencer fechos complicados. Pergunte a um guarda como proteger a comida.

Resgate do passado
Os indígenas americanos já viviam nas ilhas Talbot milhares de anos antes da chegada dos europeus. A região continha dezenas de aldeias e campos de caça. Há mais de 400 anos foi criada a missão espanhola de San Juan del Puerto, na ilha do Fort George, bem como missões menores, chamadas *visitas* (visitantes). As explorações arqueológicas indicaram que uma delas, chamada "Sarabay", ficava na ilha Big Talbot.

A casa de madeira cercada de árvores e gramados, Kingsley Plantation

④ Fernandina Beach

Camarão e charme

Situada na ilha Amelia, com o oceano Atlântico de um lado e o rio Amelia do outro, essa cidade litorânea pitoresca foi onde nasceu a moderna indústria de camarão dos EUA. O Distrito Histórico do Centro, em volta da Centre Street, é margeado pelas docas, onde os visitantes podem ver a frota pesqueira voltar ao pôr do sol.

Antigo Tribunal de Justiça no Distrito Histórico, Fernandina Beach

Informações

- **Mapa** 4 H2
- **Carro** Alugue no Aeroporto Internacional de Jacksonville.
- **Informação turística** 102 Centre St, 32034; 904 277 0717; www.aifby.com
- **Para evitar fila** Evite ir nos fins de semana das férias.
- **Passeios guiados** Para passeios de carruagem, contate a Old Towne Carriage Company (904 277 1555) ou a Amelia Island Carriages (904 556 2662)
- **Idade** A partir de 6 anos
- **Duração** 2 horas
- **Comida e bebida** LANCHE Bright Mornings (105 S 3rd St, 32034; 866 739 2117; www.brightmorningscafe.com), uma das preferidas na cidade, tem hambúrguer, saladas e sanduíches. PARA A FAMÍLIA Joe's Second Street Bistro (14 S 2nd St, 32034; 904 321 2558; www.joesbistro.com), restaurante premiado, serve saladas, sopas e entradas.
- **Festival** Isle of Eight Flags Shrimp Festival tem desfiles de piratas, torneios e música (mai)

Preços para família de 4 pessoas

No coração de Fernandina Beach, o Distrito Histórico, de 50 quadras, é um bairro de belos prédios vitorianos. Presente no Registro Nacional de Locais Históricos, o distrito é cheio de lojas e restaurantes. Faça um passeio autoguiado pelas ruas ou com um guia do museu, ou pegue um trólebus ou carruagem, que as crianças sem dúvida vão adorar.

Se chover...

Visite o **Amelia Island Museum** (www.ameliamuseum.com) para saber a história da ilha Amelia. Instalado em uma antiga cadeia, esse museu pequeno concentra-se nos índios timucuanos, na Guerra da Secessão, em ferrovias e em missões espanholas.

⑤ Fort Clinch State Park

Reviva a Guerra de Secessão

Assim chamado em homenagem a Duncan Clinch, general que lutou nas Guerras Seminoles (1816-58), Fort Clinch é mais que um sítio militar, com praia, trilhas e campings. Inaugurado em 1847 para proteger o porto de Fernandina, o forte foi erigido onde o rio St. Marys deságua no Atlântico.

A praia, limpa e calma, é uma grande atração para banhos de mar e de sol. Pescadores vão pescar no píer e nos atracadouros estreitos, e aproveitam a excelente oportunidade de pescar nas ondas. Os fãs da natureza podem andar por trilhas ou de bicicleta na terra.

Contudo, para muitas famílias, a principal atração é a chance de ver atores – ou historiadores vivos, como são chamados no parque – recriarem as condições de vida no forte durante a Guerra de Secessão

Informações

- **Mapa** 4 H2
- **Endereço** 2601 Atlantic Ave, Fernandina Beach, 32034; 904 277 7274; www.floridastateparks.org/fortclinch
- **Carro** Alugue em Fernandina Beach
- **Aberto** Parque: 8h-pôr do sol diariam. Forte: 9h-17h diariam.
- **Preço** Parque: $6 por veículo e $2 por pedestre ou ciclista. Forte: $2 por pessoa
- **Para evitar fila** Raramente o parque fica cheio
- **Passeios guiados** Passeios pela natureza às 10h30 dom, passeio à luz de velas nos fins de semana do Labor Day e programas de Living History diários.
- **Idade** A partir de 4 anos
- **Atividades** Natação, trilhas, ciclismo, pesca e camping
- **Duração** 2-4 horas
- **Cadeira de rodas** Sim
- **Comida e bebida** PIQUENIQUE The Happy Tomato Courtyard Café and BBQ (7 S 3rd St, 32034; www.thehappytomatocafe.com; fechado sáb-dom) vende sanduíches e petiscos gostosos para comer perto da marina. LANCHE A loja do parque tem lanches e sorvetes.
- **Banheiros** Na base dos passeios de madeira, nos campings e no píer de pesca

(1861-65). Veja-os trabalhar na cozinha e na lavanderia, e, às vezes – para deleite das crianças –, fazer exercícios de marcha e artilharia.

Para relaxar

As praias da ilha Amelia têm espaço de sobra para correr. A família pode optar entre o animado **Main Beach Park** (32 N Fletcher Ave, Fernandina Beach, 32034), com playground à

Crianças aprendem a mexer na bomba-d'água no Fort Clinch State Park

Cavalo selvagem na Dungeness Mansion, no Cumberland Island National Seashore

CRIANÇADA!

Desafio do Fort Clinch

1 O Fort Clinch, que tem cinco lados, é: a) um octógono; b) um hexágono; c) um pentágono
2 O forte foi ocupado por tropas confederadas ou da União na Guerra de Secessão?
3 Quais destes animais são vistos na base militar: a) manatis; b) aligatores; c) fantasmas

Respostas no fim do quadro.

beira-mar e churrasqueiras, e as areias tranquilas do **Peter's Point Beach Park** *(1974 S Fletcher Ave, Fernandina Beach, 32034).*

⑥ Cumberland Island National Seashore

No colo da natureza

Embora a ilha Cumberland fique além do limite com a Geórgia, quem vai ao Fort Clinch vê sua porção sul do lado oposto do estreito de Cumberland. Ao contrário da maioria das ilhas de barreira do Atlântico, Cumberland não tem campos de golfe nem condomínios fechados, mas sim praias limpas, pântanos e várias espécies de aves e mamíferos. A viagem na barca que sai de St. Marys é divertida – os sortudos até veem golfinhos pular perto do casco. A tranquila praia é um tesouro para colecionadores de conchas. Os amantes da natureza adoram caminhar pelas trilhas de florestas costeiras, brejos e até distritos históricos. Veja as manadas de cavalos pastando nas ruínas da Dungeness Mansion. Na ilha também se avistam muitos pássaros.

Se chover...

Talvez seja bom planejar uma visita ao **Ice House Museum** *(perto do cais da barca; 912 882 4335)* para fechar o passeio.

CAVALOS XUCROS NA ONDA

Sabe como uma manada de cavalos selvagens foi parar numa ilha do Atlântico? Ela pode ter chegado com os exploradores espanhóis ou ter nadado de galeões naufragados no século XVI. Supõe-se que eles vivem lá há séculos – talvez desde 500 anos atrás.

Bandeiras fernandinas

Fernandina Beach é o único lugar dos EUA que teve oito bandeiras. Sabe que governos essas bandeiras representavam?
A cidade comemora a sua história todos os anos no Isle of Eight Flags Festival. Saiba mais sobre ele em *www.shrimpfestival.com/flags.html*.

Informações

- 🌐 **Mapa** 4 H2
  Endereço Camden, Geórgia; 912 882 4335; *www.nps.gov/cuis*
- 🚗 **Barca** As barcas saem duas vezes por dia de St. Marys. Ligue para agendar (912 882 4335). **Táxi** Alugue hidrotáxi, fretado ou cruzeiro particular, com Amelia River Cruises & Charters *(1 N Front St, Fernandina Beach, 32034; 904 261 9972; www.ameliarivercruises.com)* ou Lang's Charters *(304 Osborne St, St. Marys, 31558; 912 882 9555; www.langcharters.com).*
- 🕐 **Aberto** Parque: diariam. Centro de visitantes: 8h-16h30 diariam.
- 💲 **Preço** Parque: $8-18; até 16 a., grátis
- 👥 **Para evitar fila** Vá nos dias úteis ou fora de temporada. Chegue cedo para se esquivar da multidão.
- 🌿 **Passeios guiados** Passeios gratuitos de uma hora duas vezes por dia, às 10h e às 12h35
- 👫 **Idade** A partir de 6 anos; as caminhadas longas podem cansar crianças mais novas
- 🏃 **Atividades** O parque tem programa infantil grátis às 14h no verão. Folhetos de atividades infantis disponíveis no Mainland Visitor Center.
- ⏱ **Duração** No mínimo meio dia
- ♿ **Cadeira de rodas** Sim
- 🍴 **Comida e bebida** LANCHE Cedar Oak Café e Java Joe'z *(304 Osborne St, St Marys, 31558; 912 882 9555)* têm pães, sanduíches e café. PARA A FAMÍLIA Lang's Marina Restaurant *(307 W St. Marys St, St Marys, 31558; 912 882 4432; www.langcharters.com)* serve frutos do mar e tem cardápio infantil.
- 🚻 **Banheiros** No centro de visitantes, na St. Marys, no posto da guarda perto do cais da ilha Cumberland, no Sea Camp Campgrounds e no Plum Orchard

Respostas: 1 c. 2 Ambas. 3 Sem dúvida a e b – e há quem diga que fantasmas também.

Bandeiras fernandinas: 1 França (1562). **2** Espanha, três vezes: 1565, 1783 e 1813. **3** Reino Unido (1763). **4** Patriotas Norte-Americanos (1812). **5** Cruz Verde da Flórida dos Patriotas Latino-Americanos (1817). **6** Rebeldes mexicanos (1817). **7** Confederados (1861). **8** Estados Unidos (1862).

Piquenique até $25; Lanche $25-50; Refeição $50-80; Para a família mais de $80 (para quatro pessoas)

⑦ St. Augustine e Arredores
Um pedacinho da Espanha

Essa cidade incrível abriga museus de história animados e arquitetura rebuscada de estilo espanhol. Seu Distrito Histórico contém 144 quadras, com uma profusão de atrações interessantes, restaurantes e lojas diferentes. Por sobre o rio Matanzas, a famosa Bridge of Lions liga a cidade à ilha Anastasia (p. 172), que tem um farol listrado tradicional e quilômetros de praias de areia branca.

Leão de mármore na Bridge of Lions

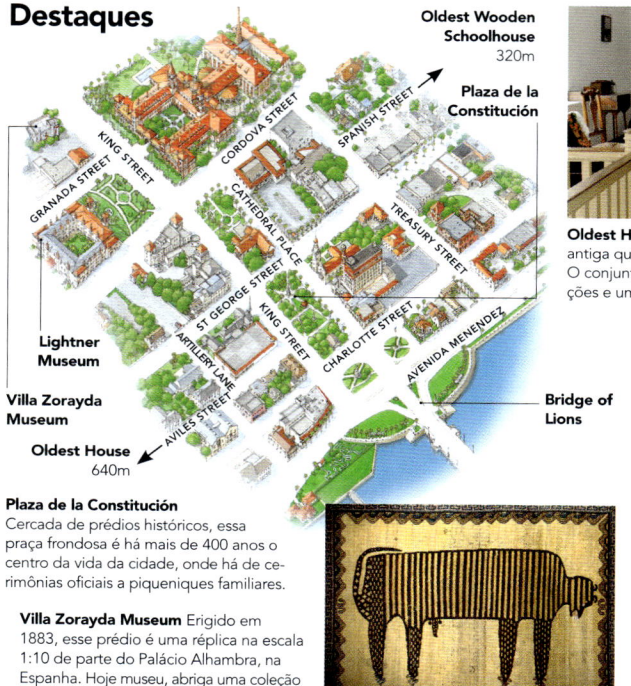

Destaques

(Mapa com destaques: Oldest Wooden Schoolhouse 320m, Plaza de la Constitución, Lightner Museum, Villa Zorayda Museum, Oldest House 640m, Bridge of Lions — ruas: King Street, Granada Street, Cordova Street, Cathedral Place, Spanish Street, Treasury Street, St George Street, Artillery Lane, Aviles Street, King Street, Charlotte Street, Avenida Menendez)

Oldest House A casa de González-Álvarez é a mais antiga que sobreviveu do período colonial espanhol. O conjunto tem dois museus, uma galeria de exposições e um jardim ornamental.

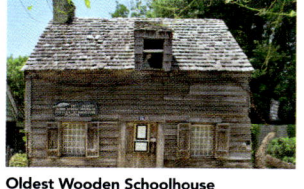

Oldest Wooden Schoolhouse Professores e alunos de audioanimatrônica de ponta recriam a vida de mais de 200 anos atrás nessa escola antiquíssima de cedro e cipreste.

Bridge of Lions Na febre imobiliária da Flórida nos anos 1920, quando a cidade tinha muito dinheiro, esse marco histórico guardado por leões de mármore foi construído a um custo exorbitante.

Plaza de la Constitución Cercada de prédios históricos, essa praça frondosa é há mais de 400 anos o centro da vida da cidade, onde há de cerimônias oficiais a piqueniques familiares.

Villa Zorayda Museum Erigido em 1883, esse prédio é uma réplica na escala 1:10 de parte do Palácio Alhambra, na Espanha. Hoje museu, abriga uma coleção incrível de objetos do Oriente Médio.

Para relaxar
O terreno do **Castillo de San Marcos** (p. 170) tem muito espaço para correr. Ou pegue uma barca no Centro de Visitantes e vá ao **Fort Matanzas National Monument**, pequeno forte em uma ilha que guardava St. Augustine, ao sul.

Se chover...
O excêntrico Robert Ripley rodou o mundo em busca de objetos que fossem estranhos e maravilhosos. Após sua morte, a coleção tornou-se o núcleo do **Ripley's Believe It or Not! Museum** (19 San Marco Ave, 32084; 904 824 1606; www.ripleys.com/staugustine), bom lugar para passar o tempo numa tarde vendo a surpreendente exposição.

Entrada do bizarro Ripley's Believe It or Not! Museum

Comida e bebida
Piquenique: até $25; Lanche: $25-50; Refeição: $50-80; Para a família: mais de $80 (para quatro pessoas)

PIQUENIQUE Denoel French Pastry Shop (212 Charlotte St, 32084; 904 829 3974; qua-dom) é há muitos anos uma atração em St. Augustine. Podem-se comprar sanduíches para um piquenique, mas as bombas de chocolate é que fazem sua fama.

LANCHE Hyppo (8 Charlotte St, 32084; 904 217 7853; www.thehyppo.com) oferece picolés gourmet com sabores como "Elvis Presley" – banana, manteiga de amendoim e mel, e abacaxi assado.

Preços para família de 4 pessoas

St. Augustine e Arredores | 169

Informações

Mapa 6 F1
Endereço St. Augustine 32084. Villa Zorayda Museum: 83 King St; 904 829 9887; www.villazorayda.com. Oldest House: 271 Charlotte St; 904 824 2872; www.staugustinehistoricalsociety.org. Oldest Wooden Schoolhouse: 14 St. George St; 904 824 0192; www.oldestwoodenschoolhouse.com

Carro Alugue no Aeroporto de Jacksonville. Estacionamento restrito em áreas turísticas.

Informação turística St. Augustine e St. Johns County Visitor Information Center, 10 Castillo Dr W, 32084; 904 825 1000; www.floridashistoriccoast.com

Aberto Villa Zorayda Museum: 10h-17h seg-sáb e 11h-16h dom. Oldest House: 9h-17h diariam. Oldest Wooden Schoolhouse: 9h-16h diariam

Preços Villa Zorayda Museum: passeios com audioguia $28-38; até 7 anos, grátis. Oldest House: $18-28 (ingresso familiar). Oldest Wooden Schoolhouse: $18-28; até 5 anos, grátis

Passeios guiados Old Town Trolley Tours *(167 San Marco Ave, 32084; 904 829 3800; www.trolleytours.com/st-augustine)* faz passeios pelo Distrito Histórico de St. Augustine. Visitas guiadas grátis à Oldest House a cada meia hora 9h30-16h30. Villa Zorayda Museum oferece passeios guiados por monitor ($40-50; até 7 anos, grátis) só com reserva. Agende pelo 904 829 9887. Passeios de carruagem com a St. Augustine Transfer Company *(www.staugustinetransfer.com).*

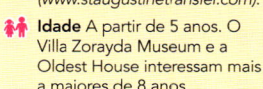

Idade A partir de 5 anos. O Villa Zorayda Museum e a Oldest House interessam mais a maiores de 8 anos.

Duração Um dia

Festividades Rhythm and Ribs Festival tem música ao vivo, churrasco e atividades infantis (abr). As Nights of Lights celebram os feriados com mostras de arte e desfiles (nov-jan).

Bom para a família?
Com uma porção de atrações gratuitas e pagas, a cidade é um ótimo lugar para passar um dia.

REFEIÇÃO Mango Mango's Caribbean Grill and Bar *(700 A1A Beach Blvd, 32080; 904 461 1077)* serve comida informal como mahi sliders e Caribean island burgers em ambiente praiano animado.
PARA A FAMÍLIA The Floridian *(39 Cordova St, 32084; www.thefloridianstaug.com)* tem pratos sulistas criativos e opções vegetarianas, em clima amistoso para crianças.

Compras
A maioria das crianças gosta de ver as lojas da **St. George Street**, onde boa parte dos artigos é barata, mas bacana. Está à venda grande variedade de velas, doces, camisetas e bijuteria.

Próxima parada...
BLACK RAVEN PIRATE SHIP
Se as crianças se cansarem de arquitetura e não se interessarem por história, leve-as à St. Augustine Municipal Marina para ver o Black Raven Pirate Ship *(www.blackravenadventures.com).* Suba no navio para passear pelo rio Matanzas. Fazem parte da aventura um espetáculo teatral com luta de espadas, canções, jogos etc.

CRIANÇADA!

Rato de praia
Espécie ameaçada de extinção, o rato de praia da ilha Anastasia é raramente visto. Veja algumas curiosidades sobre esse bichinho: 
1 Casa. Ele em geral escava tocas nas dunas ou vive nas casas abandonadas de marias-farinhas.
2 Alimento. Mato rasteiro e outras plantas litorâneas e pequenos insetos compõem sua dieta.
3 Aparência. Sua pele clara o ajuda a se proteger contra predadores como gatos, cachorros e guaxinins.

ANCORADA NO CHÃO
O prédio da Oldest Wooden Schoolhouse (mais antiga escola de madeira) pode ter vários séculos, mas é frágil. Em 1937, a cidade ficou tão preocupada de ela ser levada por um furacão que a enrolaram com uma corrente gigantesca e a prenderam numa âncora!

Leões de pedra
A caríssima Bridge of Lions (Ponte dos Leões) é tanto obra de arte como ponte funcional. Os "leões de Médici" são esculpidos em mármore de carrara – pedra branca ou cinza-azulada muito usada em esculturas – e foram presenteados à cidade por um antigo prefeito, Dr. Andrew Anderson, que os encomendou a um estúdio de Florença, Itália.

Lojas na St. George Street, no Distrito Histórico de St. Augustine

⑧ Lightner Museum/Ponce de León Hotel
O charme do passado

Encomendados pelo magnata das ferrovias Henry Flagler, esses lindos prédios de estilo renascentista espanhol foram feitos para ser os mais luxuosos hotéis. Flagler queria que o **Ponce de León Hotel** fosse "o melhor hotel do mundo" na época. Hoje parte do Flagler College, ele tem entalhes e arcos curvos esplêndidos dignos de admiração.

O Hotel Alcazar – hoje **Lightner Museum** – não era tão luxuoso quanto o Ponce, mas ainda assim tinha um salão de baile de três andares, um pátio de concertos e um spa dotado de banhos turcos e da maior piscina coberta do país. O Lightner exibe um acervo requintado de artigos do século XIX, entre eles objetos de vidro gravados, móveis e pinturas.

A esplêndida sala de música vitoriana do Lightner Museum, St. Augustine

Informações
- 🌐 **Mapa** 6 F1
- **Endereço** Ponce de León Hotel: no Flagler College, 74 King St, 32084; 904 829 6481; www.flagler.edu. Lightner Museum: 75 King St, 32084; 904 824 2874; www.lightnermuseum.org
- 🚗 **Carro** Alugue em St. Augustine.
- 🕐 **Aberto** Lightner Museum: 9h-17h diariam. Ponce de León Hotel: só passeios guiados.
- 💲 **Preço** Ponce de León Hotel: grátis, exceto passeios guiados. Lightner Museum: $30-40; até 12 anos, grátis.
- 👥 **Para evitar fila** Vá de manhã em dias úteis
- 🚩 **Passeios guiados** Saem do saguão da faculdade para o Ponce de León Hotel 10h e 14h diariam
- 👫 **Idade** A partir de 8 anos
- ⏱ **Duração** Uma hora para o museu
- ♿ **Cadeira de rodas** No Lightner Museum
- ☕ **Comida e bebida** LANCHE Hot Shot Bakery n' Café (8 Granada St, 32084; 904 824 7898; www.hotshotbakery.com) serve assados e alimentos frescos. REFEIÇÃO Café Alcazar (25 Granada St, 32084; 904 825 9948; www.thecafealcazar.com), ponto de almoço elegante, está instalado na antiga piscina do Alcazar Hotel.
- 👥 **Banheiros** Nas duas atrações

Se chover...
As crianças adoram o **St. Augustine Pirate & Treasure Museum** (12 S Castilo Dr, 32084; 877 467 5863; www.thepiratemuseum.com), que tem centenas de objetos fascinantes, como a única arca de tesouro de piratas do mundo. Os cinéfilos podem ver a espada do Capitão Jack Sparrow, do *Pérola Negra*. As crianças aprendem sobre a era áurea da pirataria em mostras interativas.

⑨ Castillo de San Marcos
Canhões e um castelo

Depois que o pirata Robert Searle atacou St. Augustine em 1668, os colonos espanhóis da cidade viram que precisavam de mais proteção e começaram a construir o enorme Castillo de San Marcos em 1672. Feito de coquina (rocha calcária) tirada da ilha Anastasia, do outro lado do rio, levou 23 anos para ser concluído. O projeto do forte tinha a princípio um quebra-mar com comportas, que podiam ser abertas para encher o fosso, em ameaça de ataque. Muitas vezes sitiado, o forte nunca foi tomado pela força, embora às vezes tenha se rendido em situações bastante adversas. Na maior parte de sua história, o mais antigo forte de pedra dos EUA serviu de prisão militar.

Há muito que fazer nele, como percorrer a plataforma de canhões e

Canhão na plataforma do Castillo de San Marcos, St. Augustine

Informações
- 🌐 **Mapa** 6 F1
- **Endereço** 1 South Castillo Dr, 32084; 904 829 6506 (ext. 227); www.nps.gov/casa
- 🚗 **Carro** Alugue em St. Augustine.
- 🕐 **Aberto** 8h45-17h15 diariam
- 💲 **Preço** $14-28; até 15 anos, grátis
- 👥 **Para evitar fila** De manhã cedo, nos dias úteis, é mais calmo, mas a maioria das encenações e as salvas de canhão são sáb e dom
- 🚩 **Passeios guiados** Há mapas e folhetos para passeios autoguiados
- 👫 **Idade** A partir de 6 anos
- 🎭 **Atividades** Salvas de canhão, demonstração de armas, curtas-metragens e passeios exploratório
- ⏱ **Duração** 1-2 horas
- ♿ **Cadeira de rodas** Sim, exceto na plataforma superior de canhões
- ☕ **Comida e bebida** LANCHE Kilwin's (6 St. George St, 32084; 904 823 9226; www.kilwins.com) é ótima para um sorvete, doce de leite e maçã caramelizada. REFEIÇÃO Casa Maya (17 Hypolita St, 32084; 904 217 3039), no Distrito Histórico, atrai pelo cardápio incomum e em geral orgânico. Horário variado; ligue antes.

Preços para família de 4 pessoas

St. Augustine e Arredores | 171

Santuário da Cathedral Basilica of St. Augustine

a câmara secreta e assistir às encenações. As crianças gostam das salvas de canhão no fim de semana.

Se chover...
Vá à **Cathedral Basilica of St. Augustine** *(38 Cathedral Place, 32084; 904 824 2806; www.the firstparish.org)*, igreja histórica construída por volta de 1797, com um lindo campanário.

⑩ Environmental Education Center
Encontros marinhos

Dez minutos de carro ao norte de St. Augustine, a Guana Tolomato Matanzas National Estuarine Research Reserve (GTM NERR) é um espaço educacional e ambiental que está a um mundo de distância da média das mostras que os visitantes esperam encontrar. O centro, de $6,2 milhões, serve a atividades ecoeducativas da GTM NERR, uma bacia de proteção de mais de 282km² na costa nordeste da Flórida.

A GTM fornece informações sobre seres marinhos de maneiras muito interessantes. Os visitantes veem espécimes pequenos em um dos três aquários. Os maiores são representados por modelos em tamanho natural. O maior deles – uma baleia-franca-boreal (do Atlântico Norte) – fica pendurado no teto. Há também vitrines no centro, um cinema de alta tecnologia que passa filmes sobre a natureza e um anfiteatro ao ar livre.

Informações
- **Mapa** 6 F1
- **Endereço** 505 Guana River Rd, S Ponte Vedra Beach, 32082; 904 823 4500; www.gtmnerr.org
- **Carro** Alugue em St. Augustine.
- **Aberto** Education Center: 9h-16h diariam. GMT, trilhas e estacionamento: 8h-pôr do sol diariam.
- **Preço** Education Center: $6-16; até 9 anos, grátis
- **Para evitar fila** De manhã cedo e em dias úteis é melhor
- **Passeios guiados** Ligue 904 823 4500 para programas de família e passeios guiados. Ripple Effect Ecotours *(www.rippleeffectecotours.com)* tem caiaques e excursões.
- **Idade** Livre
- **Duração** 1h-1h30
- **Cadeira de rodas** Estacionamento sul é acessível.
- **Comida e bebida** PIQUENIQUE Fish Tales Market and Grille *(121 Yacht Club Dr, St. Augustine, 32084; 904 824 0900; www.fishtalesstaug.com)* tem almoço em pacote para comer no pavilhão de piquenique da GTM. REFEIÇÃO Barbara Jean's *(15 South Roscoe Blvd, Ponte Vedra Beach, 32082; 904 280 7522; www.barbarajeans.com)* é ótimo em culinária sulina e tem cardápio infantil.
- **Banheiros** No Environmental Education Center

Animais marinhos no Exhibit Hall of the Environmental Education Center

Para relaxar
Logo a leste da A1A há três passarelas que atravessam as dunas para um trecho virgem de praia, e do lado oeste há trilhas, atracadouros, locais de pesca e 16km de trilhas para caminhar ou pedalar.

CRIANÇADA!

Desafio pirata
Quando se fala de pirata, a maioria sabe o que é "andar na prancha", mas você já ouviu estes termos? 
1. Armário de Davy Jones
2. Peças de oito
3. Grogue
4. Avast!
5. Jolly Roger

Respostas no fim do quadro.

FRANCAMENTE!
Por que a baleia-franca-boreal, às vezes vista na costa de St. Augustine, chama-se "franca"? Os baleeiros do século XVIII lhe deram esse nome porque a viam muito e achavam fácil matá-la, mas ninguém é tão franco ao garantir que a história é verdadeira.

Avast, meus amados!
Nem todo pirata hasteava a mesma bandeira – aliás, alguns piratas famosos personalizavam Jolly Roger ou desenhavam bandeiras com seus símbolos. Em uma, o pirata Black Bart faz churrasco da Morte; em outra, Christopher Moody, pirata do século XVIII, ameaça ficar violento se as vítimas não se renderem – a ampulheta adverte que o tempo está se esgotando.

Respostas: 1 Lugar imaginário de enterro de piratas e marinheiros no fundo do mar. 2 Moedas de prata de valor inferior nas provisões dos piratas. 3 Bebida de rum com água. 4 De início, "hold fast" – "preste muita atenção". 5 Bandeira pirata, em geral com caveira e ossos cruzados.

Piquenique até $25; Lanche $25-50; Refeição $50-80; Para a família mais de $80 (para quatro pessoas)

⑪ Anastasia Island
Farol sinistro

O **St. Augustine Lighthouse**, farol de 50 m de altura, é, sem trocadilho, o ponto alto da visita à ilha Anastasia, mas há outras atrações. Na ponta norte fica o **Anastasia State Park**, cujos 6km² abrangem 6 km de praia com recife de arrebentação, uma floresta costeira, várzea de maré e laguna protegida, procurada por windsurfistas. Pode-se pescar, caminhar ou andar de bicicleta pelo parque, embora a maioria dos banhistas venha surfar, velejar, nadar ou apenas ficar largada ao sol.

As famílias ativas podem subir os 219 degraus até o alto do farol. Crianças de mais idade e adolescentes talvez se interessem pelo passeio fantasmagórico "Dark of the Moon" – o farol apareceu em *Ghost Hunters*, série de TV de conteúdo paranormal. Há também área de lazer para crianças menores.

Diversão na praia do Anastasia State Park, Anastasia Island

Se chover...
Vá ao cinema Imax® **World Golf Hall of Fame** (wgfimax.com), de 299 lugares, que tem projeção digital 3D e a maior tela do Sudeste. Ou siga 3km a oeste até a **Whetstone Factory** (*139 King St, St. Augustine, 32084; 904 217 0275*) para aprender os segredos do confeiteiro e fazer algumas degustações durante a visita.

⑫ Marineland Dolphin Adventure
O Flipper está?

Essa atração dentro do oceano Atlântico centra-se em pesquisa sobre os golfinhos-nariz-de-garrafa e encontros com golfinhos. Se nadar com eles está na sua lista de passeios imperdíveis, a Marineland pode ser o ponto alto das férias na Flórida – ambiente singelo e vazio em que se pode até acariciar os golfinhos. Há vários programas que permitem aos visitantes interagir com os animais, mas precisam ser agendados.

As crianças gostam de explorar o habitat natural dos golfinhos no vizinho Matanzas River Estuary, outra atividade da Marineland que oferece passeios de caiaque guiados por naturalistas certificados. Com caiaques estáveis de dois ou três lugares, o passeio torna-se possível até para quem nunca experimentou antes e para crianças de mais de 6 anos.

Informações
- **Mapa** 6 F1
- **Endereço** Parque: 1340-A State Rd A1A South, 32080; 904 461 2033; www.floridastateparks.org. Farol: 81 Lighthouse Ave, 32080; 904 829 0745; www.staugustinelighthouse.com
- **Carro** Alugue em St. Augustine.
- **Aberto** Parque: 8h-pôr do sol diariam. Farol: 9h-18h diariam
- **Preço** Parque: $8 por veículo. Farol: $34-44.
- **Para evitar fila** Evite ir às 12h e sáb e dom nas férias
- **Passeios guiados** RippleEffect EcoTours (904 347 1565; www.rippleeffectecotours.com) oferece passeio de caiaque e canoa. Ligue para o farol sobre passeio especial.
- **Idade** Livre. Para o farol, crianças devem ter mais de 1,12m de altura e ser capazes de subir sozinhas.
- **Duração** Parque: 1-2 horas; farol: no mínimo 1 hora.
- **Cadeira de rodas** Sim
- **Comida e bebida** LANCHE Island Beach Shop and Grill (*no Anastasia State Park*) serve lanches e bebidas. REFEIÇÃO O'steen's (*205 Anastasia Boulevard, 32080; 904 829 6974; fechado dom e seg*) tem camarão frito e vieira. Ligue para saber o horário de funcionamento.
- **Banheiros** Parque: nas praias e nos campings; farol: perto da loja de lembranças.

Informações
- **Mapa** 6 F2
- **Endereço** 9600 Oceanshore Blvd, 32080; 904 471 1111; www.marineland.net
- **Carro** Alugue em St. Augustine.
- **Aberto** 9h-16h30 diariam
- **Preço** $35-45; programas com golfinhos $26-550
- **Idade** A partir de 3 anos
- **Atividades** Vários programas com golfinhos; ligue antes
- **Duração** 1-2 horas
- **Cadeira de rodas** Sim
- **Comida e bebida** LANCHE Pequena concessionária (*no local*) serve lanches, cachorro-quente e bebidas. REFEIÇÃO Tailandês Korner Restaurantee (*1280 Palm Coast Pkwy SW, Palm Coast, 32137; 386 597 2939; www.thaikorner.com*) tem comida tailandesa e japonesa e cardápio infantil multiétnico.
- **Banheiros** Perto da loja de lembranças e da piscina principal

Visitante fotografa golfinho na Marineland Dophin Adventure

Preços para família de 4 pessoas

St. Augustine e Arredores | 173

Se chover...
Caso o tempo mude, visite a **Authentic Old Jail** (*167 San Marco Ave, 32084*) em St. Augustine. Atores tornam o passeio interessante e divertido, ainda que sinistro.

⑬ Washington Oaks Gardens State Park
Para um passeio fantástico

Rosas no jardim ornamental, pedras da Era Glacial na praia – as duas facetas do Washington Oaks Gardens State Park não poderiam ser mais diferentes. Acrescente a isso a possibilidade de ver manatis descansando nas poças de rio, e esse parque não é mesmo uma área de piquenique qualquer. Os pescadores conseguem pescar na praia rochosa do lado leste da A1A. As pedras são ótimas para encontrar "vidros do mar" – cacos polidos pelas ondas. Os pescadores iniciantes podem tentar pescar em água doce no costão do rio Matanzas, do lado oeste da A1A. Nos meses frios, é um bom lugar para ver manatis ou peixes-bois. Os jardins do parque também são atraentes: feitos nos anos 1930, têm plantas nativas e de outras regiões. No início da primavera, os visitantes são recebidos por uma paisagem linda: azaleias coloridas e camélias totalmente floridas.

Se chover...
O **Skate and Shake Skating Center** (*386 672 8500*), 40km ao sul, em Ormond Beach, pode ser longe, mas é ótimo para as crianças se exercitarem bastante até quando está chovendo fora. Ligue antes.

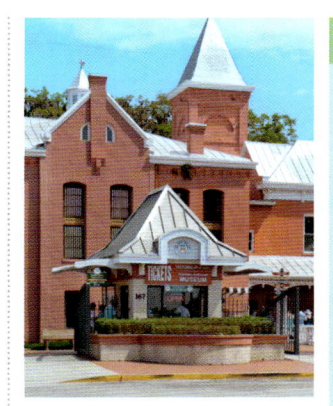

Prédio do século XIX que abriga a Authentic Old Jail, St. Augustine

Informações

🌐 **Mapa** 6 F2
Endereço 6400 N Palm Coast Blvd, Oceanshore, 32137; 386 446 6780; *www.floridastate parks.org/washingtonoaks*
🚗 **Carro** Alugue em St. Augustine
🕐 **Aberto** 8h-pôr do sol diariam
💲 **Preço** $5 por veículo
🚻 **Para evitar fila** Raramente o parque fica lotado
👨‍👩‍👧 **Idade** A partir de 4 anos
⏱ **Duração** 1-2 horas
♿ **Cadeira de rodas** Sim. Especial de praia com pedido antecipado.
🍴 **Comida e bebida** PIQUENIQUE Roman's Bagel Deli & Pizza (*4255 A1A S, 32080; 904 461 1111; fechado seg*) tem provisões. REFEIÇÃO Matanzas Innlet Restaurant (*8805 A1A South, 32080; 904 461 6824; www.matanzas.biz*) oferece camarão cozido, comida no vapor, hambúrgueres grandes e vista para a água.
🚻 **Banheiros** No centro de visitantes, área de piquenique e praia

CRIANÇADA!

Desafio do manati
1 Os manatis precisam respirar a cada 20 minutos. É verdade?
2 Os manatis são:
(a) herbívoros.
(b) carnívoros.
(c) omnívoros (comem plantas e carne).
3 Os manatis são parentes mais próximos de:
a) elefantes.
b) vacas.
c) baleias.
4 Os manatis da Flórida vivem até:
a) 10 anos.
b) 35 anos.
c) 60 anos.

Respostas no fim do quadro.

Mais sobre os manatis
Eles são inteligentes e aprendem tarefas complexas. Mas, como se movem devagar e não ouvem bem o som dos barcos a motor, são muitas vezes feridos ou mortos pela hélice ou pelo casco.

GOLFINHOS PINTORES
Alguns golfinhos na Marineland foram treinados para pegar na boca garrafas moles de tinta e espremê-las numa tela sustentada acima deles.

Farol assombrado
Você acha que fantasma não existe? Talvez você passe a acreditar depois do passeio noturno "Dark of the Moon" no farol de St. Augustine. Visitantes dizem ter visto e ouvido fantasmas de duas garotinhas do século XIX, entre outros.

Respostas: 1 Sim. **2** a. **3** a. **4** c.

Vista pitoresca de gazebo num lago no Washington Oaks Gardens State Park

Piquenique até $25; **Lanche** $25-50; **Refeição** $50-80; **Para a família** mais de $80 (para quatro pessoas)

⑭ Daytona Beach e Arredores
A diversão de correr

Daytona Beach atrai viciados em adrenalina desde o início do século XX, quando as corridas de carros na areia dura da praia romperam as barreiras da velocidade. Embora a cidade ainda seja procurada por fãs de corrida, ela se tornou um dos destinos preferidos de milhões de turistas por ano graças às belas praias, às atrações e ao ótimo tempo para atividades ao ar livre.

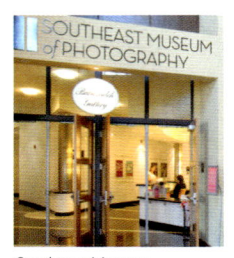

Southeast Museum of Photography

Destaques

① **Daytona Lagoon** Embora esse parque de diversões seja de brinquedos aquáticos de maio a outubro, ele também oferece o ano inteiro atrações "secas" sensacionais, como laser tag, minigolfe e karts.

⑤ **Southeast Museum of Photography** Esse é o maior museu do gênero no sudeste, com mostras, palestras e seminários, além dos Family Photo Fun Days e das oficinas de fotografia para crianças.

⑥ **Daytona International Speedway** Os loucos por velocidade gostam do passeio pela lendária pista de corrida do Daytona 500, uma das provas mais famosas da Nascar.

⑦ **Gamble Place** Essa propriedade no estilo pioneiro da Flórida preserva a Citrus-Packing House, única no estado em seu local original.

② **Daytona Beach Boardwalk** Aproveite jogos eletrônicos e brinquedos antigos, como uma roda-gigante, um estilingue e um furacão. Dê uma espiada no píer reformado e no restaurante.

③ **Praias públicas** Areias que recebem carros e multidões de banhistas alegres proporcionam aos 37km de praias de Daytona a reputação de "praia mais famosa do mundo".

④ **Halifax Historical Society Museum** Esse museu apresenta brinquedos antigos e mostras sobre a cultura indígena dos EUA. Um filme de 20 minutos trata dos 130 mil anos de história da região.

Preços para família de 4 pessoas

Informações

🌐 **Mapa** 6 G3
Endereço Daytona Lagoon: 601 Earl St, 32114; www.daytonalagoon.com. Daytona Beach Boardwalk: 12 N Ocean Ave, 32118; www.daytonabeachboardwalk.com. Halifax Historical Society Museum: 252 S Beach St, 32114; www.halifaxhistorical.org. Southeast Museum of Photography: 1200 W International Speedway, 32114; www.smponline.org. Daytona International Speedway: 1801 W International Speedway Blvd, 32114; www.daytonainternationalspeedway.com. Gamble Place: 1819 Taylor Rd, Port Orange, 32127; www.moas.org

🚌 **Ônibus** Da Votran (www.votran.org) entre as atrações da cidade.
Carro Alugue no Aeroporto Internacional de Daytona Beach.

ℹ **Informação turística** Daytona Regional Chamber of Commerce, 126 E Orange Ave, 32115; 386 255 0981; www.daytonachamber.org

🕐 **Aberto** Daytona Lagoon e Daytona Beach Boardwalk: horário conforme atração e temporada; veja nos sites. Praias públicas: 24 horas diariam para pedestres e ciclistas e aurora-pôr do sol para veículos com passe de trânsito. Halifax Historical Society Museum: 10h30-16h30 ter-sex e 10h-16h

Daytona Beach e Arredores | 175

Loja de lembranças, toda de tijolos, perto do Ponce de León Inlet Lighthouse

Se chover...
O modesto **Marine Science Center** (www.marinesciencecenter.com), 18km a sudeste de Daytona Beach, no Ponce Inlet, tem exposições, aquários e passeios guiados na praia.

Comida e bebida
Piquenique: até $25; Lanche: $25-50; Refeição: $50-80; Para a família: mais de $80 (para quatro pessoas)

PIQUENIQUE New York Style Bagel Deli and Restaurant *(3344 S Atlantic Ave, 32118; 386 760 0302)* oferece artigos de mercearia, saladas, sanduíches e produtos de padaria para piquenique na praia.
LANCHE Cow Licks *(2624 S Atlantic Ave, 32118; 386 761 1316)* é para relaxar, com sorvete caseiro e o jogo eletrônico Pac-Man.
REFEIÇÃO Rossi's Diner *(2240 S Ridgewood Ave, 32119; 386 760 4564; www.rossisdiner.com)* é um dos preferidos dos moradores pelo enorme menu e por sobremesas como pudim de arroz e pãezinhos.
PARA A FAMÍLIA Don Vito's Italian Restaurant *(137 West International Speedway Blvd, 32114; 386 492 7935; www.donvitosrestaurant.com)* serve comida italiana boa e barata. O menu infantil tem espaguete e almôndega. As sobremesas agradam.

Compras
O **Downtown Shopping District** de Daytona tem muitos antiquários, livrarias e lojas de confecções.

Próxima parada...
PONCE DE LEÓN INLET LIGHTHOUSE AND MUSEUM
Siga 16km ao sul para ver o mais alto farol da Flórida (www.ponceinlet.org), na margem norte do Ponce de León Inlet (braço de mar).

sáb. Southeast Museum of Photography: fechado seg e nos feriados. Daytona International Speedway: horário de eventos variado; passeios 10h-16h diariam. Gamble Place: 10h-15h sex-sáb.

Preços Daytona Lagoon e Daytona Beach Boardwalk: veja detalhes nos sites; parque aquático: $100-120. Praias públicas: informe-se com Republic Parking no 386 254 4605. Halifax Historical Society Museum: $12-22. Southeast Museum of Photography: grátis. Daytona International Speedway: preços de eventos e corridas, 1 800 748 7467. Gamble Place: $22-32; até 5 anos, grátis.

Para evitar fila Passeios VIP na Daytona International Speedway podem ser reservados por $50 por pessoa; tel. 877 306 7223.

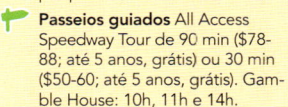

Passeios guiados All Access Speedway Tour de 90 min ($78-88; até 5 anos, grátis) ou 30 min ($50-60; até 5 anos, grátis). Gamble House: 10h, 11h e 14h.

Idade A partir de 4 anos

Duração No mínimo meio dia

Bom para a família?
A hospedagem pode ser bem cara na cidade, mas a praia e outras atrações são grátis ou têm preços moderados.

CRIANÇADA!

Tartarugas em apuros
Infelizmente, há muitas razões para as tartarugas precisarem de ajuda em locais como o Marine Science Center, entre as quais estão:
1 Afloramento (água bem fria que sobe do fundo do mar e traumatiza ou até mata filhotes)
2 Maré vazante (o tempo ruim empurra os filhotes de volta para a praia)
3 Equipamento de pesca ilegal (anzóis e linhas que podem se prender em tartarugas ou ser engolidos por elas) 
4 Maré vermelha (concentração de algas na água)

FOCO AQUI
Quando Joseph Niepce bateu a primeira foto, em 1827, demorou 8 horas. Desde então, a tecnologia possibilitou fotos impressionantes. Uma das mais famosas é "Nascer da Terra", tirada pelo astronauta Bill Anders em 1968 enquanto orbitava a Lua. Veja como ela é em www.nasa.gov.

Céu iluminado
1 O farol do Ponce de León Inlet tem uma luz do século XIX. Sabe de que distância se pode ver o facho de luz no mar?
2 Quanto tempo demora para a luz do farol piscar seis vezes?
3 Com quantos tijolos foi construído o farol?

Respostas: 1 29km. **2** 15 segundos. **3** 2,5 milhões.

⑮ Museum of Arts and Sciences (MOAS)
Um museu com personalidade

Esse museu na exuberante Tuscawilla Preserve não só tem um acervo esplêndido de arte, ciência e objetos históricos, como também leva as crianças a descobrir importantes princípios científicos por meio de interatividade, como ao desenhar carros e testar o seu projeto disputando corrida com os concorrentes. O planetário é outra atração, com um projetor celeste Minolta MS-10. A reserva tem ainda um centro educacional ambiental, trilhas e estações de descoberta.

Molde da garrafa bojuda da Coca-Cola

Destaques

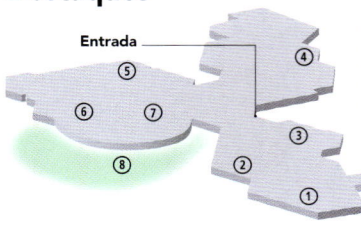

① **Carro "Sumar Special" da Indy** Guardado no Root Family Museum, o Sumar Special atingiu a velocidade incrível de 276,5km/h em 1957. Foi projetado por Frank Kurtis e Chapman Root, cuja empresa criou a famosa garrafa bojuda da Coca-Cola.

② **Coca-Cola** O molde da garrafa original de Coca faz parte da coleção de objetos históricos da Coca-Cola exposta no Root Family Museum.

③ **Ursos de pelúcia** Veja mais de 800 ursos de pelúcia, cada qual retratando um tema ou período histórico diferente no Root Family Museum. As crianças adoram a grande festa de casamento a rigor, com noiva, noivo e até dama de honra.

④ **Preguiça gigante** Esse esqueleto de 4 m de altura e 130 mil anos de uma preguiça gigante é uma grande atração da Bouchelle Gallery of Changing Exhibitions.

⑤ **Planetário** Situado na Ala Oeste, esse prédio apresenta programas sobre o Sistema Solar com imagens de sondas espaciais da Nasa e efeitos 3D.

⑥ **Charles and Linda Williams Children's Museum** As crianças podem conduzir carros de brinquedo numa pista em 8 e explorar várias estações interativas de ciências nesse museu.

⑦ **Cuban Foundation Museum Collection** O antigo presidente cubano Fulgencio Batista doou o núcleo da famosa coleção de arte do museu nos anos 1950. É tida como a melhor fora de Cuba.

⑧ **Sculpture Garden** Essa bela área de exposições ao ar livre é pontilhada de obras de escultores contemporâneos célebres, como Ernest Shaw e Juan José Sicre.

Informações

- **Mapa** 6 G3
- **Endereço** 352 South Nova Rd, Daytona Beach, 32114; 386 255 0285; www.moas.org
- **Carro** Alugue no Aeroporto de Daytona. Estacionamento grátis.
- **Aberto** 9h-17h ter-sáb e 11h-17h dom
- **Preço** $40-50; até 6 anos, grátis. Ingresso inclui eventos normais do planetário.
- **Espetáculos** O planetário realiza concertos de rock a laser (ingressos $5 por um, $7 por dois ou $9 por três) às 19h, 20h e 21h no segundo sáb do mês. Lugares limitados. Os ingressos podem ser comprados na entrada principal com antecedência. Informe-se sobre programas específicos pelo 386 255 0285.
- **Para evitar fila** Vá ao museu entre 9h e 11h, quando ele está relativamente vazio
- **Passeios guiados** O museu oferece passeios agendados
- **Idade** A partir de 6 anos
- **Atividades** O Klancke Environmental Education Complex, na Tuscawilla Preserve, tem passarelas e trilhas educativas.
- **Duração** 1-3 horas
- **Cadeira de rodas** Sim
- **Shop** A pequena loja de lembranças *(ao lado da entrada principal)* vende muitos livros de arte que podem agradar, e também lanches
- **Banheiros** Em cada uma das três alas: West Wing, North Wing e Roots Family Museum

Bom para a família?
O amplo leque de mostras educativas e interativas torna esse museu uma experiência divertida para toda a família.

Preços para família de 4 pessoas

Passeio em caminho de madeira através da exuberante Tuscawilla Preserve

Para relaxar
Queime energia nas trilhas educativas da **Tuscawilla Preserve** ou relaxe em seu **Sensory Garden**, com ervas, flores silvestres nativas e jardins de borboletas, de beija-flores e de pedras. O jardim serve de entrada ao Klancke Environmental Education Complex.

Comida e bebida
Piquenique: até $25; Lanche: $25-50; Refeição: $50-80; Para a família: mais de $80 (para quatro pessoas)

PIQUENIQUE The Cracked Egg Diner *(3280 South Atlantic Ave, 32118; 386 788 6772; www.thecrackedeggdiner.com)* é um ótimo lugar para sanduíches, saladas e picles fritos. Faça piquenique perto do lago do Sensory Garden.
LANCHE Dancing Avocado Kitchen *(110 South Beach St, 32114; 386 947 2022; fechado dom-seg)* serve café da manhã inventivo e pratos de almoço com muitas opções vegetarianas. Preços razoáveis e um balcão de sucos e vitaminas recomendam esse restaurante para lanches e refeições.
REFEIÇÃO Steve's Famous Diner *(1584 S Nova Rd, 32114; 386 252 0101; stevesfamousdiner.biz)*, lugar popular perto do museu, oferece ótimos pães recém-assados. O cardápio amplo tem sopas caseiras, saladas e sobremesas.
PARA A FAMÍLIA The Cellar *(220 Magnolia Ave, 32114; 386 258 0011; www.thecellarrestaurant.com; fechado seg)* é um espalhafato de culinária italiana, mas os pratos do chef Sam Maggio atraem fãs leais. O restaurante tem longa carta de vinhos.

Saiba mais
INTERNET Faça download grátis do aplicativo MOAS para iPhone *(itunes.apple.com/us/app/moas/id391833573?mt=8)* para passear por galerias virtuais do museu, ler biografias de artistas, saber a programação de eventos e obter informações sobre ingressos.

Próxima parada...
DEVIL'S MILLHOPPER GEOLOGICAL STATE PARK
Vá 195km a noroeste até o Devil's Millhopper Geological State Park *(p. 181)*, perto de Gainesville. Com uma dolina de 36,5m, é um dos parques mais incomuns da Flórida. Os visitantes que descem até o fundo dessa depressão no verão sentem a temperatura baixar e veem uma vida animal diferente.

Passarela de madeira que leva até a base da dolina de Devil's Millhopper

---

CRIANÇADA!

Gigantes da Era Glacial
Há muito tempo, enormes mamíferos da Era Glacial – alguns do tamanho de um ônibus – viveram na Flórida, entre os quais estavam:
1. O gato-cimitarra, que era do tamanho de um leão, corria a cerca de 95km/h e tinha dentes de navalha.
2. O lobo-pré-histórico era muito maior e mais forte que os lobos atuais e caçava numa matilha de vinte lobos.
3. A gigantesca ave-aterrorizante, de 2m de altura, não voava – e era carnívora!

À CAÇA DE URSOS
A coleção de ursos de pelúcia do museu vai muito além do básico. Ao percorrer essa coleção imensa, tente encontrar o urso mais velho, o mais novo, o mais bonito e o mais feio. E será que você consegue desenhá-los?

Um fóssil novo
No final de 2011, uma equipe de construção descobriu uns ossos esquisitos na rua perto do museu. Depois se soube que os ossos eram de um mastodonte de 3m de altura, que pesava cerca de 4.500 kg e vagava por Daytona entre aproximadamente 50 mil e 100 mil anos atrás. Veja mais informações no site do museu.

Flutuação em câmaras de pneu no Blue Spring State Park, Ocala National Forest

⑯ Blue Spring State Park
Espalhe água

Quando chegam os dias mais quentes do verão, as famílias gostam de se refrescar na Blue Spring, onde podem nadar, mergulhar com snorkel e passear de canoa, caiaque ou barco de excursão. Mergulhadores de cilindro registrados também mergulham ali. Quando vem o inverno, em meados de novembro, as atividades aquáticas cessam, pois os manatis do estado migram para o parque, designado Refúgio de Manatis. As crianças adoram ver da passarela os manatis comendo, brincando e cuidando dos filhotes.

Se chover...
Vá a noroeste ao excelente **Appleton Museum of Art** *(4333 E Silver Springs Blvd, Ocala, 34470; 352 291 4455; www.appletonmuseum.org).* Seu acervo pré-colombiano e africano mantém as crianças entretidas por um bom tempo. Vale a pena ver a loja do museu, que tem artigos inspirados nessas artes.

⑰ Ocala National Forest
Quintal do Tarzan

Segunda maior Floresta Nacional do país, essa área de 1.780km² tomaria muitos anos para ser explorada por inteiro – do grande matagal arenoso às nascentes do rio Juniper, semitropicais. Entre as muitas atrações para a família, a trilha Yearling leva a Pat's Island, lugar em que morava a família do livro *The Yearling* (1938), premiado com o Pulitzer. Tente ver o ameaçado urso-preto-da-flórida na Flórida Black Bear Scenic Highway (State Road 19). A floresta também é ótima para avistar pássaros – águias-carecas, águias-pescadoras, marrecos e corujas. Os vários lagos atraem pescadores de robalo, e uma marina completa aluga barcos. Há também locais para acampar, trilhas para cavalo e riachos bons para nadar e passear de canoa e câmara de pneu.

Se chover...
Os dragsters e carros antigos do **Don Garlits Museum of Drag Racing** *(www.garlits.com),* em Ocala, fascinam crianças e aficionados.

⑱ Ocala Thoroughbred Farm Country
A cavalo para todo o lado

Com mais cavalos e pôneis que qualquer lugar no mundo, Marion County sem dúvida faz sucesso com crianças que gostam deles. Veja um

Informações

- **Mapa** 6 F4
  Endereço 2100 W French Ave, Orange City, 32763; 386 775 3663; www.floridastateparks/bluespring
- **Carro** Alugue em Ocala.
- **Aberto** 8h-pôr do sol diariam
- **Preço** $6 para veículo e $2 para pedestre e ciclista
- **Para evitar fila** Chegue cedo – nos fins de semana, o parque fecha às 12h devido à multidão
- **Idade** Livre
- **Atividades** Observe da passarela os manatis em sua estação. Programas expositivos à tarde; tel. 386 775 3773. St. Johns River Cruises *(386 917 0724)* oferece passeios de barco.
- **Duração** 2-4 horas
- **Cadeira de rodas** Sim
- **Comida e bebida** LANCHE A lanchonete *(no local; 386 775 6888; www.myfloridamanatee.com)* vende sanduíches, lanches e bebidas. REFEIÇÃO Texas Roadhouse *(2518 Enterprise Rd, 32763; 386 532 7427; www.texasroadhouse.com)* é uma churrascaria consagrada com ótimo menu infantil.
- **Banheiros** Perto do estacionamento e das áreas de piquenique

Trilha pitoresca para caminhadas através da Ocala National Forest

Preços para família de 4 pessoas

Informações

- **Mapa** 6 E3
  Endereço Norte de Orlando, entre os rios Ocklawaha e St. Johns; 352 625 2520; www.fs.usda.gov/ocala
- **Carro** Alugue em Ocala
- **Informação turística** Ocklawaha: 3199 NE Hwy 315, Silver Springs, 34488. Salt Springs: 14100 N State Hwy 19, 32134; 352 685 3070. Pittman: 45621 State Rd 19, Altoona, 32702
- **Aberto** 8h-20h maioria dos locais
- **Preço** $26-36 maioria dos locais
- **Para evitar fila** Não vá nos fins de semana nem feriados
- **Passeios guiados** Veja em www.ocalamarion.com passeios de barco, cavalo e quadriciclo
- **Idade** Livre
- **Duração** Meio dia
- **Cadeira de rodas** Limitado
- **Comida e bebida** LANCHE Yomii Frozen Yogurt *(2631 Enterprise Blvd, Orange City, 32763; 386 456 5080)* oferece várias coberturas à escolha. REFEIÇÃO Laspada's Original *(2200 N Volusia Ave, Orange City, 32763; www.laspadas.com)* serve sanduíches de carne e queijo e italianos.
- **Banheiros** Nos campings

Oeste de Daytona Beach | 179

jogo de polo ou um rodeio de verdade, olhe de perto um puro-sangue num dos 600 haras da região – entre os quais os famosos Rohara Arabians e Young's Paso Fino – ou explore o interior com um cavalo de um estábulo. Marion County ostenta milhares de prêmios nacionais e internacionais, além de seis vitórias no Derby de Kentucky.

Se chover...
O museu de carruagens **The Grand Oaks Resort** (thegrandoaks.com), em Weirsdale, tem passeios de realeza, mas a garotada deve gostar também dos modelos de cavalos.

Informações
- **Mapa** 5 D3
- **Carro** Alugue em Ocala.
- **Informação turística** 112 N Magnolia Ave, Ocala, 34475; 352 438 2801; www.ocalamarion.com
- **Preço** Por passeio e atividade
- **Para evitar fila** Vá em dias úteis quando possível
- **Passeios guiados** Variados, como a cavalo, de moto, quadriciclo e canoa; veja em www.ocalamarion.com
- **Idade** A partir de 4 anos
- **Atividades** Passeios em haras e a cavalo e exibições equestres
- **Duração** 2-4 horas
- **Cadeira de rodas** Varia; veja com as agências e nas atrações
- **Comida e bebida** LANCHE Stella's Modern Pantry (20 SW Broadway St, 34471; 352 622 3663; fechado seg) atrai pelas sobremesas, mas também tem sanduíches e beirutes. REFEIÇÃO Royal Orchid Thai Cuisine (3131 SW College Rd 206, 34474; 352 237 4949) é badalado, graças ao cardápio autêntico e ao ótimo serviço.

Sala na casa de Marjorie Kinnan, no Rawlings Historic State Park

⑲ Marjorie Kinnan Rawlings Historic State Park
Casa de um gênio literário

Embora não fosse da Flórida, Marjorie Kinnan Rawlings escrevia sobre a região e seu povo e se tornou uma das escritoras mais conhecidas do estado. Passou a viver nessa fazenda em busca de um lugar tranquilo para escrever e se apaixonou por ele, como ocorre com a maioria dos visitantes. Seus livros, sobretudo *The Yearling* (O potro), favorito dos leitores jovens, transmite a realidade da vida próxima do campo, em harmonia com a natureza. No parque estão a casa cela, mobiliada como em sua época, os anos 1930, a casa de um empregado, o celeiro, o quintal e as edículas. Só se pode entrar na casa em visita guiada.

Para relaxar
As crianças podem se divertir pelo amplo terreno da casa para queimar energia.

Informações
- **Mapa** 5 D3
- **Endereço** 18700 S County Rd 325, Cross Creek, 32640; 352 466 3672
- **Carro** Alugue em Gainesville
- **Aberto** Parque: 9h-17h diariam
- **Preço** Parque: $3 por veículo. Passeio a cavalo: $10-20; até 5 a., grátis
- **Para evitar fila** Cheio no verão. Manhãs sáb e dom mais tranquilas.
- **Passeios guiados** Visitas horárias à casa e terreno out-jul: 10h-16h qui--dom; tel. 352 466 3672
- **Idade** A partir de 6 anos
- **Duração** 1-2 horas
- **Cadeira de rodas** Sim
- **Comida e bebida** REFEIÇÃO Blue Highway Pizzeria (204 NE Hwy 441, Micanopy, 32667; 352 466 0062) é uma casa informal onde se pode montar a pizza. PARA A FAMÍLIA The Yearling Restaurant (14531 E County Rd 325, Hawthorne, 32640; 352 466 3999; fechado seg-qua) serve codorna, pernas de rã, frango, carne e frutos do mar.
- **Banheiros** No parque, perto do sítio histórico

CRIANÇADA!

Manatis dão o que falar
Mesmo que não se possa dizer que os manatis possuam uma linguagem, eles se comunicam. Imagine como deveriam soar "xi, perigo!", "mãe, me perdi!" ou "agora estou nervoso!" Entre em www.savethemanatee.org/coolstuff.htm e clique em "Sounds". O site também tem jogos, colantes e desenhos para colorir. Melhor ainda, há uma câmera que mostra os manatis no Blue Spring State Park.

PURO PURO-SANGUE
Puro-sangue é uma raça particular de cavalo muito boa em correr, saltar e dar outros espetáculos. Esses cavalos lindos têm em geral 1,63m de altura, peito fundo e pescoço longo. Os criados para correr longas distâncias em geral são menores, e os criados para correr curtas distâncias têm músculos mais potentes.

Os dois minutos mais rápidos nos esportes
O Derby de Kentucky é uma corrida para puros-sangues de 3 anos realizada todo ano em Louisville, Kentucky. O cavalo vencedor dessa corrida de 2km é ganha um cobertor de rosas. O vencedor de 2013, Orb, foi conduzido pelo jóquei porto-riquenho John Velazquez.

Piquenique até $25; Lanche $25-50; Refeição $50-80; Para a família mais de $80 (para quatro pessoas)

20 Paynes Prairie Preserve State Park

Casa na natureza, onde vagam o veado e o búfalo

Essa reserva de 85km², duas horas a oeste de Daytona Beach, é o lar de veados, bisões, cavalos selvagens, gado Florida Cracker e aligátores. Não é preciso penetrar fundo no campo para ver esses animais – o parque dispõe de várias plataformas de observação, entre as quais uma torre de 15m de altura com vista panorâmica. Lembre-se de levar binóculo – 271 espécies de aves, como águia-careca e grou-canadense, vivem ali. Na região há muita história humana para conhecer. Um audiovisual no centro de visitantes conta a história dessa área natural, que remonta a 12 mil anos.

Informações

- **Mapa** 4 F6
- **Endereço** 100 Savannah Blvd, Micanopy, 32667; 352 466 3397; www.floridastateparks.org
- **Carro** Alugue em Gainesville
- **Aberto** 8h-pôr do sol diariam. Centro de visitantes: 9h-16h.
- **Preço** $6 por veículo e $2 por pedestre ou ciclista
- **Para evitar fila** Evite fins de semana, quando o time de futebol universitário joga em casa. O parque é mais vazio em mai-set.
- **Passeios guiados** Programas de caminhada em qui alternadas nov-abr; reserve pelo 352 466 4100. Audioguia grátis para celular em www.dialanddiscover.com
- **Idade** A partir de 4 anos
- **Duração** 2 horas
- **Cadeira de rodas** Limitado; ligue para 850 245 2157
- **Comida e bebida** LANCHE Coffee N Cream (201 Northeast 1st St, Micanopy, 32667; 352 466 1101; www.micanopycoffeeshop.com) oferece café, outras bebidas e biscoitos caseiros. Ou leve sanduíches ao Paynes Prairie. REFEIÇÃO Pearl Country Store (106A NE Hwy 441, Micanopy, 32667; 352 466 4025; www.pearlcountrystore.com) tem churrasco e mac'n'cheese (macarrão com queijo) muito apreciados.
- **Banheiros** Centro de visitantes e campings do lago Wauberg

Estrada arborizada no Paynes Prairie Preserve State Park, Gainesville

Se chover...
Vá ao **Smiley's Antique Mall** (17020 SE County Rd 234, Micanopy, 32667; 352 466 0707) para comprar lembranças de *Star Wars*™ e caubóis.

21 Flórida Museum of Natural History

Chamando todos os "ólogos"!

Para famílias com crianças que adoram ciências – queiram elas ser paleontólogas, zoólogas ou arqueólogas –, o Museum of Natural History, da Universidade da Flórida, em Gainesville, é um tesouro magnífico de informação e exposição. Um dos cinco melhores museus de história natural dos EUA, ele abriga mais de 30 milhões de espécimes de várias áreas de estudo. As peças do Hall of Florida Fossils abrangem os últimos 65 milhões de anos do Estado, do Eoceno (quando a Flórida era submersa) à chegada dos humanos, há cerca de 14 mil anos. O McGuire Center, maior centro de pesquisa de borboletas do planeta, conta com um viveiro ao ar livre chamado Butterfly Rainforest, onde existem centenas de borboletas de todo o mundo, que vivem em ambiente sem predadores, entre cascatas e plantas tropicais. À tarde, nos fins de semana, quando o tempo está bom, os visitantes podem presenciar a revoada das borboletas soltas do viveiro.

Informações

- **Mapa** 4 F5
- **Endereço** SW 34th St & Hull Rd, Gainesville, 32611-2710; 352 846 2000; www.flmnh.ufl.edu
- **Carro** Alugue em Gainesville
- **Aberto** 10h-17h seg-sáb e 13h-17h dom
- **Preço** Grátis. Butterfly Rainforest: $33-43. Estac. $4 p/ dia (dinheiro); grátis sáb-dom e feriados
- **Para evitar fila** O museu não costuma ficar cheio
- **Passeios guiados** Visitas ao Hall of Florida Fossils às 11h30 e 14h45 sáb, 14h45 dom
- **Idade** A partir de 4 anos
- **Atividades** Revoada de borboletas às 14h, 15h e 16h sáb e dom, se o tempo permitir. Venda de plantas que atraem borboletas 10h-17h seg-sáb e 13h-17h dom
- **Duração** 1-2 horas
- **Cadeira de rodas** Sim
- **Comida e bebida** REFEIÇÃO Satchel's Pizza (1800 NE 23rd Ave, 32609; 352 335 7272; www.satchelspizza.com; fechada dom e seg) é conhecida pelas pizzas criativas. PARA A FAMÍLIA Amelia's (235 S Main St, Suite 107, 32601; 352 373 1919; www.ameliasgainesville.com) serve comida italiana caseira.
- **Banheiros** Perto da mostra South Florida People and Environments e junto à Central Gallery

Exposição de borboletas no Florida Museum of Natural History, Gainesville

Preços para família de 4 pessoas

Gainesville e Arredores | 181

Escadas no Devil's Milhopper Geological State Park, que levam ao fundo da dolina

Fonte do dragão que respira água nos Kanapaha Botanical Gardens, Gainesville

Para relaxar
Vá 7km a sudoeste, até **Kanapaha Botanical Gardens** (www.kanapaha.org), para ver o jardim de beija-flores, flores campestres e o jardim das crianças, com muro do tesouro, labirinto de cerca viva e lago com carpas.

㉒ Devil's Millhopper Geological State Park

Sensação de afundamento

O Devil's Millhopper, em Gainesville, é uma dolina que surgiu quando uma caverna subterrânea desabou devido ao calor e à umidade. A dolina criou uma floresta tropical "mirim", com muitas nascentes pequenas, cujos córregos descem por seus lados. Num dia quente de verão, é uma delícia descer os 236 degraus até o ponto mais baixo da dolina, porque a temperatura cai perceptivelmente. Lembre de calçar sapatos fortes se quiser caminhar. Os menores podem achar o passeio cansativo, mas ver os pássaros nos pinheiros e arredores compensa.

Se chover...
Viaje 8km ao sul para ver a ala asiática e os jardins do ótimo **Harn Museum of Art** (SW 34th St, S Hull Rd, 32611; www.harn.ufl.edu). As crianças gostam principalmente da ala dos americanos antigos, com obras maias e astecas.

Informações

🌐 **Mapa** 4 E5
Endereço 4732 Millhoppper Rd, Gainesville, 32653; 352 955 2008; www.floridaparks.org
🚗 **Carro** Alugue em Gainesville.
🕐 **Aberto** 9h-17h qua-dom
💲 **Preço** $4 por veículo e $2 por pedestre ou ciclista
🚻 **Para evitar fila** Menos cheio qua e qui do meio da tarde em diante.
Passeios guiados Com guarda-parque às 10h todo sáb; ligue para 386 462 7905
Idade A partir de 4 anos
Atividades Caminhadas, piquenique, observação de animais
⏱ **Duração** 2 horas
♿ **Cadeira de rodas** Limitado
🍽 **Comida e bebida** PIQUENIQUE Schlotzsky's Deli (4720 Northwest 39th Ave, Gainesville, 32606; 352 372 3354; www.schlotzskys.com) é um bom lugar para comprar sanduíches, acompanhamentos e saladas comer no parque. REFEIÇÃO The Jones Eastside (401 NE 23rd Ave, Gainesville, 32609; 352 373 6777; www.thejoneseastside.com) usa ingredientes locais frescos em pratos rurais de preço razoável.
🚻 **Banheiros** No centro de visitantes

CRIANÇADA!

Desafio do beija-flor
Estas afirmações são verdadeiras ou falsas?
1 Os beija-flores preferem flores vermelhas ou avermelhadas.
2 Os beija-flores ganham sua energia do néctar que sugam.
3 O beija-flor é um dos três tipos de ave que voam para trás.
4 Muitos beija-flores migram para o México no inverno.

Respostas no fim do quadro.

De quem são essas asas?
A maioria das borboletas pousa de asas para cima, e as mariposas pousam com elas abertas. Saiba mais no guia de borboletas do Museum of Natural History em www.flmnh.ufl.edu/butterflies/guide.

O QUE É DOLINA?
É um tipo de depressão comum na Flórida, que surge, por exemplo, quando cai terra fofa em cima de certas pedras. A chuva e a água da superfície do solo se infiltram por entre as pedras e caem terreno abaixo, causando desabamento e formando a dolina.

O mito de Millhopper
De acordo com a lenda, o Diabo se apaixonou por uma bela princesa indígena americana. Ele a perseguiu, e os valentes da tribo correram atrás dele para protegê-la. O Diabo criou então uma dolina profunda para que os guerreiros caíssem nela. Diz a história que os índios se transformaram nas pedras calcárias que ladeiam a dolina.

Respostas: 1 Verdadeira. 2 Falsa. Contém insetos. 3 Falsa. Ele é o único. 4 Verdadeira. Vão à península de Yucatán.

Piquenique até $25; **Lanche** $25-50; **Refeição** $50-80; **Para a família** mais de $80 (para quatro pessoas)

Onde Ficar no Nordeste

Essa região conta com um amplo leque de acomodações, de resorts premiados e hotéis luxuosos a campings situados nos lindos parques estaduais, a curta distância a pé do mar. O nordeste da Flórida oferece ao turista tanto opções de alto nível como econômicas.

AGÊNCIA
Stockton Real Estate
www.stocktonrealestate.com
Essa imobiliária dispõe, para alugar a curto prazo, de casas e apartamentos em locais diante do mar e até de campos de golfe em Jacksonville e suas praias, em Ponte Vedra Beach e em St. Augustine.

Amelia Island Mapa 4 H2

RESORTS
Omni Amelia Island Plantation Resort
6800 First Coast Hwy, 32034; 904 261 6161; www.omniameliaisland plantation.com
Espalhado por 5km², esse resort tem mais de 150 quartos, além de clube de praia deslumbrante e restaurantes. São oferecidos excelentes programas infantis monitorados, jogos, festas no jantar e piqueniques.
$$$

The Ritz-Carlton, Amelia Island
4750 Amelia Island Pkwy, 32034-5501; 904 277 1100; www.ritzcarlton ameliaisland.com
Esse resort quatro diamantes pela AAA tem quartos e áreas comuns luxuosos. Conta com praia, spa, quadras de tênis, academia de ginástica e programas maravilhosos para crianças e adolescentes.
$$$

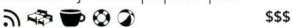

APARTAMENTOS
The Villas at Amelia Island Plantation
6800 First Coast Hwy, 32034; 904 261 6161; www.aipfl.com
Esse enorme resort de praia oferece quartos e casas com um, dois ou três dormitórios, ideais para famílias. Tem praia privada, golfe, spa, academia de ginástica e restaurantes.
$$$

CAMPING
Little Talbot Island State Park Mapa 4 G3
12157 Heckscher Dr, Jacksonville, 32226; 904 251 2320; www.florida stateparks.org/littletalbotisland
Situado junto à A1A, esse camping oferece 40 pontos com água, eletricidade e chuveiro. Serviço de lavanderia e aluguel de bicicleta no local. Reserve antes.
$

Atlantic Beach Mapa 4 H3

RESORT
One Ocean Resort & Spa
One Ocean Blvd, 32233; 904 249 7402; www.oneoceanresort.com
Resort pequeno e bonito junto ao mar, com quartos arejados e suítes com TV de tela plana e geladeira. Um monitor pessoal faz reservas e até leva as crianças a uma grande variedade de programas.
$$-$$$

Daytona Beach Mapa 6 G3

RESORTS
Perry's Ocean Edge Resort
2209 S Atlantic Ave, 32118; 386 255 0581 ou 800 447 0002; www.perrys oceanedge.com
A maioria das unidades desse imóvel tem cozinha completa. As Kids' Beach Suites são uma boa opção para a família. Há uma piscina coberta – que permite nadar o ano inteiro –, academia de ginástica, hidroginástica e bingo para crianças.
$

The Hilton Daytona Beach Oceanfront Resort
100 North Atlantic Ave, 32118; 386 254 8200; www.daytona hilton.com
Suítes para a família e a D-Dawg's Kidszone, com arte, jogos de tabuleiro e contação de histórias, fazem desse Hilton à beira-mar uma ótima opção. A maioria dos restaurantes do resort tem cardápio infantil.
$-$$

Wyndam Oceanwalk Resort
300 North Atlantic Ave, 32118; 800 625 1649; www.oceanwalk.com
Nesse resort à beira-mar há apartamentos com um, dois ou três quartos espaçosos, dotados de cozinha completa, geladeira, micro-ondas e TV. Entre as comodidades, banheira quente ao ar livre e salão de jogos.
$$

Fernandina Beach Mapa 4 H2

HOTEL
Amelia Hotel at the Beach
1997 South Fletcher Ave, 32034; 904 206 5200 ou 877 263 5428; www.ameliahotelandsuites.com
Do outro lado da rua da praia principal de Fernandina, esse hotel de propriedade familiar tem quartos com camas king-size, micro-ondas e frigobar. As crianças adoram os

A King Terrace Suite, no Hilton Daytona Beach Oceanfront Resort

cookies saídos do forno com leite à tarde. Bicicletas e material de praia podem ser alugados na vizinhança. O café da manhã é grátis para todos os hóspedes.

🔊 🚲 E 🍴 ☀ $

CAMPING
Fort Clinch State Park
2601 Atlantic Ave, 32034; 904 277 7274 ou 800 326 3521; www.florida stateparks.org/fortclinch
Um forte fascinante e ótima pesca de água doce ou salgada atraem turistas a esse acampamento. Os campistas podem escolher um local na praia ou no rio. Entre as comodidades, tomada elétrica, lavanderia e loja. Reserve com bastante antecedência.

🍴 ☀ ♿ $

Gainesville
Mapa 4 F5

HOTÉIS
Hilton UF Conference Center
1714 SW 34th St, 32607; 1 352 371 3600; tinyurl.com/bm8oj4u
Situado no canto sudoeste do campus da Hilton University of Florida (UF), esse hotel constitui uma base magnífica para visitar os museus da UF e outras atrações. Os quartos e as suítes são mobiliados com conforto. Há academia de ginástica, piscina descoberta, bar de esportes e lojas de lembranças no salão.

🔊 🍽 🚲 ☕ ♿ $$

Jacksonville
Mapa 4 G3

HOTEL
Hampton Inn Beach Boulevard/Mayo Clinic
13733 Beach Blvd, 32224; 904 223 0222; tinyurl.com/bo3jnlh
A 10 minutos de carro da praia, esse hotel é uma ótima opção econômica por causa dos quartos e suítes limpos e arejados. Há uma piscina coberta aquecida e uma loja de conveniências dentro do hotel, e o café da manhã está incluso.

🔊 🍽 🚲 E ♿ $

Omni Jacksonville Hotel
245 Water St, 32202; 904 355 6664; www.omnihotels.com
No centro de Jacksonville, a uma quadra dos restaurantes e das lojas à beira-mar, esse Omni quatro diamantes tem piscina na cobertura, restaurante fino e serviço simpático.

🔊 🍽 🚲 ☕ ♿ $$

CAMPING
Kathryn Abbey Hanna Park
500 Wonderwood Dr, 32233; 904 249 4700; www.coj.net
Ao norte de Atlantic Beach, esse parque atraente tem cabanas e camping completo, para barraca e trailer. Um lago e ótimas trilhas de bicicleta são outras vantagens. Entre as comodidades, empório, lavanderia e chuveiro. Reserve antes.

🍴 E ☀ ♿ $

Jacksonville Beach
Mapa 4 H3

HOTEL
Fairfield Inn & Suites Jacksonville Beach
1616 1st St N, 32250; 866 539 0036; tinyurl.com/82ahnvr
Pertinho da praia e de restaurantes, esse hotel oferece suítes para famílias grandes e é bom para estadias longas. Café da manhã grátis.

🔊 🚲 E ♿ $-$$

Cabana no camping do Blue Spring State Park, Ocala National Forest

Ocala
Mapa 5 D3

HOTEL
Courtyard Ocala
3712 SW 38th Ave, 34474; 352 237 8000; tinyurl.com/7dvptlo
Os quartos e suítes desse hotel reformado têm TV de tela plana e frigobar. O restaurante próprio, The Bistro, serve opções saudáveis no café da manhã e variadas no jantar.

🔊 🚲 ☕ E ♿ $

Orange City
Mapa 6 F4

CAMPING
Blue Spring State Park
2100 W French Ave, 32763; 386 775 3663; www.floridastateparks.org
Esse lar de inverno dos manatis oferece 51 campings a curta distância a pé da nascente. Os locais têm água,

eletricidade, mesas de piquenique e grelhas. Há biblioteca de livros de imagens para crianças de 4 a 9 anos.

🍴 E ☀ ♿ $

Ponte Vedra Beach
Mapa 4 H4

HOTEL
Sawgrass Marriott Golf Resort & Spa
1000 PGA Blvd, Ponte Vedra Beach, 32082; 386 775 3663; tinyurl.com/2qbqty
Resort de golfe de primeira, esse hotel três diamantes é excelente para férias na praia, em viagem rápida ao clube de praia. O hotel oferece programas infantis de qualidade, ótimo spa e restaurante.

🔊 🚲 ☕ 🍴 $$

St. Augustine
Mapa 6 F1

HOTEL
Hilton St. Augustine Historic Bayfront
32 Avenida Menendez, 32084 904 829 2277; tinyurl.com/7od9wcd
Localizado no Distrito Histórico, esse Hilton constitui uma boa base para explorar as atrações próximas. Os quartos têm frigobar.

🔊 🍽 🚲 ☕ 🍴 $$$

BED & BREAKFAST
Bayfront Marin House Bed and Breakfast
142 Avenida Menendez, 32084-5049; 904 824 4301; www.bayfront marinhouse.com
Esse B&B tem acomodações para famílias com crianças, acesso privado e excelente localização à beira-mar. Serviço eficiente.

♿ 🔊 🚲 E $$-$$$

CAMPING
Anastasia State Park
1340 Florida A1A, 32080; 904 461 2033; www.floridastateparks.org
Perto da praia, os campings têm eletricidade, churrasqueiras, fogueira cercada e mesas de piquenique. O parque tem restaurante/loja que aluga material de praia e esportes.

🍽 🍴 E ♿ $

Categorias de preço
As seguintes faixas de preço baseiam-se em uma diária na alta temporada para uma família de quatro pessoas, incluindo serviço e taxas adicionais.

$ até $150 **$$** $150-300 **$$$** mais de $300

Legenda dos símbolos na orelha da contracapa

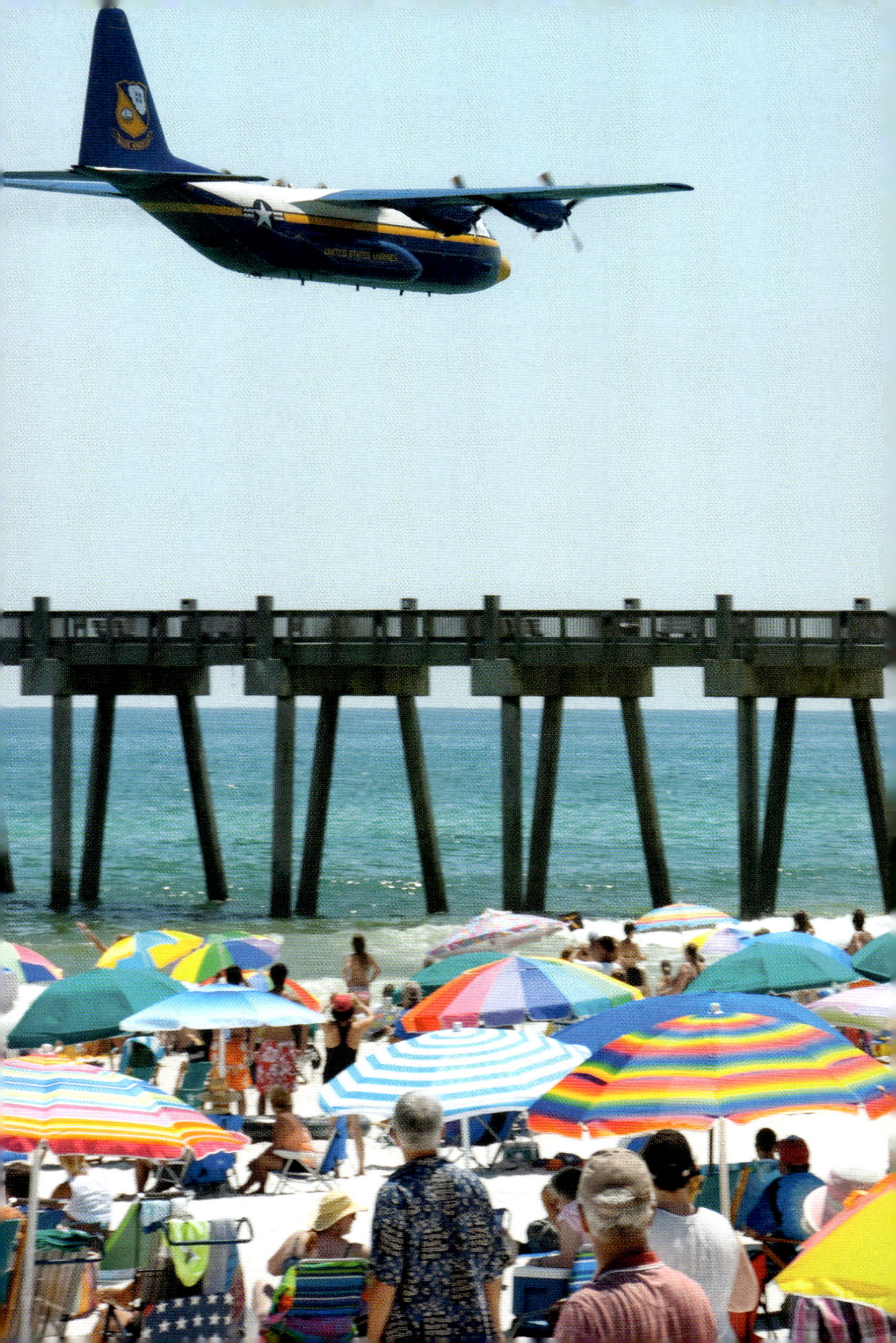
UNITED STATES MARINES

Panhandle

O Panhandle tem muita coisa para a família e quilômetros de praias brancas. Foi ali que os espanhóis começaram a colonização da Flórida, e a região é rica em história indígena e de colonos espanhóis. O Noroeste, que faz limite com os estados da Geórgia e do Alabama, tem o espírito típico do velho Sul, com charme de sobra em cidades como Tallahassee e Pensacola, além de museus e aquário para os dias feios.

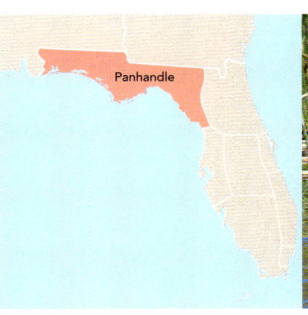

Principais atrações

Grayton Beach
A cidade mais velha do condado de South Walton tem vielas calçadas com conchas de ostras, chalés antigos e casas praianas modernas (p. 190).

Seaside
Admire os chalés de tons pastel com cercas de estacas na cidade que foi cenário de O Show de Truman (p. 190).

National Naval Aviation Museum
Esse museu, na Base Aérea Naval de Pensacola, conta a história da aviação com mostras e sessões interativas (pp. 196-7).

Gulf Islands National Seashore
Ache um lugar para um banho de sol nesse paraíso de 240 km de praias e dunas agrestes ao qual se chega por Pensacola ou Fort Walton (p. 194).

Mission San Luis
A missão, dos anos 1600, ganha vida na mão de atores, nesse local que foi compartilhado por espanhóis e índios apalaches (p. 200).

Wakulla Springs State Park
Faça uma excursão de barco ou posicione-se na plataforma de observação desse parque, que tem uma das fontes mais profundas do mundo (p. 202).

À esq. A equipe de acrobacias aéreas Blue Angels apresenta-se em Pensacola Beach
Acima, à dir. Tartarugas-de-barriga-vermelha tomam sol num tronco no Wakulla Springs State Park, Tallahassee

O Melhor do Panhandle

Um dos melhores jeitos de conhecer o lado deslumbrante do Panhandle é de carro. A família pode optar por cidades praianas agitadas, vilas serenas ou cidades que exalam o charme sulista. Tallahassee, capital estadual, está repleta de história; Pensacola tem um museu militar maravilhoso; e Apalachicola oferece o ambiente de uma cidade pesqueira tradicional. Os parques estaduais contam com praias imaculadas e muitos animais.

Atividades ao ar livre

Os parques estaduais do Panhandle têm praias virgens e um traço raro: lagos de dunas costeiros, quinze dos quais na região. Eles proporcionam belas vistas, uma abundância de aves e a chance de passear de canoa e caiaque. O **Lake Powell** (p. 193), perto de Panama City, é o maior dos lagos; Western Lake, no **Grayton Beach State Park** (p. 190), é um dos mais lindos; e o **Topsail Hill Preserve State Park** (p. 191), perto de Santa Rosa, tem cinco lagoas pitorescas. Os parques estaduais contam com quilômetros de trilhas para caminhar e pedalar. No Panhandle também há praias vazias, para dar uma escapada. A **Shell Island** (p. 193), a que se chega de barca pelo **St. Andrew's State Park** (pp. 192-3), em Panama City, é o máximo para colecionadores de conchas. O **St. George Island State Park** (p. 203), ilha de barreira perto de **Apalachicola** (p. 203), tem 14km de praias e dunas calmas, e os muitos quilômetros do **Gulf Islands National Seashore** (p. 194) oferecem uma paz infinita.

Principais atrações históricas

Essa região oferece muitas oportunidades de ver alguns dos mais bem preservados vestígios dos primeiros habitantes da Flórida. O **Indian Temple Mound Museum** (p. 191), em Fort Walton, marca o núcleo de uma das maiores comunidades indígenas dos EUA. O montículo, de 5 m de altura e 68m de comprimento, é um dos maiores já encontrados. Mais da cultura indígena está à espera no **Lake Jackson Mounds Archaeological State Park** (p. 199), perto de **Tallahassee** (pp. 198-9). A poucos quilômetros

Abaixo Árvores como a barba-de-velho dão sombra a um espelho-d'água no Eden Gardens State Park

Acima National Naval Aviation Museum, Pensacola
À esq. Escultura do Heritage Tableau, de Bradley Cooley e Bradley Cooley Jr., diante do Museum of Florida History, Tallahassee **Abaixo** *Cúpula do Florida State Capitol, Tallahassee*

fica o **Letchworth-Love Mounds Archaeological State Park** (p. 199), em Monticello, com o mais alto monte cerimonial conhecido.

Saudação aos militares

Duas grandes bases militares no Panhandle têm museus de grande interesse para a família. No **National Naval Aviation Museum** (pp. 196-7), na Base Aérea Naval de Pensacola, há aviões históricos expostos e simuladores de voo em que os visitantes, sem limite de idade, sentem a emoção de um combate aéreo ou de acrobacias. Para saborear a história militar dos primórdios de Pensacola, visite **Fort Barrancas** (p. 197), da Guerra de Secessão, e **Fort Pickens** (p. 195), onde esteve preso o chefe apache Gerônimo. Na base Eglin da Força Aérea, em Fort Walton, o **Air Force Armament Museum** (p. 192) exibe caças, bombardeiros e aviões espiões.

Conforto sulista

Os turistas que procuram o charme sulista podem ir a **Tallahassee** e **Pensacola** (pp. 194-5), que mostram a influência dos vizinhos do Sul. Cidade de morros ondulados e estradas arborizadas, **Tallahassee** tem casas anteriores à guerra, da época do ciclo do algodão e do tabaco, como a do **Goodwood Museum and Gardens** (p. 198), além do **Park Avenue Historic District** (p. 198), com parques e a elegante arquitetura de antes da guerra. É perceptível a influência sulista tanto no sotaque e no ambiente agradável de **Pensacola** como nos estilos arquitetônicos do Distrito Histórico e nos interessantes museus, com peças incomuns e educativas.

Panhandle

O Panhandle estende-se por cerca de 480km pelo canto noroeste do Estado, entre o golfo do México e os estados sulistas do Alabama e da Geórgia. A maioria das famílias vai direto para os balneários praianos, que se sucedem em arco entre Pensacola e Panama City, mas o interior, menos explorado – paisagem montanhosa com pinheiros, rara na Flórida –, também oferece recreação suficiente. Embora a região seja ampla, as excelentes rodovias facilitam a locomoção de carro: a I-10 liga Tallahassee e Pensacola, e a Highway 98 leva às cidades costeiras.

Papagaio-de-cabeça-vermelha, no ZooWorld

Praia pitoresca vazia, Seaside

Informações

Como chegar lá e aos arredores
Avião Vá ao Pensacola Gulf Coast Regional Airport (PNS) (www.flypensacola.com), ao Northwest Florida Beaches International Airport (ECP) (www.ifly beaches.com), em Panama City, ao Northwest Florida Regional Airport (VPS) (www.flyvps.com), em Fort Walton Beach, e ao Tallahassee Regional Airport (TLH) (www.talgov.com/airport). **Carro** É essencial alugar um carro para circular. Há locadoras em todos os aeroportos.

Informação turística Veja em cada entrada

Supermercados Publix (www.publix.com) é o principal supermercado em toda a região. **Mercados** Palafox Market, em Pensacola (www.palafoxmarket.com); Tallahassee Downtown Market (www.downtownmarket.com), Tallahassee Farmers' Market, no norte da I-10 junto à US 319 (www.localharvest.org/tallahassee farmers-market-M1165); Okaloosa County Farmers' Market (abr-set), em Fort Walton Beach; ou Seaside Farmers' Market, em Santa Rosa Beach, onde há frutas, carnes, pães, livros e arte. A maioria abre sáb.

Festividades Pollywoggle Watermelon Music Fest, Panama City; 850 249 3768 (jun). Blue Angels Air Show, National Naval Aviation Museum (jul). Wausau Possum Festival; www.wausau possumfestival.com (ago). North Florida Fair, Tallahassee (nov).

Farmácias Walgreens (www.walgreens.com) e CVS (www.cvs.com) são as duas maiores farmácias da região

Banheiros Em todas as atrações principais, nos shopping centers e nos postos de gasolina

Locais de interesse

ATRAÇÕES
1. South Walton
2. Air Force Armament Museum
3. Gulf World Marine Park
4. ZooWorld Zoological & Botanical Conservatory
5. Pensacola
6. National Naval Aviation Museum
7. Tallahassee
8. Mission San Luis
9. Tallahassee Museum
10. Alfred B. Maclay Gardens State Park
11. Wakulla Springs State Park
12. San Marcos de Apalache Historic State Park
13. Apalachicola

À beira da água no Wakulla Springs State Park, Tallahassee

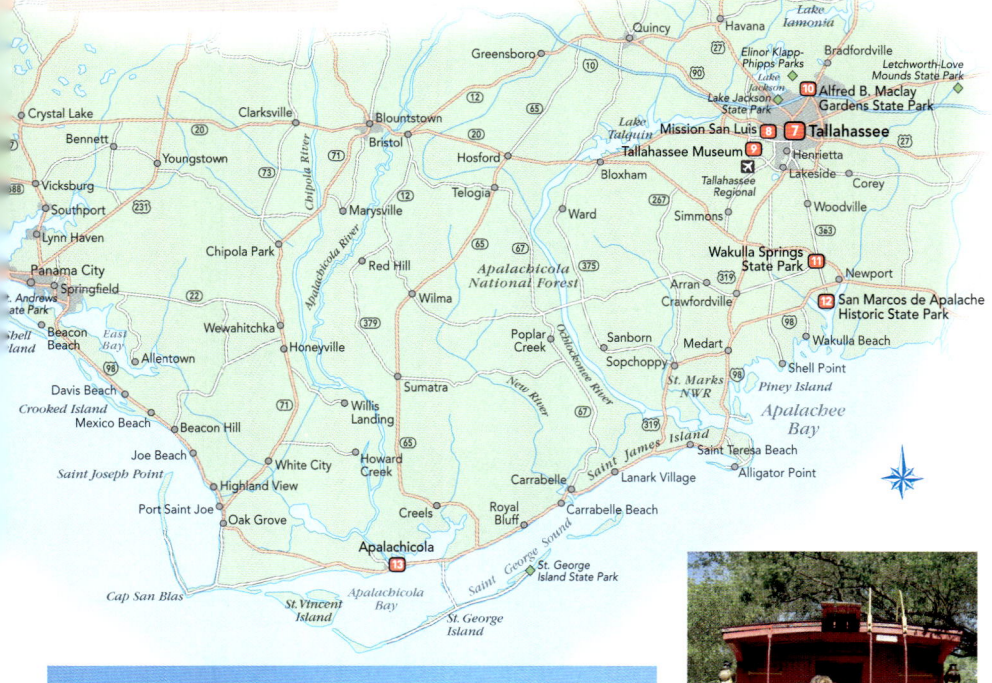

Espetáculo aéreo dos Blue Angels sobre o National Naval Aviation Museum, Pensacola

Família entra em vagão no Seaboard Air Line Caboose, Tallahassee Museum

① South Walton e Arredores
Praias cintilantes e charme de vila

Entre os arranha-céus de Fort Walton e Panama City encontram-se 42km das melhores praias da Flórida. O litoral de South Walton tem uma areia macia que é quase quartzo puro, de um branco cintilante. Com uma série de vilas baixas e tranquilas, as praias são ótimas para famílias. Cerca de metade da região é preservada na forma de parques e florestas estaduais, e não faltam oportunidades de recreação.

Grayton Beach, cidade praiana charmosa

Destaques

① **Baytowne Wharf** Esse encrave animado na orla da Choctawhatchee Bay tem butiques, restaurantes e a Baytowne Wharf Adventure Zone, com parede de escalada e tirolesa para quem gosta de aventura.

② **The Artists at Gulf Place** Essa colônia de artistas cooperativados e mercado a céu aberto em Santa Rosa Beach é um dos muitos pontos pitorescos de South Walton que exibem a arte local.

③ **Grayton Beach** Cidade descontraída, com vielas estreitas de conchas de ostra, é a mais antiga do litoral. Chalés antigos misturam-se a casas de praia modernas, à sombra de pinheiros e carvalhos.

④ **Grayton Beach State Park** Praias estupendas, pinheiral e trilha educativa pelas dunas, com vistas do belo Western Lake, tornam esse parque um refúgio especial.

⑤ **Eden Gardens State Park** Mansão sulista típica do século XIX, a Wesley House, restaurada e cheia de antiguidades, inspira a visão de saias armadas e Scarlett O'Hara em ...*E o vento levou*. Faça piquenique no Tucker Bayou e explore a trilha e os jardins exuberantes à sombra de carvalhos com barba-de-velho.

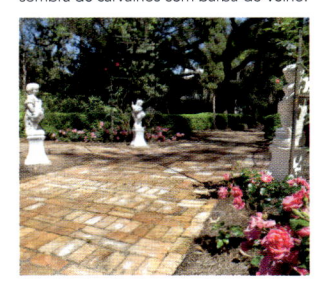

⑥ **Seaside** Construída nos anos 1980, essa vila planejada tem chalés pitorescos de cores pastel e vielas entrecortadas por caminhos de areia que levam à praia, lojas e restaurantes.

⑦ **Timpoochee Trail** Percorrendo toda a extensão da Scenic Highway 30A, essa via maravilhosa para bicicletas, com 37km, serpenteia pelas aldeias praianas ao longo dos lagos de dunas costeiros, com a paisagem pitoresca do golfo do México.

⑧ **Rosemary Beach** Inspirada no modelo de vila de pedestres de Seaside, essa cidade tem um misto de arquiteturas, algumas com influência de Nova Orleans, e área verde comunitária.

Informações

- **Mapa** 1 D3
  Endereço Baytowne Wharf: 9300 US Hwy 98 W, Destin, 32550; www.baytownewharf.com. The Artists at Gulf Place: 40 Town Loop Center, 32459; www.artistsatgulfplace.com. Grayton Beach State Park: 357 Main Park Rd, 32459; floridastateparks.org. Eden Gardens State Park: 181 Eden Gardens Rd, 32459; floridastateparks.org
- **Carro** Alugue no Northwest Florida Regional Airport
- **Aberto** Grayton Beach State Park e Eden Gardens State Park: 8h-pôr do sol
- **Preços** Grayton Beach State Park e Eden Gardens State Park: $5 por veículo. Baytowne Wharf Adventure Zone: veja em www.tinyurl.com/BWharfAdv
- **Atividades** Trilhas, canoa e caiaque nos parques estaduais

Bom para a família?
South Walton conjuga diversão na praia e atrações para toda a família, com pouca despesa.

Preços para família de 4 pessoas

O golfo do México visto do Deer Lake State Park, em Santa Rosa Beach

Para relaxar
Deer Lake State Park (*6350 E County Rd, 30-A, Santa Rosa Beach, 32459; 850 267 8300*) e **Point Washington State Forest**, ao sul de Freeport pela I-98, têm excelentes trilhas de caminhada. Passeie de canoa ou caiaque no **Topsail Hill Preserve State Park** (*7525 W Scenic Hwy 30-A, Santa Rosa Beach, 32459; 850 267 8330*).

Comida e bebida
Piquenique: até $25; Lanche: $25-50; Refeição: $50-80; Para a família: mais de $80 (para quatro pessoas)

PIQUENIQUE Modica Market (*109 Central Square, Seaside, 32459; 850 231 1214*) tem de tudo para um bom piquenique na praia de Seaside.
LANCHE Pickles Beachside Grill (*2236 Scenic Hwy 30-A, Seaside, 32459; 850 231 5686; www.sweetwilliamsltd.com*) tem hambúrguer, cachorro-quente, picles fritos etc.
REFEIÇÃO Bud & Alley's (*2236 E County Rd, 30-A, Seaside; 850 231 5900; www.budandalleys.com*), com sanduíches, pizzas e massas, é um ótimo lugar para almoçar no deque. Também tem cardápio infantil.
PARA A FAMÍLIA Fish Out of Water (*Watercolor Inn, off Scenic Hwy 30-A, Watercolor, 32459; 850 534 5050*) serve os melhores pratos gourmet da região no jantar – frutos do mar, galinha e carne –, em ambiente confortável e informal com vista para o mar.

Compras
Big Mama's Hula Girl Gallery (*3031 E Hwy 30-A, Seagrove Beach, 33308; 850 231 6201*) é uma das galerias badaladas das vilas de South Walton, com artesanato que agrada a todas as idades. Quem busca pechinchas pode ir às **Silver Sands Factory Stores** (*10562 Emerald Coast Pkwy, 32550; 850 654 9771*), com marcas como Esprit, Gap Kids e OshKosh B'gosh.

Saiba mais
FILME A cidade de Seaside foi cenário de *O show de Truman*, comédia estrelada por Jim Carrey, Ed Harris e Laura Linney.

Se chover...
Dirija 24km até o **E.O. Wilson Biophilia Center** (*4956 State Hwy 20, 32439; 850 835 1824; www.eowilsoncenter.org*) para ver dioramas da natureza, uma colmeia ativa, tartarugas, serpentes e sapos, além de filmes sobre a natureza.

O ambiente colorido do Pickles Beachside Grill, Seaside

Próxima parada...
INDIAN TEMPLE MOUND MUSEUM Situado no Fort Walton, o Indian Temple Mound Museum (*139 Miracle Strip Pkwy SE, Fort Walton Beach, 32548; 850 833 9595; www.friendsofthemuseums.org*) fica no local de um montículo fúnebre e cerimonial construído pelos primeiros indígenas da cultura dos montículos de conchas, que viveram de 800 a 1400. O museu tem objetos de pedra, osso, concha e argila feitos por esse povo, além de achados relativos aos primeiros exploradores da região e colonos posteriores.

CRIANÇADA!

Diversão na praia
Cavar a areia, brincar no mar e construir castelos de areia são algumas das atividades preferidas nas praias do Panhandle. O que mais você acrescentaria a essa lista?

Sugestões no fim do quadro.

A CORTE DA PIPA
Há cerca de 300 anos, os juízes empinavam pipas sobre os acusados de crimes nos EUA. Eles acreditavam que a pipa descesse sobre o culpado.

Decolar
As praias de South Walton são ideais para empinar pipas. Talvez o mais famoso empinador de pipas da história tenha sido o político americano Benjamin Franklin, que em 1752 soltou uma pipa numa nuvem de tempestade para ver se a eletricidade descia pelo fio. Havia uma chave presa perto da ponta. Um raio atingiu a pipa e, quando Franklin levou a mão na direção da chave, surgiu uma faísca que lhe deu um choque, provando que o raio era elétrico. Não tente fazer isso. Pode matar!

Sugestões: empinar pipa, lançar frisbee, tomar banho de sol, jogar vôlei, surfar, nadar e muito mais.

Cabine dos pilotos de um avião no Air Force Armament Museum, Fort Walton

② Air Force Armament Museum
Decole

Esse museu fica na Base Aérea Eglin, sede do Air Armament Center (AAC), responsável pela criação de armamento aerotransportado. Comece fora do prédio, onde há uma fila de mais de vinte aviões militares para passar em revista. São da Primeira Guerra Mundial à atualidade, e entre eles está o SR-71 Blackbird, o avião mais veloz já construído. Ele atinge mais de 3.520km/h! Dentro do museu há mais quatro aviões antigos e uma coleção surpreendente de bombas, mísseis e foguetes, além de mostras interativas, como a que permite movimentar os controles de uma réplica de cabine. Veja as outras mostras fascinantes, como as Bunker Busters – bombas que atingem alvos no subsolo. Há ainda um filme de 30 minutos sobre a história e as façanhas do AAC.

Para relaxar

Siga 8km ao sul até a **Okaloosa Island**, a comunidade praiana de Fort Walton, que se estende até a cidade vizinha de Destin e à qual se chega por pontes de cada lado. Há bastante espaço na praia para se divertir e áreas de piquenique tranquilas. As praias menos cheias ficam mais perto de Destin. Visite nas proximidades o **Gulfarium Marine Adventure Park** (www.gulfarium.com), aquário pequeno, e o minús-

culo mas divertido **Emerald Coast Science Center** (www.ecscience.org).

③ Gulf World Marine Park
Um beijo de foca

Os golfinhos mostram viradas e saltos, as focas beijam espectadores e papagaios e jacarés realizam shows diários, a especialidade desse aquário. Há também um show mágico maravilhoso com ilusões espetaculares, humor, efeitos especiais e interações com a plateia. Entre os habitantes do aquário estão tubarões, aligatores, pinguins, iguanas e tartarugas marinhas. Veja a alimentação de tubarões e tartarugas e demonstrações de mergulhadores, antes de ir até as arraias, que aguardam um carinho no tanque.

Para relaxar

Dirija 14km até o **St. Andrews State Park** (4607 State Park Lane, 32408; 850 233 5140; www.floridastateparks.org/standrews), na ponta leste da movimentada Panama City Beach. A praia do parque é relativamente tranquila e permite passear

Informações

- **Mapa** 1 C3
- **Endereço** 100 Museum Dr (State Rd 85), Eglin Air Force Base, 32542; 850 651 1808; www.afarmamentmuseum.com
- **Carro** De Fort Walton Beach
- **Aberto** 9h30-16h30 seg-sáb
- **Preço** Grátis
- **Idade** A partir de 8 anos
- **Duração** 2-3 horas
- **Cadeira de rodas** Sim
- **Comida e bebida**
  PIQUENIQUE Publix (610 Eglin Pkwy NE, Fort Walton Beach, 32547; 850 862 6789; www.publix.com), das maiores redes de supermercados da Flórida, tem bom estoque de comida para piquenique em Okaloosa Island. REFEIÇÃO IHOP (348 SW Miracle Strip Pkwy, Fort Walton Beach, 32548; 850 243 9333; www.ihop.com) serve panquecas noite e dia, além de omeletes, sanduíches e hambúrgueres. O cardápio infantil traz a panqueca "Create a Face" (crie um rosto), com olhos de morango e sorriso de banana.

Informações

- **Mapa** 2 E3
- **Endereço** 15412 Front Beach Rd, Panama City Beach, 32413; 850 234 5271; www.gulfworldmarinepark.com
- **Carro** De Fort Walton Beach
- **Aberto** 9h-19h no verão; 9h30-17h no resto do ano
- **Preço** $92-112; até 4 anos, grátis
- **Atividades** Crianças com mais de 5 anos podem se inscrever no programa Swim with the Dolphins. Veja detalhes no site.
- **Idade** Livre
- **Duração** 3-4 horas
- **Cadeira de rodas** Sim
- **Comida e bebida**
  PIQUENIQUE Publix (23026 Panama City Beach Pkwy, 32413; 850 233 4392; www.publix.com) tem todos os apetrechos para um bom piquenique na praia. REFEIÇÃO Schooners (5121 Gulf Dr, Panama City Beach, 32408; 850 235 3555; www.schooners.com), restaurante informal na orla, tem algo para todos. Serve saladas, asas de ave, hambúrgueres, sanduíches e tacos de peixe.

Golfinho no Gulfarium Marine Adventure Park, Destin

Preços para família de 4 pessoas

de canoa e caiaque, além de caminhar por trilhas educativas. Pegue um barco *(850 233 0504)* até a **Shell Island**, com um local para caçar tesouros na areia e um ancoradouro de pedra que cria uma poça de mar ótima para crianças pequenas.

④ ZooWorld Zoological & Botanical Conservatory

Um pequeno reino animal

Esse zoológico pequeno permite ver de perto mais de 250 animais em ambiente de jardim tropical. As crianças podem aprender tudo sobre papagaios e répteis em apresentações ao vivo e até posar para fotos com eles. O zoo tem muitos animais de fazenda para acariciar e alimentar, além de um camelo. Uma passarela permite um prazer especial: dar de comer a Sydney, a girafa. É muito recomendado para crianças menores.

A pousada histórica no Camp Helen State Park

Show do lobo no ZooWorld Zoological & Botanical Conservatory, Panama City Beach

Informações

🌐 **Mapa** 2 E4
Endereço 9008 Front Beach Rd, Panama City Beach, 32407; 850 233 1243; www.zooworldpcb.com

🚗 **Carro** De Fort Walton Beach

🕘 **Aberto** 9h30-16h seg-sáb e 11h-16h dom

💲 **Preço** $50-60; até 4 anos, grátis

👫 **Atividades** O zoo organiza vários shows educativos com animais; veja o programa no site

👬 **Idade** A partir de 3 anos

⏱ **Duração** 3 horas

☕ **Comida e bebida** LANCHE Mike's Café and Oyster Bar *(17554 Front Beach Rd, Panama City Beach, 32413; 850 234 1942; www.mikescafeandoysterbar.com)* tem decoração simples de lanchonete, opções de almoço como frutos do mar, saladas e sanduíches para os adultos, e ainda um menu infantil barato. PARA A FAMÍLIA Captain Anderson's Restaurante *(5551 N Lagoon Dr, Panama City Beach, 32408; 850 234 2225; www.captanderson.com; fechado dom)* é há muito um dos prediletos para jantar carnes e frutos do mar fresquíssimos. O restaurante diz servir "a melhor travessa de frutos do mar do mundo". As crianças têm cardápio especial.

Para relaxar

Siga 22km a noroeste até o **Camp Helen State Park** *(www.floridastateparks.org/camphelen)*, margeado pelo golfo do México em três lados e pelo lago Powell, um dos maiores lagos costeiros de dunas da Flórida. Balneário particular de uma empresa de 1945 a 1984, o enorme parque oferece espaço de sobra para fazer piquenique, catar conchas, pescar e caminhar.

CRIANÇADA!

Descubra mais...
1 Qual é a velocidade do avião mais veloz do mundo, o SR-71 Blackbird?
2 A que altura o SR-71 Blackbird consegue voar?
3 Qual o nome da bomba com que ele ataca o subsolo?
4 Qual o nome do míssil teleguiado que atinge vários alvos de uma vez?

Respostas no fim do quadro.

CARACTERÍSTICAS DA GIRAFA
A girafa é o animal mais alto do mundo. Chega a 5,7m e tem pescoço comprido para alcançar as folhas novas das árvores – seu prato predileto. Dorme em pé, o que deve ser bem mais fácil para ela do que tentar levar até o chão esse corpão todo.

Gincana à beira-mar
Quantos destes você consegue contar na praia?
1 Pássaros na areia
2 Pássaros no ar
3 Pedrinhas lisas
4 Caranguejos
5 Conchas partidas
6 Conchas inteiras
7 Vegetação de praia
8 Dunas
9 Guarda-sóis

Respostas: 1 Mais de 3.520km/h. **2** Mais de 24.350m. **3** Bunker Buster. **4** AMRAAM (Advanced Medium-Range Air-to-Air Missile – míssil ar-ar avançado de alcance médio).

Piquenique até $25; **Lanche** $25-50; **Refeição** $50-80; **Para a família** mais de $80 (para quatro pessoas)

⑤ Pensacola e Arredores
Praias e Blue Angels

Um sotaque sulista perceptível, herdado do vizinho Alabama, e influências de um passado interessante deram a Pensacola um sabor único. A Historic Pensacola Village, seu bairro mais antigo, compõe-se de 27 prédios e de museus que espelham 450 anos de história. Duas das melhores atrações da cidade para a família são as praias da Gulf Islands National Seashore e o passeio no National Naval Aviation Museum *(pp. 196-7)*, onde treinam os famosos Blue Angels.

Guias fantasiados na Historic Pensacola Village

Destaques

Museum of Commerce Essa reconstrução da paisagem urbana de Pensacola do final do século XIX e início do XX abrange uma gráfica e lojas de couro e arreios.

Pensacola Children's Museum As muitas mostras criativas e o vestuário de época tornam esse museu um ótimo lugar para levar crianças menores.

Museum of Industry Suas peças retratam os ramos que ajudaram a construir a cidade – pesca, olaria, marcenaria e ferrovia –, e entre elas há um barco pesqueiro antigo e uma locomotiva de 1905.

Seville Square Centro de Pensacola quando a região era ocupada por espanhóis, essa praça serviu de local de desfiles do Fort of Pensacola durante o domínio britânico, nos anos 1770.

British Officer's Compound Erigido nos primeiros anos da Revolução Americana, esse conjunto tem fundações que fazem parte do Caminho Arqueológico Colonial de Pensacola.

Pensacola Museum of Art Antiga cadeia, o prédio hoje abriga arte contemporânea, vidros decorativos e arte tribal africana.

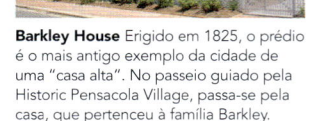

Barkley House Erigido em 1825, o prédio é o mais antigo exemplo da cidade de uma "casa alta". No passeio guiado pela Historic Pensacola Village, passa-se pela casa, que pertenceu à família Barkley.

Para relaxar

A US 98, que segue ao sul para Pensacola Beach, na Santa Rosa Island, atravessa a cidade de Gulf Breeze e a esplêndida **Gulf Islands National Seashore**. Vá à região de **Naval Live Oaks** *(www.nps.gov)*, na US 98, a leste de Gulf Breeze, para percorrer quilômetros de trilhas educativas e nadar no Santa Rosa Sound. Há ainda um camping com pavilhão coberto para piquenique, banheiros e chuveiros externos. Estão disponíveis mapas no **centro de visitantes** *(1801 Gulf Breeze Pkwy, 32561; 850 934 2600)* do parque.

Uma refeição saborosa no popular New Yorker Deli & Pizzeria

Comida e bebida

Piquenique: até $25; Lanche: $25-50; Refeição: $50-80; Para a família: mais de $80 (para quatro pessoas)

PIQUENIQUE New Yorker Deli & Pizzeria *(3001 E Cervantes St, 32503; 850 469 0029)* oferece vários sanduíches para comer, na Seville Square.

LANCHE Santino's Pizza *(Bruno's Shopping Center, 368 Gulf Breeze Pkwy, Gulf Breeze, 32561; 850 932 1211; www.santinospizza.net)* serve pizzas, saladas e brownies.

REFEIÇÃO Dharma Blue *(300 S Alcaniz St, 32501; 850 433 1275)* fica na arborizada Seville Square e

Preços para família de 4 pessoas

dispõe de um cardápio variado, de sanduíches a paella. Há também um cardápio infantil atraente.
PARA A FAMÍLIA Fish House *(600 S Barracks St, 32502; 850 470 0003; www.goodgrits.com)*, na baía, serve frutos do mar do golfo, com pratos sulistas como mingau de queijo, couve e bolinhos de milho fritos.

Compras
A **Quayside Art Gallery** *(17 E Zaragoza St, 32502; www.quaysidegallery.com)* é a maior galeria de cooperativa de arte do sul da Flórida. Vá ao **Blue Moon Antique Mall** *(3721 W Navy Blvd, 32507; 850 455 7377)* para cartões-postais, brinquedos, bijuteria, cerâmica e vidraria.

Saiba mais
INTERNET Conheça a história de Pensacola em *www.visitpensacola.com/articles/pensacola-history*. Visite *uwf.edu/anthropology/research/colonial/trail* para conhecer os achados da Colonial Archaeological Trail.

Próxima parada...
FORT PICKENS Bases de armas da Segunda Guerra Mundial são alguns dos artefatos militares do Fort Pickens *(www.npa.gov)*, 13 km a sudoeste de Pensacola. Concluído em 1834, era o maior dos quatro fortes que defendiam a baía de Pensacola. O National Park Service Rangers faz passeios diários às 14h.

Os muros do Fort Pickens, enorme forte de tijolos na Gulf Islands National Seashore

Informações

🌐 **Mapa** 1 A3
Endereço Pensacola 32502. Museum of Commerce: 201 E Zaragoza St; 850 595 1559. Pensacola Children's Museum: 115, E Zaragoza St; 850 595 1559. Museum of Industry: 120 E Church St; 850 595 5985. Pensacola Museum of Art: 407 South Jefferson St; 850 432 6247; *www.pensacolamuseumofart.org*. Barkley House: 10 S Florida Blanca St; 850 595 5993, ligue antes; *historicpensacola.org*

🚌 **Ônibus** A Escambia County Area Transit (ECAT) serve a muitos locais, mas a espera pode ser de mais de uma hora. É melhor alugar um carro.

ℹ️ **Informação turística** Pensacola Bay Area Convention and Visitors Bureau, 1401 E Gregory St, 32502; 800 874 1234; *www.visitpensacola.com*

🕐 **Aberto** Os ingressos para visitar as atrações na Historic Pensacola Village podem ser comprados na Tivoli High House Gift Shop (205 E Zaragoza St, 32502; 850 595 5993; 10h-16h ter-sáb).

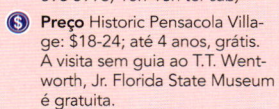

💲 **Preço** Historic Pensacola Village: $18-24; até 4 anos, grátis. A visita sem guia ao T.T. Wentworth, Jr. Florida State Museum é gratuita.

🚩 **Passeios guiados** A vila tem passeios de 1h a 1h30 às 11h, 13h e 14h30, incluindo a Lavalle House, a Dorr House (de 1871), a Old Christ Church (1832) e a Lear-Rocheblave House (1890). Os passeios a pé, às 14h, passam pela Zaragoza Street e pela Barkley House.

👫 **Idade** A partir de 6 anos
⏱ **Duração** 1 dia
🎌 **Festividade** Blue Angels Air Shows (jul e nov)

Bom para a família?
Ingressos de preço razoável, museus grátis e passeio pelo Distrito Histórico fazem de Pensacola um destino empolgante.

CRIANÇADA!

Desafio de Pensacola
1 Bandeiras de cinco países já tremularam durante a longa história de Pensacola. De que país era a primeira e de qual é a última?
2 O nome de Pensacola vem da tribo indígena que recebeu os primeiros exploradores espanhóis, em 1559. Como ela se chamava?
3 Que cidade foi a primeira capital da Flórida?

Respostas no fim do quadro.

Quilômetros de lazer
Ao longo do litoral muito urbanizado da Flórida há belos trechos de praias imaculadas, as chamadas National Seashores, conservadas pelo governo dos EUA para o lazer público. A Gulf Islands National Seashore (www.nps.gov/guis) oferece campings e ótimos passeios de barco.

DESCUBRA MAIS...
Em 1559, Pensacola tornou-se o primeiro povoado europeu nos EUA. Mas não durou. Um mês depois, um furacão destruiu as reservas e os espanhóis se foram.

Vidas passadas
As casas da Historic Pensacola Village retratam como as crianças viviam há muitos anos. As famílias lavavam as roupas à mão, acendiam velas para iluminar a casa e faziam as próprias roupas. De que aspectos da sua vida atual você teria saudade?

Respostas: 1 Espanha; EUA. **2** Panzacola. **3** Pensacola.

⑥ National Naval Aviation Museum
Espaçonaves e aviões de caça

Situado na Base Aeronaval de Pensacola, área de treinamento da Marinha e dos Fuzileiros Navais dos EUA, esse museu conta a história da aviação de modo eletrizante. Entre suas peças há mais de 150 aviões e espaçonaves restaurados, da época dos primeiros biplanos à era espacial, com a cápsula *Mercury*. Do lado da interatividade está a chance de se sentar na cabine de um simulador de jato, e as apresentações práticas dos pilotos Blue Angels aumentam a empolgação.

Piloto Blue Angel dá autógrafo

Destaques

■ **Piso Superior** Hall of Honor, Medal of Honor, Art Gallery, Flight Adventure Deck, Flight Simulator e Cockpit Trainers

■ **Piso principal** WWII-Korean Aircraft, Sunken Treasure, USS Cabot Flight Deck, Early Aircraft, Modern Aircraft e Loja do Museu

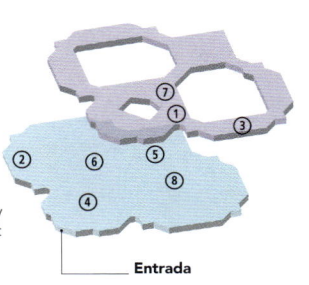

Entrada

① **MaxFlight Simulator** Vídeo e movimento real high-tech simulam a sensação de estar numa missão em um caça de alta velocidade.

② **Sunken Treasure** Os dois aviões expostos ali eram usados em treinos na Segunda Guerra Mundial até afundarem no lago Michigan. Resgatados, estavam em ótimo estado por causa da água fria.

③ **Cockpit Trainers** As crianças podem subir até na cabine do *A-4 Skyhawk* e do *Corsair II*, nessa experiência de voo simulado.

④ **Imax® Theater** Quatro filmes diferentes são projetados diariamente nas maiores telas Imax® do mundo. O *Magic of Flight* está sempre presente na programação.

⑤ **Blue Angels** Veja a exposição de quatro *A-4 Skyhawks*, usados pelos Blue Angels, suspensos no teto de um átrio de vidro de sete andares.

⑥ **USS Cabot Flight Deck** Veja a réplica de uma coberta de voo e da superestrutura de um porta-aviões da Segunda Guerra Mundial, que tem até os caças.

⑦ **Space Capsule Display** A exposição espacial conta com o módulo de comando da *Skylab*, uma cápsula *Mercury* e um veículo lunar. Trajes de astronauta e objetos também estão expostos.

⑧ **Biplano** Com uma asa fixa acima da outra, os biplanos foram aviões pioneiros importantes, usados na Primeira Guerra Mundial. Hoje são os favoritos nas acrobacias aéreas.

Informações

🌐 **Mapa** 1 A3
Endereço 1750 Radford Blvd, Suite C, Naval Air Station, 32508; 850 452 3604; www.navalaviationmuseum.org

🚌 **Ônibus** ECAT 57. **Carro** Alugue no Aeroporto Regional da Costa do Golfo de Pensacola.

🕐 **Aberto** 9h-17h diariam

💲 **Preço** Grátis

👥 **Para evitar fila** Chegue cedo, pois os lugares para os voos dos Blue Angels acabam rapidamente (mar-nov: 8h30 ter e qua). Após o espetáculo, os pilotos dão cumprimentos e autógrafos.

🚩 **Passeios guiados** Passeios diários de 20 min em trólebus pelos 50 aviões expostos às 9h30, 11h, 13h e 14h30. Baixe do site do museu o passeio autoguiado.

👨‍👩‍👧 **Idade** A partir de 6 anos

🏃 **Atividades** Passeio Flight Adventure Deck às 13h, 14h e 15h seg-sex, em que voluntários treinados apresentam as mostras interativas. Veja os voos de treino, se o tempo permitir.

⏱ **Duração** No mínimo 4 horas

♿ **Cadeira de rodas** Sim

☕ **Café** Cubi Bar Café (p. 197)

🚻 **Banheiros** Em todos os pisos

Bom para a família?
Gratuito, o museu é interessante, e assistir aos Blue Angels é uma experiência inesquecível.

Preços para família de 4 pessoas

O Cubi Bar Café, que aceita crianças, no National Naval Aviation Museum

Para relaxar
Se as crianças quiserem descansar, vá 13km a oeste até o **Perdido Kids Park** *(3453 Nighthawk Lane, 32506)* em Perdido Key. Essa área de lazer criativa, de vários níveis, conta com diversos lugares para escalar, como imitações de forte, farol, navio pirata e aviões dos Blue Angels. Existe uma área especial para crianças de 2 a 5 anos.

Comida e bebida
Piquenique: até $25; Lanches: $25-50; Refeição: $50-80; Para a família: mais de $80 (para quatro pessoas)

PIQUENIQUE Winn-Dixie Market *(50 S Blue Angel Pkwy, 32506; 850 458 1375)* vende alimentos para piquenique, que podem ser ingeridos no gramado do museu.
LANCHES Cubi Bar Café *(Main Deck Level)* serve nachos, cachorro-quente, sanduíches e saladas em ambiente similar ao do bar do famoso Cubi Point Officers' Club. Crianças adoram o Whirly Bird, sanduíche de pasta de amendoim e geleia.
REFEIÇÃO Roberts Catfish and Seafood *(4539 Saufley Field Rd, 32526; 850 455 1717; www.robertsseafood.webs.com)* oferece frutos do mar, hambúrguer e frango frito.
PARA A FAMÍLIA Jackson's Steak House *(400 S Palafox St, 32502; 850 469 9898; jacksons.goodgrits.com)*, no Distrito Histórico de Pensacola, serve carne de primeira com preços à altura. Há meia porção para crianças.

Compras
Todos gostam da **loja do museu**, repleta de bonés e camisetas para todas as idades, roupas de macaquinhos infantis e jaquetas de aviador, recordações dos Blue Angels, DVDs, bandeiras, brinquedos. Os ursinhos aviadores, de óculos, capacete e cachecol, são irresistíveis.

Saiba mais
INTERNET Conheça a equipe de voo dos Blue Angels e veja um voo de demonstração em *www.blueangels.navy.mil*. O site do museu, *www.navalaviationmuseum.com*, tem álbum com fotos de eventos importantes da história da aviação.

Entrada do histórico Fort Barrancas, na baía de Pensacola

Próxima parada...
FORT BARRANCAS Situado perto do National Naval Aviation Museum, Fort Barrancas *(3182 Taylor Rd, 32508; 850 455 5167; www.forttours.com)* é um forte de duas alas que vale a pena conhecer. Sua localização estratégica, numa falésia diante da baía de Pensacola, inspirou três países – Grã-Bretanha, Espanha e EUA – a construir três fortes no local. O Centro de Visitantes exibe um documentário. A bateria espanhola é uma galeria de 15m, e o mirante, perto da entrada do forte, propicia belas vistas da baía de Pensacola.

CRIANÇADA!

Quantos você consegue contar?
O museu tem centenas de aviões expostos. Veja quantos destes você consegue contar durante a sua visita:
1. *A6 Intruder*
2. *C117 Skytrain*
3. *J2F Duck*
4. *K47 Airship Control Car*
5. *OS2U Kingfisher*
6. *PBY Catalina Cutaway*
7. *RF-4B Phantom II*
8. *RR-5 Trimotor*

A primeira base aeronaval
Pensacola teve a primeira base aérea do país, inaugurada em 1914. Nela, os pilotos se qualificavam para decolar de navios no mar.

OS BLUE ANGELS
Dezesseis oficiais da Marinha e dos Fuzileiros Navais são escolhidos para voar nos Blue Angels. A seleção exige uma inscrição formal, e em geral eles servem por dois anos. Os pilotos selecionados devem ter ao menos 1.250 horas de voo tático em jatos; o comandante, chamado "boss" (chefe), deve ter 3 mil horas. O grupo existe desde 1946 e faz mais de 70 apresentações por ano.

Pilotos como guia
Os guias do museu são voluntários – veteranos aposentados que têm experiências pessoais de voo para contar.

⑦ Tallahassee e Arredores
Toneladas de charme sulista

Rodeada de morros ondulados e pontilhada de pinheirais, a capital da Flórida tem um rico sabor sulista. Região de uma antiga aldeia de índios apalaches, é hoje local de vários museus históricos. O Capitol Complex, situado no centro da cidade e espalhado por várias quadras ajardinadas, oferece muito o que ver para todas as idades. Belos jardins, praias próximas, lindas vias com árvores e diversas opções de restaurantes são outros atrativos da cidade.

A Meridian Road, coberta de árvores, Tallahassee

Destaques

① **Florida State University** Essa universidade é muito elogiada por seus departamentos de música e teatro, com concertos e peças durante o ano letivo.

② **Museum of Florida History** Mastodontes, mostras sobre os nativos e uma réplica de barco dão vida ao passado do estado nesse museu excelente.

③ **Florida State Capitol** Erigido em 1977, esse edifício abriga peças de arte no andar principal. Do terraço de observação, no 22ª andar, vê-se a quilômetros de distância.

④ **Florida Historic Capitol Museum** Veja as salas da Câmara e do Senado, o gabinete do governador e a Suprema Corte, todos restaurados como eram no primeiro capitólio de colunas.

⑤ **Park Avenue Historic District** Essa série central de parques é ladeada por 27 casas anteriores à Guerra de Secessão. A mais antiga, The Columns, construída em 1830, abriga o James Madison Institute.

⑥ **Lake Ella** Um dos muitos lagos de Tallahassee, o Lake Ella tem no centro uma fonte e é rodeado por um caminho para passear. O parque à volta tem mesas para piquenique e lojas curiosas.

⑦ **Goodwood Museum and Gardens** Descubra como era a vida das crianças no Sul nessa casa-grande de fazenda de 1834, em que boa parte da arte e dos móveis originais foi restaurada.

Informações

🌐 **Mapa** 3 A3
Endereço Florida State University: 600 W College Ave, 32306; www.fsu.edu. Museum of Florida History: 500 South Bronough St, 32399; www.museumoffloridahistory.com. Florida Historic Capitol Museum: 400 South Monroe St, 32399; www.flhistoric capitol.gov. Goodwood Museum and Gardens: 1600 Miccosukee Rd, 32308; www.goodwoodmuseum.org

🚗 **Carro** Alugue no Aeroporto Regional. **Ônibus** Star Metro (talgov.com) percorre a maior parte da cidade.

ℹ️ **Informação turística** Tallahassee Tourist Information Center, 106 E Jefferson St, 32301; 800 628 2866; www.visittallahassee.com

🕐 **Aberto** Museum of Florida History e Florida Historic Capitol Museum: 9h-16h30 seg-sex, 10h-16h30 sáb e 12h-16h30 dom. Goodwood Museum and Gardens: 10h-16h seg-sex e 10h-14h sáb.

💲 **Preços** Museum of Florida History e Florida Historic Capitol Museum: grátis. Goodwood Museum and Gardens: $18-24; até 3 anos, grátis.

🚩 **Passeios guiados** Florida State Capitol's Welcome Center tem folhetos para auxiliar a visita

⏱️ **Duração** 2-3 dias

🚻 **Banheiros** Nos museus e nos parques

Bom para a família?
A maioria das atrações é grátis, e a cidade oferece um panorama ímpar da história dos EUA.

Preços para família de 4 pessoas

Dog Et Al, lanchonete atraente com cachorros-quentes em Tallahassee

Para relaxar
Tallahassee dispõe de parques excelentes, com áreas verdes e lagos. **Tom Brown Park** (*1125 Easterwood Dr, 32312*) tem quadras de tênis e trilhas. O **Elinor Klapp-Phipps Park** (*4000 N Meridian Rd, 32308*) oferece 16km de trilhas.

Se chover...
Visite o **Challenger Learning Center** (*200 S Duval St, 32301; 850 645 7827; www.challengertlh.com*), que conta com espetáculos como o do telescópio Hubble no cinema Imax®.

Comida e bebida
Piquenique: até $25; Lanche: $25-50; Refeição: $50-80; Para a família: mais de $80 (para quatro pessoas)

PIQUENIQUE Publix Super Market (*1700 N Monroe St, 32303; 850 222 1975; www.publix.com; 7h-23h diariam*) tem provisões para piquenique, que se podem comer com vista para o lago Ella.

LANCHE Dog Et Al (*1456 S Monroe St, 32301; 850 222 4099; 10h-18h seg-sáb*) serve ótimos cachorros-quentes com várias coberturas.

REFEIÇÃO Romano's Macaroni Grill (*1498 Apalachee Pkwy, 32301; 850 877 1706; www.macaronigrill.com; 11h-22h diariam*) tem pizza, massa e pratos italianos conhecidos, além de cardápio infantil.

PARA A FAMÍLIA Mozaik (*1410 D1 Market St, 32312; 850 893 7668; dinemozaik.com*) serve a nova culinária dos EUA com ingredientes regionais frescos.

Compras
Vá à **Market Square** (*1415 Timberlane Rd, 32312; 850 906 2453*), onde há brinquedos para as crianças e refrigerante de máquina na Lofty Pursuits. **Governor's Square Mall** (*1500 Apalachee Pkwy, 32301; 850 877 8106*) tem lojas como Justice, para pré-adolescentes, e Lids, um mundo de bonés esportivos.

Saiba mais
INTERNET Aprenda sobre as aldeias e os montes cerimoniais indígenas da Flórida em *lostworlds.org/ancient_civilizations_florida*.

Caminho no Lake Jackson Mounds Archaeological State Park

Próxima parada...
MONTES DE HISTÓRIA Siga 7km ao norte até o **Lake Jackson Mounds Archaeological State Park** para conhecer a história dos indígenas dos EUA. Local de importante núcleo cerimonial, tem dois grandes montículos remanescentes e um menor. Os visitantes podem percorrer as trilhas educativas e fazer piquenique perto de dois deles. Vá 35km a leste, até o **Letchworth-Love Mounds Archaeological State Park**, com um dos maiores montículos cerimoniais da Flórida. O monte é uma pirâmide truncada e eleva-se a mais de 13m. Veja detalhes em *floridastateparks.org*.

CRIANÇADA!

Desafio do Capitol Museum
1 Em que ano Tallahassee se tornou capital?
2 O primeiro prefeito da cidade, Francis W. Eppes, tinha um avô famoso. Quem era ele?
3 A Universidade Estadual da Flórida é a mais antiga do país. Como ela se chamava antes de virar escola mista em 1947?

Respostas no fim do quadro.

Vias com dossel
Tallahassee é famosa pelas vias arborizadas, onde carvalhos com barba-de-velho e outras árvores cresceram tanto que seus galhos se juntaram e dão sombra a elas.

LUTADORES CAPITAIS
Tallahassee é a única capital sulista a leste do rio Mississippi que não foi capturada pela União na Guerra de Secessão. Como a maioria dos homens estava fora, servindo o Exército sulista, voluntários locais – velhos e garotos –, avisados do ataque iminente, combateram e rechaçaram três ataques das forças da União na Union Bridge.

Onde os quatro se encontraram
Na era colonial, a única parte da Flórida colonizada era o norte, e havia apenas duas cidades grandes, St. Augustine e Pensacola. Segundo a lenda, um cavaleiro partiu de cada cidade, e, no ponto em que eles se encontraram, desenvolveu-se a capital, Tallahassee.

Respostas: 1 1824. **2** Thomas Jefferson. **3** Florida State College for Women.

Peles de animais expostas perto da plataforma do chefe, Mission San Luis

Encenador vestido de ferreiro na Mission San Luis

Informações

- **Mapa** 3 A3
- **Endereço** 3945 Museum Dr, 32310; 850 575 1636; www.tallahasseemuseum.org
- **Carro** Alugue um carro no Aeroporto Regional do Tallahassee
- **Aberto** 9h-17h seg-sáb, 11h-17h dom
- **Preço** $30-36; até 3 anos, grátis
- **Atividades** O museu oferece programas para a família e jovens; veja a programação no site.
- **Idade** Livre
- **Duração** 4 horas
- **Cadeira de rodas** Sim
- **Comida e bebida** PIQUENIQUE Metro Deli (104 1/2 South Monroe, 32301; 850 224 6870; www.metrodelis.com) tem um Metro Box Lunch com opções de sanduíche ou wrap, chips, um biscoito e uma bebida, para comer no espaçoso terreno do museu. REFEIÇÃO The Trail Break Café (no local) tem diversos sanduíches e a refeição infantil "Bug Bites", que inclui um brinquedo, uma bebida, batata chips e a opção de salsicha empanada, nuggets de galinha, queijo grelhado ou cachorro-quente.
- **Festividade** Jazz and Blues Festival (final mar)

⑧ Mission San Luis
Viagem ao século XVII

Intérpretes fantasiados dão vida à reconstrução de um dos locais mais raros da Flórida: uma missão dos anos 1600 que foi compartilhada por colonos espanhóis e índios apalaches. Essa cooperação incomum funcionou porque os espanhóis precisavam de mão de obra, e os apalaches, de paz e prestígio. O arranjo durou até 1704, quando os grupos fugiram dos invasores britânicos. Veja a Indian Council House, de cinco andares, com telhado de palha. A casa do conselho ergue-se perto de uma igreja franciscana erigida pelos apalaches, sob supervisão dos espanhóis. O forte defensivo, Castillo de San Luis, foi recriado, e uma casa espanhola com jardim retrata a vida diária de uma povoação de 1.600 pessoas. O excelente museu, no local, expõe as escavações arqueológicas da região e artefatos descobertos nelas, como ferramentas e cerâmica.

Para relaxar
Ao mesmo tempo que os caminhos do vasto terreno proporcionam muitas oportunidades de exercício, qualquer energia que tenha sobrado pode ser queimada numa trilha educativa na área florestal atrás da casa espanhola. Pegue um folheto do Centro de Visitantes para identificar algumas das dezenas de espécies de borboleta vistas na missão.

Informações

- **Mapa** 3 A3
- **Endereço** 2100 West Tennessee St, 32304; 850 245 6406; www.missionsanluis.org
- **Carro** Alugue no Aeroporto Regional de Tallahassee
- **Aberto** 10h-16h ter-dom
- **Preço** $14-20; até 6 anos, grátis
- **Atividades** Opte por exibição de tiro com mosquete (11h-12h sáb), apresentações históricas, trabalhos coloniais, passeio em laboratório arqueológico, passeios de jardinagem histórica e aulas de culinária histórica. Veja a programação no site.
- **Idade** A partir de 6 anos
- **Duração** 2-3 horas
- **Comida e bebida** PIQUENIQUE Publix Super Market (800 Ocala Rd, 32304; 850 575 6997; www.publix.com) oferece os ingredientes para um almoço nas mesas de piquenique no terreno da missão. REFEIÇÃO Wells Brothers (1710 W Tharpe St, 32303; 850 942 6665; www.wellsbrothersbarandgrill.com) serve saladas, sanduíches, hambúrgueres e burritos.
- **Festividade** Celebração do Solstício de Inverno, festival de cultura indígena americana (dez)

⑨ Tallahassee Museum
Fazenda, plantação e zoológico – num museu

Atraente para crianças, esse museu amplo e multifacetado entretém por horas. Veja animais rurais como vacas, ovelhas, cabras e porcos na Big Bend Farm, fazenda dos anos 1880 com os prédios reconstruídos e restaurados. Na horta há plantas como milho, algodão e cana-de-açúcar. O museu tem ainda um zoológico com animais da Flórida em habitats naturais – há ursos-negros, lobos-vermelhos, panteras, linces, lontras

Um lince no zoológico, no terreno do Tallahassee Museum

divertidas e um aligátor-da-flórida. Entre outras atrações, há uma fazenda restaurada, com casa, cozinha e cabana de escravos originais – habitação que denuncia um tempo em que os escravos eram trazidos da África contra sua vontade para trabalhar nas lavouras do Sul. A família pode passear por uma trilha educativa, entrar no Discovery Center para experimentar os objetos interativos e descobrir a vida aquática no prédio do Fleischmann Natural Science, com dois aquários peque-

Preços para família de 4 pessoas

Tallahassee e Arredores | 201

Sala com decoração elegante na Maclay House, Alfred B. Maclay Gardens State Park

nos de água doce e uma janela de observação para ver os pássaros comendo do lado de fora.

Para relaxar
Os caminhos do zoológico e a extensa área do terreno propiciam muitas oportunidades para caminhar. Se ainda sobrar energia, aproveite a trilha florestal educativa do museu.

⑩ Alfred B. Maclay Gardens State Park
Uma flora maravilhosa
Alfred B. Maclay, financista de Nova York, e sua mulher, Louise, planejaram os jardins no terreno de sua casa de inverno em 1923. Esse oásis verdejante, com mais de 200 variedades vegetais, é um panorama do final do inverno e começo da primavera, quando camélias, cornisos e azaleias ficam floridos. A estação vai de janeiro a abril, e a beleza atinge o auge em março. Caminhos de tijolos e trilhas por entre pinheiros garantem um passeio tranquilo por um panorama que abrange um jardim murado, lagoas, fontes e um lindo lago. Procure o caminho estreito que leva ao jardim secreto. Esse ponto isolado protege plantas pequenas e tem belos bancos de ferro fundido, ótimos para dar uma parada. O lago Hall dá a oportunidade de nadar, pescar e passear de canoa e caiaque – há duas trilhas educativas através da mata que dão vista para o lago. A Maclay House, ainda mobiliada como quando seus proprietários a habitavam, está aberta para visitas de janeiro a abril.

Se chover...
A curta distância de carro fica a **Books-a-Million** *(3521 Thomasville Road, 32308; 850 893 3131; www.booksamillion.com)*, livraria com ótimo estoque para atender a todas as idades, de crianças a adolescentes, além de uma série de gêneros para adultos. Prepare-se para ser pressionado a comprar.

Informações
- 🌐 **Mapa** 3 A3
  Endereço 3540 Thomasville Rd, 32309; 850 487 4556; www.floridastateparks.org/maclaygardens
- 🚗 **Carro** Alugue no Aeroporto Regional de Tallahassee
- 🕐 **Aberto** Jardins: 9h-17h diariam
- 💲 **Preço** $18-28; até 2 anos, grátis. Estacionamento: $6 por veículo; taxa adicional em jan-abr, quando os jardins estão floridos.
- 🚩 **Passeios guiados** De jan a abr, há passeios guiados na maioria dos sáb e dom. O libreto *Gardens Walking Tour* está disponível na Ranger Station.
- 👫 **Idade** A partir de 5 anos
- ⏱ **Duração** 2-3 horas
- 🍴 **Comida e bebida** PIQUENIQUE The Fresh Market *(1390 Village Square Blvd, Ste 4, 32312; 850 907 1392; www.thefreshmarket.com)* oferece provisões gastronômicas para piquenique. Pavilhões e grelhas ao longo da margem do lago Hall formam um local perfeito para piquenique. REFEIÇÃO Red Elephant Pizza and Grill *(1872 Thomasville Rd, Suite A, 32303; 850 222 7492; www.redelephantpizza.com)* serve pizzas, hambúrguer, sanduíches e sobremesas. Há menu infantil.

CRIANÇADA!

Perguntas oficiais...
1 O mamífero e o réptil símbolos da Flórida estão no zoológico do Tallahassee Museum. Quais são eles?
2 Se tiver sorte, você pode avistar o pássaro símbolo da Flórida no terreno do museu. Qual é ele?
3 Os Alfred B. Maclay Gardens têm centenas de plantas floridas, mas talvez você não veja a flor oficial do estado se não for ao laranjal. Qual é ela?
....
Respostas no fim do quadro.

CASA BEM GRANDONA
A casa do conselho da Mission San Luis é uma das maiores construções dos apalaches. É maior que um campo de futebol, e foram usadas 100 mil folhas de palmeira para fazer o seu telhado.

Jogo de bola
Desenhos na Mission San Luis mostram que os apalaches jogavam com bola há milhares de anos. O jogo envolvia 50 jogadores ou mais e usava uma bola parecida com a de golfe, feita de argila endurecida e coberta com pele de caça. As traves do gol, formando um triângulo, tinham um alvo no alto: um ninho de águia. O jogo era consagrado aos deuses da chuva e realizado para garantir água para as lavouras.

....
Respostas: 1 Pantera e aligátor. **2** Sabiá-do-campo. **3** Flor da laranjeira.

Piquenique até $25; Lanche $25-50; Refeição $50-80; Para a família mais de $80 (para quatro pessoas)

⑪ Wakulla Springs State Park

Aligatores, mergulhos e passeios a pé

Local preferido dos antigos filmes de Tarzan, Wakulla é onde está uma das nascentes mais profundas do mundo. Veja aligatores, tartarugas e pássaros bem variados numa das excursões de barco diárias guiadas por guardas do parque. Uma plataforma de observação oferece vistas esplêndidas da nascente, e há uma área segura para nadar, com água tão calma que dá para mergulhar com snorkel. Uma trilha de 10km serpenteia pela floresta de magnólias, faias e nogueiras, além de um pinheiral. Decida antes quanto você quer caminhar, pois não é uma trilha circular. Feita nos anos 1930 em estilo mediterrâneo, a bela Wakulla Springs Lodge faz parte do Registro Nacional de Locais Históricos.

Se chover...
Caso ameace chover, vá até a **Wakulla Springs Lodge** para saborear algumas das delícias da lanchonete Soda Fountain.

Barcos de excursão no atracadouro do Wakulla Springs State Park

Entrada da elegante Wakulla Springs Lodge, Wakulla Springs State Park

⑫ San Marcos de Apalache Historic State Park

Bicicletas, caminhadas, pássaros e um forte histórico

Esse parque estadual está na histórica cidadezinha pesqueira de St. Marks, na baía de Apalachee. As bandeiras que tremulam acima da entrada marcam o lugar disputado por espanhóis, ingleses, americanos e tropas confederadas. Embora o primeiro povoado espanhol tenha sido construído ali em 1528, o forte original, hoje Marco Histórico Nacional, foi erigido em 1679 e depois substituído por uma fortaleza de pedra. No parque, um museu exibe cerâmica e utensílios desenterrados perto do forte inicial, e passa um vídeo sobre a movimentada história do lugar.

Hoje pequena, St. Marks foi um porto importante. A ferrovia, feita em 1830 para levar algodão das plantações de Tallahassee, é hoje o **Tallahassee-St. Marks Historic Railroad Trail State Park**, caminho calçado de 26km para andarilhos e ciclistas que termina na orla de St. Marks.

Para relaxar
Só os Everglades exibem mais espécies de aves que o **St. Marks National Wildlife Refuge** (*www.fws.gov/saintmarks*), 3km a sudoeste do parque estadual. O refúgio tem florestas, pântanos, brejos e um es-

---

Informações

- **Mapa** 3 A4
- **Endereço** 465 Wakulla Park Dr, Wakulla Springs, 32327; 850 561 7276; www.floridastateparks.org/wakullasprings
- **Carro** Alugue em Tallahassee
- **Aberto** 8h-pôr do sol diariam
- **Preço** $26-32; até 2 anos, grátis
- **Passeios guiados** O parque oferece passeios guiados de barco de 40 a 60 min, em que se podem avistar muitos animais. Também há barcos com fundo de vidro.
- **Idade** A partir de 5 anos
- **Atividades** Natação, ciclismo e caminhadas
- **Duração** 3-4 horas
- **Comida e bebida** LANCHE Soda Fountain (*na Wakulla Springs Lodge*; 850 421 2000; www.wakullaspringslodge.com*) tem o maior balcão de mármore do mundo e serve milk shakes, refrigerantes, cachorros-quentes e sanduíches. REFEIÇÃO Ball Room Restaurante (*na Wakulla Springs Lodge*) serve café da manhã, almoço e jantar. Entre as especialidades, sopa de feijão da Marinha e galinha frita sulista. Belas vistas das janelas em arco.

Preços para família de 4 pessoas

Informações

- **Mapa** 3 A4
- **Endereço** 148 Old Fort Rd, St. Marks, 32355; 850 925 6216; www.floridastateparks.org/sanmarcos
- **Carro** Alugue em Tallahassee
- **Informação turística** St. Marks Visitor Center, 15 Old Palmetto Path, St. Marks, 32355; 850 925 0400; www.cityofstmarks.com
- **Aberto** 9h-17h qui-seg
- **Preço** Grátis. Museu: $8-12; até 5 anos, grátis
- **Passeios guiados** Os parques têm passeio autoguiado pelas ruínas históricas. Passeios guiados, agendar duas semanas antes.
- **Idade** A partir de 6 anos
- **Atividades** Pode-se andar em trilhas e explorar as ruínas do forte
- **Duração** 2 horas
- **Comida e bebida** PIQUENIQUE Bo Lynn's Grocery (*850 Port Leon Dr, 32355; 850 925 6156*) tem provisões para um piquenique no parque estadual ou na reserva. REFEIÇÃO Riverside Café (*69 Riverside Dr, 32355; 850 925 5668*) é uma lanchonete com cardápio que vai de asas de ave e hambúrguer a jantar completo. Os sanduíches de garoupa são muito pedidos.
- **Festividade** St. Marks Stone Crab Festival (*meados out*)

tuário de água salgada, o que explica a enorme variedade de aves. Tem também o segundo farol mais antigo da Flórida, de cerca de 1830. O Centro de Visitantes tem mapas de estradas e trilhas, inclusive de parte da Florida National Scenic Trail.

⑬ Apalachicola
Cidade das ostras

Porto marítimo importante quando o algodão descia das plantações do norte da Flórida, essa cidadezinha curiosa definhou após a Guerra de Secessão (1861-5). Mas tem um distrito histórico ótimo para caminhar, com muitas casas e armazéns restaurados com perfeição. Comece com o mapa turístico do Centro de Informação e espie os prédios dos anos 1850, anteriores à guerra, muitos dos quais abrigam lojas de lembranças e restaurantes. Hoje a cidade depende do mar para viver e ganhou fama com as ostras. Há diversos passeios de barco para conhecer a baía de Apalachicola.

Palmeiras margeiam o caminho para o farol, St. George Island State Park

Para relaxar

Situada em uma ilha de barreira 24km a leste de Apalachicola, o **St. George Island State Park** *(www.floridastateparks.org/stgeorge island)* conta com 14km de praias imaculadas com dunas, pavilhões para piquenique e também um farol. A trilha de 4km para Gap Point segue sinuosa por um pinheiral até a baía de Apalachicola. A East Slough Trail, de 2km, tem passarelas de madeira e bancos.

Atracadouro na baía de Apalachicola, perto da cidade de Apalachicola

Informações

- 🌐 **Mapa** 2 G5
- 🚗 **Carro** Alugue em Tallahassee
- ℹ️ **Informação turística** 122 Commerce St, 32320; 850 653 9419; *www.apalachicolabay.org*
- 🚩 **Passeios guiados** Backwater Guide Service *(Scipio Creek Marina, 32320; 850 899 0063)* oferece passeios de pesca e para ver animais. Ou aprenda a selecionar e abrir ostras no barco do capitão Doug na Affordable Fishing *(604 Wilderness Rd, Eastpoint, 32320; 850 524 5985).*
- 👫 **Idade** Livre
- 👫 **Atividades** As crianças gostam do Grady Market *(76 Water St, 32320; 850 653 4099; www.jegrady.com)*, com navios e objetos marítimos. Escolha brinquedos, jogos e lembranças na Kids Port *(21 Ave C, 32320; 850 653 2899)*. Pare no John Gorrie Museum *(46 6th St, 32320; 850 653 9347)* para ver a máquina de sorvete que Gorrie patenteou em 1851, assinalando o nascimento do ar-condicionado.
- ⏱ **Duração** Um dia
- 🍽 **Comida e bebida** LANCHE Old Time Soda Fountain *(93 Market St, 32320; 850 653 2606)* tem interior nos estilo dos anos 1950. O cardápio traz sanduíches, refrigerantes e sorvete. REFEIÇÃO Boss Oyster *(River Inn, 123 Water St, 32320; 850 653 9364)* é onde se prova a especialidade da cidade – há ostras de dezessete modos. As crianças podem ir de pizza de frutos do mar.
- 🎉 **Festividade** Florida Seafood Festival (início nov)

CRIANÇADA!

Descubra mais
1 Quantas bandeiras já foram hasteadas no Fort San Marcos de Apalache?
2 Uma série de cinema famosa foi filmada em Wakulla Springs. Quem era o protagonista?
3 Sabe quantas espécies de pássaros podem ser avistadas no St. Marks National Wildlife Refuge?

Respostas no fim do quadro.

TUDO SOBRE OSTRAS

A baía de Apalachicola produz 90% das ostras da Flórida. Mais de 1,2 milhão de quilos de carne de ostra são coletados todo ano. A colheita não é fácil, pois as ostras vivem no fundo do mar. Elas são coletadas com uma rede de metal em forma de cone, que fica presa à popa do barco.

De trilhos a trilhas

Rodovias modernas e aeroportos decretaram o fim de muitas das velhas ferrovias. Formada em 1986, a Rails to Trails Conservancy trabalha para transformar os leitos planos onde se assentavam os trilhos em caminhos para andar de bicicleta e a pé. Até agora, mais de 32 mil quilômetros de trilhas em lugar de trilhos foram criados nos Estados Unidos.

Respostas: 1. 4 2. Tarzan 3. 274.

Piquenique até $25; Lanche $25-50; Refeição $50-80; Para a família mais de $80 (para quatro pessoas)

Onde Ficar no Panhandle

De bangalôs na praia e resorts em prédios a hotéis urbanos, o Panhandle oferece um amplo leque de acomodações. Os diversos chalés e prédios baixos, a curta distância a pé das praias de South Walton, são atraentes especialmente para famílias.

AGÊNCIAS
Beach Rentals of South Walton
www.brswvacations.com
Essa agência oferece hospedagem em South Walton, inclusive nas vilas de Seagrove, Grayton Beach e Santa Rosa.

Rosemary Beach Rentals
www.rosemarybeach.com
Esse site oferece links para agências com imóveis de dois a sete quartos.

Apalachicola Mapa 2 G5

HOTEL
Water Street Hotel & Marina
329 Water St, 32320; 888 211 9239;
www.waterstreethotel.com
Opção moderna na cidade antiga, hotel pequeno de suítes com ótima localização, perto do mar. Os familiares têm quartos com cama queen size e quartinho conjugado, com beliche ou cama normal, além de cozinha, sacada e lavadora/secadora.
🐾 🍴 E 🌿 $$

BED & BREAKFAST
Coombs House Inn
80 Sixth St, 32320; 888 244 8320;
www.coombshouseinn.com
Três elegantes casas vitorianas compõem essa charmosa hospedaria de 23 quartos. Algumas suítes têm quitinete e varanda privativa. Os hóspedes ganham café da manhã, chá da tarde e vinho nos fins de semana à noite. Há cadeiras, toalhas e guarda-sóis para passeios à ilha St. George.
📶 E 🌿 $-$$

Pensacola Mapa 1 A3

HOTÉIS
Crowne Plaza-Pensacola Grand Hotel
200 E Gregory St, 32501; 877 270 1393; www.pensacolagrandhotel.com
A ex-estação de passageiros da ferrovia L&N, de 1912, decorada com antiguidades, é o saguão e restaurante antiquados do hotel, mas seu edifício de vidro de quinze andares, atrás, é todo moderno. Muitos quartos dão para a vila histórica de Pensacola. Tem academia de ginástica.
📶 🍴 E 🌿 $-$$

New World Inn
600 S Palafox St, 32501; 850 432 4111; www.newworldlanding.com
Esse hotel-butique de quinze quartos, no Distrito Histórico, conta com escadaria e quartos altos com decoração tradicional atraente. Café da manhã simples grátis.
📶 🍴 E $$

MOTEL
Suburban Extended Stay Pensacola
3984 Barrancas Ave, 32507; 850 453 4140; www.suburbanhotels.com
Opção conveniente para ver o Naval Aviation Museum, esse motel é bem equipado e tem acesso grátis à internet. Dispõe de serviço de lavanderia, churrasqueira e sala de ginástica. Apesar do nome, não se exige uma estadia prolongada.
📶 🍴 E 🌿 $

BED & BREAKFAST
Lee House Bed & Breakfast
400 Bayfront Pkwy 32501; 850 912 8770; www.leehousepensacola.com
Com as clássicas colunas sulistas e áreas sociais espaçosas, a Lee House oferece confortos modernos. Várias das oito suítes recebem quatro pessoas. Tome o café da manhã nos amplos terraços, vendo a baía de Pensacola e a Seville Square.
📶 E $$

Pensacola Beach Mapa 1 B3

RESORT
Portofino Island Resort and Spa
10 Portofino Dr, 32561; 877 484 3405; www.portofinoisland.com
Esse resort luxuoso, situado na praia imaculada de 13km dentro do Gulf Islands National Seashore, oferece apartamentos com dois e três quartos espaçosos, equipados com lavadoras-secadoras. Há hidromassagem, spa e programas especiais para crianças e adolescentes.
🐾 🍴 E 🌿 🌀 $$$

MOTEL
Days Inn Pensacola Beachfront
Via De Luna Dr, 32561; 850 934 9780; www.daysinn.com
Situado na praia, esse motel simples oferece quartos com micro-ondas, geladeira e máquina de café. Entre as comodidades, lavanderia, piscina e café da manhã simples incluso.
📶 E 🌿 🌀 $-$$

South Walton

RESORT
Sandestin Golf and Beach Resort Mapa 1 C3
9300 Emerald Coast Pkwy, Destin, 32550; 800 267 8000;
www.sandestin.com
Esse resort excelente tem praia de 11km, quadras de tênis, academia e ciclovias. As opções de hospedagem vão de edifícios altos a chalés na praia, na baía e em comunidades de golfe. Baytowne Wharf, vila de pedestres dentro do resort, conta com lojas, restaurantes e atividades divertidas, como tirolesa. Há programas para crianças e adolescentes.
📶 🍴 E 🌿 $-$$$

Quarto de luxo luminoso no Sandestin Golf and Beach Resort, South Walton

Onde Ficar no Panhandle | 205

RESORTS EM EDIFÍCIO
The Inn at Gulf Place Mapa 1 D3
95 Laura Hamilton Blvd, Santa Rosa Beach, 32548; 888 909 6807; www.gulfplacefl.com
Atravessando a rua da praia, esse pequeno conjunto oferece quartos para quatro pessoas e apartamentos de um quarto com cozinha completa e sacada. Há quadras de tênis, banheira quente e lavadora-secadora no local.
$-$$

The Village of South Walton Mapa 2 E4
10343 E Scenic Hwy 30A, Seacrest Beach, 32413; 877 808 4323; www.villageofsouthwaltonbeach.com
Esse resort em edifício de quatro andares oferece opções que vão de apartamentos a suítes de três quartos, com lavadora-secadora, TV e DVD. O resort tem shopping center próprio e fonte de esguicho para brincar, e oferece acesso à grande piscina de Seacrest Village.
$-$$$

WaterSound Resort Mapa 1 D3
6652 E County Hwy 30A, Watersound, 32413; 800 413 2363; www.watersoundvacationrentals.com
Comunidade praiana espalhada por área extensa, com dunas altas ao longo do golfo do México, esse resort tem clube de praia com piscina e quadras de tênis. A hospedagem vai de casas a unidades em edifício.
$-$$$

HOTEL
30-A Suites Mapa 1 D3
6904 Hwy 30A West, Santa Rosa Beach, 32459; 850 499 5058; www.30asuites.com
Esse hotel-butique de quinze quartos, bom espaço e decoração atraente oferece quartos com closet e sacadas exclusivas. Embora o hotel seja recomendado para famílias com adolescentes, as crianças pequenas também são bem-vindas nos apartamentos de dois quartos.
$$

HOSPEDARIA
Watercolor Inn
Map 1 D3
34 Goldenroad Circle, Santa Rosa Beach, 32459; 866 426 2656; www.watercolorresort.com
Essa hospedaria luxuosa, com 60 quartos, perto do golfo do México, oferece quartos amplos com cama king size e sofá-cama queen, frigobar e sacada, com vistas fabulosas. Bicicleta e caiaque são cortesia da casa.
$$-$$$

CAMPING
Grayton Beach State Park Mapa 1 D3
Off Scenic Hwy 30A, Grayton Beach, 32459; 800 326 3521 (reservas); www.floridastateparks.org
Famoso pelas lindas praias, esse parque estadual oferece instalações completas para acampar e 28 cabanas modernas, de dois quartos, para seis pessoas. As cabanas têm aquecimento e refrigeração central, cozinha, churrasqueira fora e jogo de cama e banho. Mínimo de dois dias em cabana nos fins de semana.
$

Topsail Hill Preserve State Park Mapa 1 D3
7525 W Scenic Hwy 30A, Santa Rosa Beach, 32459; 800 326 3521; www.floridastateparks.org
Esse parque pitoresco conta com muitas opções, de camping totalmente equipado e pontos de barraca a bangalôs de um quarto e cabanas de dois quartos, as quais têm cozinha completa. Os hóspedes ganham condução grátis para a praia.
$

A bela piscina do Watercolor Inn, Santa Rosa Beach

Tallahassee Map 3 A3

HOTÉIS
Doubletree Hotel
101 S Adams St, 32301; 850 224 5000; www.doubletree.hilton.com/tallahasee
Situado perto do palácio do governo da Flórida e do Capitol Museum, esse hotel central completo é uma boa opção para famílias. Os quartos são confortáveis e há berços e cadeirões disponíveis. O restaurante conta com cardápio infantil.
$-$$

Governor's Inn
209 South Adams St, 32301; 850 681 6855; www.thegovinn.com
Antiga cocheira, esse hotel-butique de 41 quartos, perto do palácio do governo, tem quartos com nomes de ex-governadores. Quartos espaçosos com duas camas queen size.
$$

MOTEL
Cabot Lodge
1653 Raymond Diehl Rd, 32308; 850 386 7500; www.cabotlodgethomsvilleroad.com
Esse motel simpático é próximo da Rodovia I-10. Os quartos executivos são equipados com microondas e frigobar. Entre os itens gratuitos, café da manhã, jornal diário, coquetéis à noite e computadores no saguão.
$

Categorias de preço
As seguintes faixas de preço baseiam-se em uma diária na alta temporada para uma família de quatro pessoas, incluindo serviço e taxas adicionais.
$ até $150 **$$** $150-300 **$$$** mais de $300

Trailers em camping do Topsail Hill Preserve State Park, Santa Rosa Beach

Legenda dos símbolos *na orelha da contracapa*

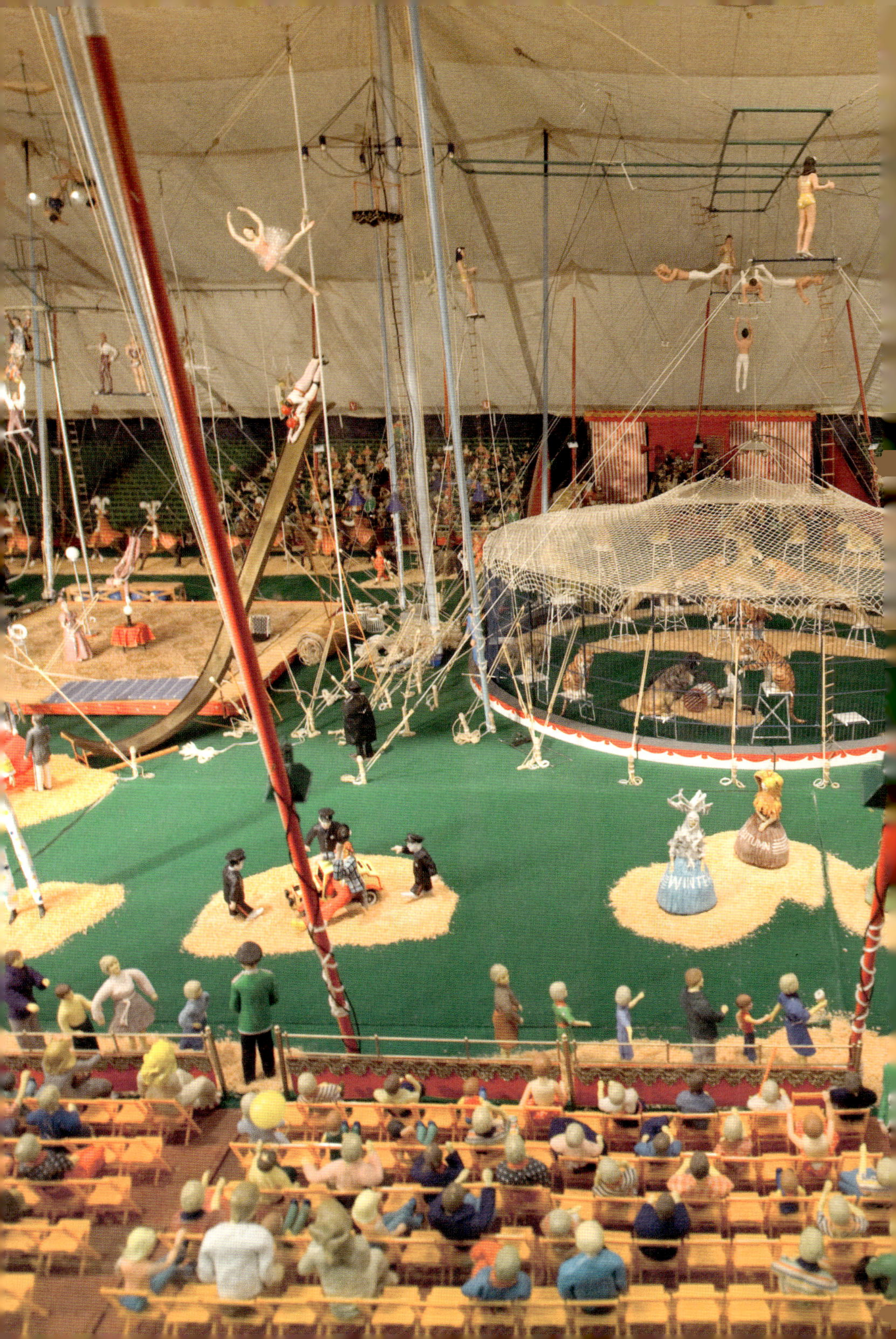

Costa do Golfo

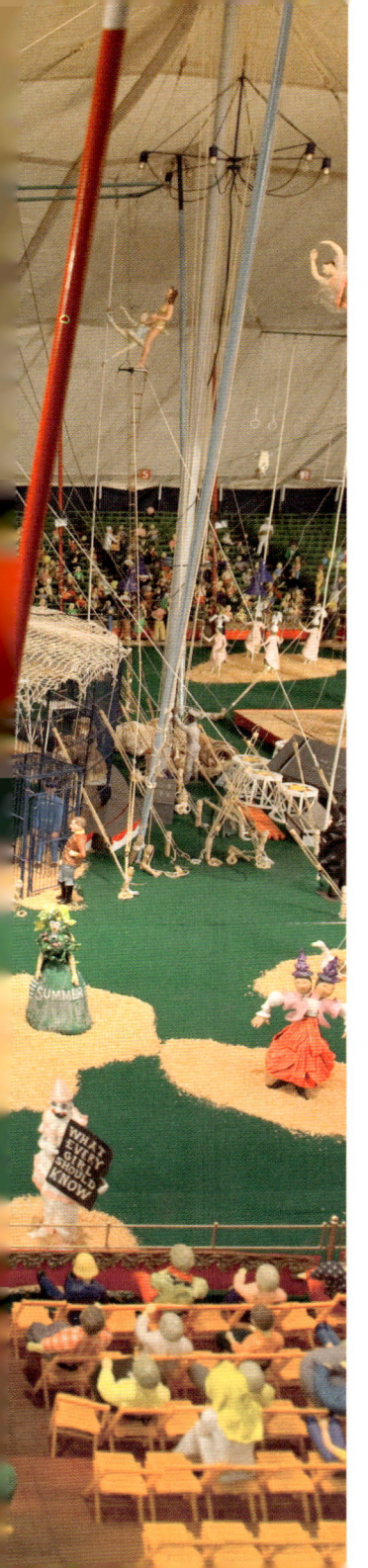

A Costa do Golfo da Flórida parece ter sido feita para famílias. Além de algumas das melhores praias do Estado, ela tem um parque temático significativo e um aquário espetacular, "sereias" e manatis, e bons museus para as crianças. Cidades chiques como Tampa, St. Petersburg e Sarasota oferecem atrações de primeira e diversão para adultos. E ainda sobra espaço para uma Flórida pouco conhecida.

Principais atrações

Ringling Museum, Sarasota
Veja o imóvel rebuscado na baía, criado pela lenda circense John Ringling, e encante-se com o maior circo em miniatura do mundo (pp. 224-5).

Dalí Museum, St. Petersburg
Descubra esse museu surreal, com arte e arquitetura ímpares, que fascinam todas as idades (pp. 220-1).

Busch Gardens, Tampa
Pegue montanhas-russas arrepiantes e veja hipopótamos e leões, que vivem como na natureza nesse lindo parque (pp. 214-5).

The Florida Aquarium
Entre no mar sem se molhar na Coral Reef Gallery, uma gruta gigantesca por onde circulam mais de 2.300 peixes (p. 216).

Siesta Key
Faça uma caminhada por essa praia, que figura em todas as listas de "melhores dos EUA" e é famosa pela magnífica areia branca (p. 213).

Myakka River State Park
Explore essas terras intocadas, que preservam o que a Flórida tem de melhor quanto a paisagens naturais e vida animal (p. 227).

À esq. Maquete do Howard Bros. Circus no Tibbals Learning Center no Ringling Museum, Sarasota
Acima, à dir. Girafas e zebras no habitat Edge of Africa, nos Busch Gardens, Tampa

O Melhor da
Costa do Golfo

A Costa do Golfo é própria para exploração. As cidades agrupadas em torno da baía de Tampa têm personalidades distintas e são famosas pela combinação gratificante de atrações familiares, animais e praias em abundância. Todas se encontram num espaço de 160km e podem ser visitadas facilmente de carro. Com tanta coisa reunida em área tão compacta, essa linda parte da costa é imperdível.

História de três cidades

Cada uma das cidades principais da região da baía de Tampa tem seus atrativos e fica a menos de uma hora de carro das outras. **Tampa** (pp. 214-9), porto e polo comercial da região, às vezes é desprezada em favor de cidades praianas, mas entre suas preciosidades estão os **Busch Gardens** (pp. 214-5), com brinquedos eletrizantes e animais, o **Florida Aquarium** (p. 216), o sabor cubano de **Ybor City** (p. 218), ligas esportivas importantes e o **Museum of Science and Industry** (p. 217) – maior museu de ciência do Sudeste, com ala especial para crianças. **Sarasota** (pp. 224-7) é uma cidade chique de cerca de 60 mil habitantes, com museus e salas de artes cênicas que concorrem com as de cidades muito maiores, e ainda algumas das melho-

À esq. A mostra Water's Journey no Glazer Children's Museum
Abaixo Carroça de circo ornamentada no Ringling Museum

Acima Uma das muitas praias de areia branca na Costa do Golfo

res praias do estado. **St. Petersburg** (pp. 220-3) é mais tranquila, com um lindo bulevar na orla e o mundialmente famoso **Dalí Museum** (pp. 220-1), além de **St. Pete Beach** (p. 212), região distinta, a cerca de 16km do centro.

Molhados e indóceis

Já viu um manati de perto ou "sereias" fazendo acrobacias debaixo da água? Saia de **Tampa** para ver manatis, atraídos pelas águas quentes no inverno, e chegue bem perto desses mamíferos marinhos num observatório flutuante, no **Homosassa Springs Wildlife State Park** (p. 219). "Sereias" fantasiadas exibem suas artes para uma multidão extasiada no **Weeki Wachee Springs State Park** (p. 215) desde 1947. O **Florida Aquarium** tem cruzeiros diários para ver cerca de 500 golfinhos que vivem na baía de Tampa, e o programa Swim with the Fishes oferece aos maiores de 6 anos uma aventura aquática dentro do aquário, na réplica de um recife de coral.

O circo chegou

A empolgação dos velhos tempos de Sarasota ganha vida no **Tibbals Learning Center** (p. 224), no **Ringling Museum** (p. 224-5), que exibe a maior maquete de circo de todo o mundo. Veja a surpreendente réplica feita à mão dos circos Ringling Bros. e Barnum & Bailey no seu auge, com suas oito tendas principais, entre elas uma grande, com três picadeiros e quatro palcos, cheios de palhaços, trapezistas e coristas em miniatura. Outras mostras centram-se nos números de circo mais empolgantes, acrobatas, trapezistas, animais e palhaços. Tente proezas circenses, como andar na corda bamba (em segurança, perto do chão). Crianças menores, alunas de circo, exibem suas habilidade no **PAL Sailor Circus** (p. 37), no final de dezembro.

Delícias para pequenos

Pode ser difícil achar atrações para crianças pequenas fora da praia, mas não na Costa do Golfo. Os menores gostam do simpático **Lowry Park Zoo** (p. 216), em **Tampa**. Com cerca de 2 mil animais, há muito para ver e diversas chances de ficar perto deles e alimentá-los. Outros preferidos dos pequenos são os **Sarasota Jungle Gardens** (p. 225), com caminhos frescos à sombra, uma Kiddie Jungle com parquinho e espetáculos agradáveis, como papagaios de patins. O **Glazer Children's Museum** (p. 218), em Tampa, propicia experiências como voar num avião de mentira ou cozinhar como um chef. O **Great Explorations Children's Museum** (p. 223), em **St. Petersburg**, tem programas de artes para crianças pequenas e muitas atrações para as mais crescidas.

À dir. Manati no Homosassa Springs Wildlife State Park, ótimo lugar para ver esse fascinante mamífero marinho

Costa do Golfo

Essa região estende-se por centenas de quilômetros de praias pelo oeste da Flórida, com uma série de paradas incríveis pelo caminho. De praias e manatis a truques de circo, montanhas-russas, parques com animais e um dos mais famosos parques temáticos da Flórida, a Costa do Golfo tem muito para entreter a família. As cidades contam com aquários e museus para crianças que encantam a todos. Estradas excelentes facilitam conhecer tudo de carro.

Objetos de circo no Ringling Museum, Sarasota

Aligátor toma sol no Homosassa Springs Wildlife State Park

Crianças brincam nas ondas da praia de Venice, sul de Sarasota

Locais de interesse

COSTA DO GOLFO
1. Praias da Costa do Golfo
2. Busch Gardens, Tampa
3. Florida Aquarium
4. Lowry Park Zoo
5. Museum of Science and Industry
6. Ybor City
7. Glazer Children's Museum
8. Manatee Viewing Center
9. Dalí Museum, St. Petersburg
10. Bayshore Drive e o Píer
11. Museum of Fine Arts
12. Great Explorations Children's Museum
13. Ringling Museum, Sarasota
14. The Aquarium do Mote Marine Laboratory
15. Marie Selby Botanical Gardens
16. G.WIZ – The Science Museum

Costa do Golfo | 211

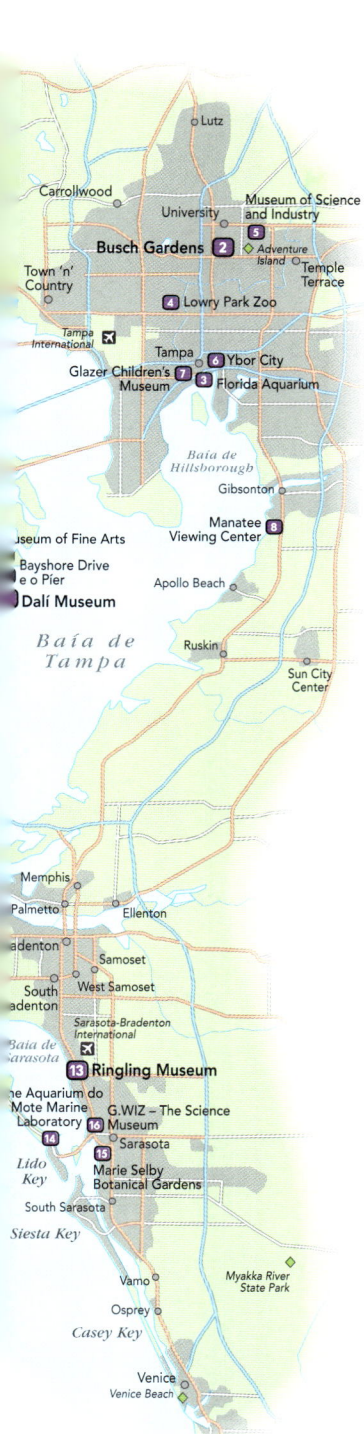

A emocionante montanha-russa sem piso nos Busch Gardens, Tampa

Informações

Como chegar lá e aos arredores
Avião Vá ao aeroporto de Tampa (www.tampaairport.com) ou ao de Sarasota (www.srq-airport.com). Tampa conta com ampla rede de ônibus, além de trólebus de dia, ligando as atrações no centro, e um bonde que vai do centro a Ybor City.
Ônibus Tampa, St. Petersburg e Clearwater têm linhas de ônibus Greyhound para as cidades principais da Flórida.
Trólebus Sarasota, Bradenton e Clearwater têm trólebus da cidade para a praia. Clearwater's Jolley Trolley (clearwaterjolleytrolley.com) liga as praias da zona sul de Clearwater a St. Petersburg, e também vai ao norte, para Tarpon Springs, nos fins de semana. Contudo, os horários podem ser inconvenientes ou inconfiáveis, e muitos locais e restaurantes não estão no itinerário. **Carro** Um carro é a melhor maneira de circular, embora seja possível ir a algumas partes da região em transporte público. Há várias autolocadoras em ambos os aeroportos. Tenha à mão moedas de 10 e 25 centavos para os parquímetros.

Informação turística Veja nas entradas específicas.

Supermercados Publix (www.publix.com) é o melhor supermercado, com lojas por toda a região. **Mercados** St. Petersburg Saturday Morning Farmers' Market, First Ave South com First St, na orla, 33701; 727 455 4921; www.saturdaymorningmarket.com; out-mai: 9h-13h. Tampa Downtown Farmers' Market, quadras 200 e 300 da Twiggs St; www.tampadowntownmarket.com; out-mai: 10h-14h sex. Ybor City Saturday Market, Centennial Park, 8th Ave com 19th St, 33605; 813 241 2442; www.ybormarket.com; 9h-15h sáb ano inteiro. Sarasota Farmers' Market, esquina das ruas State e Lemon; 941 225 9256; www.sarasotafarmersmarket.org; 7h-12h sáb ano inteiro. Downtown Clearwater Farmers' Market, Station Square Park, quadras 500 e 600 da Cleveland St; 727 461 7674; www.clearwaterfarmersmarket.com; out-mai: 9h-14h qua

Festividades Gasparilla Pirate Festival, Tampa: desfiles com figurino suntuoso; www.gasparillapiratefest.com (fim jan). Florida Strawberry Festival, Plant City; www.flstrawberryfestival.com (fim fev-meados mar). Highland Games, Dunedin (abr). Medieval Fair, Sarasota; sarasotamedievalfair.com (nov).

Farmácias Walgreens (www.walgreens.com) e CVS (www.cvs.com) são as duas principais farmácias da região; algumas filiais na cidade ficam abertas 24h.

Banheiros Em todas as atrações principais, shopping centers e postos de gasolina

① Praias da Costa do Golfo
Areia macia e dias ensolarados

Para muitos turistas, as incríveis praias de barreira da Costa do Golfo são as maiores atrações: acessíveis por inúmeras pontes, totalizam cerca de 56km de areia fofa, banhados pelas ondas suaves do golfo do México. Com hotéis, Clearwater Beach e St. Pete Beach são convenientes para famílias. Em Sarasota, os imóveis, em sua maioria, foram construídos afastados da areia. Várias ilhas ao largo oferecem praias imaculadas para catadores de curiosidades.

Caiaque em prancha na Turtle Beach, Siesta Key

Destaques

① **Caladesi Island** Acessível só de barco, a ilha tem um parque estadual e uma praia vazia ideal para catar coisas valiosas.

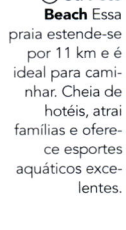

② **Clearwater Beach** A preferida dos turistas ativos, essa praia de balneário tem quadras de vôlei e concessões de esportes. No pôr do sol, há comemoração toda noite, com música e espetáculos na rua.

③ **St. Pete Beach** Essa praia estende-se por 11 km e é ideal para caminhar. Cheia de hotéis, atrai famílias e oferece esportes aquáticos excelentes.

④ **Pass-a-Grille** Essa praia pública no lado calmo de St. Pete Beach tem um lindo pôr do sol. Leve moedas para estacionar.

⑤ **Fort De Soto Park** São três praias de areia e uma reserva natural com trilhas (p. 223).

⑥ **Anna Maria Island** Localizada no tranquilo lado norte de Bradenton, essa ilha tem praias pitorescas e clima descontraído.

⑦ **Bradenton Beach** Essa ilha pequena atrai famílias com praias e uma cidadezinha evocativa, com pier histórico e lojas, restaurantes e hospedagem diversificados.

⑧ **Longboat Key** É uma ilha balneária chique, com belas praias e campos de golfe, mas acesso público limitado.

Informações

🌐 **Mapa** 7 A1-3 e 7 B3-4

🚗 **Carro** Alugue nas autolocadoras do Aeroporto Internacional de Sarasota para se locomover pela região

ℹ️ **Informação turística** Caladesi Island: 727 469 5918; www.floridastateparks.org/caladesiisland. Clearwater Beach: 727 469 5918; www.visitclearwaterflorida.com. St. Pete Beach: 727 582 2267;

www.stpetebeach.org. Pass-a-Grille: 727 363 9247; www.visitpassagrille.com. Fort De Soto Park: 727 552 1862; www.pinellascounty.org/park/05_ft_desoto.htm. Anna Maria Island: 941 778 1541; www.annamariaislandchamber.org. Bradenton Beach: 941 778 1005; www.cityofbradentonbeach.com. Longboat Key e Lido Key: 941 383 2466; www.longboatkeychamber.com/visitor. Siesta Key: 941 349 3800;

www.siestakeychamber.com. Venice Beach: 941 486 2626; www.venicegov.com

💲 **Preços** Caladesi Island: $6 por barco; $42-56 balsa. Fort De Soto Park e Pass-a-Grille: $5 estacionamento

👨‍👩‍👧 **Idade** Livre

Atividades Vários esportes aquáticos, como snorkel, e passeios de canoa e caiaque podem ser feitos nas praias de Caladesi Island, St. Pete Beach,

Preços para família de 4 pessoas

Praias da Costa do Golfo | 213

CRIANÇADA!

Artesanato de areia
Para fazer um belo suvenir praiano, junte um pouco de areia e conchas num recipiente com tampa para levar para casa. Espalhe cola num cartão e cubra-o de areia. Depois, cole as conchas no desenho que você preferir, ou em uma moldura de madeira para uma foto ou um espelho. Tente encontrar conchas de vieira do mesmo tamanho, pois ficam ótimas em molduras.

⑨ Lido Key Essa ilha de barreira tem praias espaçosas em três partes: dunas e trilhas no norte; balneário no centro; e belo parque à beira-mar no sul.

⑩ Siesta Key Merecidamente popular, essa ilhota é famosa pela areia cintilante e branca de quartzo, que fica fria até nos dias mais quentes.

Corrida de baldes
Este é um jogo simples de praia para jogar com amigos e a família. Ponha dois baldes afastados do mar e veja quem consegue enchê-los de água primeiro usando apenas as mãos e trazê-los de volta.

⑪ Venice Beach Um tesouro de dentes de tubarão atrai a essa praia catadores com visão aguçada.

O QUE É UMA CONCHA?
As conchas eram a casa de seres marinhos que se mudaram. Entre as mais bonitas estão as de vieiras. Outras podem ter abrigado caramujos, moluscos e mexilhões. O Caladesi Island State Park é bom para catar conchas na Costa do Golfo.

Curiosidades da areia
A praia é formada por fragmentos minúsculos de rochas que se juntam ao serem trazidos pelas ondas e correntes oceânicas. Ondas fortes levam a areia mais adiante, formando dunas. Os recifes de coral submersos são uma fonte de areia. A areia branca mais fina, encontrada em praias como Siesta Key, é feita de cristal de quartzo puro trazido pela água de montanhas distantes e levado ao mar pelos rios.

Lido Key e Siesta Key. Há pescaria no Fort De Soto Park e na Anna Maria Island, e a praia de Venice é ótima para catar conchas e mergulhar nos recifes.

⏱ **Duração** 1-3 dias

Bom para a família?
As praias e as ilhas da Costa do Golfo oferecem várias opções de esporte e lazer para toda a família por preços razoáveis.

② Busch Gardens, Tampa
Montanhas-russas e animais barulhentos

O avô dos parques temáticos da Flórida ainda emociona com montanhas-russas eletrizantes, safári, aventuras aquáticas e shows musicais animados. Seu terreno divide-se em seções temáticas, como Congo e Timbuktu, cada qual com animais nativos dos locais, enquanto as Serengeti Plains são o lar de rinocerontes, girafas e outros. Até os mais ousados sentem-se desafiados pelas montanhas-russas, e as crianças pequenas podem desfrutar um reino especial todo seu.

Flamingos nos Busch Gardens, Tampa

Destaques

① **Gwazi** Essa maluca montanha-russa de madeira na verdade são duas em uma. Correndo a 80km/h, seus carros "leão" e "tigre" se cruzam a centímetros de distância por seis vezes durante o passeio.

② **Edge of Africa** Esse safári a pé no lado sul das Serengeti Plains permite ver hipopótamos, leões, hienas, lêmures e outros animais africanos exóticos em habitats naturalistas.

③ **Cheetah Hunt** De alta velocidade, essa montanha-russa sobe mais de dez andares acima da paisagem africana para mergulhar de 40m de altura numa trincheira no subsolo. Detém o recorde de extensão em parque, com 1.350m de trilhos.

④ **Iceploration** Esse espetáculo no gelo apresenta patinadores de primeira com roupas luxuosas, trapezistas surpreendentes, marionetes e estrelas animais.

⑤ **Serengeti Railway** Pegue esse trem para dar um passeio relaxante por todos os pontos principais do parque.

⑥ **Sesame Street Safari of Fun** Dirigido a pré-escolares, tem brinquedos e shows com personagens da Vila Sésamo.

⑦ **Cheetah Run** Veja de perto os animais mais rápidos do mundo nessas áreas envidraçadas do chão ao teto.

⑧ **King Tut's Tomb** Recriação detalhada das ricas câmaras fúnebres do "faraó menino" do Egito. As crianças menores podem caçar réplicas dos achados.

Informações

🌐 **Mapa** 7 B1
Endereço 10165 N McKinley Dr, Tampa, 33612; 888 800 5447; *seaworldparks.com/en/busch gardens-tampa*

🚌 **Ônibus** Hartline 18 (*hartline.org*) do centro ao Busch Blvd. Shuttle Express disponível de Orlando aos Busch Gardens.

🕐 **Aberto** 10h-18h seg-sex e 9h-19h30 sáb-dom. Horário pode variar com estação; veja no site.

💲 **Preço** $324-34; até 5 anos, grátis com o Preschool Pass, que pode ser baixado do site

👥 **Para evitar fila** O passe Quick Queue ($34,99 por pessoa; preços variam com temporada) permite ir no carro da frente em cada viagem. Reserve ingressos on-line para evitar filas e ganhe $10 de desconto, com segundo dia grátis. As filas dos brinquedos são menores perto da abertura e do fechamento do parque.

🚩 **Passeios guiados** Passeios com tratadores e nos safáris

👨‍👩‍👧 **Idade** A partir de 3 anos. Pare na Guest Relations para pegar pulseiras infantis com espaço para

Preços para família de 4 pessoas

Tampa e Arredores | 215

Para relaxar
Com redes para escalar, pontes, tubos de engatinhar e labirinto de vários níveis, as **Treetop Trails** (no local), área de lazer de três andares no espaço Jungala, têm muito exercício para as crianças. Se sobrar energia, vá à **Adventure Island** (www.adventureisland.com), parque aquático com tema tropical do outro lado da rua, com Riptide (escorregador de 17 m), Wahoo Run (passeio de balsa) e espirais no Aruba Tuba.

Comida e bebida
Piquenique: até $25; Lanche: $25-50; Refeição: $50-80; Para a família: mais de $80 (para quatro pessoas)

PIQUENIQUE Kenya Kanteen (na Nairobi Village) serve cachorro-quente, que pode ser comido no pátio diante das Serengeti Plains.
LANCHE Crown Colony Café (na Egypt Village) oferece pizza em fatias, saladas e sanduíches.
REFEIÇÃO Zambia Smokehouse (na Morocco Village) tem galinha e costelas na brasa e macarrão com queijo.

Visitantes no informal Crown Colony Café, na área Egypt Village

- escrever número de contato caso a criança se perca.
- **Duração** No mínimo um dia
- **Cadeira de rodas** Sim
- **Café** Lanchonetes por todo o parque (comida de fora proibida)
- **Banheiros** Em todo lugar do parque, exceto nas Serengeti Plains

Bom para a família?
Embora os Busch Gardens sejam bem caros, oferecem diversão o dia inteiro, que pode ser a melhor da estadia na Costa do Golfo.

PARA A FAMÍLIA Crown Colony Restaurant (na Egypt Village) tem jantares de galinha frita com preço unitário e pratos mais formais, como carne e salmão. Há também cardápio infantil.

Bonecos de pelúcia à venda no espaço Moroccan Village

Compras
Em todo o parque, as lojas atraem com seus suvenires. Há legiões de bichos de pelúcia na **Sahara Trading Company** (na área Timbuktu Village). Os favoritos da Vila Sésamo encantam na **Abby Cadabby's Treasure Hut** (no Safari of Fun), e os adolescentes gostam do vestuário de surfe e óculos escuros legais da **Casablanca Outfitters** (na Moroccan Village). A **Caravan Crossing** (na Nairobi Village) tem toalhas de praia, mochilas e camisetas.

Saiba mais
INTERNET Explore a planície do Serengeti real em www.serengeti.org. Entre em www.eyewitnesstohistory.com/tut.htm para saber da incrível descoberta da tumba de Tutancâmon, no Egito. Aprenda a fazer uma minimontanha-russa em pbskids.org/zoom/atividades/sci/rollercoaster.html.

Próxima parada...
WEEKI WACHEE SPRINGS STATE PARK Cerca de 64km ao norte de Busch Gardens, as sereias estão à espera nas Weeki Wachee Springs (6131 Commercial Way, Weeki Wachee, 34606; 352 592 5656; weekiwachee.com). Claro, não são de verdade, mas as famílias adoram as acrobacias das nadadoras fantasiadas, desde 1947. A arena é uma fonte natural tão funda que não se sabe onde termina. Os assentos foram escavados nas margens de calcário.

CRIANÇADA!

O que é, o que é?
1 Como se chama um grupo de cangurus?
2 Qual a comida preferida do rinoceronte?
3 Quantos flamingos existem nos Busch Gardens?

Respostas no fim do quadro.

Não é só uma questão de moda
Os anéis de pelo escuro em volta dos olhos do suricato não são só enfeites. Funcionam com óculos escuros, reduzindo o brilho da luz e permitindo a esses animais enxergar a grande distância.

ILHÉUS EXCLUSIVOS
Os lêmures são bichos curiosos, com bigode como o do gato e rabo longo. Só são vistos em um lugar da Terra – a ilha de Madagascar.

De ponta-cabeça
Já se perguntou por que você não cai fora de uma montanha-russa quando está de cabeça para baixo? Cientistas e engenheiros descobriram o motivo. Embora a gravidade puxe para baixo, a força gerada pela velocidade do carro subindo é ainda mais forte. A força que empurra seu corpo para cima é suficiente para equilibrar a da gravidade. Só para garantir a segurança do passeio, os primeiros passageiros são sacos de areia ou bonecos. Se eles chegam inteiros, os técnicos e funcionários do parque fazem seu teste. Você gostaria de testar uma montanha-russa nova?

Respostas: 1 Bando. 2 Folhas e brotos. 3 Mais de 250.

Mergulhador entre recifes e peixes exóticos no Florida Aquarium, Tampa

③ Florida Aquarium
Diversão eletrizante, de tubarões a cavalos-marinhos

O maior aquário da Flórida é um ótimo passeio para todos. Na Coral Reef Gallery, vê-se de perto um mundo submarino colossal e colorido, em geral só visto por mergulhadores de alto-mar. Na mostra Wetlands, descubra bichos de água doce da Flórida, como lontras, aligatores e serpentes. A Ocean Commotion tem predadores como tubarões, polvos gigantes do Pacífico e um peixe-dragão. As crianças adoram a parte dos cavalos-marinhos, que exibe uma quantidade surpreendente desses seres simpáticos. No tanque interativo, no saguão, as crianças podem tocar estrelas-do-mar e outros seres marinhos.

Para relaxar
Se as crianças ficarem inquietas, vá à **Explore A Shore**, ampla zona de aventura do Florida Aquarium. Elas podem subir num navio pirata, fazer castelos de areia e deslizar em escorregadores, enquanto os adultos descansam na sombra. Há uma área separada para os menores.

Informações
- **Mapa** 7 B1
- **Endereço** 701 Channelside Dr, Tampa, 33602; 813 273 4000; www.flaquarium.org
- **Bonde** Teco (tecolinestreetcar.org) Line Streetcar Route 8
- **Aberto** 9h30-17h diariam
- **Preço** $84-94
- **Para evitar fila** Compre ingressos on-line com desconto
- **Passeios guiados** Taxa adicional nos passeios de bastidores e alimentação, e no cruzeiro para ver golfinhos
- **Idade** A partir de 2 anos
- **Atividades** Shows começam a intervalos curtos, com mergulhadores, lontras brincando, alimentação de arraias e o Penguin Promenade. Consulte a programação diária no saguão.
- **Duração** No mínimo 4 horas
- **Comida e bebida** LANCHE Café Ray (no local) oferece sanduíches, wraps, panini e saladas. Tem cardápio infantil. REFEIÇÃO Taverna Opa (615 Channelside, Space 123, 33602; 813 443 4221; www.tavernaopa.com/tampa) serve especialidades gregas, além de hambúrgueres e sanduíches.

④ Lowry Park Zoo
Passeie de camelo

Esse zoológico grande, com 2 mil animais em 23 hectares exuberantes, interessa a todos, mas é mais recomendado para crianças menores, que chegam perto dos animais nos passeios de camelo e pônei, na alimentação de girafas e rinocerontes, no zoo de animais domésticos e numa área especial para ver manatis nadando embaixo d'água. Os animais estão espalhados em sete seções, entre elas Asia Domain, Safari Africa e Florida Wildlife Center. O zoo tem ainda o Jungle Carousel, a Tasmanian Tiger Family Coaster e o mais suave Gator Falls Flume Ride.

Informações
- **Mapa** 7 B1
- **Endereço** 1101 West Sligh Ave, Tampa, 33604; 813 935 8552; www.lowryparkzoo.com
- **Ônibus** Hartline 41 e 45 param no zoológico
- **Aberto** 9h30-17h diariam
- **Preço** $86-96 (inclusive passeios, exceto de camelo e pônei). Aluguel de carrinho de criança: $7,50 simples, $10 duplo.
- **Para evitar fila** As filas podem ser longas no início da tarde e nos fins de semana
- **Passeios guiados** Faça um safári de bonde através da seção Safari Africa
- **Idade** A partir de 2 anos
- **Atividades** Alimentação de animais, palestras de tratadores e shows de aves de rapina
- **Duração** No mínimo 4 horas
- **Comida e bebida** LANCHE Stephanno's Pizzeria (6607 N Florida Ave, 33604; 813 232 9486) vende pizza em fatias, sanduíches e focaccias para uma fome maior. REFEIÇÃO Bohio Verde (8114 N Florida Ave, 33694; 813 932 1712) dá a chance de provar pratos cubanos e também tem cardápio infantil para crianças que prefiram nuggets de frango.

Tigre-branco descansa no habitat Asian Gardens do Lowry Park Zoo, Tampa

Preços para família de 4 pessoas

Deitado numa cama de pregos no Museum of Science and Industry, Tampa

Para relaxar

De temática australiana, o **Woolshed Playground**, na Wallaroo Station, faz gastar energia em escorregadores, túneis e escadas. Há uma área de lazer com água, e as crianças também podem chapinhar na água da Manatee Fountain, perto da entrada.

Menino espalha água na área de lazer da Wallaroo Station, Lowry Park Zoo

5 Museum of Science and Industry

Maior centro científico para crianças nos EUA

Reserve bastante tempo para o enorme Museum of Science and Industry (Mosi), um parque científico imaginativo, que conta com cerca de 450 peças interativas, para envolver a todos no aprendizado e na diversão. Viva o impacto dos ventos de furacão e ande numa bicicleta em uma corda bamba a 9 metros de altura. Os fãs de dinossauros encontram esqueletos com os maiores ossos articulados já descobertos. Esse conjunto enorme tem jardim de borboletas, reserva de floresta, cinema Imax® de cúpula e um planetário. Kids in Charge, um centro de ciência interativo para crianças, é o maior do gênero no país. As crianças são estimuladas a investigar, criar e envolver-se em atividades como deitar numa cama de pregos para saber por que não dói e puxar um cabo de guerra para aprender como funcionam as alavancas.

Para relaxar

A **Backwoods Forest Preserve** do Mosi, ao ar livre, oferece espaço suficiente para gastar o excesso de energia, e o seu **Sky Trail® Ropes Course**, de vários níveis, foi concebido com desafios para todas as idades.

Informações

🌐 **Mapa** 7 B1
Endereço 4801 Fowler Ave, Tampa, 33617; 813 987 6080; *mosi.org*

🚌 **Ônibus** Hartline 5, no centro de Tampa

🕐 **Aberto** 9h-17h seg-sex e 9h-18h sáb-dom

💲 **Preço** $90-100; até 5 anos, grátis (cinema Imax®, planetário e Kids in Charge inclusos)

👪 **Para evitar fila** Reserve ingressos na internet ou por telefone

👫 **Idade** A partir de 5 anos

👟 **Atividades** O museu oferece as aulas e oficinas Weekend Family Escape

⏱ **Duração** No mínimo 4 horas

🍴 **Comida e bebida** LANCHE Mel's Hot Dogs *(4136 E Busch Blvd, 33617; 813 985 8000; fechada dom)*, tradição em Tampa, serve cachorro-quente simples e com recheios. REFEIÇÃO Antonio's Pasta Grille *(11401 North 56th St, 33617, 813 914 8899)* tem pratos italianos como pizza e panini.

CRIANÇADA!

Furacões x tornados

A seção Disasterville do Museum of Science and Industry deixa experimentar o impacto de nove tipos de desastres naturais simulados, como furacões e tornados. Sabe qual é a diferença entre um furacão e um tornado?
1 Furacão é uma tempestade tropical forte, com muita chuva e ventos de 120km/h ou mais. Tornado é uma tempestade de vento violenta: uma nuvem giratória em forma de funil que pode chegar a 515km/h.
2 Os furacões podem ter até 640km de extensão, e o diâmetro médio de um tornado é de 2 km ou menos.

CURIOSIDADES DOS CAVALOS-MARINHOS

Cavalos-marinhos nadam eretos, não de lado, e se movem para cima e para baixo ou para os lados. Ao descansar, enrolam o rabo numa alga para se ancorar. Eles têm cores variadas – laranja, vermelho e verde – e o corpo com manchas ou até listras de zebra.

Bem-vindo ao lombo

Os passeios de camelo são dos mais procurados no Lowry Park Zoo. Os camelos são altos, mas não é preciso subir em escada para chegar lá: eles gentilmente ajoelham para que o passageiro possa subir. Eles se dão bem no deserto porque podem viver uma semana ou mais sem água – o que, claro, não se recomenda para seres humanos.

Piquenique até $25; **Lanche** $25-50; **Refeição** $50-80; **Para a família** mais de $80 (para quatro pessoas)

Casa de tijolos amarelos que abriga o Ybor City Museum State Park, Tampa

⑥ Ybor City
Sotaque cubano e fumaça de charuto

Esse bairro de Tampa leva o nome de Don Vicente Martínez Ybor, cuja empresa de charutos nasceu lá em 1886, gerando a mais vibrante comunidade cubana dos EUA. Vá ao **Ybor City Museum State Park**, instalado numa padaria antiga, para saber mais sobre a história de Ybor City e ver como os operários viviam. Embora o ramo dos charutos tenha definhado, Ybor City continua interessante. Passeie pela 7th Avenue, onde se veem a arquitetura antiga e muitos cafés e lojas que abriram recentemente. A feira aos sábados de manhã no Centennial Park atrai uma multidão com hortifrútis frescos, café cubano, artesanato e música.

Para relaxar

O **Ybor City Museum State Park** tem um jardim formal com caminhos para passear. Se as crianças quiserem dar um tempo, dirija 4km até o **Bayshore Boulevard**, em Tampa, na margem oeste da baía Hillsborough – um calçadão de 10 km para caminhar, correr e pedalar, anunciado como "a mais longa calçada do mundo".

Informações

- **Mapa** 7 B1
- **Endereço** Ybor City Museum State Park: 1818 North Ave, Tampa, 33605; 813 247 6323; floridastateparks.org/yborcity
- **Bonde** Teco, no centro de Tampa, para Ybor City
- **Informação turística** Visitor Information Center, Centro Ybor, 1600 East 8th Ave, Tampa, 33605; 813 241 8838; www.ybor.org
- **Aberto** Ybor City Museum State Park: 9h-17h diariam
- **Preço** Ybor City Museum State Park: $16-26; até 5 anos, grátis
- **Passeios guiados** O museu fornece autoguias para passeios a pé pelo bairro
- **Idade** A partir de 8 anos
- **Atividades** O museu realiza passeios guiados à Casita – casa de um operário da charutaria – toda hora, 11h-15h seg-sáb
- **Duração** 2 horas
- **Comida e bebida**
  LANCHE La Tropicana Café (1822 E 7th Ave, 33605; 813 247 4040) é um dos preferidos para sanduíches cubanos autênticos, lanches e outros quitutes. **PARA A FAMÍLIA** Columbia Restaurante (2117 E 7th Ave, 33605; 813 248 4961) é o mais antigo restaurante da Flórida, e vale a pena esbanjar com a ótima comida cubano-espanhola

Preços para família de 4 pessoas

⑦ Glazer Children's Museum
Diversão para os pequenos

O mais novo museu de Tampa oferece às crianças menores a chance de aprender pela descoberta e brincar em ambientes recriados – de um posto de bombeiros a um consultório veterinário e um banco. Voar em avião, comprar na mercearia e ser garçom são experiências de que as crianças gostam. Em Tug Boat Tots, quem tem mais de 3 anos pode explorar um barco, brincar de pesca e ouvir histórias. O museu tem também brincadeiras com água e atividades artísticas.

Para relaxar

O Glazer Museum fica no **Curtis Hixon Waterfront Park** (600 N Ashley Dr, 33602), que conta com playground e caminho pavimentado panorâmico junto à água. O playground tem uma atração rara: o interativo NEOS 360 Ring, mistura de videogame e exercícios aeróbicos.

Informações

- **Mapa** 7 B1
- **Endereço** 110 W Gasparilla Plaza, Tampa, 33602; 813 443 3861; www.glazermuseum.org
- **Ônibus** Hartline 30 e 70
- **Aberto** 9h-17h seg-sex, 9h-18h sáb e 13h-18h dom
- **Preço** $50-60
- **Para evitar fila** Pode-se reservar ingresso pela internet, mas raramente há fila
- **Idade** A partir de 3 anos
- **Atividades** Programas especiais feitos com frequência; veja detalhes no site
- **Duração** 2-4 horas
- **Cadeira de rodas** Sim
- **Comida e bebida**
  LANCHE Tiny Bites Café (no local) tem sanduíches, lanches e cardápio infantil, com favoritos como pasta de amendoim e geleia e sanduíche de queijo quente. **REFEIÇÃO** Five Guys Burgers and Fries (777 N Ashley Dr, 33602; 813 463 1999), nas proximidades, serve hambúrgueres por preço baixo e tem muitos pratos que satisfazem grandes apetites.

Arquitetos mirins na Design + Build, no Glazer Children's Museum, Tampa

Tampa e arredores | 219

Escultura de manati em Silas Beach, Homosassa Springs Wildlife State Park

⑧ Manatee Viewing Center
O mamífero favorito da Flórida visto de perto

O manati (ou peixe-boi) é um mamífero aquático ameaçado de extinção, e seu parente mais próximo é o elefante. Tem um corpo enorme, parecido com o da foca, rabo chato, pode pesar até 450 kg e chegar a 3 m de comprimento. Esses bichos mansos precisam de calor e, nos meses frios, migram para a água quente gerada pela Estação de Energia de Big Bend, da Companhia Elétrica de Tampa. Eles podem ser vistos de perto da plataforma do Manatee Viewing Center, situada dentro da usina geradora. Os manatis também são atraídos o ano inteiro para as nascentes quentes do **Homosassa Springs Wildlife State Park** *(4150 S Suncoast Blvd, Homosassa, 34446, 352 628 5343;* *www.floridastateparks.org/homosassasprings)*, situadas a 140 km de Tampa. Ali os manatis são vistos do observatório submerso do parque. Este também é o lar de vários outros animais, como ursos, aligatores, lontras e flamingos.

Para relaxar
No centro de observação, o **Tidal Walk** (passeio da maré) até o estuário da baía de Tampa queima energia e deixa ver plantas nativas e pássaros costeiros. No fim do caminho há outro ponto para ver os manatis – o canal de descarga da usina.

Informações
🌐 **Mapa** 7 B2
Endereço 6990 Dickman Rd, Apollo Beach, 33572; 813 228 4289; *www.tampaelectric.com/manatee*
🚗 **Carro** Alugue no aeroporto de Tampa. Há estacionamento.
🕐 **Aberto** 1 nov-15 abr: 10h-17h diariam
💲 **Preço** Grátis
👥 **Idade** Livre
🏃 **Atividades** Muita diversão para crianças em *www.tampaelectric.com/manatee/funstuff/webcam2*.
⏱ **Duração** 1 hora
🍽 **Comida e bebida** LANCHE San Remo Pizza Restaurante *(6426 N US 41, 33572; 813 645 9742)* é um local de família agradável que serve calzones. REFEIÇÃO Circles Waterfront Dining *(1212 Apollo Beach Blvd, 33572, 813 641 3275; fechado dom)* oferece um cardápio variado e muitas opções para crianças, além de ótimas vistas.

CRIANÇADA!

Fique alerta
Quando visitar Ybor City, vá ao:
1 Visitor Information Center. O Centro Ybor, na East 8th Avenue 1600, está alojado na maior caixa de charutos do mundo, junto com o Ybor City Museum.
2 José Martí Park. Situado na esquina da 8th Avenue com a 13th Street, esse parque homenageia José Martí, o libertador de Cuba. A família Pedroso comprou o terreno e o doou à atual República de Cuba independente como monumento a Martí. Então, em tese, você está pisando em solo cubano.

FUMANTES FAMOSOS
Embora não faça bem fumar, muita gente famosa foi fotografada fumando charuto. Entre eles estão os ex-presidentes dos EUA Bill Clinton e John F. Kennedy, o ex-primeiro-ministro britânico Winston Churchill e o ex-presidente cubano Fidel Castro.

Manatis comilões
Para alimentar seu corpo enorme, os manatis passam de seis a oito horas por dia comendo. Quanto você pesaria se comesse por tanto tempo? Um manati adulto come de 45 kg a 70 kg de comida por dia – e são herbívoros, quer dizer, só comem vegetais que crescem no mar. Será que você conseguiria comer tanta verdura assim na sua dieta diária?

Lu, o hipopótamo, come seu bolo de aniversário, Homosassa Springs Wildlife State Park

Piquenique até $25; **Lanche** $25-50; **Refeição** $50-80; **Para a família** mais de $80 (para quatro pessoas)

⑨ Dalí Museum, St. Petersburg
O mundo surrealista de Salvador Dalí

As criações excêntricas do artista espanhol Salvador Dalí, com o uso de ilusão de óptica e temas oníricos, intrigam a todos. Levada a St. Petersburg em 1982 pelo empresário A. Reynolds Morse e por sua mulher, Eleanor, essa é a maior coleção das obras de Dalí fora da Espanha. As 2.140 peças estão alojadas num prédio de concreto envolto por uma fantástica onda geodésica.

Vista aérea do espetacular Dalí Museum e do Avant-Garden

Destaques

- **Terceiro andar** Acervo permanente e galeria de exposições especiais
- **Segundo andar** Salas de negócios, pesquisa e reunião
- **Primeiro andar** Cinema, loja e café

① **Entrada oeste** A austera fachada oeste do museu dá uma ideia das surpresas lá de dentro. A entrada, por um espaço sombrio e cavernoso, leva a um átrio de três andares cheio de luz.

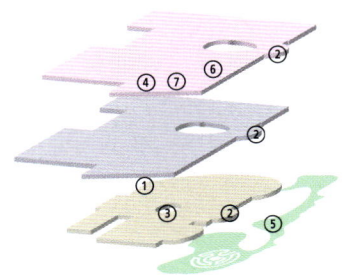

② **Fachada leste** As janelas onduladas do museu na fachada leste são feitas de 1.062 vidros triangulares, nenhum deles igual a outro. Eles inundam o interior de luz e dão aos visitantes uma vista ímpar da orla marítima de St. Petersburg.

③ **Escada helicoidal** A escada se espirala na direção da claraboia, levando os visitantes às galerias do terceiro andar. Uma galeria permanente abriga as pinturas; outra, as esculturas e os filmes de Dalí.

④ **A descoberta da América por Cristóvão Colombo** Essa pintura, de mais de 1,5m, é uma das oito "obras-primas" da coleção. Cada pintura tem uma galeria própria para ser mais bem apreciada.

⑤ **Avant-Garden** O jardim do museu, à beira-mar, é uma maravilha, com pedras, plantas tropicais exóticas, um retângulo dourado com piso de várias cores e um labirinto. Alguns dos bancos curvos abrigam os conhecidos relógios derretidos.

⑥ **A Desintegração da Persistência da Memória** Com relógios derretidos, essa é uma das mais famosas pinturas de Dalí.

⑦ **O Toureiro Alucinógeno** Pintada em 1969-70, essa é uma das pinturas oníricas de Dalí, que emprega ilusões de óptica especialmente instigantes para a plateia jovem.

Informações

Mapa 7 A2
Endereço 1 Dalí Blvd, St. Petersburg, 33701; 727 823 3767; www.thedali.org

Trólebus A linha Downtown Looper ($0,50 por pessoa; até 5 anos, grátis) tem um ponto no museu

Aberto 10h-17h30 seg-sáb (até 20h qui) e 12h-17h30 dom

Preço $56-84; até 5 anos, grátis ($7 para 6-12 anos e $15 para 13-18 anos)

Para evitar fila Compre ingressos pela internet. Use o cupom para economizar na entrada de adultos.

Passeios guiados O museu realiza visitas diárias a cada meia hora das 10h30 às 15h30 e também 17h30 e 18h30 qui; 12h30-15h30 dom.

Idade A partir de 5 anos

Atividades Os programas infantis Dilly Dally with Dalí são realizados em dias de semana no horário do museu e 12h30-16h dom. Há oficinas de artes 11h45-16h30 sáb e leitura de histórias 11h15 ter-qui.

Duração 2-3 horas
Cadeira de rodas Sim
Café Café Gala (no local) serve sopas, saladas e tapas.
Loja No primeiro andar (p. 221)
Banheiros No primeiro e no terceiro andar

Bom para a família?
O Dalí apresenta às crianças a arte surrealista. Embora caro para uma família, o museu é uma experiência memorável.

Preços para família de 4 pessoas

Grande variedade de acessórios e bolsas na maravilhosa loja do Dalí Museum

Para relaxar

O **Albert Whitted Park**, perto do museu e ao lado do pequeno aeroporto municipal, tem playground com tema de avião e torre de controle para ver os aviões decolar.

Comida e bebida

Piquenique: até $25; Lanche: $25-50; Refeição: $50-80; Para a família: mais de $80 (para quatro pessoas)

PIQUENIQUE Mazzaros Italian Market *(2909 22nd Ave N, 33713; 727 321 2400; www.mazzarosmarket.com)* tem provisões para fazer piquenique no parque da baía de Tampa.
LANCHE Hangar Restaurant & Flight Lounge *(540 1st St SE, 33701; 727 823 7767; www.thehangarstpete.com)*, no Aeroporto Albert Whitted, tem lanches para viagem.

Mesas ao ar livre no Moon Under Water, St. Petersburg

REFEIÇÃO The Moon Under Water *(332 Beach Dr NE, 33701; 727 896 6160; www.themoonunderwater.com)* serve comida comum de pub, como peixe com chips, e saladas. Tem também cardápio infantil.
PARA A FAMÍLIA St. Pete Brasserie *(533 Central Ave, 33701; 727 823 3700; www.stpetebrasserie.com)* oferece pratos típicos franceses e jantar de quatro pratos de preço fixo. As crianças preferem fritas.

Compras

A **Dalí Museum Store** vende artigos irresistíveis inspirados no imaginário de Dalí: utensílios domésticos, "arte para usar" na forma de joias, cachecóis, acessórios etc. As crianças gostam de quebra-cabeças e livros sobre ilusão de óptica.

Saiba mais

INTERNET Veja uma boa introdução ao Surrealismo em *academickids.com/encyclopedia/index.php/Surrealism.*

Próxima parada...

CRYSTAL RIVER ARCHAEOLOGICAL STATE PARK Duas horas de carro ao norte de St. Petersburg, esse Marco Histórico Nacional *(www.floridastateparks.org/crystalriverarchaeological)* é um dos melhores lugares para vislumbrar a vida dos antigos indígenas da Flórida. Antes importante núcleo cerimonial para enterrar os mortos e fazer comércio, esse enorme sítio arqueológico tem seis montículos fúnebres, plataformas de templos e um sambaqui – depósito que contém conchas, ossos e outras relíquias de cerca de 1.600 anos atrás.

Montículos fúnebres no Crystal River Archaeological State Park

CRIANÇADA!

As aparências enganam

1 Se as obras de Dalí não parecem realistas, algumas foram inspiradas por acontecimentos reais. Encontre uma pintura dessas entre as obras de Dalí.
2 Uma das pinturas mais famosas de Dalí traz sua ideia incomum sobre um objeto muito conhecido. Sabe qual é?
3 Dalí costumava criar ilusões de óptica. Você consegue encontrar uma pintura em que a figura da estátua da Vênus de Milo transforma-se num toureiro de gravata verde?

Respostas no fim do quadro.

O QUE É SURREAL?

Salvador Dalí é um dos mais famosos pintores surrealistas. Sabe o que significa "surreal"? O dicionário diz que é o que tem relação com o sonho, que está além da realidade. Dalí dizia que algumas de suas obras eram "fotos de sonhos pintadas à mão". Você já teve sonhos estranhos? Acha que é capaz de retratar alguns dos seus sonhos?

Curiosidades de Dalí

Salvador Dalí nasceu na Espanha em 1904. Seu nome inteiro era Salvador Domènec Felipe Jacint Dalí i Domènech, marquês de Púbol – não admira que ele o tenha encurtado! O talento de Dalí logo foi reconhecido. Seus pais lhe deram um estúdio quando ele tinha 10 anos. Fez sua primeira mostra na cidade natal de Figueres aos 5 anos, e sua primeira exposição individual em Barcelona aos 21. Seu traço mais famoso era o bigode engraçado.

Respostas: 1 A descoberta da América por Cristóvão Colombo. **2** Um relógio. **3** O toureiro alucinógeno.

222 | Costa do Golfo

O Píer, uma das atrações mais conhecidas de St. Petersburg

⑩ Bayshore Drive e o Píer

Essa construção está do lado certo?

O Dalí Museum *(pp. 220-1)* ancora uma ponta da extensa série de belos parques à beira-mar de St. Petersburg, que se desdobra por 23 quadras da Bayshore Drive, junto à baía de Tampa. Marco mais conhecido da cidade, o **Píer** vai do centro dos parques para dentro da baía. Essa pirâmide invertida de cinco andares contém lojas, um aquário pequeno e praça de alimentação. Os passeios turísticos de barco pela baía também partem do Píer. Todavia, um novo prédio, chamado The Lens, foi escolhido para substituir o Píer depois que seu projeto venceu a Competição Internacional do Projeto do Píer de St. Petersburg. Na ponta norte da Bayshore Drive, o Renaissance Vinoy Resort, restaurado, vale uma parada para ver as mostras de fotos da vida nos chiques anos 1920.

Para relaxar

As crianças ativas têm muito espaço para correr nos caminhos do parque, que acompanha a extensão da **Bayshore Drive**. São ótimos para pedalar também. Wheel Fun Rentals *(no Píer; 727 820 0375; www.wheelfunrentals.com)* aluga vários tipos de bicicleta. Visite o vizinho **Demen's Landing Park** *(1st St, 33701)*, com playground e pontos bons para piquenique. O parque oferece gramados abertos para jogar frisbee ou empinar pipa. Passe para o **South Straub Park** *(1st Ave N, 33701)*, com escultura de pedra que as crianças adoram escalar.

Informações

- 🌐 **Mapa** 7 A2
- **Endereço** Píer: 800 2nd Ave NE, St. Petersburg, 33701; 727 821 6443; www.stpetepier.com
- 🚌 **Trólebus** O St. Pete ($2, até 5 anos, grátis) percorre o Píer.
- 🕐 **Aberto** Píer: 10h-20h seg-qui, 10h-21h sex-sáb e 11h-19h dom
- 💲 **Preço** Píer: grátis
- **Idade** Livre
- **Atividades** Muitos shows e eventos especiais são realizados no Píer. Veja detalhes no site.
- ⏱ **Duração** 2 horas
- 🍴 **Comida e bebida** LANCHE Dockside Eatery *(no primeiro andar do Píer; 727 821 6443)* é uma praça de alimentação que serve desde comida chinesa e gyros (churrasquinho grego) a sanduíches, pizza e sorvete. PARA A FAMÍLIA Columbia Restaurante *(no quarto andar do Píer; 727 822 8000)*, filial da famosa rede de restaurantes de Tampa, é uma tentação com pratos alegres hispano-cubanos. Oferece também vista panorâmica da baía de Tampa.

⑪ Museum of Fine Arts

Museu pequeno, grandes artistas

Instalado numa bela casa diante da baía de Tampa, esse museu situa-se no centro da sucessão de parques. Se é difícil apresentar as belas-artes

Informações

- 🌐 **Mapa** 7 A2
- **Endereço** 255 Beach Dr NE, St. Petersburg, 33701; 727 896 2667; www.fine-arts.org
- 🚌 **Trólebus** St. Pete
- 🕐 **Aberto** 10h-17h seg-sáb, até 20h qui e 12h-17h dom
- 💲 **Preço** $54-68; até 6 anos, grátis
- **Passeios guiados** O museu realiza visitas com guias às 11h e 14h ter-sáb e 14h dom.
- **Idade** A partir de 7 anos
- **Atividades** Há programação infantil no terceiro sábado do mês
- ⏱ **Duração** 2 horas
- 🍴 **Comida e bebida** LANCHE MFA Café *(no local; 727 822 1032; fechado seg)*, espaço arejado no museu, oferece boa variedade de sanduíches e saladas. PARA A FAMÍLIA Parkshore Grill *(300 Beach Dr NE, 33701; 727 896 3463; www.parkshoregrill.com)* tem mesas fora com vista para a Vinoy Yacht Basin. Também conta com um belo salão de refeições, com cozinha aberta. O cardápio americano variado vai de bolo de siri a carnes. Dispõe ainda de um cardápio infantil com bons preços.

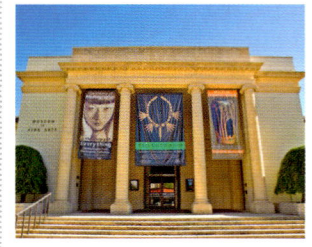

O imponente prédio que abriga o Museum of Fine Arts, St. Petersburg

às crianças quando o museu é grande e intimidante, esse museu tem o tamanho ideal para uma atenção curta. Conta com acervo excelente de grandes artistas – Cézanne, Monet, Renoir, Rodin e O'Keeffe, entre muitos. Outras galerias apresentam a arte antiga e asiática, vidros Steuben, uma bela coleção de fotos, e no jardim há esculturas.

Para relaxar

Corra pelo parque da baía ao redor do museu ou desça 19km a sudoeste até o **Fort De Soto Park** *(www.*

Preços para família de 4 pessoas

fortdesoto.com). Ótimo refúgio durante um dia, trata-se de um parque municipal de cinco ilhas interligadas com lindas praias e um forte histórico legal para explorar. As ilhas têm mangues, charcos e palmeirais, além de numerosas espécies de pássaros. Cais para pescar, trilhas de caminhada e aluguel de canoa, caiaque e bicicleta proporcionam atividade contínua. Há banheiros, uma concessão de lanchonete e chuveiros externos para tirar a areia.

Vista pitoresca do Fort De Soto Park

⑫ Great Explorations Children's Museum
Faça um robô, dirija uma pizzaria

As crianças é que mandam aí, em pequenas recriações de campos como uma pizzaria, um posto de bombeiros, um consultório veterinário e supermercado. Existe um laranjal de faz de conta onde elas podem coletar, embalar e despachar as frutas, e ainda transformá-las em suco. Uma casa em uma árvore fácil de escalar, um laboratório para fazer robôs móveis e a chance de criar animações com uma câmara digital estão entre as atividades favoritas.

Para relaxar
Vá aos **Sunken Gardens** *(1825 4th St N, 33704; 727 551 3102; www.stpete.org/sunken)*, junto ao museu. Essa atração antiga tem caminhos calçados para esticar pernas jovens, cascatas e cerca de 5 mil plantas e flores exóticas de várias partes do mundo.

Informações
- 🌐 **Mapa** 7 A2
  Endereço 1925 4th St N, St. Petersburg, 33704; 727 821 8992; www.greatexplorations.org
- 🚌 **Ônibus** A linha 4 PSTA *(www.psta.net)* para perto do museu. Veja o itinerário no site.
- 🕐 **Aberto** 10h-16h30 ter-sáb e 12h-16h30 dom; fechado seg
- 💲 **Preço** $40-50
- 👫 **Idade** A partir de 2 anos
- 🎨 **Atividades** O museu realiza muitos programas especiais aos sábados. Veja a programação atualizada no site.
- ⏱ **Duração** 2 horas
- ☕ **Comida e bebida** LANCHE Panera Bread *(1908 4th St N, 33704; 727 895 5441)* tem pães deliciosos para fazer ótimos sanduíches. Sobremesas saborosas.
  REFEIÇÃO **Fourth Street Shrimp Store** *(1006 4th Ave N, 33701; 727 822 0325)* está em uma antiga oficina mecânica e tem ambiente festivo. Serve ótimos frutos do mar e tem cardápio infantil.

Caminho sinuoso em meio ao verde exuberante dos Sunken Gardens, St. Petersburg

CRIANÇADA!

Seja detetive de arte
O Museum of Fine Arts tem muitas pinturas famosas. Veja se consegue achar algumas enquanto visita o museu. Procure:
1. Uma flor vermelha grande.
2. Uma menina lendo um livro.
3. Uma cidade com névoa no rio.

Respostas no fim do quadro.

DETROIT, FLÓRIDA?
St. Petersburg foi batizada por Peter Denems, que morara em São Petersburgo, na Rússia. Ele e o cofundador da cidade, John C. Williams, jogaram uma moeda para ver quem daria nome à cidade. Se Denems perdesse, ela se chamaria Detroit, onde Williams tinha nascido.

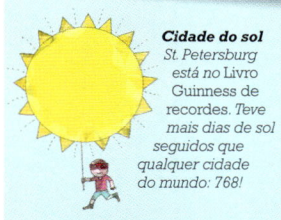

Cidade do sol
St. Petersburg está no Livro Guinness de recordes. *Teve mais dias de sol seguidos que qualquer cidade do mundo: 768!*

Relógio de sol humano
St. Petersburg comemorou em 2010 o 100º aniversário de seus parques à beira-mar fazendo um relógio do sol do centenário "humano". Há um semicírculo de marcas de horas no chão, de tal forma que, se você ficar de frente para o norte diante do meio círculo, sua sombra dará a hora certa. Ache o Centennial Sundial no Northshore Park, que fica depois do Vinoy Park.

Respostas: 1 *Poppy*, de Georgia O'Keeffe. **2** *La lecture* (A leitura), de Berthe Morisot. **3** *Le Parlement, effet de brouillard* (O Parlamento, efeito de névoa), de Claude Monet.

Piquenique até $25; **Lanche** $25-50; **Refeição** $50-80; **Para a família** mais de $80 (para quatro pessoas)

⑬ Ringling Museum, Sarasota
O maior espetáculo da Terra!

Aberto em 1925, o museu que abriga a famosa coleção de arte do multimilionário dono de circo John Ringling é só uma parte de seu enorme imóvel junto à baía de Sarasota. A coleção inicial de Ringling, com 600 pinturas, cresceu para mais de 2 mil objetos, inclusive arte asiática e contemporânea. Pontilhado de jardins, o imóvel exibe o único teatro europeu genuíno do século XVIII, além da refinada casa de Ringling e de dois museus cheios de nostalgia e diversão de circo.

Cartaz de circo no Ringling Museum of Art

Destaques

① Cà' d'Zan O palácio veneziano restaurado dos Ringlings, concluído em 1926, tem uma banheira feita de um só bloco de mármore. Olhe para o teto do salão de baile – é uma pintura do ilustrador de livros infantis Willy Pogany, com casais de várias partes do mundo dançando.

② Circus Museum Criado após a morte de Ringling, o museu documenta a rica história do circo e exibe as enormes carroças de desfile, trajes com lantejoulas e o vagão particular de John Ringling.

③ Historic Asolo Theater Esse teatro restaurado serve de palco para concertos e projeção de filmes. Feito na Itália em 1798, foi levado à propriedade de Ringling nos anos 1940.

④ Ringling Museum of Art Museu estadual oficial da Flórida, abriga pinturas inestimáveis dos grandes mestres. Veja *Coleta do maná*, de Rubens – é difícil dizer se a figura de Moisés tem raios de luz ou chifres saindo da cabeça.

⑤ Pátio do Museum of Art Veja os moldes de antiguidades originais e esculturas renascentistas, inclusive o enorme *David* de Michelangelo, além de duas réplicas de fontes romanas. A *Fountain of the Tortoises* (Fonte das Tartarugas) é um dos xodós da garotada.

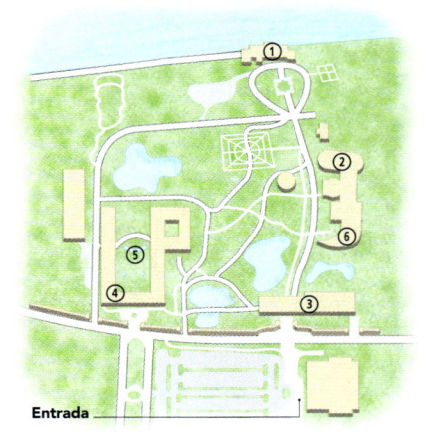

⑥ Tibbals Learning Center As crianças podem andar numa corda bamba inofensiva, disparar um minicanhão, vestir-se de palhaço e tentar entrar num carro anão. A maquete do Howard Bros. Circus ocupa uma sala inteira, com oito tendas e 152 carroças, e tem detalhes como os pratinhos no refeitório.

Informações

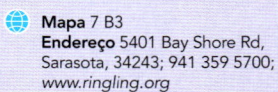

🌐 **Mapa** 7 B3
Endereço 5401 Bay Shore Rd, Sarasota, 34243; 941 359 5700; www.ringling.org

🚌 **Ônibus** 99 da Sarasota County Area Transit (SCAT) vem do centro toda hora (scgov.net/scat)

🕐 **Aberto** 10h-17h diariam e até 20h qui (só museus)

💲 **Preço** $60-70 (qui: $30-40). Ringling Museum of Art grátis seg.

Para evitar fila Ligue para 941 358 3180 para informação sobre ingressos e para 941 360 7399 para reservar ingressos para o Historic Asolo Theater.

👉 **Passeios guiados** Visitas horárias com guia ao Ringling Museum of Art e ao Circus Museum. Só se pode visitar o primeiro andar da Cà' d'Zan com guia.

👨‍👩‍👧 **Idade** A partir de 6 anos; a Cà' d'Zan, com passagens estreitas, não é para crianças pequenas.

🤸 **Atividades** Veja no site sobre os Center Ring Saturdays e espetáculos no Historic Asolo Theater.

⏱ **Duração** No mínimo um dia

♿ **Cadeira de rodas** Sim

☕ **Café** Banyan Café, defronte do Circus Museum, serve cachorro-quente e palitos de frango frito.

🏷 **Loja** No John M. McKay Visitors Pavilion (p. 225)

🚻 **Banheiros** Em todos os prédios

Bom para a família?
As crianças vão adorar as atrações de museu, ainda mais no Circus Museum, mas é caro.

Preços para família de 4 pessoas

Sarasota e arredores | 225

Esculturas e canteiros de rosas no Mable's Rose Garden

Para relaxar
O amplo terreno do Ringling tem muitos caminhos para gastar energia e lindos jardins para admirar. A mulher de John Ringling, Mable, era uma jardineira ávida, e seu **Rose Garden** (roseiral), seguindo um padrão circular italiano, é um dos lugares mais bonitos da propriedade. Quando as 1.200 roseiras ficam floridas, o aroma é maravilhoso. As crianças se divertem no **Mable's Secret Garden**, no **Dwarf Garden** e na **Millennium Tree Trail**.

Blue Dolphin Café, no histórico St. Armands Circle, Sarasota

Comida e bebida
Piquenique: até $25; Lanche: $25-50; Refeição: $50-80; Para a família: mais de $80 (para quatro pessoas)

PIQUENIQUE Publix *(1044 N Tamiami Trail, 34236; 941 366 3270)* tem provisões para piquenique e lanches para comer nas mesas próximas do roseiral.
LANCHE St. Armands Circle, área de compras criada por John Ringling no Lido Key, tem muitas boas opções. **Venezia** *(373 St. Armands Circle, 34236; 941 388 1400; venezia 1966.com)* serve pizzas saborosas.
REFEIÇÃO Blue Dolphin Café *(470 John Ringling Blvd, 34236; 941 388 3566; bluedolphincafe.com)*, lanchonete informal, oferece cardápio infantil no café da manhã e no almoço.

PARA A FAMÍLIA Café L'Europe *(431 St. Armands Circle, 34236; 941 388 4415; www.cafeleurope.net)* é um restaurante francês tradicional procurado para jantares especiais. O menu infantil tem saladas, palitos de frango frito e torta de limão.

Compras
A **loja do museu** encanta as crianças com lembranças como bolas de malabarismo, nariz de palhaço e quebra-cabeças de atrações do museu. Para os adultos, cachecóis com temas venezianos da Cà' d'Zan, bijuteria bonita e utensílios. O **St. Armands Circle** tem lojas de todo tipo e sorveterias em locais estratégicos para descansar um pouco.

Saiba mais
INTERNET Conheça a história do circo Ringling, os melhores números, o tratamento dos animais e outros tópicos em *www.ringling.com*. Saiba o que é preciso para ser palhaço em *www.allaboutclowns.com*.

Próxima parada...
SARASOTA JUNGLE GARDENS
Quase 2km ao sul do Ringling Museum, os Sarasota Jungle Gardens *(www.sarasotajunglegardens.com)* encantam as famílias desde os anos 1940. Há caminhos pelos 4 hectares de vegetação tropical exuberante e uma "selva mirim" com um playground imaginoso. Adultos e crianças gostam de dar de comer aos flamingos. Nas apresentações para a garotada há aligatores, cobras, aves de rapina e aves tropicais – os papagaios de patins fazem muito sucesso.

CRIANÇADA!
O desafio do circo
1 Diga três acessórios necessários para ficar parecido com um palhaço.
2 A maior maquete de circo do mundo foi feita por Howard Tibbals. Em quanto tempo ele a construiu? Quantas figuras existem no circo? 
3 O pessoal de circo tem o seu jargão. Sabe quem é Joey? E o que é um funambulista?

Respostas no fim do quadro.

PALHAÇO ENORME, CARRO ANÃO
Um dos palhaços presentes no Circus Museum é Lou Jacobs, que tinha um carro anão, com 60 cm de largura e 90 cm de comprimento. Lou tinha mais de 1,80m, mas conseguia se dobrar, entrar no carro e guiá-lo no centro do picadeiro. A plateia adorava quando ele saltava para fora.

Conheça o Barroco
Os artistas favoritos de John Ringling, entre eles Peter Paul Rubens, criaram pinturas requintadas no estilo barroco. Em voga na Europa do início do século XVII a meados do XVIII, as pinturas barrocas eram impressionantes, grandiosas e às vezes com detalhes exagerados. Presente no Ringling Museum of Art, a série *Eucaristia*, de Rubens, é um exemplo famoso. Você consegue fazer um desenho de estilo barroco?

Respostas: 1 Nariz vermelho, sapatos grandes, peruca engraçada. **2** 50 anos; mais de 1.300 figuras. **3** Palhaço; equilibrista.

⑭ The Aquarium do Mote Marine Laboratory

Encontros íntimos com seres marinhos

O Aquário do Mote Marine Laboratory tem atrações de sobra, desde habitats de tubarões, lagoa com golfinhos e uma lula gigante de 7 metros até a chance de estar perto de tartarugas marinhas e manatis, e sentir a sensação de veludo nas costas de uma arraia. Ligado a um importante centro de pesquisa marinha, o Aquarium exibe o trabalho do laboratório e expõe estudos científicos sobre recifes de coral e espécies marinhas. É uma experiência excepcional ver no Dolphin and Whale Hospital e no Sea Turtle Rehabilitation Center cavalos-marinhos nascerem e serem criados ou observar como são tratados e depois devolvidos ao seu habitat, o que torna a visita ao aquário inigualável.

Para relaxar

Amplo parque com ótimas vistas, ao lado da baía de Sarasota, o **Ken Thompson Park** *(1700 Ken Thompson Pkwy, 34236)*, na vizinhança, tem balanços, píer de pesca e gramados para brincar e fazer piquenique.

Crianças observam peixes tropicais no Aquarium at Mote Marine Laboratory

Informações

- 🌐 **Mapa** 7 A3
  Endereço 1600 Ken Thompson Pkwy, Sarasota, 34236; 941 388 4441; www.mote.org
- 🚗 **Carro** Alugue no Aeroporto de Sarasota
- ⏰ **Aberto** 10h-17h diariam
- 💲 **Preço** $58-68; até 4 anos, grátis
- 👥 **Passeios guiados** Os passeios matinais de 90 minutos deixam três visitantes com mais de 10 anos ver de perto os cuidados com os animais.
- 🧒 **Idade** Livre
- 🏃 **Atividades** Jogue jogos interativos no Immersion Cinema (no local). Veja no site a programação atual para a família. O aquário também oferece passeios de barco pela baía de Sarasota.
- ⏱ **Duração** 3 horas
- ♿ **Cadeira de rodas** Sim
- 🛍 **Loja** Vende brinquedos, bichos de pelúcia, quebra-cabeças etc.
- 🍴 **Comida e bebida** *LANCHE* Deep Sea Diner *(no local)* é bom para um lanche ou almoço leve. *REFEIÇÃO* The Old Salty Dog *(1601 Ken Thompson Pkwy, 34236; 941 388 4311)*, na vizinhança, é uma das melhores opções para família em Sarasota, com menu informal e deque fora para ver os barcos passando.

Informações

- 🌐 **Mapa** 7 B3
  Endereço 811 South Palm Ave, Sarasota, 34236; 941 366 5731; www.selby.org
- 🚌 **Ônibus** Linha 17 da SCAT na Tamiami Trail (US 41) para perto
- ⏰ **Aberto** 10h-17h diariam
- 💲 **Preço** $46-68; até 6 anos, grátis
- 🧒 **Idade** A partir de 5 anos
- 🏃 **Atividades** Little Sprouts é um programa interativo divertido para pré-escolares, com histórias e jogos
- ⏱ **Duração** 2 horas
- 🍴 **Comida e bebida** *LANCHE* Local Coffee + Tea Cafe *(no local)* serve petiscos, sanduíches e sobremesas. *REFEIÇÃO* Hillview Grill *(1920 Hillview St, 34239; 941 952 0045; fechado dom)* oferece cardápio americano variado, com hambúrgueres, saladas e refeições completas.

⑮ Marie Selby Botanical Gardens

Floresta, peixes e jardim encantado

As mais de 6 mil orquídeas são a atração principal, mas não os únicos atrativos, nesse lindo mundo de plantas exóticas. Conhecido por suas epífitas – plantas, como as orquídeas, que crescem em outras –, o jardim botânico também tem bambuzais, bosques de figueiras, hibiscos, samambaias, frutas tropicais, cactos, plantas nativas da Flórida, um manguezal e oito estufas cheias de plantas. As crianças são bem-vindas e estimuladas a conhecer o lugar e correr no grande gramado. Veja as plantas esquisitas que vivem em árvores, alimente as carpas no lagui-nho e faça uma pesquisa de plantas, que pode ser impressa do site, com um dos guias infantis.

Seguindo 1,5km de carro para o norte fica o **Sarasota Children's Garden** *(www.sarasotachildrensgarden.com)*, um mundo mágico com um túnel que dá numa área cheia de esculturas engraçadas de dragões e polvos amistosos, além de um navio pirata com escadas de corda, labirinto, forte na árvore e jardim encantado para o chá da tarde.

Se chover...

Leve a criançada à **Historic Selby House**, no local, que é um abrigo perfeito. Esse espaço interativo está repleto de livros sobre plantas, quebra-cabeças, atividades e artes. Um voluntário está pronto para ajudar.

Canto das crianças na Historic Selby House, no Marie Selby Botanical Gardens

Preços para família de 4 pessoas

A fachada fascinante do GWIZ – The Science Museum

⑯ GWIZ – The Science Museum

Aventuras incríveis e fatos fantásticos

Crie um raio, faça uma bola flutuar no ar, construa uma ponte magnética, toque uma harpa a laser, faça um filme de animação, veja uma barata sibilante de Madagascar – as aventuras científicas não param nesse museu criativo. Um laboratório de robótica e outro médico fornecem fatos fantásticos, e Sid the Science Kid desafia os pré-escolares com uma prova divertida. Os interessados em mecânica podem ir à Machine Village para ver alavancas, polias e engrenagens em funcionamento.

Para relaxar

O G.WIZ fica no meio do **Bayfront Park**, onde há muitas atividades e a família pode passar uma tarde alegre. Se quiser contato com a natureza, saia de Sarasota e siga 14km até o **Myakka River State Park** (www.myakkariver.org), onde o bravo e belo rio Myakka corta quilômetros de brejos, pradarias e bosques virgens. Admire a beleza do parque de um caminho elevado, de uma passarela de madeira sobre o lago Upper Myakka, num passeio de bonde através do campo, em excursão de barco ou nas trilhas de caminhada. Então, fique atento para avistar animais como aligatores e tatus.

A paisagem agreste do Myakka River State Park

Informações

🌐 **Mapa** 7 B3
   Endereço 1001 Blvd of the Arts, Sarasota, 34236; 941 309 4949; www.gwiz.org

🚌 **Ônibus** A linha da 99 SCAT para a duas quadras e parte toda hora do centro

🕐 **Aberto** 10h-17h seg-sáb e 12h-17h dom (set-fev: fechado seg)

💲 **Preço** $50-60; até 3 anos, grátis

👪 **Idade** A partir de 5 anos

🏃 **Atividades** Várias palestras e programas são realizados no museu. Veja a programação corrente no site.

⏱ **Duração** 2 horas

♿ **Cadeira de rodas** Sim

🍴 **Comida e bebida** PIQUENIQUE Morton's Gourmet Market *(1924 S Osprey Ave, 34239; 941 955 9856)* tem comida para piquenique, que pode ser feito no Bayfront Park. REFEIÇÃO Mattison's City Grille *(1 Lemon St at Main St, 34236; 941 330 0440; fechado dom)*, no centro, tem mesas fora, na agradável Main Street de Sarasota, e um cardápio extenso, que tem de pizza a carnes.

CRIANÇADA!

Desafios de aligátor no Myakka River State Park.

1 Os aligatores só existem em dois lugares do mundo. Um é a Flórida. Qual é o outro?
2 Quantos dentes tem o aligátor o tempo todo?
3 Quando um dente de aligátor cai, outro nasce. Quantos dentes o aligátor pode ter durante uma vida inteira?
4 Alguns dos mais velhos e maiores aligatores vivem no parque. Qual o tamanho dos maiores?

Respostas no fim do quadro.

ROBÔS NOTÁVEIS

O laboratório de robótica do GWIZ não é ficção científica. Os robôs são usados em serviços em fábricas, como nas linhas de montagem, que exigem tarefas repetitivas. Eles são úteis também no espaço, trabalhando em ambientes em que humanos não sobrevivem. Se você tivesse um robô, o que ele poderia fazer para você?

Jogos de jardim

Quando for aos Selby Botanical Gardens, veja se consegue encontrar estas plantas:
1 Uma planta com folhas menores que um dedão.
2 Plantas com folhas peludas, espinhos, flores vermelhas e laranja.
3 Uma planta mais alta que você.
4 Uma planta que cresce em árvore. Escreva o nome delas e pesquise-as na internet ao voltar.

Respostas: 1 Bacia do rio Yangtzê (Azul), na China. **2** 80. **3** De 2 mil a 3 mil dentes. **4** De 4m a 4,5m.

Piquenique até $25; **Lanche** $25-50; **Refeição** $50-80; **Para a família** mais de $80 (para quatro pessoas)

Onde Ficar na Costa do Golfo

Grande atração para a família, a Costa do Golfo oferece desde campings e motéis econômicos a apartamentos luxuosos. Diversos hotéis de suítes propiciam espaço extra, e até estabelecimentos modestos oferecem ar-condicionado e piscina – comodidades bem-vindas num clima quente.

AGÊNCIAS
Find Vacation Rentals
www.findvacationrentals.com/florida.html
Esse site tem listagem de apartamentos em todo o estado, inclusive na Costa do Golfo.

Florida Vacation Connection
3720 Gulf of Mexico Dr, Longboat Key, 34228; 877 702 9980; flavacationconnection.com
Use esse serviço de reservas para suas férias, com opções de resorts à beira-mar a apartamentos, em Longboat Key e Lido Key, as praias preferidas de Sarasota.

Bradenton Beach Mapa 7 A3

HOTEL
Bridgewalk, a Landmark Resort
100 Bridge St, 34217; 941 779 2545; www.silverresorts.com
A histórica Bridge Street de Bradenton é charmosa, e esse hotel bem equipado fica na avenida da praia. Tem quartos e apartamentos com cozinha, e lojas e restaurantes na vizinhança. O trólebus grátis de Bradenton leva hóspedes à cidade e outras praias da Costa do Golfo.
$$

St. Pete Beach Mapa 7 A2

HOTÉIS
Plaza Beach Hotel
4506 Gulf Blvd, 33706; 800 257 8998; www.plazabeachresorts.com
Para a família que quer ficar na praia, esse resort pequeno e discreto, com apenas 39 suítes, está bem na areia. As boas suítes têm cozinha completa. Além de piscina, há minigolfe, shuffleboard e outros jogos para as crianças. Cabanas na praia e churrasqueira junto à praia são grátis, assim como o Wi-Fi.
$-$$

Don CeSar Beach Hotel
3400 Gulf Blvd, 33706; 727 360 1881; www.loewshotels.com/en/Don-CeSar-Hotel
Ponto de luxo desde a inauguração, em 1928, esse palácio rosa-claro ao lado do mar não passa despercebido. O prédio é bem conservado e tem a vantagem de ser na praia.
$$$

St. Petersburg Mapa 7 A2

RESORT
Renaissance Vinoy Resort
501 5th Ave NE, 33701; 727 894 1000; www.marriott.com
Esse hotel histórico, com linda restauração, mistura a grandiosidade do passado a comodidades modernas, como piscina de luxo, tênis, golfe e spa, e um restaurante muito elogiado. Dá para a baía de Tampa e é boa base para as atrações vizinhas.
$$$

POUSADA E SUÍTES
Hampton Inn & Suites St. Petersburg
80 Beach Dr NE, 33701; 727 892 9900; www.stpetehamptonsuites.com
Esse hotel oferece quartos de bom tamanho com geladeira, micro-ondas e DVD. Há uma lavanderia, Wi-Fi grátis e café da manhã de bufê. Os hóspedes podem ver e-mails na sala de negócios.
$$

BED & BREAKFAST
Dickens House Bed and Breakfast
335 8th Ave Northeast, 33701; 727 822 8622; www.dickenshouse.com
Os fãs de B&B com filhos de mais de 9 anos vão adorar essa casa de 1912 no estilo Craftsman. Serve café da manhã farto e está a duas quadras dos parques da orla. Entre as comodidades, geladeira nos quartos e computador para hóspedes.
$-$$

CAMPING
Fort De Soto Park
3500 Pinellas Bayway S, Tierra Verde, 33715; 727 552 1862; www.fortdesoto.com
Esse lindo parque, 19km ao sul de St. Petersburg, oferece acampamento para barracas a poucos passos da praia e instalação completa para trailers. Há cais de pesca, trilhas de caminhada, canoa, caiaque e bicicleta, além de um forte para explorar.
$

Sarasota Mapa 7 B3

HOTÉIS
Siesta Key Banyan Tree Resort and Vacation Rentals Mapa 7 B4
378 Canal Rd, Siesta Key, 34242; 800 732 7231; siestakeybanyanresort.com
Aluga por semana quitinetes e apartamentos de um, dois e três dormitórios. Todos têm cozinha

Don CeSar Beach Hotel, consagrado hotel de luxo à beira-mar

Onde Ficar na Costa do Golfo | 229

Camping perto da água no Fort De Soto Park

completa. As maravilhosas Siesta Key Beach e Siesta Key Village ficam a curta caminhada.

$-$$

Lido Beach Resort
700 Ben Franklin Dr, 34236; 941 388 2161; www.lidobeachresort.com
Esse resort oferece a opção de quarto em edifício ou hotel baixo. Até os quartos simples do hotel têm cozinha pequena com micro-ondas e geladeira. Verifique no site se há promoções.

$$-$$$

Ritz-Carlton Hotel
1111 Ritz-Carlton Dr, 34236; 941 309 2000; www.ritzcarlton.com
As acomodações mais elegantes de Sarasota recebem as crianças com jogos de tabuleiro na recepção, jogos variados na piscina e cardápio infantil. Uma condução leva os hóspedes ao clube privado da Lido Beach, com programas monitorados.

$$-$$$

POUSADAS E SUÍTES
La Quinta Inn & Suites
1803 N Tamiami Trail, 34234; 800 233 1234; www.lq.com
Motel bem conservado, a curta viagem de carro do Ringling Museum ou da praia, La Quinta tem quartos com frigobar e cama com pillow top. Acesso grátis à internet e café da manhã simples.

$

Regency Inn and Suites
4200 N Tamiami Trail, 34234; 941 954 5775; www.regencyinnandsuites sarasota.com
Esse motel econômico oferece catorze quartos com geladeira e micro-ondas, e vinte suítes com um quarto e cozinha completa. Sua localização na rodovia é conveniente para visitar as melhores atrações da cidade.

$

Holiday Inn Lido Beach
233 Ben Franklin Dr, 34236; 877 410 6667; www.holiday inn.com
Possui uma localização inigualável, do outro lado da avenida da Lido Beach. Entre as comodidades, academia de ginástica. O salão de refeições na cobertura oferece ótima vista, e as crianças comem de graça.

$$

CAMPING
Myakka River State Park Cabins and Camping Mapa 7 B4
13208 State Rd 72, 34241; 941 361 6511; www.myakkariver.org
Fique perto da cidade, mas no coração de uma natureza imaculada, nessas cabanas de madeira rústicas que acomodam seis pessoas. Há roupas de cama e banho, utensílios de cozinha e micro-ondas.

$

Tampa Mapa 7 B1

HOTÉIS
Hampton Inn-International Airport/Westshore
4817 W Laurel St, 33607; 813 287 0778; www.hamptoninn.hilton.com
Entre os hotéis agrupados perto do Aeroporto de Tampa, onde as vias expressas facilitam a chegada ao centro, o Hampton Inn é um dos melhores. Os quartos espaçosos são equipados com geladeira e micro-ondas. Café da manhã grátis.

$

Wingate By Wyndham
3751 E Fowler Ave, 33612; 813 979 2828; www.wingatehotels.com
Esse hotel é uma boa base para ir aos Busch Gardens e oferece transporte diário até o parque. Os quartos têm geladeira e micro-ondas; o café da manhã de bufê e o Wi-Fi são grátis. A piscina descoberta e a banheira quente interna são revigorantes após um dia de passeios.

$

Embassy Suites Tampa Airport/Westshore
555 N Westshore Blvd; 813 875 1555; www.embassysuites.com
Esse estabelecimento só de suítes destaca-se para famílias, pois tem sala de estar com sofá-cama e a privacidade de um quarto separado,

além de duas TVs. Os quartos têm geladeira e micro-ondas. O café da manhã a pedido e os coquetéis noturnos são gratuitos.

$$

Embassy Suites Tampa Downtown Convention Center
513 South Florida Ave, 33602; 813 769 8300; www.embassysuites.com
Essa excelente opção para a família tem a vantagem de ser central e contar com o trólebus Teco, facilitando o acesso ao Florida Aquarium e ao Glazer's Children's Museum.

$$

Westin Tampa Harbour Island
725 S Harbour Island Blvd, 33602; 813 229 5000; www.starwood hotéis.com
Em ilha particular, mas com ponte de pedestres para o centro, o luxuoso Westin tem quartos espaçosos com janelas grandes, muitos dos quais dão para a baía de Tampa.

$$$

Westin Tampa Harbour Island, hotel de luxo na orla no centro de Tampa

CAMPING
Hillsborough River State Park Mapa 7 B2
15402 US 301 N, Thonotossa, 33592; 800 326 3521; www.stateparks.com
Esse parque estadual no rio, 19km ao norte de Tampa, tem um camping com 108 pontos para barracas e trailers. A maioria tem eletricidade e todos têm água. O parque oferece natação, pesca, caminhada e bicicleta.

$

Categorias de preço
As seguintes faixas de preço baseiam-se em uma diária na alta temporada para uma família de quatro pessoas, incluindo serviço e taxas adicionais.
$ até $150 **$$** $150-300 **$$$** mais de $300

Legenda dos símbolos na orelha da contracapa

WELCOME TO ROBBIE'S
FEED THE TARPON
SNORKEL BOAT
RESTAURANT
RENTAL BOATS
RESTROOMS
CHARTER FISHING
KAYAKS
PARTY BOAT FISHING
REEF SNORKEL
OFFSHORE
JET SKI TOURS
BEACH
BAR
Feed the Tarpon

Baixa Costa do Golfo,
Everglades e as Keys

A ponta mais meridional da Flórida oferece um pacote irresistível às famílias interessadas em história, cultura, esportes aquáticos e natureza. Situadas próximo às ilhas do Caribe, as Keys também têm essas características. Os Everglades são o auge da natureza e têm herança indígena. Na região de Fort Myers-Naples, as ilhas de barreira exibem as melhores praias do Estado, enquanto Naples é famosa pelas artes e pelo golfe.

Principais atrações

Sanibel Island
Pegue conchas nessa ilha famosa e aproveite suas praias seguras, resorts familiares e ótimos museus (p. 238).

Casas de Inverno de Edison e Ford
Estimule as mentes jovens inventivas na casa, no jardim e no laboratório de dois dos maiores gênios dos EUA (p. 236).

Everglades National Park
Ande, pedale e reme por essa terra misteriosa de manguezais, ilhas esquecidas, brejos e um rio de capim repleto de vida animal rara (pp. 242-3).

John Pennekamp Coral Reef State Park
Visite esse parque submarino para ver recifes de coral de cores vivas com snorkel ou num barco com fundo de vidro (p. 251).

Key West
Vá a essa lendária cidade situada numa ilha para vivenciar sua excentricidade e seu espírito ímpar (pp. 246-7).

Fort Myers River District
Assimile a história e a cultura locais no centro de Fort Myers, que tem muitos prédios históricos, museus, galerias e festas de rua mensais (p. 236).

À esq. Placas na entrada da Robbie's Marina, Islamorada
Acima, à dir. Passarela de madeira através de uma floresta de pântano, Fakahatchee Strand State Preserve

O Melhor da Baixa Costa do Golfo, dos Everglades e das Keys

O belo espaço aberto, a história e a cultura tornam essa região um destino bem procurado, com o suficiente para todos. As famílias se satisfazem com praias ensolaradas, mar quente e esportes aquáticos como pesca, canoagem e prancha a remo durante a estadia. Parques nacionais e estaduais colossais, bem como reservas animais, proporcionam oportunidades para caminhar, pedalar e estar perto da natureza.

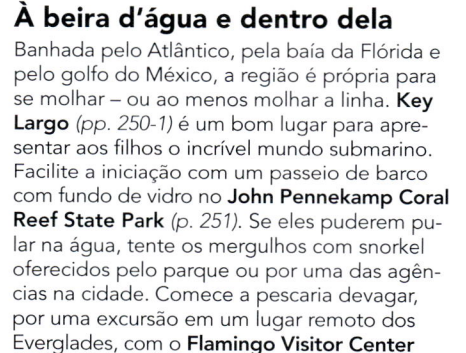

À beira d'água e dentro dela

Banhada pelo Atlântico, pela baía da Flórida e pelo golfo do México, a região é própria para se molhar – ou ao menos molhar a linha. **Key Largo** *(pp. 250-1)* é um bom lugar para apresentar aos filhos o incrível mundo submarino. Facilite a iniciação com um passeio de barco com fundo de vidro no **John Pennekamp Coral Reef State Park** *(p. 251)*. Se eles puderem pular na água, tente os mergulhos com snorkel oferecidos pelo parque ou por uma das agências na cidade. Comece a pescaria devagar, por uma excursão em um lugar remoto dos Everglades, com o **Flamingo Visitor Center** *(p. 242)*, ou em **Everglades City** *(p. 245)*. Vá à ilha Sanibel para um cruzeiro marítimo educativo através do **J. N. "Ding" Darling National Wildlife Refuge** *(p. 239)*.

À dir. Christ of the Deep, John Pennekamp Coral Reef State Park **Abaixo** Biguatinga e aligátor, Everglades National Park

Acima Vista aérea da Duval Street, famoso polo de compras e gastronomia no coração da Cidade Velha de Key West

Avistamento de animais

É praticamente garantido ver aligatores no **Royal Palm Visitor Center** (p. 242), a leste do **Everglades National Park** (pp. 242-3), e no **Shark Valley Visitor Center** (p. 242), a oeste, enquanto o veado-de-cauda-branca e o guaxinim só aparecem às vezes. No **Flamingo Visitor Center**, os crocodilos de água salgada costumam tomar sol na rampa de barcos. É possível ver dezenas das espécies de pássaros que estão na lista de avistamentos no **Everglades National Park** e na **Big Cypress National Preserve** (pp. 244-5). Outros pontos ótimos para avistá-los são a **Tigertail Beach** (p. 241), na **Marco Island**, e o **Corkscrew Swamp Sanctuary** (p. 240), ao norte de **Naples** (p. 240).

Batendo pernas pelas Keys

Com até sete dias para passar nas Keys da Flórida, comece por um passeio de trólebus em **Key West** (pp. 246-7). Gaste o resto do dia caminhando pela Cidade Velha e explorando o **Key West Aquarium** (p. 246) e o **Eco-Discovery Center** (p. 246), antes de pôr o pé na praia do **Fort Zachary Taylor Historic State Park** (p. 246). Contudo, não perca o pôr do sol na Mallory Square. Seguindo ao norte, a família pode passear de bicicleta ou caiaque no **National Key Deer Refuge**, em **Big Pine Key** (p. 248), e contar com uma boa praia ou mergulho de snorkel no **Bahia Honda State Park** (p. 248). **Marathon** (p. 249) vale um dia de investigação: vá ao **Crane Point** (p. 249) de manhã e a **Pigeon Key** (p. 249) ou **Sombrero Beach** (p. 249) à tarde. Dedique os dias restantes a passeios de caiaque e mergulhos com snorkel em **Islamorada** e **Key Largo** (p. 250).

Pontos quentes da história

A história está impregnada em toda a região. Um dos portos comerciais mais antigos da Flórida, **Key West** guarda mais tesouros na Cidade Velha. **Pigeon Key** tem vestígios históricos da construção da ferrovia para Key West. O **Museum of the Everglades** (p. 243) conta a história da criação da Tamiami Trail através dos brejos e pântanos. O **Marco Island Historical Museum** (p. 241) enfoca o passado da ilha, que era a capital dos índios calusas. As **Casas de Inverno de Edison e Ford**, em **Fort Myers** (pp. 236-7), esclarecem a vida dos dois cientistas, que passavam as férias nelas. O **Southwest Florida Museum of History** (p. 236) explora a pesca, a pecuária e a herança de basquete da região.

À esq. Ciclistas dirigem-se para Pigeon Key pela histórica Seven-Mile Bridge

Baixa Costa do Golfo, Everglades e as Keys

A Flórida torna-se mais estreita e plana na sua ponta sul. Ilhas de barreiras beiram o litoral ao longo da Costa do Golfo, e praias de areia, estuários com mangue, charcos salgados e a rasa baía da Flórida compõem os singulares Everglades. Mais ao sul estão as Keys da Flórida, um colar de ilhas que repousa num leito de coral e calcário de arrecifes ancestrais. A Tamiami Trail (Highway 41), chamada "Alligator Alley" no trecho que passa pelos Everglades, interliga a região. A Interstate 75 é a estrada mais rápida entre Fort Myers e Naples.

Vitrines informativas no Bailey-Matthews Shell Museum, Sanibel Island

Informações

Como chegar lá e aos arredores
Avião O Aeroporto Internacional do Sudoeste da Flórida (RSW), em Fort Myers, recebe a maioria das grandes companhias aéreas e as econômicas, de lugares na Flórida e fora dela. Duas companhias oferecem aviões pequenos entre Fort Myers e Key West. Várias empresas de táxi atendem ao aeroporto e a toda a região. Naples e Key West têm aeroportos pequenos, com serviço limitado. A maioria dos visitantes de Key West desce no Aeroporto Internacional de Miami (MIA) e vai de carro às Keys.
Carro Há várias autolocadoras no RSW. Todos os carros, inclusive alugados, precisam ter um transponder para passar na estrada com pedágio de Miami para as Keys. Veja detalhes em www.sunpass.com/rentalcar.

Informação turística Veja nas entradas específicas.

Supermercados Publix (www.publix.com) é a rede principal, com lojas por toda a região. Há também o Winn-Dixie, um pouco mais barato.

Mercados Várias cidades têm feiras agrícolas em dias variados, às vezes só no inverno ou na primavera. Contate os postos turísticos para saber detalhes.

Festividades Edison Festival of Light, Fort Myers: desfile infantil com carros alegóricos e artistas de rua; www.edisonfestival.org (fev). Conch Republic Independence Celebration, Key West; www.conchrepublic.com (abr)

Horários de funcionamento Certos serviços nos Everglades fecham no verão e outono. Vários restaurantes nos Everglades e nas Keys fecham um mês no outono.

Farmácias Walgreens (www.walgreens.com), em Fort Myers e Naples, abre 24h. Contudo, nas Keys, a CVS (www.cvs.com) e a Walgreens não abrem a noite inteira. Prepare um estojo de remédios e suprimentos médicos antes de visitar os Everglades e as Keys.

Banheiros Em todas as principais atrações e nos restaurantes fast-food, shoppings, supermercados e postos de gasolina

Baixa Costa do Golfo, Everglades e as Keys | 235

Vista impressionante do Long Pine Key Lake, Everglades National Park

Locais de interesse

ATRAÇÕES
1. Fort Myers
2. Sanibel e Captiva Islands
3. Upper Islands
4. J. N. "Ding" Darling National Wildlife Refuge
5. Corkscrew Swamp Sanctuary
6. Naples
7. Marco Island
8. Everglades National Park
9. Biscayne National Park
10. Miccosukee Indian Village
11. Big Cypress National Preserve
12. Everglades City
13. Key West
14. Big Pine Key
15. Bahia Honda State Park
16. Marathon
17. Islamorada
18. Key Largo
19. John Pennekamp Coral Reef State Park

Brinquedo Busy Beehives, no Imaginarium Science Center, Fort Myers

Tarpões esperam comida na Robbie's Marina, Islamorada

① Fort Myers e Arredores
Céu ensolarado e praias em ilhas

Nascida nas Guerras Seminoles, que expulsaram os indígenas para os Everglades, Fort Myers cresceu devagar junto ao rio Caloosahatchee. Em 1885, Thomas Edison notou que o bambu da região poderia ser usado como filamento em sua nova invenção, a lâmpada, e construiu sua casa de inverno, pondo Fort Myers no mapa. Hoje, o Bairro Histórico do Centro atrai turistas a seus museus, teatros, lojas e restaurantes. Uma linha de trólebus leva às principais atrações.

Destaques

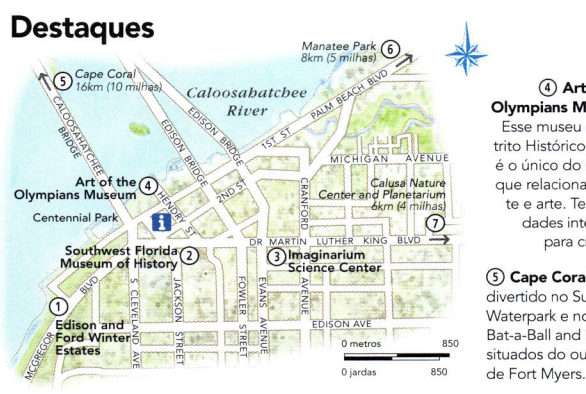

④ Art of the Olympians Museum Esse museu no Distrito Histórico do Rio é o único do mundo que relaciona esporte e arte. Tem atividades interativas para crianças.

⑤ Cape Coral Passe um dia divertido no Sunsplash Family Waterpark e no Greenwell's Bat-a-Ball and Family Fun Park, situados do outro lado do rio de Fort Myers.

⑥ Manatee Park No inverno, veja das plataformas de observação os manatis nas água quente desse parque, ou passeie de caiaque entre eles, uma experiência sem igual.

① Casas de Inverno Edison e Ford Thomas Edison construiu duas casas e um laboratório à beira do rio, e o amigo Henry, da Ford Motors, depois foi seu vizinho. Visite o museu, o jardim botânico e as casas.

② Southwest Florida Museum of History Conheça os índios calusas e os caçadores de vacas, e veja uma choupana dos pioneiros e um vagão Pullman particular no museu.

③ Imaginarium Science Center As crianças se maravilham com a vida marinha local (inclusive tubarões), com a força de um furacão ou com a experiência de tocar uma nuvem.

⑦ Calusa Nature Center and Planetarium Veja animais fascinantes do sudoeste da Flórida e depois dirija-se ao planetário para admirar o firmamento.

Informações

🌐 **Mapa** 7 C5
Endereço Edison and Ford Winter Estates, 2350 McGregor Blvd, 33901; *edisonfordwinterestates.org*. Southwest Florida Museum of History: 2031 Jackson St, 33901; *swflmuseumofhistory.com*. Imaginarium Science Center: 2000 Cranford Ave, 33902; *imaginariumfortmyers.com*. Art of the Olympians Museum: 1300 Hendry St, 33901; *artoftheolympians.org*. Manatee Park: 10901 State Rd 80, Palm Beach Blvd, 33905; *www.leeparks.org*. Calusa Nature Center and Planetarium: 3450 Ortiz Ave, 33905; *calusanature.org*

🚌 **Ônibus** LeeTran (*www.rideleetran.com*) à maioria das atrações

ℹ **Informação turística** Lee County Visitor & Convention Bureau, 2201 2nd St, 6º andar, 33901; *www.fortmyers-sanibel.com*

🕐 **Aberto** Edison and Ford Winter Estates: 9h-17h30. Southwest Florida Museum of History: 10h-17h ter-sáb. Imaginarium Science Center: 10h-17h seg-sáb, 12h-17h dom. Art of the Olympians: 10h-16h ter-sáb. Manatee Park: 8h-pôr do sol. Calusa Nature Center and Planetarium: 10h-17h seg-sáb, 11h-17h dom

💲 **Preços** Edison and Ford Winter Estates: $62-80; até 5 anos, grátis. Southwest Florida Museum of History e Calusa Nature Center and Planetarium: $30-40; até 3 anos, grátis. Imaginarium Science Center: $40-50; até 2 anos, grátis. Art of the Olympians: $10-20; até 12 anos, grátis. Manatee Park: $1 por carro/hora ou $5 por dia.

Para evitar fila Chegue cedo, pois as vagas acabam logo

Passeios guiados A visita às casas de inverno de Edison e Ford é feita com guia ou autoguia. Há também um passeio Behind the Scenes (pelos bastidores).

Preços para família de 4 pessoas

Para relaxar

Tome ar fresco e divirta-se no **Centennial Park** (2000 W 1st St; 239 321 7530), que dá para o rio Caloosahatchee, no River District. Um cais de pesca, mesas de piquenique e muitos bancos voltados para o rio emprestam ao parque um charme do Velho Mundo.

Uncommon Friends, de D.J. Wilkins, no Centennial Park

Comida e bebida

Piquenique: até $25; Lanche: $25-50; Refeição: $50-80; Para a família: mais de $80 (para quatro pessoas)

PIQUENIQUE Publix Delis (13401 Summerlin Rd, 33919; 239 481 2242; www.publix.com) tem ótimos sanduíches, saladas e asas de galinha. Lanche no **Lakes Regional Park** (7330 Gladiolus Dr, 33908; www.leeparks.org), a 20 minutos de carro na rodovia, onde as crianças têm minitrem e uma fonte.
LANCHE Rene's (12731 McGregor Blvd, 33919; 239 489 0833; www.reneslunch.com) oferece dos melhores sanduíches e saladas da cidade, e tem sopas, wraps, beirutes e croissants no cardápio. Prove o maravilhoso bolo de cenoura.
REFEIÇÃO The Edison (3583 McGregor Blvd, 33901; 239 936 9349; www.edisonfl.com) é perfeito antes ou depois de ver os achados de Edison. Há sopas, pizza, massas e frutos do mar. Crianças não pagam seg.
PARA A FAMÍLIA Bayfront Bistro (4761 Estero Blvd, 33931; 239 463 3663; www.bayfrontbistro.com) tem quesadillas de frutos do mar, tacos e sanduíches de peixe. Sente no terraço para apreciar a vista da marina.

Compras

Procure pechinchas nos brechós de Fort Myers, como **Fleamasters** (4135 Dr. M. L. King Jr Blvd; 239 334 7001; www.fleamall.com). As **Franklin Shops** (2200 1st St; 239 333 3130; www.thefranklinshops.com), no centro, têm de tudo, de vestuário e joias a obras de arte, dentro de um edifício histórico.

Saiba mais

INTERNET Visite a página de Young Inventors (www.edisonfordwinterestates.org) e ache desenhos para colorir e um jogo de detetive.
FILME *Hoot* (2006), baseado no livro homônimo, situa-se numa cidade fictícia inspirada em Cape Coral e sua população de corujas. A maior parte das filmagens foi feita na região.

Sossego no Bowditch Point Park, Fort Myers Beach

Próxima parada...

FORT MYERS BEACH Pegue um ônibus da LeeTran para ir a Fort Myers Beach, a preferida das famílias, 26km a sudoeste. Visite a praia do Lynn Hall Memorial Park, que tem um playground legal, cais de pesca e shopping. Vá ao Bowditch Point Park para curtir uma praia mais tranquila e natural.

- **Idade** Acima de 2 anos na maioria das atrações e de 6 anos em Edison and Ford Winter Estates e Southwest Florida Museum of History
- **Atividades** Passeios familiares a Edison and Ford Young Inventors às 11h sáb
- **Duração** 3 dias ou mais
- **Banheiros** Em todas as atrações

Bom para a família?
Fort Myers Beach é conhecida pela hospedagem acessível e pelos restaurantes. Cape Coral também é vantajosa para quem não liga de ir à praia de carro.

CRIANÇADA!

Você sabia...
1 Ao contrário dos boiadeiros do Oeste, os da Flórida se ofenderam de ser chamados "vaqueiros". Sabe que nome ganharam?
2 A Fort Myers' Summerlin Avenue leva o nome de Jake Summerlin. Quem foi ele?
3 É verdade que os manatis comem peixe?

Respostas no fim do quadro.

INVENÇÕES À BEÇA

Thomas Edison patenteou mais de mil invenções em vida. O museu nas Casas de Inverno de Edison e Ford exibe muitas delas. Edison também ajudou a dar um fim à prática da pastagem livre, pois se cansou de tanto gado pisando em seus jardins.

Charadas no jardim

Procure a resposta a estas três charadas nas casas de Edison e Ford:
1 Gosto disso com biscoito.
2 Vou pedir isso com ovos no café da manhã.
3 Deveríamos coroar essa árvore rei ou rainha.

Respostas: Você sabia 1 Caçadores de vacas. **2** Ele foi um dos mais ricos e poderosos caçadores de vaca da Flórida. **3** Não, os manatis são herbívoros. **Charadas no jardim: 1** Morangos. **2** Árvore-das-salsichas. **3** Palmeira-real.

② Sanibel e Captiva Islands
Conchas em abundância

Essas duas ilhas de barreira, ligadas por uma ponte curta, têm fama pela quantidade de conchas e, ainda, pela vida animal e por esportes aquáticos. As ilhas deram origem às expressões *Sanibel Stoop* e *Captiva Crouch*, que se referem às posturas (curvado e agachado) que as pessoas assumem quando procuram conchas nas praias cheias delas.

Uma ponte leva os turistas do continente para a ilha de Sanibel, mais da metade da qual é refúgio animal protegido. O **Sanibel Historical Museum and Village** exibe construções históricas da ilha. Na **Lighthouse Beach**, em Sanibel, há muito o que fazer – da pesca no píer a visita ao farol histórico e caminhadas por trilhas. Ao longo do "corredor de preservação" da ilha, os amantes da natureza veem como a **Clinic for the Rehabilitation of Wildlife (Crow)** cuida de animais doentes e órfãos. Visite a casa de borboletas, suba na torre para ver a paisagem e ande pelas trilhas da **Sanibel-Captiva Conservation Foundation (SCCF)**.

Mais ao norte, a ilha Captiva é bem agreste. Alugue um bote ou caiaque em uma das marinas para pescar ou explorar as ilhas mais ao norte. Barcos de turismo e fretados personalizam excursões para catar conchas, pescar e ver golfinhos.

Turistas em uma das lindas praias da ilha de Sanibel

Informações
- **Mapa** 7 C6
- **Endereço** Sanibel Historical Museum and Village: 950 Dunlop Rd, 33957; *www.sanibelmuseum.org*. Lighthouse Beach: ponta leste do Periwinkle Way, 33931; 239 472 3700. CROW: 3883 Sanibel-Captiva Rd, 33957; *www.crowclinic.org*. SCCF: 3333 Sanibel-Captiva Rd, 33957; *www.sccf.org*
- **Carro** Alugue em Fort Myers.
- **Informação turística** Sanibel Island & Captiva Island Chamber of Commerce, 1159 Causeway Rd, 33957-3709; 239 472 1080; *www.sanibel-captiva.org*
- **Aberto** Sanibel Historical Museum and Village: qua-sáb. SCCF: seg-sex (dez-abr: também sáb; jun-set: até 15h seg-sex)
- **Preços** Sanibel Historical Museum and Village e SCCF: $10-20; até 18 anos, grátis. Crow: $15-25; até 13 anos, grátis
- **Para evitar fila** As atrações em Sanibel costumam ser vazias, exceto em visitas escolares
- **Passeios guiados** Na SCCF; pela natureza e pelas praias e visita à casa borboletas cf. estação
- **Duração** No mínimo um dia
- **Comida e bebida** LANCHE Hungry Heron *(2330 Palm Ridge Rd, 33957; www.hungryheron.com)* tem 36 itens infantis em seu extenso cardápio. REFEIÇÃO Jerry's Foods Family Restaurante *(1700 Periwinkle Way, 33957; www.jerrysfoods.com)* serve várias culinárias.

Crianças aprendem sobre conchas no Bailey-Matthews Shell Museum, Sanibel

Se chover...
Vá ao **Bailey-Matthews Shell Museum** *(3075 Sanibel-Captiva Rd, 33957; www.shellmuseum.org)*, em Sanibel, para identificar achados da praia e admirar conchas ou participar de uma caça a conchas.

③ Upper Islands
À deriva do continente

Ao norte da ilha Captiva há uma série de ilhas sem ponte para o continente, acessíveis apenas de barco. Mais próxima de Captiva, a ilha North Captiva separou-se da ilha-mãe durante um furacão nos anos 1920. Casas particulares e de aluguel para férias, uma pista de pouso de grama e um clube ocupam esse ilha longa (8km) e tranquila, que tem praias e restaurantes excelentes. Caminhe ou alugue um carro de golfe para circular pela ilha.

Mais ao norte, a maior parte da Cayo Costa é ocupada pelo **Cayo Costa State Park**, onde os visitantes podem nadar, catar conchas, ca-

Informações
- **Mapa** 7 C5
- **Endereço** Cayo Costa State Park: Boca Grande, 33921; 941 964 0375; *www.floridastateparks.org*
- **Barco** Hidrotáxi da Jensen's Marina (*www.gocaptiva.com*), na ilha Captiva, às Upper Islands. Captiva Cruises (*www.captivacruises.com*) realiza excursões de almoço para Cabbage Key
- **Informação turística** Sanibel Island & Captiva Island Chamber of Commerce, 1159 Causeway Rd, Sanibel Island, 33957; 239 472 1080; *www.sanibel-captiva.org*
- **Aberto** Cayo Costa State Park: 8h-pôr do sol diariam
- **Preço** Cayo Costa State Park: $8-18
- **Para evitar fila** Evite Cabbage Key quando a excursão da Captiva Cruises estiver na ilha
- **Idade** A partir de 3 anos
- **Duração** Meio dia ou mais
- **Comida e bebida** REFEIÇÃO Barnacle Phil's Harbor Restaurante *(North Captiva, 33924; 239 472 1200; barnaclephilsrestaurant.wordpress.com)* é famoso pelo feijão-preto com arroz. REFEIÇÃO Cabbage Key Inn *(Cabbage Key, 33922; 239 283 2278; www.cabbagekey.com)* é onde os clientes escrevem seu sobrenome numa nota de dólar e a colam na parede; então, deliciam-se com hambúrgueres, sanduíches e frutos do mar.

Preços para família de 4 pessoas

Fort Myers e Arredores | 239

minhar e acampar ou alugar cabanas. Veja o cemitério ao longo de uma das diversas trilhas educativas.

Entre Cayo Costa e o continente, Cabbage Key não tem praias, mas a rústica Cabbage Key Inn, dos anos 1920, é uma ótima atração para o almoço ao visitar as ilhas. Compre algo para comer e saia andando por uma trilha educativa curta. Os visitantes podem pernoitar na hospedaria ou em um de seus chalés.

Para relaxar

Vá à desabitada **Picnic Island**, perto da ilha de Sanibel, e faça um piquenique no parque de praia. Leve as provisões essenciais. A Adventures in Paradise *(www.adventureinparadiseinc.com)* realiza excursões à ilha, que oferecem pesca com rede e identificação de vida marinha.

Passeio de barco a uma praia do Cayo Costa State Park

④ J. N. "Ding" Darling National Wildlife Refuge

Em meio à natureza

Com o nome de Jay Norwood, cartunista americano ganhador do Prêmio Pulitzer, e ocupando mais de metade da ilha de Sanibel, "Ding" dá a ela celebridade entre os amantes da natureza, sobretudo entre ornitólogos amadores. O refúgio conta com 230 espécies de aves de população fixa e migratória, entre elas a águia-careca, o colhereiro-rosado e o cuco-de-mangue.

Em sua área principal ao longo da estrada Sanibel-Captiva, o refúgio tem centro educativo, a Wildlife Drive (de 6km, através de brejos), torre de observação e diversas trilhas. Perto dali, o Bailey Tract protege um habitat de água doce diferente, lar de aligatores e linces-pardos.

Caranguejo-ferradura no "Ding" Darling National Wildlife Refuge, ilha de Sanibel

Se chover...

No refúgio, o **"Ding" Darling Education Center** apresenta mostras interativas. Confira o computador eBird, as ilustrações ambientais, o cantinho infantil e a loja da natureza, com jogos, livros e brinquedos.

Informações

🌐 **Mapa** 7 C6
Endereço 1 Wildlife Dr, Sanibel Island, 33957; 239 472 1100; *www.fws.gov/dingdarling*

🚗 **Carro** Alugue em Fort Myers

ℹ **Informação turística** Sanibel Island & Captiva Island Chamber of Commerce, 1159 Causeway Rd, 33957; 239 472 1080; *www.sanibel-captiva.org*

🕐 **Aberto** 7h-pôr do sol sáb-qui

💲 **Preço** $5 por veículo e $1 por ciclista ou pedestre

🚶 **Passeios guiados** Para uma excursão narrada na Wildlife Drive, pegue o bonde do refúgio (239 472 8900). A Sealife Nature Tour, na Tarpon Bay Recreation Area *(www.tarponbayexplorers.com)*, situada no sul do refúgio, tem apresentação em tanque interativo.

👫 **Idade** A partir de 3 anos

🌿 **Atividades** Pergunte no balcão do Education Center sobre as atividades Junior Ranger e Earth Caching, e os programas de leitura e artes para crianças. Na Tarpon Bay Recreation Area, caiaque, vida na natureza e no mar e passeios de barco ao pôr do sol abrangem as colônias de aves ou a trilha pelo estuário do mangue.

⏱ **Duração** No mínimo meio dia

🍴 **Comida e bebida** LANCHE Lazy Flamingo (6520-C Pine Ave, 33957; 239 472 5353; *www.lazyflamingo.com*) tem sanduíches e frutos do mar por preço razoável. REFEIÇÃO Doc Ford's Sanibel (975 Rabbit Rd, 33957; 239 472 8311; *www.docfordssanibel.com*) atrai com pratos preferidos das famílias, como tiras fritas de peixe e beach bread (bruschetta).

CRIANÇADA!

Que concha eu sou?

Tente solucionar estas charadas com nomes de conchas ao visitar o Bailey-Matthews Shell Museum e ao catar conchas das ilhas de Sanibel e Captiva:

1 Você pode escrever uma mensagem na areia comigo.
2 Eu brilho nas tempestades.
3 Talvez você ache que eu devo usar luvas de boxe.
4 Algumas pessoas usam meu nome para dizer as horas.
5 Não existo na Holanda como o meu nome indica.
6 Eu sei o abecê.
7 Pareço o pé de um gatinho.
8 Eu voo nos céus.
9 Noé navegou em mim.

Respostas no fim do quadro.

VISÃO DE ÁGUIA

No J. N. "Ding" Darling National Wildlife Refuge, suba na torre de observação na Wildlife Drive. Espie pelo telescópio e note quantas aves diferentes você avista. Olhe bem os desenhos no corpo e a cor do bico, das pernas e dos pés.

Descubra mais

1 O pica-pau bate nas árvores com o bico para demarcar território e atrair parceiros.
2 A corujinha-do-mato pode ser vermelha, marrom e cinza.
3 Os dois motivos principais dos ferimentos das águias tratadas na Crow são choque elétrico e briga com outras águias.

Respostas: 1 Pen shell (concha-caneta). 2 Lightning shell (concha-relâmpago). 3 Fighting conch (concha-lutadora). 4 Sundial (relógio de sol). 5 Tulip shell (concha-tulipa). 6 Alphabet cone (cone-alfabeto). 7 Kitten's paw (pata de gatinho). 8 Angel wing (asa de anjo). 9 Ark (arca).

Piquenique até $25; **Lanche** $25-50; **Refeição** $50-80; **Para a família** mais de $80 (para quatro pessoas)

⑤ Corkscrew Swamp Sanctuary
Ninho de ave grande e árvores ancestrais

A cerca de 32km de Bonita Beach, há uma bela região de água bem diferente: o pântano. O Corkscrew Swamp Sanctuary é a sede regional do Great Florida Birding Trail, onde os amantes da natureza podem caminhar por uma passarela de madeira de 4km para explorar o rico habitat em que vivem aligatores, linces, ursos-negros e veados-de-cauda-branca. Contudo, o animal mais importante do santuário talvez seja o wood stork (jaburu). Essa ave enorme, preta e branca, aninha-se nos ciprestes-calvos de 500 anos, altíssimos, com "joelhos" protuberantes – árvores que constituem a maior floresta antiga do país. O jaburu é apenas uma das aproximadamente 200 espécies que visitam o santuário – entre outras, há aves limícolas, canoras, de rapina, a garça-tricolor e a fabulosa passerina-de-cuba.

Informações
- 🌐 **Mapa** 9 D1
- 📍 **Endereço** 375 Sanctuary Rd, 34120; 239 348 9151; www.corkscrewsanctuary.org
- 🚗 **Carro** Alugue em Fort Myers.
- ℹ️ **Informação turística** Greater Naples Marco Everglades Convention & Visitors Bureau, 2800 N Horseshoe Blvd, 34104; www.paradisecoast.com
- 🕐 **Aberto** 11 abr-30 set: 7h-19h30; 1 out-10 abr: 7h-17h30 (última entrada 1 h antes do horário de fechamento)
- 💲 **Preço** $28-40; até 6 anos, grátis
- 👥 **Para evitar fila** Ligue antes para saber se há escolas ou grupos de jovens em visita nesse dia.
- 🚩 **Passeios guiados** Os instrutores conduzem passeios de manhã cedo, ao pôr do sol e à noite na alta temporada. Veja datas e horários no site.
- 👫 **Idade** A partir de 5 anos
- ⏱️ **Duração** 2 horas
- ☕ **Comida e bebida** PIQUENIQUE Publix (12900 Trade Way Four, Bonita Springs, 34135; 239 992 2159; www.publix.com) vende saladas, sanduíches e bebidas. Há uma área de piquenique do outro lado do estacionamento.

O socó-dorminhoco, no Corkscrew Swamp Sanctuary

Se chover...
Depois de percorrer a trilha do Corkscrew, vá ao **Blair Audubon Center** (no local) e aprenda sobre a ecologia do santuário. As crianças adoram o Swamp Theater, que recria um dia no pântano com som e luz, e a loja da natureza, bem bacana.

⑥ Naples
Um pequena Itália

Os bravos pioneiros que se instalaram no sul da costa oeste da Flórida compararam as praias e os rios da região aos da Itália e batizaram seu povoado de Naples-on-the-Gulf (Nápoles no Golfo). Hoje, sua arquitetura e sua culinária têm sabor italiano.

Antes um violento posto comercial indígena, Naples tornou-se retiro de veranistas em busca de golfe, compras e gastronomia. O núcleo do centro, chamado Old Naples, tem duas ruas badaladas – a Fifth Avenue South e a Third Street South. A maioria dos excelentes restaurantes da cidade está ali. O Naples Pier, perto da Third Street South, sai da areia macia e branca da praia e adentra o golfo do México.

O **Children's Museum of Naples**, no North Collier Regional Park, a nordeste do centro, abriga o parque aquático **Sun-n-Fun Lagoon**. No museu, a garotada pode dirigir uma imitação do trólebus de Naples, subir numa casa na árvore, entrar numa concha e se refrescar num iglu.

Com os Everglades atrás, Naples tem muita vida silvestre. Mas o modo mais fácil de ver animais – da região e de tão longe quanto Madagascar – é ir ao **Naples Zoo**. Ver as exibições de animais, dar de comer às girafas e ir de barco à Primate Island torna a visita mais eletrizante.

Informações
- 🌐 **Mapa** 9 C1
- 📍 **Endereço** Children's Museum of Naples: 15080 Livingston Rd, 34109; www.cmon.org. Sun-n-Fun Lagoon: 15000 Livingston Rd, 34109; www.collierparks.com. Naples Zoo: 1590 Goodlette-Frank Rd, 34102; www.napleszoo.com
- 🚗 **Carro** Alugue em Fort Myers
- ℹ️ **Informação turística** Greater Naples Marco Everglades Convention & Visitors Bureau, 2800 N Horseshoe Blvd, 34104; 239 252 2384; www.paradisecoast.com
- 🕐 **Aberto** Children's Museum of Naples: 10h-17h ter-sáb, 11h-16h dom. Sun-n-Fun Lagoon: horário variado; consulte o site. Naples Zoo: 9h-17h diariam
- 💲 **Preços** Children's Museum of Naples: $40-50; até 1 ano, grátis. Sun-n-Fun Lagoon: $35-48; até 4 anos, grátis. Naples Zoo: $66-80; até 3 anos, grátis
- 🚩 **Passeios guiados** O trólebus de Naples Trolley (www.naplestrolleytours.com) faz passeios de Old Naples a Vanderbilt Beach.
- ⏱️ **Duração** Um dia
- ☕ **Comida e bebida** LANCHE Aurelio's Is Pizza (590 N Tamiami Trail, 34102; 239 403 8882; www.aureliosofnaples.com) oferece pizza, massas e sanduíches. REFEIÇÃO Dock at Crayton Cove (845 12th Ave S, 34102; 239 263 9940; www.dockcraytoncove.com) é casa antiga de frutos do mar na água com menu infantil.

Crianças aproveitam passeio de camelo com guia no Naples Zoo

Para relaxar
Siga para o **Delnor-Wiggins Pass State Park** (11135 Gulf Shore Dr N, 34108; 239 597 6196; www.floridastateparks.org/delnor-wiggins), em Vanderbilt Beach, ao norte de Na-

Preços para família de 4 pessoas

Vanderbilt Beach, praia de areia branca muito frequentada, em Naples

...ples. Pode-se tomar banho de sol, subir num mirante, pescar no estreito, passear de caiaque e, no verão, seguir um guarda-parque no passeio da tartaruga.

⑦ Marco Island
Índios, pescadores e um gato bem legal

Ponto de partida para as Ten Thousand Islands, arquipélago labiríntico protegido, ao sul, a Marco Island orgulha-se da pesca e da navegação. Alugue um barco numa das marinas da ilha e caia na água. Do lado leste, a cidade pesqueira de Goodland mantém os hábitos dos velhos povoados de pesca.

Os índios calusas pescaram nessas águas por 1.500 anos, até serem dizimados pelos invasores europeus. Construíram o centro de seu domínio na Marco Island, como revelaram escavações arqueológicas em 1895. Um achado importante, uma efígie de madeira chamada gato de Key Marco, hoje está na Smithsonian Institution de Washington, capital do país. A família pode subir de carro num monte de conchas antigo, de quase 20 metros, e seguir trilhas em outro, na **Otter Mound Preserve**.

Há dois acessos às largas praias públicas de Marco para receber os turistas. **Tigertail Beach** tem playgrounds e uma laguna protegida que atrai muitos pássaros, especialmente no inverno.

Se chover...
Vá ao **Marco Island Historical Museum** *(180 Heathwood Dr, 34145; 239 642 1440; www.themihs.org)*, construído para lembrar por fora uma aldeia dos calusas. O museu tem peças que contam a história local. Há réplicas do gato de Key Marco para ver e comprar na loja do museu.

Informações
- **Mapa** 9 D2
- **Endereço** Otter Mound Preserve: 1831 Addison Ct, 34145; www.colliergov.net. Tigertail Beach: 430 Hernando Dr, 34145; www.collierparks.com
- **Carro** Alugue em Naples.
- **Informação turística** Greater Naples Marco Everglades Convention & Visitors Bureau, 2800 N Horseshoe Blvd, 34104; www.paradisecoast.com
- **Aberto** Otter Mound Preserve: diariam. Tigertail Beach: 8h-pôr do sol
- **Preço** Otter Mound Preserve: grátis
- **Para evitar fila** Chegue cedo à Tigertail Beach, porque o estacionamento lota rápido na temporada e nos fins de semana.
- **Passeios guiados** Consulte os passeios no site da Conservancy of Southwest Florida *(www.conservancy.org)*.
- **Idade** Livre
- **Duração** Um dia
- **Comida e bebida** LANCHE Old Marco Lodge Crab House *(401 Papaya St, Goodland, 34140; 239 642 7227; www.oldmarcolodge.com)* é um local histórico com mesas na varanda e apresentação ao vivo. Serve bolo de siri, quesadillas de frango e saladas. REFEIÇÃO Snook Inn *(1215 Bald Eagle Dr, 34145; www.snookinn.com)* tem vista para o rio Marco do lado de fora, sob um abrigo de palha. Dentro predominam um aquário e um bufê de saladas. O cardápio conta com muitos frutos do mar e pratos de carne.

CRIANÇADA!

Descubra mais
1 Qual o nome da margem onde algas, conchas e outras coisas do mar são depositadas na maré alta?
2 O peixe típico da Flórida é adocicado e macio e tem "ga" no nome. Sabe qual é?
3 Água doce e salgada misturam-se para sustentar uma espécie de vida marinha em certo habitat. Sabe como ele se chama?

Respostas no fim do quadro.

MANUAL DA TARTARUGA
As tartarugas marinhas fazem ninhos nas praias da Flórida de abril a outubro. À noite, as fêmeas fazem buracos para pôr ovos, parecidos com bolas de pingue-pongue. Cada uma põe cerca de cem ovos, e o calor da areia determina o sexo do filhote. Uma tartaruga-de-pente adulta pode pesar 907 kg e chegar a 150 anos de vida!

Criaturas malucas
O sul da Flórida tem certos animais engraçados – pássaros rosados que comem com colher, manatis com forma de tomate e aligatores, crocodilos e tubarões dentuços. Veja que criaturas realmente bizarras você consegue desenhar misturando partes diferentes de animais – um manati com as pernas e o bico de um colhereiro-rosado, por exemplo. Que nome você daria aos animais que inventou?

Respostas: 1 Linha de detrito. **2** Garoupa **3** Estuário.

Piquenique até $25; Lanche $25-50; Refeição $50-80; Para a família mais de $80 (para quatro pessoas)

⑧ Everglades National Park
Bem no sul da Flórida

Indígenas desalojados e criminosos estiveram entre os primeiros que se instalaram nessa terra ameaçadora, cheia de pântanos, na parte mais ao sul da Flórida. Posteriormente vieram hábeis construtores, que queriam drenar os preciosos charcos para construir. Felizmente, Marjory Douglas Stoneman se insurgiu nos anos 1940 para garantir que esse território especial fosse protegido para sempre pelo Everglades National Park, hoje com 3.540km² e mais de mil espécies de peixes, aves, répteis, anfíbios e mamíferos.

Vista da torre de observação

Destaques

① Flamingo Visitor Center
Veja as mostras e pegue mapas para explorar trilhas e rios. Além de marina e loja, o centro de visitantes conta com um camping na baía da Flórida.

② Trilhas na estrada para Flamingo A Main Park Road, de 60km, passa por quatro trilhas para caminhadas curtas: Pinelands Trail, Pa-hay-okee Overlook, Mahogany Hammock Trail e West Lake.

③ Long Pine Key Talvez o lugar mais bonito dos Everglades, as florestas de pinheiros dessa região são perfeitas para um piquenique e pernoite no camping bem conservado.

④ Royal Palm Visitor Center Primeira parada na Main Park Road para Flamingo, esse é um dos melhores lugares para ver animais, onde começam as trilhas de Anhinga e Gumbo Limbo.

⑤ Ernest Coe Visitor Center/entrada principal Esse prédio está fora do parque, e suas mostras interativas são uma boa introdução ao lugar.

⑥ Entrada do Shark Valley/Visitor Center Ande, pedale ou faça um passeio de bonde por um caminho circular de 24km. Suba no mirante para ver a bela paisagem.

⑦ Entrada da Costa do Golfo/Visitor Center Caminhada e passeios de canoa e bicicleta saem do portão do litoral oeste, na histórica cidade pesqueira de Everglades City.

Para relaxar

Pare num dos acessos mais remotos dos Everglades, **Chekika** (24200 SW 160th St, Miami, 33194; dez-abr), ao norte de Homestead. Uma passarela curta passa por charcos de capim alto, floresta fechada e um buraco de aligátor, até chegar a um belo gramado para um piquenique.

Comida e bebida

Piquenique: até $25; Lanche: $25-50; Refeição: $50-80; Para a família: mais de $80 (para quatro pessoas)

PIQUENIQUE Robert Is Here Fruit Stand (19200 SW 344th St, Homestead, 33034; 305 246 1592; www.robertishere.com) oferece vitamina de frutas e lanches. Coma no terreno perto da fazenda de animais domésticos e do laguinho.
LANCHE Buttonwood Café (Flamingo Visitor Center; 239 695 3101; tinyurl.com/7d5bjne) funciona na temporada inverno-primavera. Tem cachorro-quente, hambúrguer, bifes e cardápio infantil. Prepara peixes dos hóspedes por preço simbólico.
REFEIÇÃO Oyster House Restaurant (Hwy 29 S, Everglades City, 34139; 239 695 2073; www.oysterhouserestaurant.com) diverte a família com animais empalhados e outras coisas doidas. Comece pedindo pernas de aligátor ou rã.
PARA A FAMÍLIA Capri Restaurant (935 N Krome Ave, Florida City, 33034; 305 247 1542; www.dinecapri.com) tem cardápio que abrange de sanduíches e saladas de entrada a pizzas e massas.

Hortifrútis frescos à venda na Robert Is Here Fruit Stand, Homestead

Preços para família de 4 pessoas

Everglades National Park e Arredores | 243

Informações

🌐 **Mapa** 9 F3
Endereço Flamingo Visitor Center: 61km após a entrada na Main Park Rd; 239 695 2945. Royal Palm Visitor Center: 3km após a entrada na Royal Palm Rd; 305 242 7700. Ernest Coe Visitor Center: 40001 State Rd 9336, Homestead, 33034-6733; 305 242 7700. Shark Valley Visitor Center: 36000 SW 8th St, Miami, 33194; 305 221 8776. Gulf Coast Visitor Center: 815 Oyster Bar Lane, Everglades City, 34139; 239 695 3311

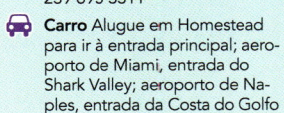

🚗 **Carro** Alugue em Homestead para ir à entrada principal; aeroporto de Miami, entrada do Shark Valley; aeroporto de Naples, entrada da Costa do Golfo

🕐 **Aberto** Everglades National Park e trilhas: diariam. Flamingo Visitor Center: 9h-16h30 diariam (saguão: dia inteiro). Royal Palm Visitor Center: 8h-16h15 diariam. Ernest Coe Visitor Center: meados abr-meados dez: 9h-17h diariam; resto do ano 8h-17h diariam (entrada principal diariam). Shark Valley Visitor Center: 9h15-17h15; veja também no site. Gulf Coast Visitor Center: 8h30-16h30 diariam na alta temporada (dez-abr); horário menor no resto do ano.

💲 **Preços** Everglades National Park Main: $10 por veículo; $5 por pedestre ou ciclista; até 17 anos, grátis. Shark Valley: $76-86, até 3 anos, grátis. Outras entradas e centros de visitantes: grátis.

👫 **Para evitar fila** Os Everglades têm duas estações: a seca (inverno) e a úmida (verão). Baixo risco de inundação e menos mosquitos tornam o inverno a estação mais procurada. Não se esqueça de levar repelente de insetos, principalmente no verão.

🚩 **Passeios guiados** De bonde, duas horas no Shark Valley (www.sharkvalleytramtours.com). O passeio de barco sai da marina de Flamingo e da entrada da Costa do Golfo; veja preço e horário nos centros de visitantes.

👨‍👧 **Idade** A partir de 6 anos

🎨 **Atividades** Baixe o Junior Ranger Book do site www.nps.gov/ever/forkids/beajuniorranger.htm ou peça nos centros de visitantes.

⏱ **Duração** No mínimo 2 dias

☕ **Café** Buttonwood Café no Flamingo Visitor Center (p. 242)

🚻 **Banheiros** Em todos os centros de visitantes e campings

Bom para a família?
Os Everglades oferecem diversão ao ar livre o ano inteiro, com animais incríveis e ótimas trilhas. Preços para todos os orçamentos.

Compras
Passe na **Gift Shop** (na maioria dos centros de visitantes) e apoie o conservacionismo. Escolha entre cobras de borracha, aves de pelúcia, quebra-cabeças, livros e camisetas.

Saiba mais
INTERNET Veja páginas para crianças em www.nps.gov/ever/forkids/learning-about-the-everglades.htm.

Se chover...
O **Museum of the Everglades** (www.colliermuseums.com), em Everglades City, centra-se na façanha de uma estrada que rasga os pântanos dos Everglades, no legado dos índios calusas e na tradição pesqueira da região.

Próxima parada...
WILDER WILDERNESS Percorra 117km a noroeste para explorar a **Rookery Bay National Estuarine Research Reserve** (www.rookerybay.org), estuário de mangue intacto. O centro de ensino tem um aquário enorme e mostras interativas sobre a história do parque. O **Ten Thousand Islands National Wildlife Refuge** (www.fws.gov) oferece pesca e a chance de ver animais.

Manguezal na Rookery Bay National Reserve

CRIANÇADA!

Crocodilo ou aligátor?
No que o crocodilo se diferencia do aligátor? Que bom que não é preciso chegar perto para dizer quem é quem!
1 O aligátor americano tem pele escura e focinho largo, para partir o casco de tartarugas.
2 O crocodilo é mais claro e tem um focinho mais estreito e pontudo e um perfil mais achatado quando na água.
3 Quando o aligátor fecha a boca, os dentes do maxilar superior ficam visíveis. Se é um crocodilo de boca fechada, você vê os dentes de cima e de baixo visivelmente cruzados.

COMO SE SOLETRA "EVERGLADES"?
Escreva "Everglades National Park" e deixe espaços entre as letras. Pense em algo que você viu ou aprendeu no parque que comece com cada uma das letras. Ponha tudo isso no papel, até ter usado todas as letras, sem repetir nenhuma palavra.

Coleção de aves
Os amantes de pássaros fazem o que chamam de "lista de campo" ("life list", em inglês) – registro de todas as espécies de aves que viram na natureza durante a vida. Os Everglades, com 366 espécies, é o melhor lugar para iniciar sua lista na Flórida. Com a ajuda de um guarda, anote tudo. Imprima a lista de pássaros da Flórida em *fl.audubon.org/PDFs/birds_checklist.pdf* e marque os pássaros avistados.

⑨ Biscayne National Park

Água, água por todo lado

Esse refúgio vasto, quase todo submerso, contém o terceiro mais longo trecho de recifes de coral do mundo. O parque começa nas Keys e, para os fãs de ar livre, tem de tudo – canoa, caiaque, mergulho com snorkel e cilindro, trilha, camping e ainda uma fatia de história que remonta aos dias dos índios tequestas. Contudo, é preciso esforço para aproveitar o melhor do parque, ou seja, o que está sob a água e nela. As duas maiores ilhas de Biscayne – Boca Chita e Elliott Key – são acessíveis só de barco, mas valem a viagem para conhecer alguns traços incomuns da história local, caminhar em trilhas, pescar e acampar.

Se chover...

Diante da marina do Biscayne National Park, o **Dante Fascell Visitor Center** (9700 SW 328th St, Homestead, 33033; 305 230 7275; www.nps.gov/bisc) tem mostras que representam artisticamente os habitats marinhos do parque. No auditório, exposições itinerantes mostram a visão de artistas locais sobre Biscayne.

⑩ Miccosukee Indian Village

Coração indígena

A tribo dos micossuques vive à beira dos Everglades, numa faixa estreita, desde que as Guerras Seminoles a expulsaram de sua terra, Tallahassee, nos anos 1800. Hoje, os visitantes podem vivenciar seu modo de vida e conhecer suas crenças. Passeios com guia ou autoguiados no esplêndido museu e seu terreno investigam a história dos micossuques e de suas choupanas com piso elevado. Os membros da tribo fazem ousadas apresentações com aligatores e mostram o artesanato nativo.

Para relaxar

Na Miccosukee Village, entre num aerobarco para visitar o acampamento de um clã nativo americano. Um ex-chefe tribal leva a uma experiência cultural com os **Buffalo Tiger's Airboat Tours** (www.buffalotigersairboattours.com).

⑪ Big Cypress National Preserve

Ciprestes-calvos, bichos peludos e amigos com penas

Os EUA criaram a Big Cypress para encerrar a ação das madeireiras, que dizimavam os altos e lindos ciprestes-calvos. A reserva propicia várias opções para os aventureiros. Comece no **Oasis Visitor Center** ou no **Big Cypress Swamp Welcome Center**. A passarela de madeira do Oasis é um ótimo lugar para ver os aligatores nadando embaixo. Ao andar pela passarela do Welcome Center, ouve-se a respiração dos manatis quando eles sobem à superfície. Pegue um mapa em qualquer um dos postos e alugue um

Bonecas de palmeira e trabalhos com miçangas à venda na Miccosukee Indian Village

Visitantes jovens no Big Cypress Swamp Welcome Center

Informações

- **Mapa** 10 H3
- **Carro** Alugue em Homestead. O parque tem barcos para as ilhas principais (305 230 1100).
- **Informação turística** Tropical Everglades Visitor Center, 160 US Hwy 1, Florida City, 33034; 305 245 9180; www.tropicaleverglades.com
- **Aberto** Centro de visitantes: 9h-17h; terreno: 7h-17h30 diariam
- **Preço** Grátis
- **Passeios guiados** Passeios de mergulho (snorkel e cilindro) e de barco com fundo de vidro e programas de guarda-parques no inverno e na primavera
- **Idade** A partir de 5 anos
- **Atividades** Pegue o folheto de atividades Junior Ranger no centro de visitantes
- **Duração** 1-2 dias
- **Comida e bebida** PIQUENIQUE O centro de visitantes (no local; 305 230 1100) vende sanduíches frios, petiscos e bebidas. REFEIÇÃO Mutineer Restaurant (11 SE 1st Ave, Florida City, 33034; 305 245 3377; www.mutineer.biz) tem um longo cardápio de pratos locais e frutos do mar.

Informações

- **Mapa** 10 F2
  Endereço MM 70, Tamiami Trail, Miami, 33194; 1 877 242 6464; www.miccosukee.com/indian_village
- **Carro** Alugue no aeroporto de Miami.
- **Informação turística** Tropical Everglades Visitor Center, 160 US 1, Florida City, 33034; 305 245 9180; www.tropicaleverglades.com
- **Aberto** 9h-16h diariam
- **Preço** $32-42; até 5 anos, grátis
- **Passeios guiados** Passeios ao museu e de aerobarco o dia inteiro
- **Idade** A partir de 5 anos
- **Duração** Meio dia
- **Comida e bebida** LANCHE Everglades Gator Park (24050 SW 8th St, Miami 33194; 305 559 2255; www.gatorpark.com) oferece iguarias como rabo e linguiça de aligátor e sanduíches de bagre. REFEIÇÃO Miccosukee Restaurante (no local; 305 894 2374) serve pernas de rã, pão de abóbora e outros pratos americanos indígenas, bem como hambúrgueres e saladas.

Preços para família de 4 pessoas

Everglades National Park e Arredores | 245

Informações

- **Mapa** 10 E2
  Endereço Ochopee 34141. Big Cypress National Preserve: 33100 Tamiami Trail E; 239 695 2000; www.nps.gov/bicy. Big Cypress Swamp Welcome Center: 33000 Tamiami Trail E; 239 695 4758. Oasis Visitor Center: 52105 Tamiami Trail E; 239 695 1201
- **Carro** Alugue em Shark Valley
- **Informação turística** Greater Naples Marco Everglades Convention & Visitors Bureau, 2800 N Horseshoe Blvd, Naples, 34104; 239 252 2384; www.paradisecoast.com
- **Aberto** Oasis Visitor Center & Big Cypress Swamp Welcome Center: 9h-16h30 diariam
- **Preço** Grátis
- **Passeios guiados** Com guardas, grátis, inverno e primavera
- **Idade** A partir de 6 anos
- **Atividades** Peça o folheto de atividades Junior Ranger nos centros
- **Duração** Meio dia a um dia
- **Comida e bebida** LANCHE Coopertown (22700 SW 8th St, Miami; 305 226 6048; www.coopertownairboats.com) vende sanduíches e pernas de rã. REFEIÇÃO Joanie's Blue Crab Café (39395 Hwy 41, 34141; 239 695 2682) serve culinária autêntica dos Everglades.

caiaque em Everglades City, ou caminhe em parte da Florida Trail. Na estação seca, vale a pena fazer um roteiro panorâmico de carro.

Se chover...

Vá ao **Big Cypress Swamp Welcome Center** para conhecer a vida silvestre e as bacias hidrográficas da Flórida por meio de jogos e aparelhos interativos.

⑫ Everglades City
Portal da Costa do Golfo

Situada na entrada do Everglades National Park, essa cidadezinha pacata oferece pesca e passeios de caiaque e aerobarco. Perto dela há atrações que apresentam à família a singular vida vegetal e animal.

A **Fakahatchee Strand State Preserve**, 8km ao norte da cidade, é lembrada pelas orquídeas silvestres. Localizado 24km a noroeste, o **Collier-Seminole State Park** é um lugar para caminhar, pedalar e acampar. Vá à **Wooten's Airboat Tours**, 9km a nordeste, onde um

Ciprestes-calvos na Fakahatchee Strand State Preserve

lago com aligatores e mostras sobre animais, além de espetáculos, complementam as excursões.

Se chover...

Do outro lado da ponte de Everglades City, Chokoloskee Island é onde fica o **Historic Smallwood Store & Museum** (www.smallwoodstore.com), antigo entreposto indígena na baía que ainda dispõe de alguns produtos antigos e peças históricas.

Informações

- **Mapa** 10 E2
  Endereço Fakahatchee Strand State Preserve: 137 Coastline Dr, Copeland, 34137; www.floridastateparks.org. Collier-Seminole State Park: 20200 E Tamiami Trail, Naples, 34114; www.floridastateparks.org. Wooten's Airboat Tours: 32330 Tamiami Trail, Ochopee, 34141; wootensairboats.com
- **Carro** Alugue em Miami
- **Informação turística** Visitors Bureau, 2800 N Horseshoe Blvd, Naples, 34104; 239 252 2384; www.paradisecoast.com
- **Aberto** Fakahatchee Strand State Preserve, Collier-Seminole Park e Wooten's Airboat Tours: diariam
- **Preço** Collier-Seminole State Park: $5 por veículo
- **Passeios guiados** Por estação, em Fakahatchee e Collier-Seminole
- **Comida e bebida** LANCHE City Seafood (702 Begonia St, Everglades City, 34139; 239 695 4700) serve meias porções. REFEIÇÃO The Rod & Gun Club (200 Riverside Dr, Everglades City, 34139; 239 695 2101) tem aligátor frito e torta de chocolate com amendoim.

CRIANÇADA!

Glossário dos Glades

1 Glades: Bem antes de o Everglades National Park existir, o nome Everglades era aplicado à região e à sua ecologia. "Ever" vem de "sempre", em inglês, e "glades" significa "clareira". Os moradores abreviam para Glades.

2 Seminoles: O governo dos EUA deu esse nome, que significa "fugidos", a cerca de vinte tribos que migraram para a Flórida nos primórdios, antes de ela se tornar estado.

3 Aerobarco: Feito pelos caçadores de rãs especialmente para viajar nos Everglades, essa barulhenta embarcação a jato praticamente voa pelos brejos.

4 Buggy de pântano: Feito especificamente para atravessar charcos, tem pneus grandes e chassi elevado, permitindo viajar no alto e sem se molhar.

PLANTE UMA ÁRVORE

Quando remar pelos mangues, procure sementes longas e verdes, parecidas com feijão, boiando na água. Chamadas props (redução de "propágulos"), elas caem das árvores. Se achar uma, enfie no lodo a ponta do broto para dar vida a outra árvore.

Olhar aguçado

No passeio de carro pelo Tamiami Trail, você pode ver alguns aligatores ao longo do córrego paralelo, mas são difíceis de avistar – podem estar na água ou tomando sol na margem. Observe bem o que parece ser um tronco. Se você distinguir um focinho e algo similar à banda de rodagem de um pneu, pronto: aí está o seu aligátor!

Piquenique até $25; **Lanche** $25-50; **Refeição** $50-80; **Para a família** mais de $80 (para quatro pessoas)

246 | Baixa Costa do Golfo, Everglades e as Keys

⑬ Key West e Arredores
Piratas, naufrágios e tesouro

Já viu um gato com seis dedos e um homem de bicicleta com uma iguana no ombro? Os dois existem em Key West, o destino mais concorrido das Florida Keys. A Cidade Velha, núcleo do centro urbano, é conhecida pelo clima de festa, mas a profusão de atrações e uma história que remonta aos piratas do século XIX fazem dela um programa enorme para a família. Fica no final de um colar de ilhotas, onde animais, praias, parques e esportes aquáticos preenchem dias alegres.

Entrada da Mallory Square

Destaques

① **Historic Seaport at Key West Bight** Esse bairro restaurado e seu Harborwalk formam um novo coração na Cidade Velha, cheio de atividades, lojas, restaurantes e esportes aquáticos.

② **Mallory Square** Celebre o pôr do sol e o entardecer nesse cais de navios de cruzeiro, com músicos, mágicos e vendedores de moluscos empanados e margaritas.

③ **Key West Aquarium** Feito em 1934, esse foi o primeiro aquário do mundo a céu aberto, mas hoje é coberto na maior parte. Visite-o para ver os guias alimentando tubarões, arraias e tartarugas marinhas.

④ **Eco-Discovery Center** Essa atração exibe os tesouros naturais das Keys – seus magníficos recifes de coral e ecossistemas. As crianças gostam do modelo em tamanho natural de um laboratório submerso.

⑤ **Fort Zachary Taylor Historic State Park** Esse forte da Guerra de Secessão fica em uma excelente praia. Faça o passeio, com mergulho e caminhada.

⑥ **Key West Lighthouse Museum** Suba os 88 degraus do farol de 28m, erigido em 1844, para apreciar a bela vista. Vá à casa ao lado do farol, onde objetos antigos contam a história dos seus zeladores.

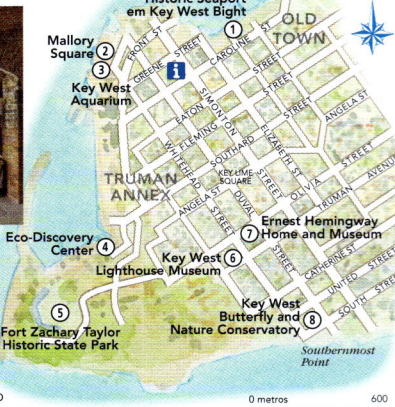

⑦ **Ernest Hemingway Home and Museum** Saiba mais sobre os 50 gatos de seis dedos que cochilam pela casa, onde o famoso romancista Ernest Hemingway morou e escreveu de 1931 a 1942.

⑧ **Key West Butterfly and Nature Conservatory** Entre numa bolha de vidro que tem mais de 40 espécies de borboleta, além de pássaros, cascatas e vegetação exuberante. A loja também é imperdível.

Informações

🌐 **Mapa** 9 D6
Endereço Key West 33040. Historic Seaport at Key West Bight: off Front St; 305 809 3801. Mallory Square: junto à Wall St; www.mallorysquare.com. Key West Aquarium: 1 Whitehead St; www.keywestaquarium.com. Eco-Discovery Center: 35 E Quay Rd; floridakeys.noaa.gov/eco_discovery.html. Fort Zachary Taylor Historic State Park: 601 Howard English Way; www.floridastateparks.org/forttaylor. Ernest Hemingway Home and Museum: 907 Whitehead St; www.hemingwayhome.com. Key West Lighthouse Museum: 938 Whitehead St; www.kwahs.com. Key West Butterfly and Nature Conservatory: 1316 Duval St; www.keywestbutterfly.com

🚌 **Ônibus** Em Marathon (www.kwtransit.com). **Carro** Estacione na Grinnell St 300 e faça o passeio circular de trólebus. **Barca** Em Fort Myers (seakeywestexpress.com)

ℹ️ **Informação turística** Greater Key West Chamber of Commerce, 510 Greene St, 33040; 305 294 2587; www.keywestchamber.org

🕐 **Aberto** Maioria das atrações: diariam; veja horários nos sites.

💲 **Preços** Key West Aquarium: $45-60. Eco-Discovery Center: grátis. Fort Zachary Taylor Historic State Park: $8-18. Ernest Hemingway Home and Museum: $38-50. Key West Lighthouse Museum: $30-40. Key West Butterfly and Nature Conservatory: $30-40. A maioria das atrações é grátis até 6 anos.

👪 **Para evitar fila** As atrações ficam mais cheias nas férias da primavera, no Fantasy Fest (out) e quando há navios de cruzeiros no porto.

Preços para família de 4 pessoas

Key West e Arredores | 247

Uma pose para fotos no marco do Southernmost Point (Extremo Sul)

Para relaxar
Depois de visitar a casa de Hemingway e o farol do outro lado da rua, ande até o **Southernmost Point** *(South St, 33040; 305 292 1880)*. Tire suas fotos no ponto mais ao sul dos EUA. Enquanto os adultos leem os marcos históricos, as crianças podem correr pela esplanada à beira-mar.

Comida e bebida
Piquenique: até $25; Lanche: $25-50; Refeição: $50-80; Para a família: mais de $80 (para quatro pessoas)

PIQUENIQUE É difícil achar o **Lobo's Mixed Grill** *(5 Key Lime Square, 33040; 305 296 5303; www.loboskw.com)*, mas ele merece uma visita pela longa lista de hambúrgueres, wraps e saladas. Escolha as provisões para um piquenique e vá ao Higgs Beach-Astro Park pelo sol, pela areia e pelo playground.
LANCHE **B.O's Fish Wagon** *(801 Caroline St, 33040; 305 294 9272)* serve o sabor típico de Key West em local badalado no Historic Seaport. A especialidade são sanduíches de peixe com molho de limão das Keys.

- **Passeios guiados** Veja detalhes em www.conchtrain.com e www.cityviewtrolleys.com.
- **Idade** A partir de 5 anos
- **Duração** 3-5 dias
- **Banheiros** Na maioria das atrações

Bom para a família?
Os descontos on-line tornam Key West acessível. Nas praias, só o estacionamento é pago.

REFEIÇÃO Croissants de France *(816 Duval St, 33040; 305 294 2624; www.croissantsdefrance.com)* oferece doces e salgados, e crepes saborosos. Os mais comedidos ficam com *croque monsieur* (sanduíche de presunto e queijo na chapa).
PARA A FAMÍLIA **Latitudes** *(245 Front St, 33040; 305 292 5394)* serve taco de peixe, hambúrguer e outras pedidas infantis. O salão dá para o golfo do México. Comendo aí, a viagem de barco para ir ao restaurante na Sunset Key é grátis.

Compras
Caminhe pela Duval Street, na Cidade Velha (Old Town), onde os artigos vão de camisetas cafonas a bela vidraria artística. **Cayo Hueso y Habana** *(410 Wall St, Mallory Square, 33040; 305 293 7260)* é meio museu, meio shopping, com lembranças como galos e charutos enrolados à mão.

Saiba mais
FILME Feito para ser cenário de *Flipper* (1963), o Dolphin Research Center de Marathon é o lar de cerca de vinte golfinhos. Alguns descendem das cinco "estrelas" protagonistas do filme.

Mesas ao ar livre no Croissants de France, Key West

Próxima parada...
DRY TORTUGAS NATIONAL PARK
Pegue a barca rápida *Yankee Freedom II* (www.yankeefreedom.com) para passar o dia no Dry Tortugas National Park *(www.nps.gov/drto)*, situado 109km a oeste de Key West. O Dry Tortugas abrange sete ilhas de recife, das quais Garden Key é a mais visitada. As ilhas são um deleite para os fãs de pássaros, sobretudo de março a outubro. Além de lindos recifes de coral, a família pode explorar o **Fort Jefferson** *(www.fortjefferson.com)*, do século XIX, o maior forte de tijolos dos EUA.

CRIANÇADA!

Caso de tartaruga
Cinco espécies ameaçadas de tartaruga marinha vivem nas Keys. Quais são elas?

Respostas no fim do quadro.

Cardápio para bichos
Enquanto aprende sobre a vida animal das Keys – peixes, golfinhos, tubarões, tartarugas, manatis, pássaros, borboletas e veados –, preste bastante atenção aos tipos de alimento de que cada animal gosta. Com papel e giz de cera, escreva e ilustre um cardápio para todos os animais que conhecer.

ESCREVA!
Além de Hemingway, Key West inspirou Robert Frost, Tennessee Williams e outros grandes escritores. Veja se você pode ser um ótimo escritor de Key West escrevendo um conto com o tema "No primeiro dia em que visitei Key West, não pude acreditar…".

Espertinhos e furtivos
Você sabia que alguns saqueadores um dia fizeram de Key West a cidade mais rica do mundo? Eles provocavam naufrágios pendurando lanternas perto de arrecifes perigosos. Quando os navios batiam nos recifes, eles saíam de bote para socorrer os passageiros e a tripulação, mas também ficavam com a carga que os navios estivessem transportando.

Resposta: Tartaruga-cabeçuda, tartaruga-de-couro, tartaruga-verde, tartaruga-de-kemp e tartaruga-de-pente.

⑭ Big Pine Key
Lar do veado-das-keys

Logo após a ponte que sai de Key West, o ritmo muda claramente, quando a Overseas Highway leva os turistas a uma parte mais pacata da Flórida. Procure os Mile Markers, placas verdes retangulares que marcam as milhas e indicam a direção nas Keys. Perto do MM 32, as placas alertam para reduzir a velocidade por causa da ameaçada população de veados-das-keys da Big Pine Key. O melhor local para ver esses veados pequenos, dos quais restam apenas 800, é o **National Key Deer Refuge**, na No Name Key. Ainda na reserva, visite o Blue Hole, ex-pedreira cheia de água que é o lar de um aligátor, além de outros animais, e depois caminhe por trilhas fáceis.

Big Pine Key também é famosa pela pesca e pelos passeios de caiaque. Há rotas pelas águas do refúgio que parecem um labirinto entre ilhas no mangue. Pegue uma excursão para não se perder.

Informações

- 🌐 **Mapa** 10 E6
  Endereço National Key Deer Refuge: 179 Key Deer Blvd, 33043; 305 872 2239; *www.fws.gov/nationalkeydeer*
- 🚌 **Ônibus** Key West Transit (*www.kwtransit.com*) tem ônibus de Key West a Marathon diariam.
- ℹ️ **Informação turística** Lower Keys Chamber of Commerce, 31020 Overseas Hwy (MM 31), Big Pine Key, 33043; 800 872 3722; *www.lowerkeyschamber.com*
- 🕗 **Aberto** National Key Deer Refuge: aurora-pôr do sol diariam
- 💲 **Preço** National Key Deer Refuge: grátis
- 🚩 **Passeios guiados** Ganhe grátis passeios guiados em *www.fws.gov/nationalkeydeer* na temporada. Big Pine Key Kayaking Adventures (*www.keyskayaktours.com*) faz excursões pela reserva.
- 👪 **Idade** A partir de 5 anos
- ⏱️ **Duração** Meio dia na reserva, dia inteiro com passeio de caiaque
- 🍴 **Comida e bebida** LANCHE No Name Pub (N. Watson Blvd, 33043; 305 872 9115; *www.nonamepub.com*) tem cardápio com favoritos, como pizza. REFEIÇÃO Hogfish Bar & Grill (6810 Front St, Stock Island, 33040; 305 293 4041; *www.hogfishbar.com*) tem frutos do mar frescos. Experimente o hog snapper (peixe-porco).

Preços para família de 4 pessoas

Se chover...
Vá ao pequeno **centro de visitantes** do **National Key Deer Refuge**, dentro do Big Pine Key Shopping Plaza. Lá há mostras que ajudam a conhecer o habitat e a vida animal do local.

Aligátor no Blue Hole, pedreira de calcário inundada na Big Pine Key

⑮ Bahia Honda State Park
Ótimas praias e uma ponte realmente longa

Presença constante na lista das melhores dos EUA, a praia branca de Bahia Honda, com mar turquesa, corais multicoloridos e marina bem equipada, é ótima para a família. Nadar e mergulhar com snorkel são as atividades mais realizadas, mas a marina também aluga caiaques. Pode-se explorar o recife ao largo num passeio de mergulho oferecido pela marina duas vezes por dia. Guarda-parques conduzem caminhadas e dão palestras o ano inteiro. Tente percorrer a linda Silver Palm Nature Trail.

No fim da Bahia Honda Key, no MM 40, a Overseas Highway chega a uma das mais longas pontes em seções do mundo, a famosa Seven-Mile Bridge. Essa ponte ferroviária está desativada, mas foi tida como façanha da engenharia quando concluída, em 1912, e consta do Registro Nacional de Locais Históricos. Pode-se andar a pé ou de bicicleta pela velha ponte e pescar na parte mais ao norte, de 3km, a que se tem acesso por Marathon.

Se chover...
O **Sand and Sea Nature Center** do parque apresenta aos visitantes a vida marinha local, com mostras e um aquário. Conheça os seis habitats do parque, participe de jogos, assista a um dos 30 vídeos sobre a natureza e adivinhe o que se esconde nas Mystery Boxes.

Informações

- 🌐 **Mapa** 10 E6
  Endereço 36850 Overseas Hwy (MM 37), 33043; 305 872 2353; *www.floridastateparks.org*
- 🚌 **Ônibus** Key West Transit: ônibus de Key West à entrada do parque diariam
- ℹ️ **Informação turística** Lower Keys Chamber of Commerce, 31020 Overseas Highway (MM 31), Big Pine Key, 33043; 800 872 3722; *www.lowerkeyschamber.com*
- 🕗 **Aberto** 8h-pôr do sol diariam
- 💲 **Preço** $10-20
- 🚩 **Para evitar fila** Chegue cedo nos meses de primavera e verão para não pegar fila na entrada.
- 👪 **Idade** A partir de 2 anos
- 🏃 **Atividades** Passeios guiados na praia às 9h de quarta-feira
- ⏱️ **Duração** No mínimo meio dia
- 🍴 **Comida e bebida** LANCHE O balcão da concessionária (305 872 3210) vende cachorro-quente, sanduíches e nachos. REFEIÇÃO Há restaurantes em Big Pine Key, ao sul, e Marathon, ao norte.

Old Bahia Honda Bridge, vista do Bahia Honda State Park ao pôr do sol

Visitantes em espetáculo de golfinhos no Dolphin Research Center, Grassy Key

⑯ Marathon
Golfinhos e piratas

Fora Key West, a cidade de Marathon tem a maioria das atrações históricas e naturais das Keys. As ilhotas vizinhas de Grassy e Duck têm dois programas interativos com golfinhos – o **Dolphin Research Center** e o **Dolphin Connection** –, em que os visitantes podem acariciar golfinhos e até pintar com um deles.

Há tartarugas em tratamento no **Turtle Hospital** das Keys. No verão, a possibilidade de ver filhotes de tartaruga aumenta a empolgação de ver e alimentar os enormes adultos.

Crane Point mistura natureza e história. Conta com um museu de história natural, um navio pirata de fantasia para as crianças, o Wild Bird Center (centro de aves silvestres), casa histórica e trilhas educativas.

Marathon ganhou esse nome por causa da velocidade estonteante com que a ferrovia foi construída. Abaixo da Seven-Mile Bridge, **Pigeon Key** era onde moravam os operários da obra. Pegue uma barca *(305 743 5999)* no lado sul de Marathon para passear pela antiga vila e pelo museu ferroviário.

A vila preservada de Pigeon Key, ao lado da Seven-Mile Bridge

Para relaxar
Vá à **Sombrero Beach** *(521 23rd St, MM 50; 305 743 0033)*, ao sul, que tem muito espaço para brincar e também churrasqueiras, mesas de piquenique e um playground.

Informações

🌐 **Mapa** 10 E6
Endereço Marathon 33050. Dolphin Research Center: 58901 Overseas Hwy (MM 59); *www.dolphins.org*. Dolphin Connection: 61 Hawks Cay Blvd (MM 61), no Hawks Cay Resort; *www.dolphinconnection.com*. Turtle Hospital: 2396 Overseas Hwy (MM 48.5); *www.turtlehospital.org*. Crane Point: 5550 Overseas Hwy (MM 50.5); *www.cranepoint.net*. Pigeon Key: 1 Knights Key Blvd (MM 45); *www.pigeonkey.net*

🚌 **Ônibus** Key West Transit: ônibus de Key West a Marathon diariam.

ℹ️ **Informação turística** Greater Marathon Chamber of Commerce, 12222 Overseas Hwy (MM 53.5); *www.floridakeysmarathon.com*

🕐 **Aberto** Dolphin Research Center e Crane Point: diariam. Dolphin Connection: reserve pelo 1 888 251 3674. Turtle Hospital: 9h-18h (centro educacional). Pigeon Key: diariam (centro de visitantes).

💲 **Preços** Dolphin Research Center: $70-80; até 4 anos, grátis. Dolphin Connection: preços por programa; veja no site. Turtle Hospital: $45-55; até 4 anos, grátis. Crane Point: $42-52; até 5 anos, grátis

👫 **Idade** A partir de 4 anos

⏱ **Duração** No mínimo um dia

🍽 **Comida e bebida** LANCHE Herbie's *(6350 Overseas Hwy MM 50.5; 305 743 6373)* serve frutos do mar e cheeseburger. REFEIÇÃO Keys Fisheries Market *(3502 Gulfview Ave, 33050; www.keysfisheries.com)* tem frutos do mar frescos.

CRIANÇADA!

Descubra mais
1 O veado-das-keys é uma subespécie do veado-de-cauda-branca ou da-virgínia.
2 O veado-das-keys macho é 81 cm mais alto que a fêmea no dorso e pesa cerca de 36 kg.
3 Em 1927, a quantidade de veados-das-keys havia se reduzido a menos de 30.
4 Os veados-das-keys são mais vistos em Big Pine Key, mas também existem nas Lower Keys e até nadam para algumas ilhas sem ligação por estrada.

FOLHAS TÍPICAS
A trilha Hammock Loop, em Crane Point, identifica as árvores vistas no percurso. Leve bloco de papel e lápis e desenhe cada árvore e suas folhas, para reconhecê-las mais facilmente no caminho.

Gincana de snorkel
Para preservar os corais, evite tocá-los e pegar conchas ou outros seres marinhos. Mas, depois de emergir, veja quem consegue somar mais pontos por ter visto estes habitantes dos recifes:
- Esponja (1 ponto)
- Sargento (1 ponto)
- Caracol-marinho (1 ponto)
- Peixe-anjo (1 ponto)
- Leque-do-mar (1 ponto)
- Coral-de-fogo (2 pontos)
- Ouriço-do-mar (2 pontos)
- Pepino-do-mar (3 pontos)
- Lagosta-de-pedra (4 pontos)
- Tartaruga marinha (5 pontos)
- Cavalo-marinho (5 pontos)
- Polvo (5 pontos)

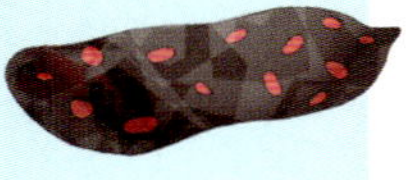

Piquenique até $25; **Lanche** $25-50; **Refeição** $50-80; **Para a família** mais de $80 (para quatro pessoas)

A Kayak Shack, na Robbie's Marina, vende artigos variados em Islamorada

⑰ Islamorada
Tarpões famintos e o teatro do mar

Chamada de capital mundial da pesca esportiva, Islamorada é uma faixa de 32km com sete ilhas. Um bom lugar para começar a explorar o rico mundo marinho de Islamorada é **Robbie's Marina**, situada na ponta sul da série de ilhas. Compre um balde de iscas para alimentar os fortes tarpões no cais, faça compras nas barracas de artesanato e reserve um passeio de barco no **Indian Key State Park** e no **Lignumvitae Key Botanical State Park**. Como alternativa, alugue um caiaque na Robbie's Marina e reme até o Indian Key State Park. Leve snorkel.

Visite o **History of Diving Museum** para saber mais sobre a exploração submarina. O museu tem mostras de tesouros de naufrágios e exibe o filme *20.000 léguas submarinas*, bem como equipamento antigo de mergulho. As crianças gostam do **Theater of the Sea**, onde interagem com golfinhos, leões-marinhos e arraias, ou de passear de barco com fundo de vidro para ver o que está sob a água.

Para relaxar

Para crianças pequenas que ainda não se dão bem no mar, a piscina do **Founder's Park** (*87000 Overseas Hwy, MM 87*) é uma boa opção. O parque tem ainda praia, área de skate e quadra de tênis.

⑱ Key Largo
Capital submarina do mundo

Um dos destinos mais procurados do mundo para fazer snorkel, Key Largo é também onde foram feitos dois filmes com Humphrey Bogart: *Key Largo* (1948) e *Uma aventura na África* (1952). Veja também o barco a vapor do último filme no Holiday Inn, no MM 100 – ele ainda faz cruzeiros. Há também um barco com fundo de vidro, o *Key Largo Princess* (www.keylargoprincess.com), que faz passeios pelos lendários recifes de coral da região.

Criado em 1990, o **Florida Keys National Marine Sanctuary** protege 9.947km² ao redor das Florida Keys e mais de 6 mil espécies marinhas. Basta entrar na água para chegar ao santuário, ou explore o mundo vibrante e colorido de corais e peixes mergulhando com snorkel ou cilindro. Barcos levam os visitantes para ver a estátua submersa *Christ of the Deep*, de 3m de altura. Outra opção é recorrer a duas empresas de Key Largo que promovem encontro com golfinhos – **Dolphin Cove** e **Dolphins Plus** –, um passatempo interativo educacional. A Dolphins Plus promove também o nado com leões-marinhos.

Informações

🌐 **Mapa** 10 G5
Endereço Islamorada 33036. Robbie's Marina: 77522 Overseas Hwy (MM 77.5); www.robbies.com. Indian Key State Park: www.floridastateparks.org. Lignumvitae Key Botanical State Park: www.floridastateparks.org/lignumvitaekey. History of Diving Museum: 82990 Overseas Hwy (MM 83); www.divingmuseum.org. Theater of the Sea: 84721 Overseas Hwy (MM 84.5); www.theaterofthesea.com

🚗 **Carro** Alugue em Key West.

ℹ️ **Informação turística** Islamorada Chamber of Commerce (MM 83.2); www.islamoradachamber.com

⊙ **Aberto** Robbie's Marina e Lignumvitae Key Botanical State Park: 9h-17h diariam. Indian Key State Park: 8h-pôr do sol diariam. History of Diving Museum: 10h-17h diariam. Theater of the Sea: 9h30-17h diariam

💲 **Preços** Lignumvitae Key Botanical State Park: $10-20. History of Diving Museum: $34-48; até 5 anos, grátis. Theater of the Sea: $99-116; até 2 anos grátis

👣 **Passeios guiados** Florida Keys Kayak (www.kayakthefloridakeys.com) oferece excursão de remo e snorkel de 3 h no Key State Park.

👨‍👩‍👧 **Idade** A partir de 7 anos para caiaque e mergulho

⏱ **Duração** Um dia

🍴 **Comida e bebida** LANCHE Hungry Tarpon (*77522 Overseas Hwy, MM 77.5; hungrytarpon.com*) tem panquecas, sanduíches e cardápio infantil. REFEIÇÃO Morada Bay Beach Café (*81600 Overseas Hwy, MM 81; moradabay-restaurant.com*) oferece refeições completas.

Informações

🌐 **Mapa** 10 G5
Endereço Key Largo 33037. Florida Keys National Marine Sanctuary: floridakeys.noaa.gov. Dolphin Cove: 101900 Overseas Hwy (MM 101.9); www.dolphinscove.com. Dolphins Plus: 31 Corrine Pl (MM 99); www.dolphinsplus.com

🚗 **Carro** Alugue em Key West.

ℹ️ **Informação turística** Key Largo Chamber of Commerce, 106000 Overseas Hwy (MM 106); www.keylargochamber.org

⊙ **Aberto** Dolphin Cove e Dolphins Plus: reserve com antecedência. Florida Keys National Marine Sanctuary: 24h diariam

💲 **Preços** Florida Keys National Marine Sanctuary: grátis. Dolphin Cove: $5-10; até 6 anos, grátis. Dolphins Plus: $150 nas interações

👨‍👩‍👧 **Idade** A partir de 5 anos

⏱ **Duração** Um dia

🍴 **Comida e bebida** LANCHE Mrs. Mac's Kitchen (*99336 Overseas Hwy, MM 99.4; 305 451 3722; www.mrsmacskitchen.com*) oferece comida reconfortante, especiais "coma quanto puder" e bebidas. REFEIÇÃO Fish House (*102401 Overseas Hwy, MM 102.4; 305 451 4665; www.fishhouse.com*) serve frutos do mar frescos em ambiente típico das Keys e tem cardápio infantil.

Preços para família de 4 pessoas

Corais multicoloridos em Key Largo, com o Christ of the Deep ao fundo

Se chover...
Vá à **Shellworld** (*97600 Overseas Hwy MM 101.9*), que tem artigos diversos, de conchas e brinquedos de pelúcia a produtos da Key Lime.

⑲ John Pennekamp Coral Reef State Park
Natureza e história se misturam

Primeiro parque submarino dos EUA, o John Pennekamp Coral Reef State Park situa-se perto do Florida Keys National Marine Sanctuary. O centro de visitantes tem um aquário de recife colossal, e as concessionárias do parque propiciam mergulho com snorkel e cilindro e excursões em barcos com fundo de vidro, além de alugarem equipamento. Na Cannon Beach, só com snorkel dá para ver as ruínas de um navio espanhol a apenas 30m da costa. A família pode alugar caiaque, canoa e barco a motor, fazer trilhas curtas e depois um piquenique numa das duas praias do parque. A linda Far Beach, com palmeiras, é ideal para um dia relaxante tomando sol ou brincando na água.

Se chover...
Além do aquário de 114 mil litros, o centro de visitantes abriga seis aquários com a fauna marinha local. Veja a explicação dos guias sobre a recuperação do coral danificado. O cinema do centro passa vídeos sobre o parque, e mostras de história natural discorrem sobre os vários habitats dos corais.

Informações
🌐 **Mapa** 10 G4
Endereço 102601 Overseas Hwy (MM 102.5); *www.floridastateparks.org/pennekamp*
🚗 **Carro** Alugue em Key West.
ℹ **Informação turística** Key Largo Chamber of Commerce, 106000 Overseas Hwy (MM 106); *www.keylargochamber.org*
🕐 **Aberto** Parque: 8h-pôr do sol. Centro de visitantes: 8h-17h
💲 **Preço** $10-20
👥 **Para evitar fila** Chegue cedo de manhã para evitar filas longas.
🚩 **Passeios guiados** De 2h30, para mergulho com snorkel, saem às 9h, 12h e 15h diariam; aluguel de equipamento. Passeios de 2h30 de barco com fundo de vidro saem às 9h15, 12h15 e 15h15.
👨‍👩‍👧 **Idade** Livre
⏱ **Duração** Meio dia a um dia
☕ **Comida e bebida** LANCHE O balcão de comidas e a lanchonete (*no local*) servem café da manhã e almoço. REFEIÇÃO Sundowners (*103900 Overseas Hwy; MM 104; 305 451 4502; sundownerskeylargo.com*) é um restaurante que serve frutos do mar frescos. Tem entradas, saladas, sanduíches, carnes e bebidas.

CRIANÇADA!

Descubra mais
1 Por que os primeiros colonizadores chamaram Islamorada de "ilha roxa"?
2 Lignumvitae Key partilha o nome com uma árvore rara que existe nela. O que "Lignumvitae" significa em latim?
3 É verdade que o molde original da estátua *Christ of the Deep* está no fundo do mar Mediterrâneo?

Respostas no fim do quadro.

A Ilha Longa
Key Largo é uma das muitas ilhotas da sequência batizada por exploradores espanhóis. Em espanhol, "Cayo Largo" significa "ilhota longa", o que se confirma em seu comprimento: 24km.

CORAL COLORIZADO
Os coriais têm corpo transparente. Sua cor viva vem das algas chamadas zooxantelas que vivem em seus tecidos.

Charadas fisgantes
Pelas dicas abaixo, adivinhe o nome desses peixes do mar das Keys: 
1 Tenho de acertar o alvo com esse peixe.
2 Será que ele gostaria de um enxoval?
3 Quando vejo esse peixe, acho que morri e fui para o céu.
4 Acho que esse peixe até gostaria de um biscoito.

Respostas: 1 Acredita-se que o nome venha de suas flores. **2** Árvore da vida. **3** Sim. Em 1954, Guido Galletti moldou a estátua original, inspirada na morte de um mergulhador italiano, Dullo Merchant, que buscava um símbolo que representasse os que adoram o mar. **Charadas fisgantes: 1** Bonefish. **2** Bluefish. **3** Peixe-anjo. **4** Papagaio-velho.

Far Beach, bela praia no John Pennekamp Coral Reef State Park

Piquenique até $25; **Lanche** $25-50; **Refeição** $50-80; **Para a família** mais de $80 (para quatro pessoas)

Onde Ficar na Baixa Costa do Golfo, nos Everglades e nas Keys

De campings à beira-mar e hotéis de redes a casas de férias e resorts grandiosos, essa região tem de tudo. Se Key West é famosa pelos B&Bs, nos Everglades o negócio é acampar. Para explorar os Everglades e as Keys, a melhor opção é hospedar-se num hotel de rede em Homestead e Florida City.

AGÊNCIAS
Rent Key West
www.rentkeywest.com
Esse site oferece aluguel semanal e mensal, dos bangalôs históricos no centro a casas à beira-mar com piscina própria.

Sanibel & Captiva Accommodations
www.sanibelaccom.com
Esse catálogo lista aluguéis de casas por mês. Podem-se alugar apartamentos por período menor.

Um dos quartos do Port of the Islands Everglades Adventure Resort

Everglades National Park   Mapa 10 F3

APARTAMENTOS E FLATS
Port of the Islands Everglades Adventure Resort
25000 Tamiami Trail E, Naples, 34114; 239 394 3005; poiresort.com
Perto da entrada da Costa do Golfo do Everglades National Park, esse lugar agradável alia excursões de aventura a hospedagem. É o resort mais próximo do parque nacional. $$

CAMPING
Big Cypress National Preserve Campgrounds
Tamiami Trail; 239 695 1201; www.nps.gov/bicy
Esses quatro campings básicos e gratuitos e dois parques pagos com estacionamento para trailers situam-se junto ao Tamiami Trail. O camping não tem chuveiro nem banheiro, e os pontos são de quem chega primeiro. Certos pontos não ficam acessíveis no verão por causa de alagamento. $

Flamingo Campground
Flamingo; 305 242 7700 (parque) e 877 444 6777 (reservas); www.nps.gov/ever
Esse camping fica na orla da baía da Flórida, e mais de 60 pontos têm boas vistas para a baía. Chega-se à maioria deles de carro, mas a alguns só a pé. Perto da marina, o camping proporciona acesso fácil ao aluguel de barcos a remo e excursões de barco. $

Fort Myers   Mapa 7 C5

RESORT
Sanibel Harbour Marriott
17260 Harbour Pointe Dr, 33908; 239 466 4000 ou 800 767 7777; www.sanibel-resort.com
Resort premiado logo a leste da Sanibel Causeway, é conhecido pelas instalações completas e pelos programas infantis. Opte por quarto ou suíte com um quarto. Podem-se também fazer excursões de barco. Um ônibus leva os hóspedes à Sanibel Island. $$$

Fort Myers Beach   Mapa 7 C6

RESORT
Outrigger Beach Resort
6200 Estero Blvd, 33931; 239 463 3131 ou 800 657 5659; www.outriggerfmb.com
Na extremidade sul da ilha, esse resort oferece um refúgio tranquilo do clima de festa que cerca a Times Square. Dispõe de acomodações simples como o espírito da Flórida antiga. Alguns quartos têm cozinha. Uma larga faixa de praia, uma movimentada piscina com deque e uma área de bar no estilo polinésio complementam o ar de férias em família. $$

Ilhas Sanibel e Captiva Islands   Mapa 7 C6

RESORT
South Seas Island Resort
5400 Plantation Rd, Captiva Island, 33924; 239 472 5111 ou 800 965 7772; www.southseas.com
Um dos primeiros e maiores resorts murados da Flórida, oferece de quartos a casas de aluguel. Há um parque aquático pequeno, muitas praias, nove buracos de golfe, ótimos programas infantis e um centro sobre a natureza. $$$

HOTEL
Gulf Breeze Cottages & Motel
1081 Shell Basket Lane, Sanibel Island, 33957; 239 472 1626 ou 800 388 2842; www.gbreeze.com
Acolhedores para famílias, os chalés e dúplex desse hotel ficam na praia, e os proprietários fornecem brinquedos de praia. Os detalhes re-

Um trailer estacionado no John Pennekamp Coral Reef State Park

buscados e os jardins exuberantes fazem lembrar contos de fadas.

🛏️ 🍴 E 🅿️ $$$

Key Largo Mapa 10 G5

RESORT
Key Largo Grande Resort
97000 Overseas Hwy (MM 97), 33037; 305 852 5553 ou 888 871 3437; www.keylargogrande.com
Com o programa familiar de descobertas "Scout About", bela praia, lindo terreno arborizado e duas piscinas, esse resort de serviço completo é bom para famílias, e mais seguro que outros resorts porque está afastado da estrada principal.

📶 🐾 🍽 E ☀️ $$

CAMPING
John Pennekamp Coral Reef State Park Mapa 10 G4
102601 Overseas Hwy (MM 102.5), 33037; 305 451 1202 (parque); www.floridastateparks.org/pennekamp
Os pontos para trailers e barracas ficam em meio à área arborizada, fora da vista dos visitantes diários. Há diversas atividades que mantêm as crianças felizes, como praias e passeios de barco, além de bosques para explorar. Ligue com boa antecedência para reservar.

🐾 🅿️ E 🚴 $

Key West Mapa 9 D6

RESORTS
Hyatt Key West Resort
601 Front St, 33040; 305 809 1234; www.keywest.hyatt.com
Perto do Porto Histórico, o Hyatt tem prainha própria, várias opções de esportes aquáticos e spa. Perto da movimentação da Cidade Velha, mas distante do ruído e da multidão.

📶 🍽 E ☀️ $$$

Ocean Key Resort
Zero Duval St, 33040; 305 296 7701, 800 328 9815; www.oceankey.com
As famílias que gostam de ficar perto da agitação adoram o local desse resort completo, perto da Mallory Square. Aproveite a piscina e o restaurante Sunset Deck. Peça uma suíte com sofá-cama ou quarto conjugado.

🍽 🛏️ 🍴 E ☀️ $$$

BED & BREAKFAST
Ambrosia Key West
615, 618, 622 Fleming St, 33040;
305 296 9838 ou 800-535-9838; www.ambrosiakeywest.com
Um dos poucos B&Bs em Key West que recebem crianças, esse se espalha por uma quadra com quartos, casas geminadas, suítes e um chalé. São permitidos alguns animais de estimação.

🐾 📶 E ☀️ $$$

Island City House Hotel
411 William St, 33040; 305 294 5702; www.islandcityhouse.com
Outro B&B para a família, tem suítes instaladas em antiga fábrica de charutos. As crianças costumam brincar com os gatos da propriedade.

🐾 📶 E ☀️ $$$

Marathon/Big Pine Key Mapa 10 E6

RESORTS
Gulf View Waterfront Resort
58743 Overseas Hwy (MM 58.5), Marathon, 33050; 305 289 1414 ou 877 289 0111; www.gulfviewwaterfrontresort.com
Bem ao lado do Dolphin Research Center, esse resort oferece cupons de desconto para o passeio marítimo e também conta com diversos bichos. Os quartos são simples, mas as famílias passam a maior parte do tempo na praia, na piscina ou remando no golfo.

🐾 📶 E ☀️ $$

Hawks Cay Resort
Hawks Cay Blvd (MM 61), Duck Key, 33050; 305 743 7000 ou 888 432 2242; wwwww.hawkscay.com
Parte de uma pequena vila, esse resort proporciona às famílias seu programa de interação Dolphin Connection e um clube infantil dotado

A laguna artificial do Hawks Cay Resort, guarnecida por recifes de coral

de piscina com tema de piratas, além de jogos, atividades monitoradas e esportes aquáticos na marina.

📶 🍽 E ☀️ $$$

CAMPING
Bahia Honda State Park
36850 Overseas Hwy, Big Pine Key, 33043; 305 872 2353 (parque) ou 800 326 3521 (reservas); www.floridastateparks.org/bahiahonda
Opte por cabanas diante do mar ou por pontos de barraca ou trailer perto das mais belas praias das Keys. Os hóspedes têm acesso às atrações extras do parque: mergulho com snorkel, praias, trilhas e programas educativos. Reserve com antecedência.

Naples Mapa 9 C1

HOTEL
Naples Beach Hotel
851 Gulf Shore Blvd N, 34102; 239 261 2222 ou 800 237 7600; www.naplesbeachhotel.com
Primeiro hotel de Naples, esse lugar é um dos mais procurados por famílias justamente por ter muitas atrações para elas. As crianças adoram a piscina, a praia e o Kids' Klub; os adultos ficam com o ótimo spa e o campo de golfe de dezoito buracos. O hotel dispõe de várias opções de alimentação, como bar na piscina e churrasqueira, onde todos se reúnem ao pôr do sol.

📶 🍽 E ☀️ 🅿️ $$$

Categorias de preço
As seguintes faixas de preço baseiam-se em uma diária na alta temporada para uma família de quatro pessoas, incluindo serviço e taxas adicionais.

$ até $75 $$ $75-150 $$$ mais de $300

Legenda dos símbolos *na orelha da contracapa*

Arranha-céus de Miami e a MacArthur Causeway, em vista aérea da Palm Island

Flórida
MAPAS

Mapas da Flórida

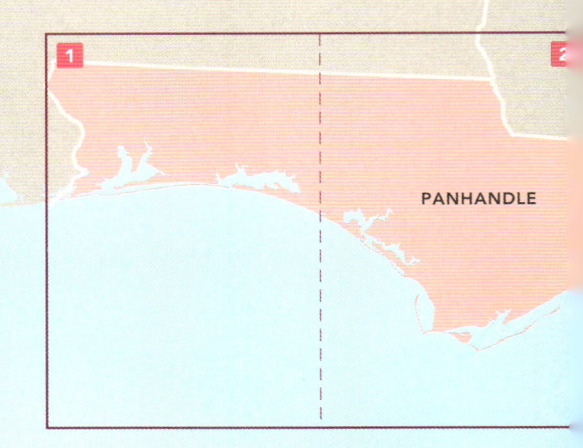

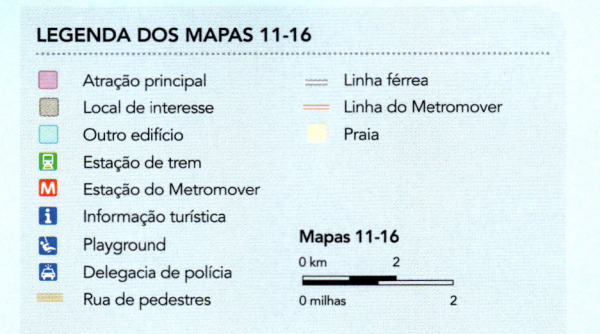

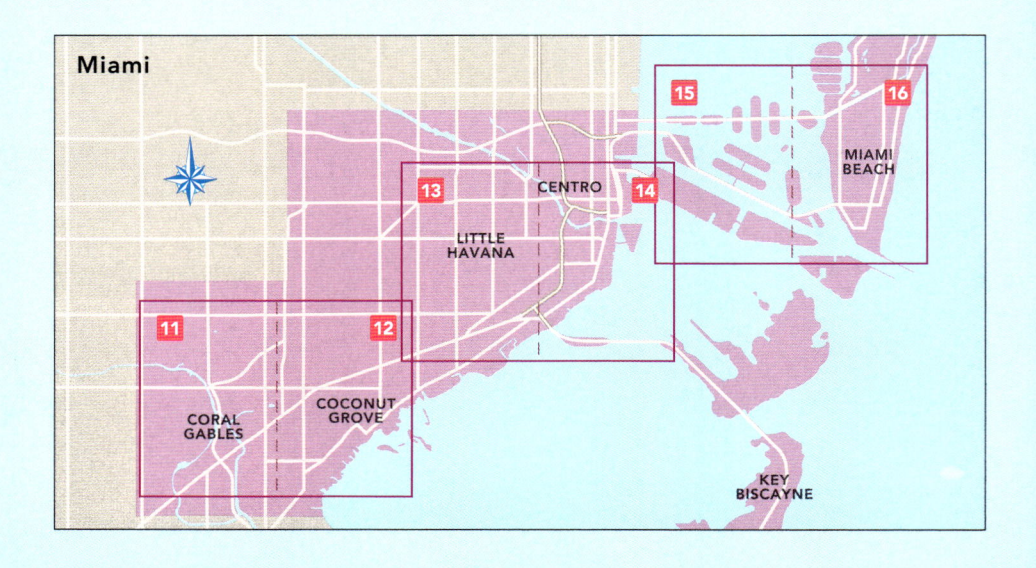

PANHANDLE

LEGENDA DOS MAPAS 11-16

- Atração principal
- Local de interesse
- Outro edifício
- Estação de trem
- Estação do Metromover
- Informação turística
- Playground
- Delegacia de polícia
- Rua de pedestres
- Linha férrea
- Linha do Metromover
- Praia

Mapas 11-16
0 km 2
0 milhas 2

Miami

CENTRO
MIAMI BEACH
LITTLE HAVANA
CORAL GABLES
COCONUT GROVE
KEY BISCAYNE

LEGENDA DOS MAPAS 1-10

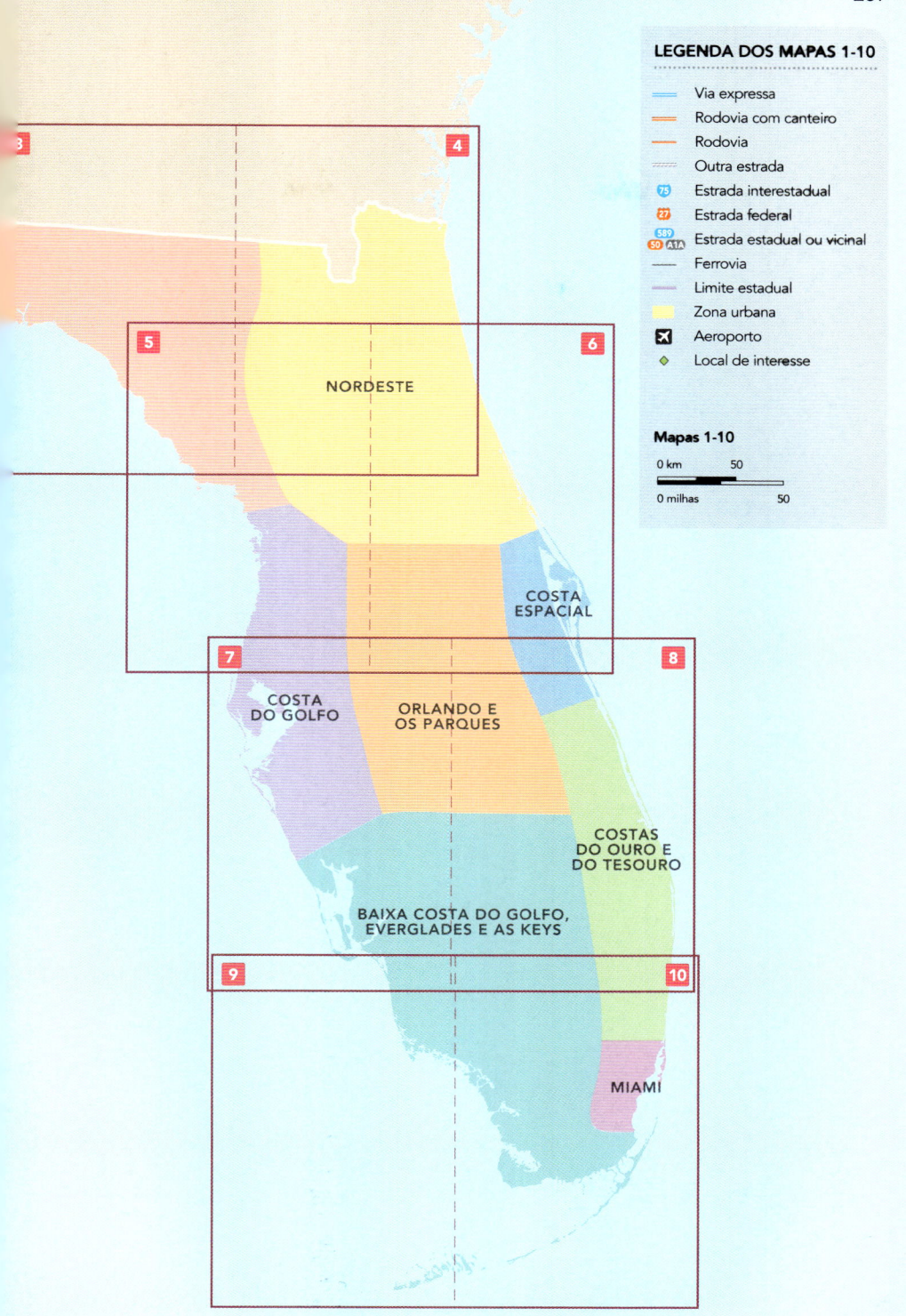

- Via expressa
- Rodovia com canteiro
- Rodovia
- Outra estrada
- 🛣 Estrada interestadual
- 🛣 Estrada federal
- 🛣 Estrada estadual ou vicinal
- Ferrovia
- Limite estadual
- Zona urbana
- ✈ Aeroporto
- ◆ Local de interesse

Mapas 1-10

0 km — 50
0 milhas — 50

Regiões

- NORDESTE
- COSTA ESPACIAL
- COSTA DO GOLFO
- ORLANDO E OS PARQUES
- COSTAS DO OURO E DO TESOURO
- BAIXA COSTA DO GOLFO, EVERGLADES E AS KEYS
- MIAMI

1
A
B
C
D
ALABAMA
Golfo do México
Freemanville
Martinville
Atmore
Brewton
East Brewton
Conecuh River
Flomaton
Century
Byrnville
Oak Grove
Jay
Fidelis
McClellan
Beda
Wing
Florala
Paxton
Samson
Laurel Hill
Darlington
Blackman
Berrydale
Brownsdale
McDavid
Munson
Cotton Bridge
Cannon Town
Campton
Gordon
Glendale
Bay Springs
Perdido River
Chumuckla
Allentown
Blackwater River State Forest
Baker
Auburn
Crestview
Deerland
Oakwood Hills
DeFuniak Springs
Molino
Point Baker
Blackwater River
Holt
Milligan
Mossy Head
Cottage Hill
Escambia River
Wallace
Roeville
Milton
Harold
Yellow River
Pace
Gonzalez
Bagdad
Ensley
Ferry Pass
Eglin Airforce Base
Rock Hill
Brent
Pensacola International
Valparaiso
Niceville
Portland
Elberta
West Pensacola
Goulding
Pensacola
East Bay
Holley
Northwest Florida Regional
Air Force Armament Museum
Seminole
Freeport
Warrington
Pensacola Bay
Navarre
Ocean City
Shalimar
Choctawhatchee Bay
E.O. Wilson Biophilia Center
Pleasant Grove
Bel Air Estates
Mary Esther
Destin
Santa Rosa Beach
National Naval Aviation Museum
Gulf Breeze
Venetian Isles
Navarre Beach
Fort Walton Beach
Miramar Beach
Point Washington
Perdido Key
Fort Pickens
Santa Rosa Island
Pensacola Beach
Topsail Hill Preserve State Park
South Walton
Grayton Beach
Seaside
Camp Helen State Park
2
3
4
5
6

E
F
G
H
2
1
2
3
3
4
5
3
6
GEÓRGIA
FLÓRIDA
Dothan
Ashford
Gordon
Jakin
Colquitt
Donalsonville
Brinson
Bainbridge
Climax
Attapulgus
High Bluff
Hartford
Slocomb
Geneva
Esto
Madrid
Cottonwood
Campbellton
Malone
Graceville
Pittman
Izagora
Prosperity
Glass
Greenwood
Dellwood
Westville
Caryville
Bonifay
Cottondale
Chipley
Marianna
Ponce de Leon
Lake Seminole
Sneads
Chattahoochee
Grand Ridge
Alford
Holmes Creek
Oak Grove
Gretna
Havana
Quincy
Live Oak
Vernon
Wausau
Union City
Redbay
New Hope
Compass Lake
Compass Lake Hills
Sunny Hills
Altha
Greensboro
Choctawhatchee River
Chipola River
Greenhead
Chason
Bruce
Red Head
Durham
Fountain
Ebro
Crystal Lake
Clarksville
Blountstown
West End
Bristol
Lake Talquin
McCaln
Bennett
Youngstown
Hosford
Blexham
Northwest Florida Beaches International
Vicksbury
West Bay
Southport
Telogia
Simmons
Hollywood Beach
West Bay
Scotts Ferry
Marysville
Ward
Laguna Beach
Lynn Haven
Gulf World Marine Park
Chipola Park
Apalachicola River
Edgewater Gulf Beach
Hiland Park
Red Hill
Apalachicola National Forest
Panama City Beach
Panama City
Springfield
Wilma
Arran
Bittmore Beach
Callaway
Parker
St. Andrews State Park
Shell Island
Beacon Beach
East Bay
Wewahitchka
Honeyville
Poplar Creek
Ochlockonee River
Sanborn
Medart
Allentown
Sopchoppy
Sumatra
New River
St Marks National Wildlife Reserve
Davis Beach
Crooked Island
Mexico Beach
Willis Landing
Beacon Hill
Joe Beach
White City
Howard Creek
Saint James Island
Saint Teresa Beach
Saint Joseph Point
Highland View
Carrabelle
Lanark Village
Port Saint Joe
Creels
Royal Bluff
Carrabelle Beach
Oak Grove
Saint Joseph Peninsula
Saint Joseph Bay
Dog Island
Bay City
Green Point
Apalachicola
Eastpoint
Saint George Sound
St. George Island State Park
Cape San Blas
Apalachicola Bay
Saint Vincent Island
Saint George Island
Cape Saint George

3
A
B
C
D
Moultrie
Hartsfield
Funston
Pelham
Meigs
Coolidge
Berlin
Adel
Nashville
Cecil
Ray City
Lakeland
Du Pont
Barney
Hahira
Ochlocknee
Pavo
Morven
Whigham
Cairo
Barwick
Thomasville
Boston
Valdosta
Quitman
Metcalf
Clyattville
Tarver
Statenville
Lake Park
Withlacoochee River
Havana
Lake Iamonia
Jennings
Bakers Hill
Pinetta
Elinor Klapp-Phipps Parks
Alfred B. Maclay Gardens State Park
Lake Jackson
Lake Jackson State Park
Monticello
Letchworth-Love Mounds State Park
Cherry Lake
Jasper
Mission San Luis
Tallahassee
Capitola
Greenville
Hixtown Swamp
Madison
Blue Springs
Tallahassee Museum
Capps
Lakeside
Tallahassee Regional
Corey
Lamont
Ellaville
Suwannee Springs
Wacissa
Sirmans
Hopewell
Simmons
Woodville
Aucilla River
Shady Grove
Live Oak
Wakulla
Wakulla Springs State Park
Newport
Cabbage Grove
Dowling Park
Padlock
San Marcos de Apalache Historic State Park
Crawfordville
St. Marks
Nutal Rise
Blue Spring
Day
Buckville
Pine Mount
Luraville
Wakulla Beach
Scanlon
Perry
Medart
Shell Point
Hampton Springs
Fenholloway
Mayo
Suwannee River
Piney Island
Panacea
Apalachee Bay
Cooks Hammock
Branford
Alligator Point
Adams Beach
Dekle Beach
Keaton Beach
Mallory Swamp
Wanamake
Tenille
Hines
Bell
Pumpkin Swamp
Fletcher
Wannee
Jonesboro
Steinhatchee
Jena
Cross City
Deadman Bay
Fanning Springs
Golfo do México
Hardeetown
Chiefland
Horseshoe Beach
Shired Island
Horseshoe Cove
Suwannee
Lower National Wildlife Refuge
Suwannee Sound
1
2
3
4
5
6
5

GEÓRGIA
Waycross
Hoboken
Nahunta
Atkinson
Dock Junction
Brunswick
Saint Simons Island
Sea Island
St Simons
Jekyll Island
The Hole
Waverly
White Oak
Woodbine
Argyle
Homerville
Cumberland Island
Cumberland Island National Seashore
Folkston
Boulogne
Kingsland
St. Mary's
Okefenokee National Wildlife Refuge
Fargo
Suwannee River
Hilliard
Fort Clinch State Park
Fernandina Beach
Amelia Island Museum
Amelia Island
Yulee
Yulee Heights
American Beach
Amelia Island State Park
Nassau Sound
Callahan
Cypress Creek Conservation Area
Pinbook Swamp
Moniac
Saint Marys River
Jacksonville International
BigTalbot Island State Park
Little Talbot Island State Park
Pumpkin Hill Creek Preserve State Park
Taylor
Verdie
Jacksonville Zoo and Gardens
Fort George Island Cultural State Park
Mayport
Yellow Bluff Fort Historic State Park
White Springs
Osceola National Forest
Jacksonville
Atlantic Beach
Neptune Beach
Baldwin
Macclenny
Jacksonville Beach
Pablo Keys
Sanderson
Ocean Pond
Glen Saint Mary
Oak Hill
Lakewood
Ponte Vedra Beach
Wellborn
Watertown
Lake City
Maxville
Orange Park
Greenland
Manning
Sapp
Highland
Lakeside
Bayland
Palm Valley
Mickler Landing
Fruit Cove
Durbin
Lulu
Doctors Inlet
Columbia
Middleburg
Switzerland
Hilden
Cliftonville
Lawtey
Lake Butler
Kingsley Beach
Green Cove Springs
Providence
Penny Farms
Araquey
Fort White
Starke
Picolata
Saint Augustine
Brooker
Santa Fe River
Tocoi
Saint Augustine South
Saint Johns River
High Springs
Alachua
Waldo
Keystone Heights
Crescent Beach
Hague
Bostwick
Elkton
Fairbanks
Santa Fe Lake
Putnam Hall
Floraholm
Bridgeport
Wade
Devil's Millhopper Geological State Park
Orange Heights
Melrose
Hastings
Pecan
Newberry
Harn Museum of Art
Gainesville
East Palatka
Kanapaha Botanical Gardens
Florida Museum of Natural History
Rochelle
Whiteville
Interlachen
Francis
Palatka
Trenton
San Mateo
West Palm Coast
Hawthorne
Paynes Prairie Preserve State Park
Satsuma
Archer
Clinch
Lochloosa Lake
Orange Springs
Rodman Reservoir
Crescent Lake
Meredith
Levi Lake
Micanopy
Marjorie Kinnan Rawlings Historic State Park
Ocala National Forest
Crescent City
Bunnell
Bronson
Welaka
Williston
Williston Highlands
Salt Springs
Georgetown
Otter Creek
Lake Stafford
Anthony
Lake George
Gulf Hammock
Morriston

5
A
B
C
D
1
2
3
4
5
6
7
Mayo
Suwannee River
Columbia
Lulu
Cliftonville
Lake Butler
Lawtey
Kingsley Beach
Providence
Branford
Fort White
Starke
Cooks Hammock
Mallory Swamp
Wanamake
Brooker
Santa Fe River
High Springs
Alachua
Keystone Heights
Tenille
Hines
Hague
Waldo
Pumpkin Swamp
Bell
Fairbanks
Santa Fe Lake
Putnam Hall
Fletcher
Wade
Orange Heights
Melrose
Steinhatchee
Jonesboro
Wannee
Devil's Millhopper Geological State Park
Jena
Newberry
Harn Museum of Art
Gainesville
Deadman Bay
Cross City
Fanning Springs
Trenton
Kanapaha Botanical Gardens
Florida Museum of Natural History
Rochelle
Whiteville
Hawthorne
Paynes Prairie Preserve State Park
Archer
Clinch
Orange Springs
Lochloosa Lake
Levi Lake
Micanopy
Hardeetown
Merediths
Chiefland
Marjorie Kinnan Rawlings Historic State Park
Bronson
Horseshoe Beach
Shired Island
Williston
Horseshoe Cove
Williston Highlands
Suwannee
Anthony
Lake Stafford
Lower National Wildlife Refuge
Otter Creek
Ocala Park Ranch
Gulf Hammock
Morriston
Suwannee Sound
Rosewood
Appleton Museum of Art
Sumner
Ocala
Lebanon
Cedar Key
Rainbow Lakes Estate
Cedar Keys
Waccasassa Bay
Rolling Ranches
Belleview
Yankeetown
Inglis
Dunnellon
Citrus Springs
Withlacoochee River
Beverley Hills
Crystal Bay
Crystal River
Hernando
Tsala Apopka Lake
Wildwood
Inverness
Homosassa Springs
Homosassa
Lake Panasoffkee
Withlacoochee State Forest
Floral City
Sumterville
Bushnell
Golfo do México
Brooksville
Ridge Manor
Spring Hill
Green Swamp Wilderness Preserve
Hudson
Dade City
Bayonet Point
Port Richey
New Port Richey
Zephyrhills
Land O'Lakes
Zephyrhills South
Anclote Keys
Elfers
Holiday
Hillsborough River
Lutz
Tarpon Springs
Lake Tarpon
Gibsonia

6
E
F
G
H
4
8
1
2
3
4
5
6
Oceano Atlântico
Middleburg
Switzerland
Durbin
Hilden
South Ponte Vedre Beach
Environmental Education Center
Green Cove Springs
Penny Farms
Araquey
Usinas Beach
Vilano Beach
St. Augustine
College Park
Picolata
Anastasia Island State Park
St. Augustine Beach
Coquina Gables
Anastasia Island
Tocoi
St. Augustine South
Saint Johns River
Elkton
Crescent Beach
Bostwick
Bridgeport
Floraholm
Hastings
Fort Matanzas National Monument
Summer Haven
Pecan
Marineland
East Palatka
Francis
Palatka
Washington Oaks Gardens State Park
Interlachen
San Mateo
West Palm Coast
Palm Coast
Satsuma
Rodman Reservoir
Crescent Lake
Flagler Beach
Bunnell
Crescent City
Ocala National Forest
Welaka
Georgetown
Salt Springs
Ormond-by-the-Sea
Ormond Beach
Lake George
Pierson
Daytona Beach
Daytona Beach International
South Daytona
Astor
Port Orange
Wilbur-by-the-sea
Ocala National Forest
De Leon Springs
Oklawaha River
Marine Science Center
Ponce de Leon Inlet
De Land
North De Land
New Smyrna Beach
Edgewater
Weirsdale
Orange City
Lady Lake
Umatilla
Blue Spring State Park
Deltona
Mosquito Lagoon
DeBary
Oak Hill
Fruitland Park
Eustis
Canaveral National Seashore
Lake Monroe
Leesburg
Tavares
Mount Dora
Sanford
Sanford International
Lake Harris
Lake Mary
Okahumpa
Astatula
Wekiva Springs
Winter Springs
Manatee Observation Area
Oviedo
Mims
Casselberry
Playalinda Beach
Florida's Turnpike
Altamonte Springs
Lake Apopka
Maitland
Merritt Island National Wildlife Refuge
Saint Johns River
Lockhart
Titusville
Winter Park
Indian River
Mascotte
Minneola
Winter Garden
Bithio
Merritt Island
Pine Hills
Orlando
Groveland
Clermont
Valiant Air Command & Vintage Warbird Museum
Kennedy Space Center
Cape Canaveral
Universal's Islands of Adventure®
Universal Studios Florida®
Port Saint John
Banana River
Wet 'n Wild®
Sky Lake
Sharpes
Air Force Space and Missile Museum
International Drive
Orlando International
Magic Kingdom®
Brevard Museum of History and Natural Science
Jetty Park
SeaWorld®, Aquatica and Discovery Cove®
Cocoa
Cape Canaveral
Epcot®
Disney's Animal Kingdom®
Disney's Hollywood Studios®
Gatorland
Rockledge
Merritt Island
Cocoa Beach
Kissimmee
Saint Cloud
Campbell
Brevard Zoo
Lake Tohopekaliga
Florida's Turnpike
Satellite Beach
Polk City
Eau Gallie
Indian Harbour Beach
Davenport
Poinciana
Melbourne International
Haines City

7
A
B
C
D
5
1
2
3
4
5
6
9
Anclote Keys
Holiday
Elfers
Land O'Lakes
Zephyrhills
Zephyrhills South
Hillsborough River
Polk City
Davenport
Poinciana
Tarpon Springs
Lake Tarpon
Lutz
Gibsonia
Haines City
Lake Alfred
Palm Harbor
Carrollwood
University
Museum of Science and Industry
Lakeland
Auburndale
Winter Haven
Caladesi Island
Oldsmar
Busch Gardens
Thonotosassa
Inwood
Dundee
Dunedin
Town 'n' Country
Lowry Park Zoo
Temple Terrace
Plant City
LEGOLAND®
Clearwater
Tampa International
Highland City
Eagle Lake
Waverly
Largo
Highpoint
Ybor City
Brandon
Tampa
Willow Oak
Lake Wales
Indian Rocks Beach
Baskin
Saint Petersburg-Clearwater International
Mulberry
Bartow
Indian Shores
Gibsonton
Riverview
Fishhawk
Seminole
Pinellas Park
Crooked Lake Park
Babson Park
Redington Beach
Bay Pines
Lealman
Manatee Viewing Center
Madeira Beach
Tampa Bay
Bradley Junction
Treasure Island
Apollo Beach
Pasadena
St. Petersburg
Fort Meade
St. Pete Beach
Gulfport
Ruskin
Wimauma
Frostproof
Pass-a-Grille
Sun City Center
Mullet Key
Bowling Green
Fort De Soto Park
Fort Green Springs
Avon Park
Anna Maria
Memphis
Wauchula
Palmetto
Ellenton
Sebring
Anna Maria Island
Bradenton
Zolfo Springs
Bradenton Beach
Cortez
Samoset
South Bradenton
West Samoset
Crewsville
Longboat Key
Sarasota-Bradenton International
Longboat Key
Ringling Museum
North Sarasota
Myakka City
Gardner
Mote Marine Aquarium
Sarasota
Lido Key
Lake Myakka
Myakka River
Peace River
South Sarasota
Siesta Key
Vamo
Arcadia
Osprey
Myakka River State Park
Casey Key
Laurel
Venice Beach
Venice
Venice Gardens
South Venice
North Port
Manasota
Port Charlotte
Engleweed
Charlotte Harbor
Cleveland
Babcock
Engelwood Beach
Punta Gorda
Grove City
Charlotte Park
Gasparilla Island
Charlotte Harbor
Boca Grande
Bookelia
North Fort Myers
Tice
Fort Myers Shores
Cabbage Key
Fort Myers
Upper Islands
Pine Island
Lehigh Acres
Cape Coral
Captiva
McGregor
Fort Myers Villas
Golfo do México
Captiva Island
St James City
Southwest Florida International
J. N. "Ding" Darling National Wildlife Refuge
Sanibel
Fort Myers Beach
San Carlos Park
Lake Trafford
Bailey-Matthews Shell Museum
Sanibel Island
Corkscrew Swamp Sanctuary
Estero Island
Bonita Beach
Bonita Springs
Bonita Shores

8
E
F
G
H
1
2
3
4
5
6
Oceano Atlântico
Saint Cloud
Lake Tohopekaliga
Brevard Zoo
Satellite Beach
Indian Harbour Beach
Eau Gallie
Melbourne International
Melbourne
Melbourne Beach
West Melbourne
Palm Bay
FLORIDA'S TURNPIKE
Lake Kissimmee
Micco
Lake Weohyakapka
Indian Lake Estates
Sebastian
Fellsmere
Wabasso
Blue Cypress Lake
Gifford
Yeehaw Junction
Vero Beach
Indian River
Kissimmee River
Lakewood Park
Fort Pierce Inlet State Park
St Lucie
Fort Pierce
Fort Pierce South
White City
Lake Istokpoga
Hutchinson Island
Lake June in Winter
Lake Placid
Port Saint Lucie
Cypress Quarters
Okeechobee
Jensen Beach
Lake Placid
Stuart
Saint Lucie Inlet
Port Salerno
Hobe Sound National Wildlife Refuge
Hobe Sound
Brighton Seminole Indian Reservation
Indiantown
St Lucie Canal
Jupiter Island
Lake Okeechobee
Jonathan Dickinson State Park
Port Mayaca
Blowing Rocks Preserve
Palmdale
Jupiter
Juno Beach
North Palm Beach
John D. MacArthur Beach State Park
Moore Haven
Pahokee
Palm Beach Gardens
Caloosahatchee River
Lake Hicpochee
Riviera Beach
Clewiston
West Palm Beach
La Belle
Flagler Museum
Lion Country Safari
Palm Beach International
Palm Beach
Belle Glade
Palm Beach Zoo
South Bay
Belle Glade Camp
Wellington
Palm Springs
Lake Worth
Graham Marsh
Lantana
Sun Valley
Boynton Beach
Hillsboro Canal
Delray Beach
Miami Canal
Kings Point
North New River Canal
Morikami Museum and Japanese Gardens
Immokalee
Mission Bay
Red Reef Park
Boca Raton
Boca del Mar
Deerfield Beach
Coral Springs
Big Cypress Seminole Indian Reservation
10

Sanibel Island
Estero Island
Bonita Beach
Bonita Shores
Delnor-Wiggins State Park
Bonita Springs
Naples Park
Golden Gate
Naples
East Naples
Naples Manor
Rookery Bay
Fakahatchee Strand State Preserve
Tigertail Beach
Marco
Collier Seminole State Park
Marco Island
Cape Romano
Gullivan Bay
Ten Thousand Islands

Corkscrew Swamp Sanctuary
Lake Trafford

Golfo do México

Great White Heron National Wildlife Refuge
Sugarloaf Key
Cudjoe Key
Dry Tortugas
Key West National Wildlife Refuge
Marquesas Keys
Big Coppitt Key
Richard C Perky's Bat Tower
Key West
Stock Island
Key West International
Lower

E
F
8
G
H
Immokalee
Miami Canal
North New River Canal
Mission Bay
Florida's Turnpike
Boca Raton
Deerfield Beach
Big Cypress Seminole Indian Reservation
Coral Springs
Butterfly World
Pompano Beach
Margate
Tamarac
North Lauderdale
Big Cypress
Swamp
Sunrise
Lauderhill
Oakland Park
Hugh Taylor Birch SP
Plantation
Fort Lauderdale
Florida State Miccosukee Indian Reservation
Weston
Fort Lauderdale-Hollywood International
Flamingo Gardens
Davie
John U. Lloyd Beach State Park
Cooper City
Dania Beach
Seminole Indian Hollywood Reservation
Big Cypress National Preserve
Pembroke Pines
Hollywood
Hallandale
Miramar
Norland
Sunny Isles Beach
Carol City
Big Cypress Swamp Welcome Center
Opa-Locka
North Miami
Westview
Bal Harbour
Monroe Station
Hialeah
Everglades City
West Little River
Oasis Visitor Center
Miccosukee Indian Reservation
Miami International
Chokoloskee
Miami Beach
Everglades
Tamiami Canal
Tamiami
Miami
Miccosukee Village
Olympia Heights
Coral Gables
Kendale Lakes
Key Biscayne
Kendall
Lindgren Acres
Richmond Heights
South Miami Heights
Perrine
Goulds
Cutler Ridge
Everglades National Park
Princeton
Naranja
Sands Key
Highland Point
Homestead
Leisure City
Biscayne National Park
Biscayne Bay
Pa-hay-okee OverLook
Dante Fascell Visitor Center
Florida City
Elliot Key
Shark Point
Long Pine Key
Ernest F. Coe Visitor Center
Old Rhodes Key
Ponce de Leon Bay
Card Sound
Whitewater Bay
Mahogany Hammock
Northwest Cape
Key Largo
Cape Sable
West Lake
John Pennekamp Coral Reef State Park
Middle Cape
Flamingo
East Cape
Key Largo
Key Largo National Marine Sanctuary
Baía da Flórida
Tavernier
Plantation Key
Islamorada
Lignumvitae Key Botanical State Park
Indian Key State Park
Duck Key
Long Key
Marathon
Marathon Shores
Pigeon Key
Big Pine Key
Seven Mile Bridge
Bahia Honda State Park
Florida Keys
Estreito da Flórida
Keys
29
41
75
595
95
27
997
1
441
1
2
3
4
5
6

Índice de Cidades Selecionadas da Flórida

A

Adams Beach	3 B5
Adel	3 C1
Alachua	5 C1
Allentown	2 F4
Alligator Point	3 A4
Altamonte Springs	6 F5
Altha	2 G2
American Beach	4 H3
Anna Maria	7 A3
Anthony	5 D3
Apalachicola	2 G5
Apollo Beach	7 B2
Arcadia	7 C4
Archer	4 E6
Argyle	4 E1
Arran	2 H4
Ashford	2 F1
Astatula	6 E5
Astor	6 F3
Atkinson	4 G1
Atlantic Beach	4 H3
Atmore	1 A1
Auburn	1 C2
Auburndale	7 D1

B

Bagdad	1 B2
Bainbridge	2 H2
Baker	1 C2
Bakers Hill	3 D3
Bal Harbour	10 H2
Baldwin	4 G3
Barney	3 C1
Bartow	7 C2
Barwick	3 B2
Baskin	7 A2
Bay City	2 G5
Bay Pines	7 A2
Bay Springs	1 A2
Bayonet Point	5 C6
Beacon Beach	2 E4
Beacon Hill	2 F4
Bel Air Estates	1 B3
Bell	3 D5
Belle Glade	8 G5
Belle Glade Camp	8 F5
Belleview	5 D4
Bennett	2 F3
Berlin	3 C1
Berrydale	1 B1
Beverley Hills	5 C4
Big Coppitt Key	9 D6
Big Pine Key	10 E6
Bithio	6 G5
Bittmore Beach	2 E4
Blountstown	2 G3
Blue Springs	3 D3
Boca del Mar	8 H6
Boca Grande	7 B5
Boca Raton	10 H1
Bonita Beach	7 C6
Bonita Shores	7 C6
Bonita Springs	7 D6
Boston	3 B2
Bostwick	4 G5
Boulogne	4 G2
Bowling Green	7 C2
Boynton Beach	8 H6
Bradenton	7 B3
Bradenton Beach	7 A3
Brandon	7 B2
Branford	3 D4
Brent	1 A3
Brewton	1 B1
Brinson	2 H1
Bristol	2 G3
Bronson	5 C2
Brooksville	5 C5
Brownsdale	1 A1
Bruce	2 E3
Brunswick	4 H1
Buckville	3 C4
Bunnell	4 H6
Bushnell	5 D5
Byrnville	1 A1

C

Cairo	3 A2
Callahan	4 G3
Callaway	2 F4
Campbell	6 F6
Cape Canaveral	6 H6
Cape Coral	7 C6
Captiva	7 C6
Carol City	10 H2
Carrabelle	2 H5
Carrabelle Beach	2 H5
Carrollwood	7 B1
Casselberry	6 F5
Cedar Key	5 B3
Century	1 A1
Charlotte Harbor	7 C4
Charlotte Park	7 C5
Chattahoochee	2 G2
Cherry Lake	3 C3
Chiefland	3 D6
Chipola Park	2 F3
Chokoloskee	10 E2
Chumuckla	1 A2
Clearwater	7 A1
Clewiston	8 F5
Cliftonville	4 F4
Climax	2 H2
Clinch	4 F6
Clyattville	3 C2
Cocoa	6 H6
Cocoa Beach	6 H6
Colquitt	2 H1
Coolidge	3 B1
Cooper City	10 H2
Coquina Gables	6 F1
Coral Gables	10 H3
Coral Springs	10 H1
Cortez	7 C1
Cottage Hill	1 A2
Crawfordville	3 A4
Creels	2 G5
Crescent Beach	6 F1
Crescent City	6 F2
Crestview	1 C2
Cross City	3 D5
Crystal Lake	2 E3
Crystal River	5 C4
Cudjoe Key	9 D6
Cutler Ridge	10 G3

D

Dade City	5 D6
Darlington	1 D1
Davenport	6 E6
Davie	10 H2
Davis Beach	2 F4
Day	3 C4
Daytona Beach	6 G3
De Land	6 F4
De Leon Springs	6 F3
DeBary	6 F4
Deerfield Beach	10 H1
Deerland	1 C2
DeFuniak Springs	1 D2
Dekle Beach	3 B5
Dellwood	2 G2
Delray Beach	8 H6
Deltona	6 F4
Destin	1 C3
Dock Junction	4 H1
Donalsonville	2 G1
Dothan	2 F1
Dowling Park	3 C4
Du Pont	3 D1
Duck Key	10 F5
Dunedin	7 A1
Durham	2 G3

E

East Brewton	1 B1
East Naples	9 D2
Eastpoint	2 G5
Eau Gallie	8 F1
Ebro	2 E3
Edgewater	6 G4
Edgewater Gulf Beach	2 E3
Elberta	1 A3
Elfers	7 A1
Elkton	4 H5
Ellaville	3 D3
Ellenton	7 B3
Engelwood Beach	7 B4
Engleweed	7 B4
Ensley	1 A2
Esto	2 E1
Eustis	6 E4
Everglades City	10 E2

F

Fanning Springs	3 D5
Fargo	4 E2
Fellsmere	8 G2
Fenholloway	3 C4
Fernandina Beach	4 H2
Ferry Pass	1 A2
Fidelis	1 B1
Flagler Beach	6 G2
Flamingo	10 F4
Fletcher	3 D5
Flomaton	1 A1
Florala	1 D1
Florida City	10 G3
Folkston	4 G2
Fort Lauderdale	10 H1
Fort Myers	7 C5
Fort Myers Beach	7 C6
Fort Myers Shores	7 D5
Fort Pierce West	8 G3
Fort Walton Beach	1 C3
Fountain	2 F3
Freeport	1 D3
Frostproof	7 D2
Fruitland Park	6 E4
Funston	3 B1

G

Gainesville	5 D2
Geneva	2 E1
Gibsonia	7 C1
Gibsonton	7 B2
Gifford	8 G2
Glen Saint Mary	4 F3
Glendale	1 D2
Golden Gate	9 D1
Gordon	2 G1
Goulding	1 A3
Goulds	10 G3
Graceville	2 F1
Grayton Beach	1 D3
Green Point	2 G5
Greensboro	2 H3
Greenwood	2 G2
Grove City	7 B5
Groveland	6 E5
Gulf Breeze	1 B3
Gulf Hammock	4 E6
Gulfport	7 A2

H

Haines City	7 D1
Hallandale	10 H2
Hampton Springs	3 B4
Hardeetown	3 D6
Harold	1 B2
Hartford	2 E1
Hastings	4 H5
Havana	2 H2
Hawthorne	4 F5
Hialeah	10 H2
High Bluff	2 E1
Highland	4 F4
Highland City	7 C1
Highland View	2 F5
Highpoint	7 A2
Hiland Park	2 E3
Hilliard	4 G2
Hines	3 C5
Hobe Sound	8 H4
Hoboken	4 F1
Holiday	7 A1
Holley	1 B3
Hollywood	10 H2
Hollywood Beach	2 E3
Holt	1 C2
Homerville	4 E1
Homestead	10 G3
Homosassa	5 C4
Homosassa Springs	5 C4
Honeyville	2 F4
Horseshoe Beach	3 C6
Hosford	2 G3
Howard Creek	2 G4
Hudson	5 C6

I

Immokalee	10 E1
Indian Harbour Beach	8 G1
Indian Rocks Beach	7 A2
Indian Shores	7 A2
Indiantown	8 G4
Inglis	5 C4
Interlachen	4 G5
Inverness	5 C4
Inwood	7 D1
Islamorada	10 G5
Izagora	2 E1

J

Jacksonville	4 G3
Jacksonville Beach	4 H3
Jakin	2 G1
Jasper	3 D3
Jena	3 C5
Jennings	3 D2
Jensen Beach	8 H4
Joe Beach	2 F4
Jonesboro	3 C5
Juno Beach	8 H5
Jupiter	8 H4

K

Keaton Beach	3 C5
Kendale Lakes	10 G3
Kendall	10 G3
Key Biscayne	10 H3
Key Largo	10 G5
Key West	9 D6
Kings Point	8 H6
Kingsland	4 G2
Kingsley Beach	4 G4
Kissimmee	6 F6

L

Lady Lake	6 E4
Laguna Beach	2 E3
Lake City	4 E4
Lake Mary	6 F4
Lake Panasoffkee	5 D4
Lake Park	3 D2
Lake Wales	7 D2
Lake Worth	8 H5
Lakeland	3 D1
Lakewood	4 G3
Lakewood Park	8 G3
Land O'Lakes	7 B1
Lantana	8 H5
Largo	7 A2
Lauderhill	10 H1

Índice de Cidades Selecionadas da Flórida

City	Ref		City	Ref		City	Ref
Laurel	7 B4					Redbay	2 E2		Tavernier	10 G5
Lawtey	4 F4					Redington Beach	7 A2		Taylor	4 F3
Lealman	7 A2		**O**			Richmond Heights	10 G3		Telogia	2 G3
Lebanon	5 C3		Oak Grove	2 H2		Riverview	7 B2		Temple Terrace	7 B1
Leesburg	6 E4		Oak Hill	4 G3		Riviera Beach	8 H5		Tenille	3 C5
Lehigh Acres	7 D5		Oakland Park	10 H1		Rock Hill	1 D2		Thomasville	3 B2
Leisure City	10 G3		Oakwood Hills	1 D2		Rockledge	6 H6		Titusville	6 G5
Lindgren Acres	10 G3		Ocala	5 D3		Rolling Ranches	5 C4		Town 'n' Country	7 A1
Lockhart	6 F5		Ocala Park Ranch	5 D3		Rosewood	5 B3		Treasure Island	7 A2
Longboat Key	7 A3		Ocean City	1 C3		Royal Bluff	2 H5		Trenton	4 E5
Luraville	3 D4		Ochlocknee	3 A1		Ruskin	7 B2			
Lynn Haven	2 E3		Oldsmar	7 A1					**U**	
			Olympia Heights	10 G3		**S**			University	7 B1
M			Opa-Locka	10 H2		Saint Augustine	6 F1		Usinas Beach	6 F1
Madeira Beach	7 A2		Orange City	6 F4		Saint Augustine Beach	6 F1			
Madrid	2 F1		Orange Park	4 G4		Saint Cloud	8 E1		**V**	
Maitland	6 F5		Orange Springs	4 G6		Saint George Island	2 G5		Valdosta	3 C2
Malone	2 G1		Orlando	6 F5		Saint Marks	3 A4		Valparaiso	1 C2
Manasota	7 B4		Ormond Beach	6 G3		Saint Petersburg	7 A2		Vamo	7 B4
Manning	4 F4		Ormond-by-the-Sea	6 G3		Saint Petersburg Beach	7 A2		Venetian Isles	1 B3
Marathon	10 E6		Osprey	7 B4		Saint Teresa Beach	2 H4		Venice	7 B4
Marathon Shores	10 F6		Otter Creek	4 E6		Salt Springs	4 G6		Venice Gardens	7 B4
Marco	9 D2		Oviedo	6 F5		Samoset	7 B3		Verdie	4 G3
Margate	10 H1					Samson	1 D1		Vernon	2 E2
Marianna	2 F2		**P**			San Carlos Park	7 C6		Vero Beach	8 G2
Marineland	6 F2		Pablo Keys	4 H3		San Mateo	4 H5		Vicksbury	2 E3
Mary Esther	1 C3		Padlock	3 D4		Sanborn	2 H4		Vilano Beach	6 F1
Marysville	2 G3		Pahokee	8 G5		Sanderson	4 F3			
Maxville	4 G4		Palatka	6 E2		Sanford	6 F4		**W**	
Mayo	3 D4		Palm Bay	8 G1		Sanibel	7 C6		Wabasso	8 G2
Mayport	4 H3		Palm Beach	8 H5		Santa Rosa Beach	1 D3		Wade	4 E5
McCain	2 H3		Palm Beach Gardens	8 H5		Sapp	4 F4		Wakulla	3 A3
McClellan	1 B1		Palm Coast	6 F2		Sarasota	7 B3		Wakulla Beach	3 A4
McGregor	7 C6		Palm Harbor	7 A1		Satellite Beach	8 G1		Waldo	4 F5
Medart	2 H4		Palm Springs	8 H5		Satsuma	4 G6		Wallace	1 B2
Melbourne	8 G1		Palm Valley	4 H4		Scanlon	3 B4		Wanamake	3 D5
Melbourne Beach	8 G1		Palmetto	7 B3		Scotts Ferry	2 G3		Wannee	3 D5
Memphis	7 B3		Panacea	3 A4		Seaside	1 D3		Warrington	1 A3
Merediths	4 E6		Panama City	2 E4		Sebastian	8 G2		Wauchula	7 C3
Merritt Island	6 H6		Panama City Beach	2 E4		Sebring	7 D3		Wausau	2 F2
Metcalf	3 B2		Parker	2 E4		Seminole	7 A2		Waverly	4 G1
Mexico Beach	2 F4		Pasadena	7 A2		Shady Grove	3 B3		Waycross	4 F1
Miami	10 H2		Paxton	1 D1		Sharpes	6 H5		Wekiva Springs	6 F5
Miami Beach	10 H2		Pecan	4 G5		Shell Point	3 A4		Welaka	4 G6
Micanopy	4 F6		Pelham	3 A1		Shired Island	3 D6		Wellington	8 H5
Micco	8 G2		Pembroke Pines	10 H2		Simmons	2 H3		West Bay	2 E3
Miccosukee Village	10 F3		Penny Farms	4 G4		Sky Lake	6 F5		West End	2 G3
Middleburg	6 E1		Pensacola	1 A3		Slocomb	2 F1		West Little River	10 H2
Milton	1 B2		Pensacola Beach	1 B3		Sneads	2 G2		West Melbourne	8 F1
Mims	6 G5		Perdido Key	1 A3		Sopchoppy	2 H4		West Palm Beach	8 H5
Miramar	10 H2		Perrine	10 G3		South Bay	8 F5		West Pensacola	1 A3
Miramar Beach	1 D3		Perry	3 C4		South Bradenton	7 A3		West Samoset	7 B3
Mission Bay	10 H1		Picolata	4 H4		South Daytona	6 G3		Weston	10 G1
Moniac	4 F3		Pierson	6 F3		South Miami Heights	10 G3		Westview	10 H2
Monroe Station	10 E2		Pine Hills	6 F5		South Ponte Vedre Beach	6 F1		Whigham	3 A2
Monticello	3 B3		Pinellas Park	7 A2		South Sarasota	7 B3		White City	2 F4
Morriston	4 E6		Pinetta	3 C3		South Venice	7 B4		White Oak	4 G1
Morven	3 C1		Pittman	2 E1		Southport	2 E3		White Springs	4 E3
Mossy Head	1 D2		Plant City	7 C1		Spring Hill	5 C5		Whiteville	5 D2
Moultrie	3 B1		Plantation	10 H1		Springfield	2 E4		Wilbur-by-the-sea	6 G3
Mount Dora	6 E4		Pleasant Grove	1 A3		St James City	7 C6		Wildwood	5 D4
Munson	1 B1		Poinciana	6 F6		St Lucie	8 G3		Willis Landing	2 G4
Myakka City	7 C3		Point Washington	1 D3		St Simons	4 H1		Williston	4 E6
			Polk City	6 E6		St. Mary's	4 H2		Williston Highlands	5 C3
N			Pompano Beach	10 H1		Starke	5 D1		Wilma	2 G4
Nahunta	4 G1		Ponte Vedra Beach	4 H4		Steinhatchee	3 C5		Wimauma	7 B2
Naples	9 C1		Poplar Creek	2 H4		Stock Island	9 D6		Wing	1 C1
Naples Manor	9 D2		Port Charlotte	7 C4		Stuart	8 H4		Winter Garden	6 E5
Naples Park	9 C1		Port Mayaca	8 G4		Sumatra	2 G4		Winter Haven	7 D1
Naranja	10 G3		Port Orange	6 G3		Summer Haven	6 F2		Winter Park	6 F5
Nashville	3 C1		Port Richey	5 B6		Sumner	5 B3		Winter Springs	6 F5
Navarre	1 B3		Port Saint Joe	2 F5		Sumterville	5 D5		Woodbine	4 G1
Navarre Beach	1 B3		Port Saint John	6 G5		Sun City Center	7 B2			
Neptune Beach	4 H3		Port Saint Lucie	8 G3		Sun Valley	8 H6		**Y**	
New Port Richey	5 B6		Port Salerno	8 H4		Sunny Hills	2 E2		Yankeetown	5 B4
New Smyrna Beach	6 G4		Portland	1 D3		Sunrise	10 H1		Ybor City	7 B1
Newport	3 A4		Princeton	10 G3		Suwannee	3 D6		Yulee	4 H2
Norland	10 H2		Punta Gorda	7 C4		Switzerland	4 G4		Yulee Heights	4 H2
North De Land	6 F4		Putnam Hall	4 G5						
North Fort Myers	7 C5					**T**			**Z**	
North Lauderdale	10 H1		**Q**			Tallahassee	3 A3			
North Miami	10 H2		Quincy	2 H2		Tamarac	10 H1		Zephyrhills	5 D6
North Palm Beach	8 H5		Quitman	3 C2		Tamiami	10 G3		Zephyrhills South	5 D6
North Port	7 B4					Tampa	7 B1		Zolfo Springs	7 D3
North Sarasota	7 B3		**R**			Tarpon Springs	7 A1			
Nutal Rise	3 B4		Ray City	3 D1		Tavares	6 E4			
			Red Hill	2 G3						

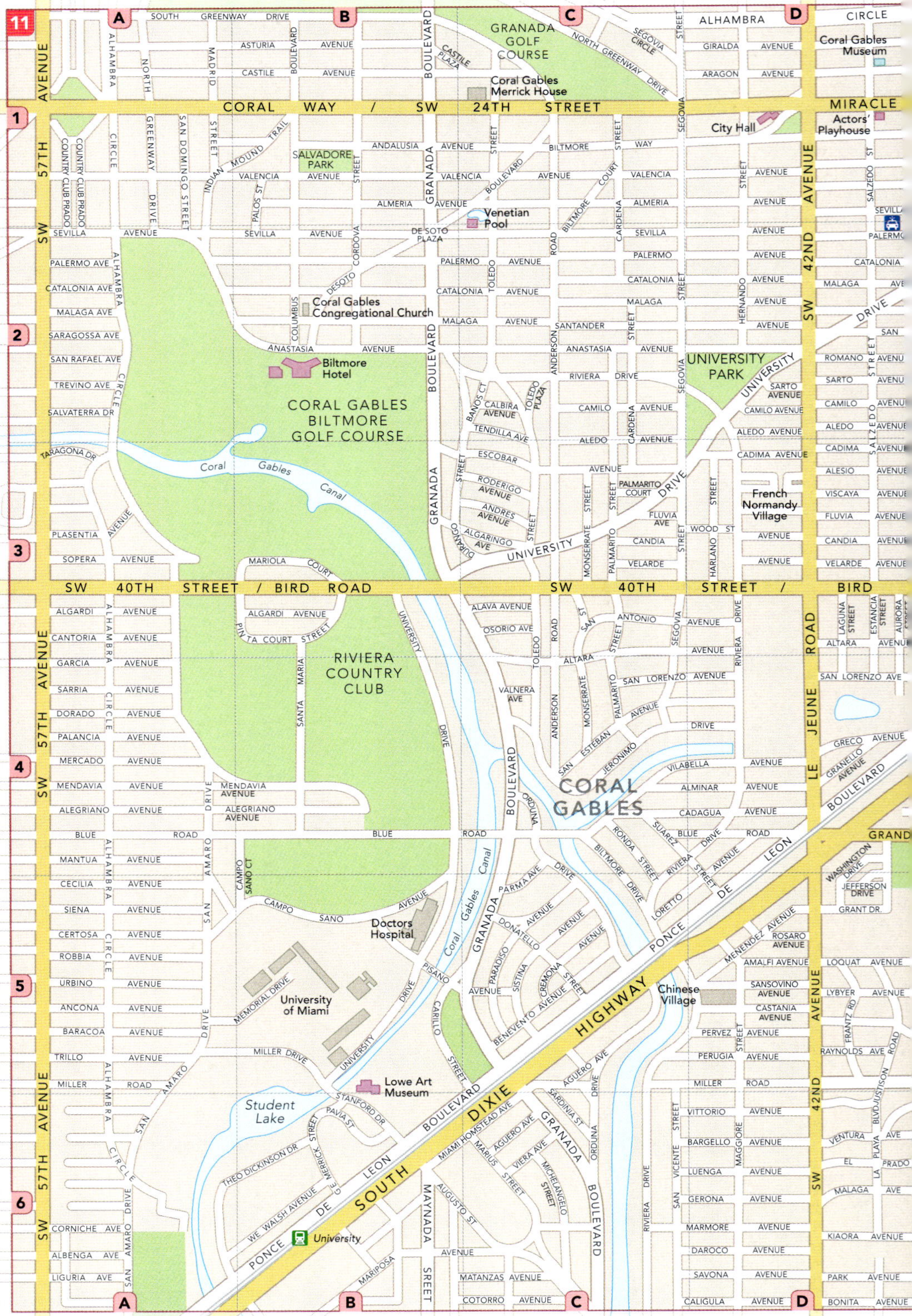
11
A
B
C
D
1
2
3
4
5
6
GRANADA GOLF COURSE
Coral Gables Merrick House
Coral Gables Museum
CORAL WAY / SW 24TH STREET
MIRACLE
City Hall
Actors' Playhouse
SALVADORE PARK
Venetian Pool
DE SOTO PLAZA
Coral Gables Congregational Church
Biltmore Hotel
CORAL GABLES BILTMORE GOLF COURSE
Coral Gables Canal
UNIVERSITY PARK
French Normandy Village
SW 40TH STREET / BIRD ROAD
SW 40TH STREET / BIRD
RIVIERA COUNTRY CLUB
CORAL GABLES
Doctors Hospital
University of Miami
Lowe Art Museum
Student Lake
Chinese Village
SOUTH DIXIE HIGHWAY
PONCE DE LEON BOULEVARD
University
SW 57TH AVENUE
SW 42ND AVENUE
LE JEUNE ROAD
GRANADA BOULEVARD
UNIVERSITY DRIVE
GRAND

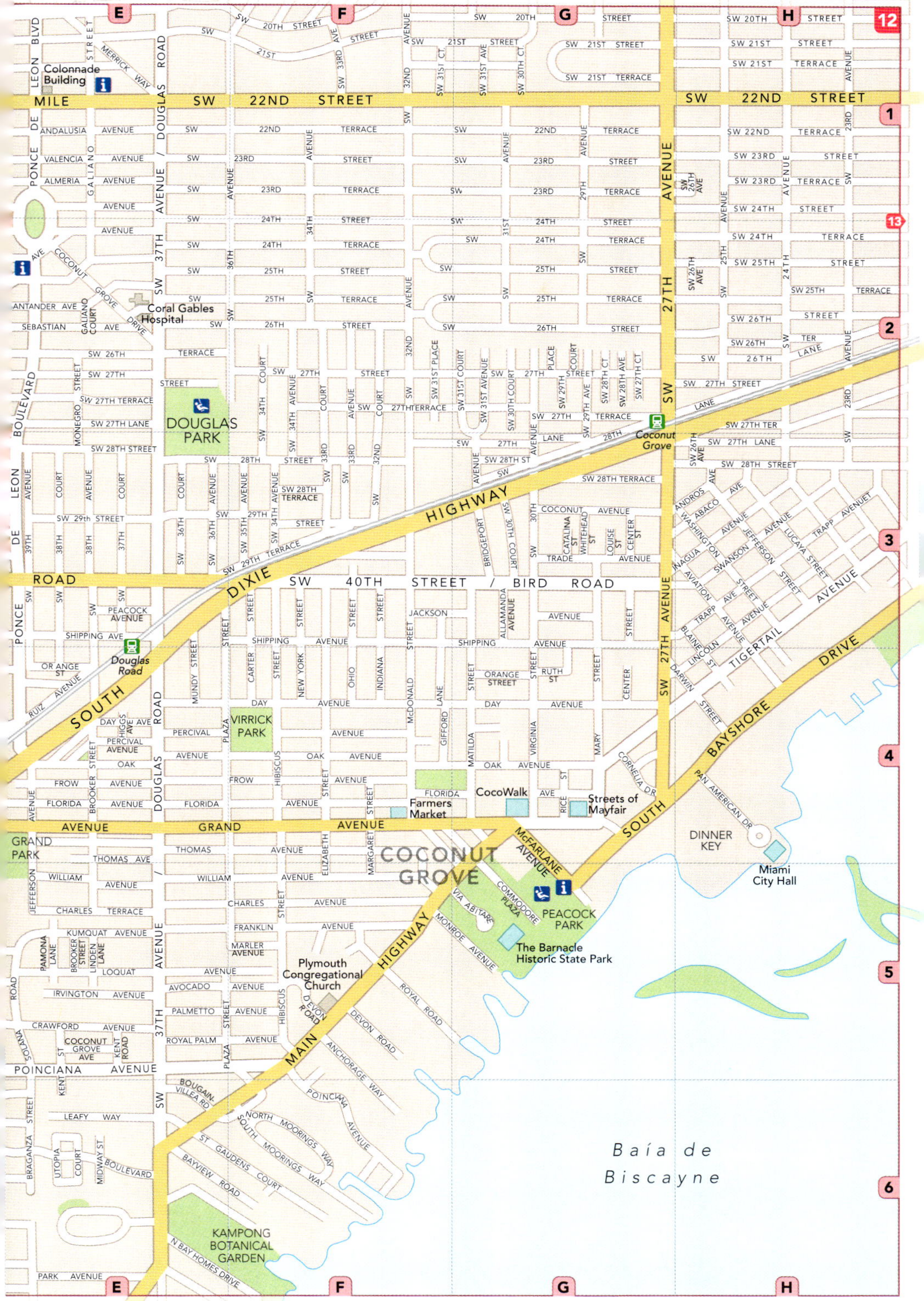

	A	B	C	D

15

1

2 VENETIAN CAUSEWAY (TOLL) — VENETIAN CAUSEWAY (TOLL)

W DI LIDO DRIVE
E DI LIDO DRIVE
W DI LIDO DRIVE
E DI LIDO DRIVE

VENETIAN ISLAND

3 Miami Children's Museum · Jungle Island

WATSON ISLAND

HIBISCUS ISLAND
N HIBISCUS DRIVE
S HIBISCUS DRIVE

FLAGLER MEMORIAL ISLAND

MACARTHUR

N COCONUT LANE
S COCONUT LANE

PALM ISLAND — PALM AVENUE

4 CAUSEWAY

PORT BOULEVARD

W STAR ISLAND DRIVE

BRIDGE ROAD

DODGE ISLAND

5 AUSTRALIA WAY — PORT BOULEVARD

AUSTRALIA WAY

PORTO DE MIAMI

14

6 *Baía de Biscayne*

Agradecimentos | 287

Adventure Island; Cummer Museum of Art & Gardens; Florida Museum of Natural History; IGFA Fishing Hall of Fame and Museum; Imaginarium: Science Center; Indian River Citrus Museum; Jacksonville Zoo and Gardens; John and Mable Ringling Museum of Art; Lightner Museum; Museum of Science & History; National Naval Aviation Museum; Orlando Science Center; Wet 'n Wild; Walt Disney World® Resort.

As obras de arte foram reproduzidas com a gentil autorização dos seguintes detentores dos direitos:

Pink Snail © Cracking Art Group 62bd; Daniyyel © Boaz Vaadia 66bd; Sword Dance © Kent Ulberg 83ce; Trial Scene © 94td; Water-Breathing Dragon Fountain © Patrick McGee 181ce; The Indian Heritage Tableau © Cooley artists Bradley Cooley and Bradley Cooley Jr. 186ce; The Hallucinogenic Toreador © Salvador Dalí, Fundació Gala-Salvador Dalí, DACS, 2012 220be; Uncommon Friends © D. J. Wilkins 237ce.

Créditos das fotos

a = acima; b = abaixo/embaixo; c = centro; d = direita; e = esquerda; t = topo.

Os editores agradecem às seguintes pessoas e empresas a gentil permissão de reproduzir suas fotos:

ALAMY IMAGES: AAA Photostock 40ce; Jerry Ballard 154-155, 173tc; Ron Buskirk 29be, 34be; Chris A Crumley 232cd; Danita Delimont 141cd; Greg Davis 137tc; Disney Magic 114cea; Dorf 192bc; Furlong Photography 23be; Susan Gottberg 167te; Jeff Greenberg 26bd, 28bd, 29bd, 32bc, 46ce, 47bd, 225te; Eric James 23bd; Andre Jenny 227te; JHP Attractions 211td; JTB Media Creation, Inc. 1c; Kelly Shannon Kelly 172bc; Klaus Lang 222cd; Judie Long 168cd; Dennis MacDonald 27bd, 171te; Rod McLean 233t; MPM Images 134te; North Wind Picture Archives 39ce; M. Timothy O'Keefe 119tc; Michael Patrick O'Neill 77be; Philipus 27be; Peter Ravallo 28be; James Schwabel 21be, 22be, 173be; Alex Segre 24be; Jack Sullivan 44-45; Tom & Therisa Stack 12bd; Frank Tozier 187be; Travelshots.com / Peter Phipp 64cea; Gregory Wrona 103t; Zuma Press 35be; The Palm Beach Post / Bill Ingram 20bd; Zuma Wire Service 25bd; 220be.

THE BILTMORE HOTEL: 31bc, 72bd.

BIRCH PATIO MOTEL: 98c.

THE BREAKERS PALM BEACH: 99be.

BUSCH GARDENS TAMPA BAY & ADVENTURE ISLAND: 215ca.

COASTAL AND AQUATIC MANAGED AREAS: 171cb.

COLUMBIA RESTAURANT: 32be.

CORBIS: Bettmann 40td; Stephen Frink 19ceb; National Geographic / Joel Sartore & Joe Stancampiano 21ceb; NewSport / Walter G Arce 17bd; Patrick Ward 16bc.

DALÍ MUSEUM, ST. PETERSBURG: Dana Hoff 220td, 220ce, 220ceb, 220cb; Rixon Photography 34bd, 221te.

DORAL GOLF RESORT & SPA MIAMI: 19t.

DORLING KINDERSLEY: Courtesy of Coral Gables Venetian Pool, Florida / Peter Wilson 52ceb.

DREAMSTIME.COM: Apexgs 251te; Cheryl Casey 184-185; Ivan Cholakov 222te; Christian De Grandmaison 68c; Diver721 198ce; Drlunatik 213tc; Geraldmarella 212cda; Alex Gorodnitchev 212ce; Gynane 25be; Jcmeyer72 197c; Wangkun Jia 114td; Luckynick 240tc; Michael Ludwig 19be; Mpwood 185cd; Sborisov 47t; Typhoonski 68cd; Wilsilver77 195ce, 245tc.

FLAGLER MUSEUM: 74-75, 90td, 90cd, 90cdb, 91ce, 91cb.

FLORIDA DEPARTMENT OF ENVIRONMENTAL PROTECTION: 19cea, 30be, 73c, 97be, 164ceb, 177be, 183c, 193ce, 199c, 205be, 209bd, 219be, 239ce, 243bc, 252bd; Thelma Proctor 18cda.

FLORIDA KEYS NEWSROOM: 14-15bc, 15bd.

FLORIDA STATE FAIR: 17be.

FLORIDAYS RESORT ORLANDO: 136be.

FLYING HIGH CIRCUS: 36bd.

FORT DE SOTO PARK: 229te.

FOTOLIA: se7enimage 42-43.

GETTY IMAGES: Buena Vista Images 22bd; Encyceopaedia Britannica / UIG 38cd; The Image

288 | Agradecimentos

Bank / Claudia Uribe 254-255 / John Coletti 141t; Lonely Planet Images / Stephen Saks 194cd; Photographer's Choice / Mitchell Funk 13be; George Rose 229cd McClatchy-Tribune / Miami Herald 133be.

GLAZER CHILDREN'S MUSEUM: 208ce, 218cd.

GREATER FORT WALTON BEACH CHAMBER OF COMMERCE: 14be.

HAWKS CAY RESORT: 30-31bc, 253td.

HILTON HOTELS & RESORTS: 31bd, 182bd.

INTERNATIONAL PALMS RESORT: 152tc.

INTERNATIONAL POLO CLUB PALM BEACH: 89ce.

JACKSONVILLE ZOO AND GARDENS: 163c, 163be.

THE JOHNNY ROCKETS GROUP, INC: 33bc.

KATHRYN ABBEY HANNA PARK: 161te.

KENNEDY SPACE CENTER: 138-139, 140b, 144td, 144ce, 144ceb, 144cdb, 144bc, 145te, 145ce, 145c, 145ceb, 145bc, 146td, 146ce, 146cd.

LEGOLAND FLORIDA®: Merlin Entertainments Group 132ce, 132cd, 134cd, 135cd.

LOEWS DON CESAR HOTEL: 228bd.

MASTERFILE: Alberto Biscaro 8-9.

MID-AMERICA FESTIVALS: 14bc.

MOON UNDER WATER: 221ce.

MORIKAMI MUSEUM AND JAPANESE GARDENS: 87bc.

MURDER MYSTERY DINNER TRAIN: 37be.

MUSEUM OF ARTS AND SCIENCES: 176td, 176ce, 176cd, 176cdb, 177te.

NAVAL AVIATION MUSEUM FOUNDATION: 196ceb.

OLD SALTY DOG CORP: 32-33bc.

ORLANDO SCIENCE CENTER: Frank Weber 128ce, 129ce, 129c.

ORLANDO SHAKESPEARE THEATER: 36be.

PIZZA AL FRESCO: 88bc.

PORT D'HIVER BED & BREAKFAST: 153be.

EARL QUENZEL: 16be.

SANDESTIN GOLF AND BEACH RESORT: 204ce.

SEAWORLD® PARKS & ENTERTAINMENT: 122ce, 123c, 123be.

SEMINOLE HARD ROCK HOTEL AND CASINO: Costea Photography Inc. 84te.

SLIDERS SEASIDE GRILL: 164bd.

SUNDAY AFTERNOONS OF MUSIC: 37bd.

SUNSTREAM HOTELS & RESORTS: 252ce.

© 2012 UNIVERSAL ORLANDO® RESORT. ALL RIGHTS RESERVED: 118ca, 118c, 119c, 120td, 120ce, 120cda, 120cd, 120bc, 121te, 121c; personagens, nomes e menções correlatas a Harry Potter são marcas registradas da © Warner Bros. Entertainment Inc. Harry Potter Publishing Rights © JKR 118ce.

VIZCAYA MUSEUM AND GARDENS: 60cdb, 61c; Bill Sumner 60ceb.

WATERSOUNDVACATIONRENTALS.COM: 205td.

Imagens da capa: ALAMY IMAGES: Songquan Deng te; Steven Widoff tc; GETTY IMAGES: Travel Images / UIG td; SEAWORLD® PARKS & ENTERTAINMENT: b; Imagens da contracapa: ALAMY IMAGES: Travelshots. com / Peter Phipp te; DORLING KINDERSLEY: Steven Greaves tc; SUPERSTOCK: F1 ONLINE td; Lombada: DORLING KINDERSLEY: Steven Greaves t.

Todas as outras imagens © Dorling Kindersley. Veja mais informações em www.dkimages.com.

Grande Orlando

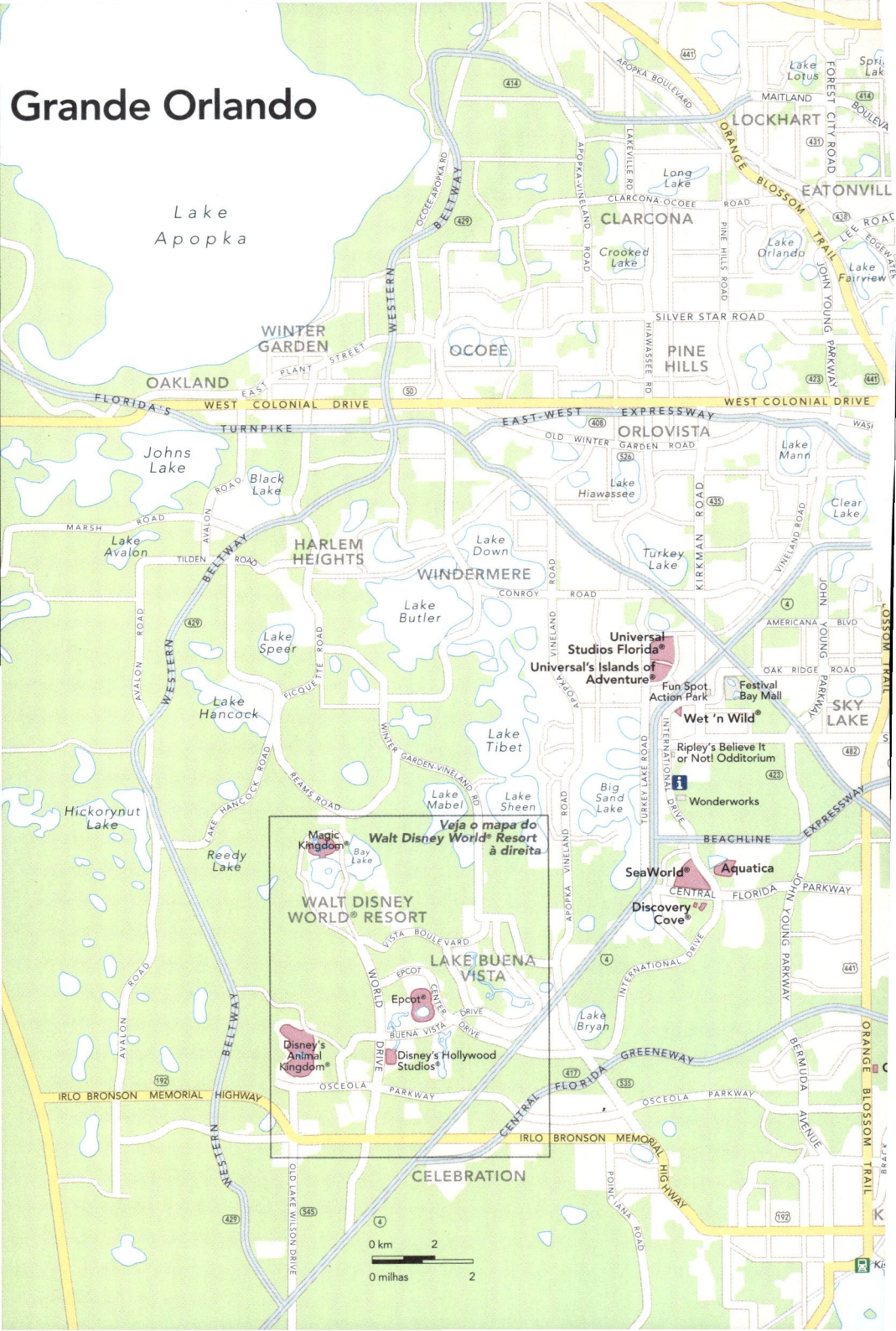